Het land achter de horizon

Van Tamara McKinley verschenen eveneens bij Uitgeverij De Kern:

Droomvlucht
Onderstromen
Windbloemen
Zomerstorm

Tamara McKinley

Het land achter de horizon

DE KERN

Achter in dit boek (blz. 385 e.v.) vindt u een voorproefje van de volgende roman van Tamara McKinley.

Oorspronkelijke titel: *Lands Beyond the Sea*
First published in Great Britain in 2007 by Hodder & Stoughton,
a division of Hodder Headline

Uitgeverij De Kern, De Fontein bv, Postbus 1, 3740 AA Baarn
Vertaling: Els Franci-Ekeler
Omslagontwerp: Wil Immink Design
Omslagillustratie: Alamy, Image Select
Opmaak binnenwerk: v3-Services, Baarn
ISBN 978 90 325 1108 1
NUR 302

www.dekern.nl
www.uitgeverijdefontein.nl

Voor Eric John Ivory,
in liefhebbende nagedachtenis aan een man
die ik vader noemde

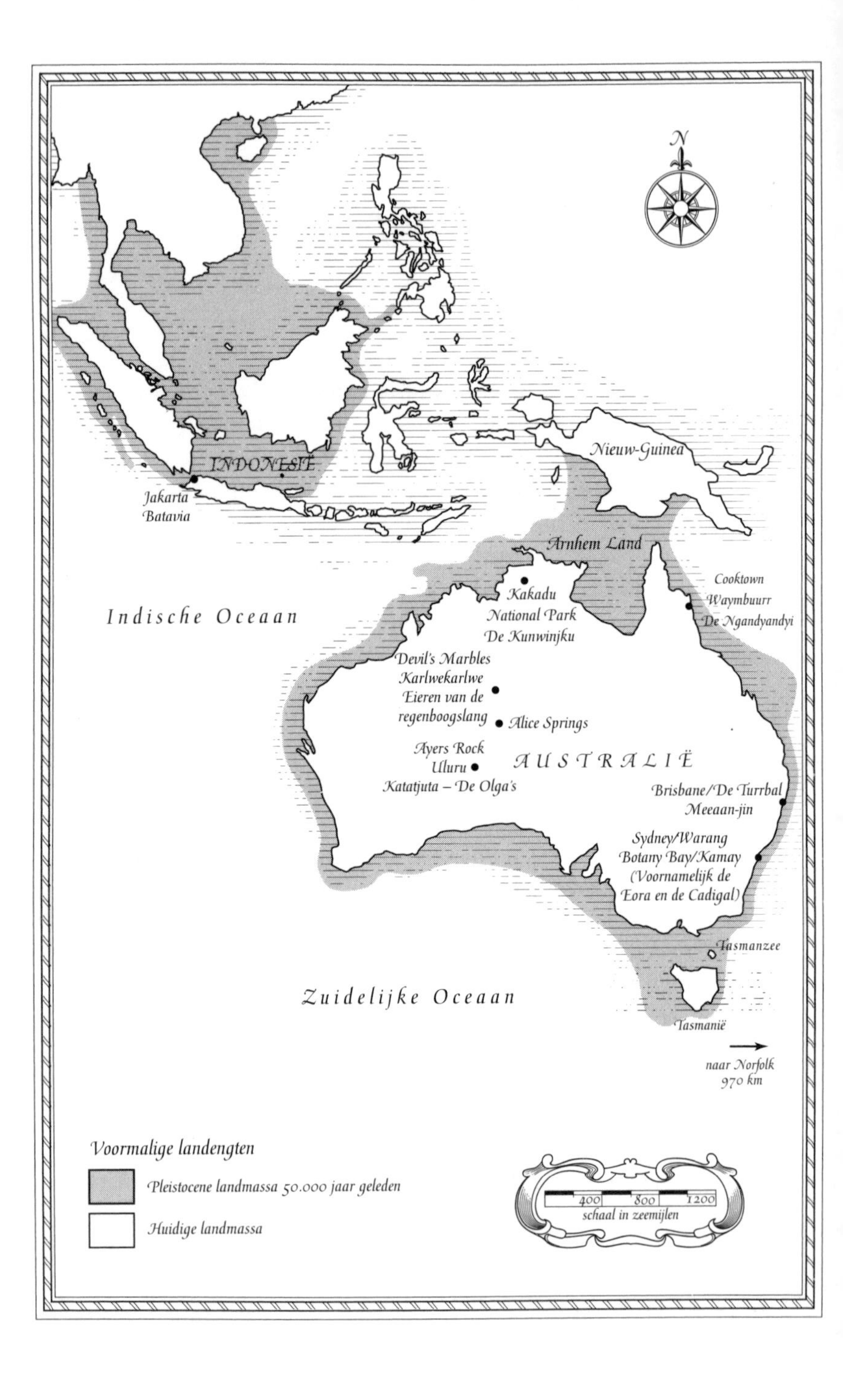
N
INDONESIË
Jakarta
Batavia
Nieuw-Guinea
Arnhem Land
Kakadu
National Park
De Kunwinjku
Cooktown
Waymbuurr
De Ngandyandyi
Indische Oceaan
Devil's Marbles
Karlwekarlwe
Eieren van de
regenboogslang
Alice Springs
Ayers Rock
Uluru
Katatjuta – De Olga's
AUSTRALIË
Brisbane/De Turrbal
Meeaan-jin
Sydney/Warang
Botany Bay/Kamay
(Voornamelijk de
Eora en de Cadigal)
Tasmanzee
Zuidelijke Oceaan
Tasmanië
naar Norfolk
970 km
Voormalige landengten
Pleistocene landmassa 50.000 jaar geleden
Huidige landmassa
400
800
1200
schaal in zeemijlen

Tijdlijn

1500-1700 Indonesische vissers uit Trepang varen regelmatig naar de noordkust van Australië.

1606 Nederlander Willem Jansz exploreert de westkust van Cape York Peninsula en krijgt het aan de stok met de inboorlingen.

1623 Jan Carstenz heeft een aantal gewapende ontmoetingen met Aboriginals op de noordelijke kust.

1688 William Dampier is de eerste Engelsman die delen van Australië exploreert en in kaart brengt.

Augustus 1768 James Cook vertrekt met de *Endeavour* vanuit Engeland naar Tahiti, waar hij in april 1769 voor anker gaat.

Oktober 1769 Cook gooit het anker uit in Poverty Bay aan de oostkant van het Noordereiland van Nieuw-Zeeland. De bemanning ziet voor het eerst Maori's, die onvriendelijk blijken te zijn.

November 1769 Cook begint het Noordereiland en het Zuidereiland van Nieuw-Zeeland in kaart te brengen, gehinderd door extreme weersomstandigheden.

April 1770 Cook verlaat Nieuw-Zeeland met de bedoeling naar Van Diemen's Land (Tasmanië) te zeilen. Stormen dwingen de *Endeavour* in Botany Bay voor anker te gaan.

Mei-augustus 1770 De *Endeavour* raakt zwaar beschadigd als het vast komt te zitten op het Great Barrier Reef. Pogingen de *Endeavour* te repareren.

Nadat men een veilige doorgang door het rif heeft gevonden, kunnen de werkzaamheden uitgevoerd worden in een ondiepe rivierdelta die nu Cooktown heet. Dit is de plek waar de bemanningsleden worden beïnvloed door de overlevingstechnieken van de Aboriginals tot ze een route ontdekken waarlangs ze weer in open water kunnen komen.

Juli 1771 De *Endeavour* bereikt Engeland nadat een aantal bemanningsleden is bezweken aan ziekte en tuberculose, onder wie Sydney Parkinson en Robert Molyneaux.

1786 De Britse regering bepaalt dat Botany Bay een strafkolonie zal worden.

1788 Aboriginals kijken toe als kapitein Arthur Phillip en de Eerste Vloot (11 schepen met aan boord 778 veroordeelden, 191 mariniers en 10 officieren, zowel militaire als civiele) in Botany Bay arriveren, alvorens door te varen naar Port Jackson. Slechts 717 veroordeelden overleven de reis en ook de volgende konvooien hebben het moeilijk ten gevolge van te volle schepen, ziekte en honger.

De Fransman La Pérouse en nog twee schepen arriveren in Botany Bay.

Weerstand en conflicten tussen de Britse en Franse marines en de Aboriginals steken de kop op.

1788-1789 Het aantal Aboriginals in Port Jackson, Botany Bay en Broken Bay wordt sterk uitgedund door pokken. De ziekte verspreidt zich landinwaarts en langs de kust.

1790 De Tweede Vloot van 6 schepen arriveert in Port Jackson. Dan blijkt dat 278 veroordeelden dood zijn. Een bevoorradingsschip loopt schipbreuk op het ijs, met hongersnood in de kolonie als gevolg.

1791 De Derde Vloot van 11 schepen arriveert in Port Jackson met 2000 veroordeelden aan boord, onder wie de eerste Ierse katholieke gevangenen. 194 mannen en 4 vrouwen zijn dood.

De Britse regering roept het New South Wales Corps in het leven als politiemacht van de kolonie.

1791-1792 Veroordeelden die hun straftijd erop hebben zitten krijgen land toegewezen rond Parramatta en het grondbezit van de kolonisten verspreidt zich snel naar Prospect Hill, Kissing Point, Northern Boundary, de Ponds en Field of Mars.

1798 Aboriginals worden van hun land beroofd rond Georges River en Bankstown.

1799 Twee Aboriginaljongens worden vermoord door vijf kolonisten van Hawkesbury aan wie later gratie wordt verleend door de waarnemend Gouverneur van de Koning. Dit incident is kenschetsend voor een lange periode van conflicten tussen de Aboriginals en de westerse kolonisten; een periode die later de naam Zwarte Oorlog zou krijgen.

Ik reisde met vreemden
In landen achter de zeeën

WORDSWORTH, 1770-1850

Woord vooraf

Dit is een roman en moet als zodanig beschouwd worden, maar ik heb mijn best gedaan me te houden aan de historische feiten betreffende de ontdekking van Australië en de daaruit voortgevloeide geschiedenis. De fictieve personen zijn getuige van de pijnlijke geboorte van de Zuidelijke Kolonie en leven naast de echte pioniers die Australië hebben opgebouwd tot wat het nu is. De families Cadwallader en Collinson zijn fictief en als er gelijkenissen bestaan tussen hen en levende of dode personen, is dat puur toeval.

William Cowdry was de hoofdopzichter op de *Dunkirk*.

Kapitein Cook, Joseph Banks, Solander en de jonge botanist en tekenaar Sydney Parkinson zijn echte historische figuren. De eenarmige kok aan boord van de *Endeavour* heeft echt bestaan en Banks heeft inderdaad drie windhonden mee aan boord genomen, waarvan er eentje een kleine wallaby heeft gevangen tijdens hun verblijf in Cooktown.

Arthur Phillip was de eerste gouverneur van Australië en de eerwaarde Richard Johnson de eerste dominee.

De gruwelen van de Tweede Vloot zijn nauwkeurig opgetekend.

Donald Trial, kapitein van de *Neptune*, werd samen met zijn eerste stuurman aangeklaagd wegens moord bij de Old Bailey in 1792. Beiden werden vrijgesproken.

Proloog: Sluiers der morgenstond

Kakadu, 50.000 jaar geleden

Haar naam was Djuwe, ze was dertien jaar en erg mooi. Djanay zag haar lachen met de andere jonge vrouwen. Hij keek naar de zachte welving van haar rug en de belofte van haar billen toen ze wegliep en de rieten mand op een provocatieve manier op haar heup zette. Hij begeerde haar hevig, al vanaf het moment dat hij haar voor het eerst had gezien.

Alsof ze voelde dat hij naar haar keek, wierp Djuwe een blik over haar schouder. Haar amberkleurige ogen vonden de zijne en de uitdaging was onmiskenbaar. Na een flitsende blik en een glimlach draaide ze haar hoofd weer om en even later verdween ze in de gevlekte schaduwen onder de bomen.

Djanay rolde om in het hoge gras en onderdrukte een gefrustreerde kreun. Ze kon nooit de zijne worden, want een dergelijke koppeling was in strijd met hun heilige wet, de *mardayin*, op straffe van uitstoting, zelfs op straffe van de dood. Waarom prikkelde ze hem dan zo? Omdat ze macht over hem had, wist hij, en die ook durfde te gebruiken.

'Opstaan, luiwammes.'

Hij schrok van de felle schop tegen zijn ribben en keek boos op naar zijn halfbroer. 'Ik ben niet lui,' zei hij verongelijkt en hij krabbelde snel overeind. Malangi was vele seizoenen ouder dan hij, meer dan twintig jaar. De littekens van de inwijdingsrituelen zaten diep in zijn strakke torso geëtst en zilver glinsterde in zijn haar. Hij was een ervaren jager en een gerespecteerde stamoudste, dus kon je hem maar beter niet kwaad maken.

'Je ligt als een oude vrouw in de zon te slapen,' beet Malangi hem toe. 'We moeten op voedsel jagen voor onze reis.'

Djanay knikte, maar durfde hem niet aan te kijken uit angst dat Malangi in zijn ogen de begeerte voor de jonge vrouw van zijn broer zou kunnen aflezen. Hij liep met grote stappen weg, vol tegenstrijdige emoties, zich sterk bewust van de blik waarmee Malangi hem nakeek, als een speer die gericht was op zijn naakte rug.

De zon stond hoog en de bomen rond de lagune werden weerspiegeld in het water. Djanay richtte zijn passen op het oerwoud en de hoge pieken van de rode klippen die oprezen boven de bochtige rivier. Hij begon te klimmen en algauw werd zijn verlangen naar het onbereikbare weggewassen door zijn zweet. Hij zag er typerend uit voor zijn clan: lang en tenger, zijn zwarte huid bedekt met de kentekenen van de stam. Geheel naakt was hij, op zijn biezen ceintuur en een halsketting van kangoeroetanden na; hij had lichtbruine ogen en een grote bos zwarte krullen die zijn ronde gezicht omlijstte, een brede neus die was doorboord met een vogelbotje en de volle lippen van de jeugd boven zijn nog donzige baardhaar. Hij was veertien jaar en onlangs geïnitieerd, en nu werd er van hem verwacht dat hij als jager hetzelfde respect zou verdienen als zijn vader en zijn broer.

Snel klom hij naar het gladde, vlakke deel van de berg dat als een klip boven de steile wand uitstulpte, waar je een schitterend uitzicht had op de uitgestrekte bossen, hoge bergen en het glinsterende water in de diepte.

Dit was het land dat de vooroudergeesten aan de zorgen van zijn clan hadden toevertrouwd. Het was heilige grond en de scheppingsgeesten waren aanwezig in elk rotsblok, elke steen, in de bochten van de rivier en de fluistering van de wind. Net zoals de rest van zijn clan was Djanay hoeder van het land tot zijn botten in stof zouden veranderen. Moeder Aarde schonk hun leven, comfort en waardevolle lessen, en het was van groot belang dat hij leerde in harmonie te leven met de seizoenen en met de gemoedsstemmingen van degenen die hem vergezelden. Ze waren van elkaar afhankelijk en hun spiritualiteit moest kost wat kost bewaakt worden.

De Kunwinjku waren naar deze plek gekomen toen Djanays vooroudergeesten in de Droomtijd leefden – een tijd ouder dan de kennis van de mens reikte, een tijd waarin de geesten zich hadden geopenbaard en de clan naar dit beloofde land hadden gebracht. Ze werden geleid door de vermaarde stamoudste Bininuwuy, die zich reeds lang bij de geestmensen in de lucht had gevoegd, maar de reis leefde voort in de verhalen van de stamoudsten en in de tekeningen op de muren van de grot achter hem.

Het was erg stil op de hoge klip en Djanay voelde de druk van de verwachtingen die zijn voorouders van hem hadden toen hij zijn spieren spande. Het viel niet mee om aan de wetten te gehoorzamen nu iedere vezel in zijn lichaam naar Djuwe smachtte. Hij dacht aan het meisje dat hem was toegezegd toen hij vijf was. Aladjingu was lid van de Ngandyandyistam die een stuk verder naar het noordoosten leefde, en ze was de dochter van de oom van zijn moeder. Ze kenden elkaar slechts oppervlakkig maar na de *corroboree* zou ze zijn vrouw worden. Ze zette hem echter niet in vuur en vlam, zoals Djuwe dat deed.

Hij slaakte een zucht en liep de geheime grot in. Misschien zou hij daar troost vinden. Vrouwen en ongeïnitieerde jongens mochten er niet komen, maar Djanay had de inwijdingsceremonie, waarbij een deel van de huid van zijn geslachtsdeel was gesneden en met een scherp geslepen steen de heilige lijnen op zijn borst en armen waren getekend, eervol doorstaan. Hij was nu op de hoogte van de geheime rituelen die hier werden uitgevoerd en was ook bekend met de gevaren die een eenzaam verblijf in de wildernis genaamd Kakadu met zich meebracht.

Hij posteerde zich voor de okerkleurige muurtekeningen en volgde het verhaal dat de oerouders hadden achtergelaten.

De eerste tekening was van een weids land dat de stamoudsten Gondwana noemden. Je zag hoe zijn volk daar samen met andere stammen leefde, hoe de bitterkoude witte regen de grond bevroor en het jagen bemoeilijkte. De tweede tekening beeldde uit hoe Gondwana was afgesplitst toen het door ondiep water werd gescheiden van een grotere landmassa vol bomen en dieren. Op de derde tekening zag je leden van vele stammen die dat water te voet en in kano's overstaken, en een vierde tekening beeldde hun tocht uit door het enorme land waar Djanay nu leefde.

Er waren oorlogen tussen de stammen geweest, met vele doden. Vrouwen waren ontvoerd, krijgers geveld; er waren ook huwelijken en bondgenootschappen gesloten naarmate meer stammen de reis naar het zuiden ondernamen. Algauw was het jagen moeilijk geworden en communicatie tussen de clans bijna onmogelijk vanwege fricties tussen de stammen, maar ook door de vele verschillende talen en dialecten. Uiteindelijk waren de verschillende stammen naar alle uithoeken van dit enorme, nieuwe land uitgewaaierd en hadden ze Kakadu overgelaten aan de Kunwinjku.

Djanay vroeg zich af hoe de wereld eruitzag buiten de jachtterreinen die hij kende, maar hij had zich erbij neergelegd dat hij er nooit achter zou komen. Er waren onzichtbare grenslijnen rond het Kunwinjkuterrein – zanglijnen – die alleen met toestemming van de stamoudsten overschreden mochten worden, en die toestemming werd alleen verleend tijdens een *corroboree.* Als hij zonder permissie zou gaan, zou het zijn dood zijn.

Nadat hij de traditionele zegen voor de heilige botten van alle overleden stamoudsten had uitgesproken, begon hij aan de lange afdaling over het rotsige terrein. Het was tijd om te gaan jagen.

De eenden waren een makkelijke prooi geweest. De heerlijke geur van varaan en wallaby die geroosterd werden, steeg op met de rook van het kampvuur en zijn maag knorde toen hij de twintig vogels aan zijn moeder gaf.

'Goed gedaan, Djanay.' Het gezicht van Garnday rimpelde zich tot een lach en ze hees de zogende baby wat hoger in de kromming van haar arm.

Djanay rechtte zijn schouders en deed zijn best niet al te trots te kijken bij haar lovende woorden, maar hij kon de verleiding niet weerstaan om een snelle blik op Djuwe te werpen om te zien of zijn vaardigheid haar was opgevallen.

Ze bukte zich over de bessen die ze aan het bereiden was, maar een zijdelingse blik door haar krullen heen was het bewijs dat ze zich van hem bewust was.

'Je vader zit op je te wachten,' zei Garnday zachtjes, terwijl haar scherpe ogen hem aankeken. 'Ga maar gauw.'

Djanay begreep dat hij voorzichtig moest zijn: zijn moeder ontging niets. Hij voegde zich bij de andere geïnitieerde jongens op een eerbiedige afstand van de stamoudsten, die onder de bomen zaten met de gebruikelijke meute honden. De geelharige *dalkanen* zorgden voor warmte in de winter, voedsel in tijden van hongersnood, en beschermden hen tegen gevaar; hoewel ze verre van mak waren, leken ze een verwantschap te voelen met de bushbewoners.

De vader van Djanay zat met gekruiste benen bij de andere stamoudsten; zijn grijze haar en gerimpelde gezicht waren bewijzen van zijn hoge leeftijd en wijsheid. Djanay voelde zich nog steeds verlegen in het gezelschap van zulke belangrijke mannen. Zonder hen waren er geen inwijdingsceremoniën, geen verhalen over Droomtijd en geen orde in het leven van de spirituele en gezagsgetrouwe Kunwinjku.

Hij kreeg een goed gevoel toen hij het kamp bekeek. De vrouwen en meisjes kwetterden als vogels terwijl ze het avondmaal bereidden en de snuffelende honden wegjoegen. Baby's klampten zich vast aan de borst van hun moeder en kleine kinderen speelden met een gevangen hagedis. Zijn lippen krulden zich tot een glimlach. Zoals gebruikelijk speelde zijn moeder over iedereen de baas, ook al was ze slechts een tweede vrouw en had ze er dus eigenlijk geen recht toe.

Hij keek naar de eerste vrouw van zijn vader, de moeder van Malangi. Ze was oud, zwak en gerimpeld. Weldra zou het haar tijd zijn om de zang van de geestmensen te horen en hen te volgen naar de sterren. Misschien voelde Garnday dat aan en was ze bezig haar gezag te testen. Dat zou ze dan iets minder opvallend moeten doen, dacht hij, want de eerste vrouw genoot veel aanzien en had grote invloed op hun echtgenoot.

Garnday dacht koortsachtig na over wat ze met Djanay moest aanvangen. Het was erg dom van hem dat hij voortdurend zulke smachtende blikken wierp op Djuwe. Vroeg of laat zou er bloed vloeien, want Malangi was een jaloerse echtgenoot. Djanay was nu een man en er werd van hem verwacht dat hij zich aan de *mardayin* zou houden. Ze was erg trots op hem en had grote verwachtingen voor haar favoriete zoon, want zijn aanstaande huwelijk met Aladjingu zou hem een positie geven dicht bij de regerende stamoudsten. Als alles volgens plan verliep, zou hij op een dag de leider van hun stam kunnen worden. Malangi was vijfendertig en zou allang dood zijn wanneer Djanay de gerechtigde leeftijd bereikte. Nu dreigden haar toekomstplannen in rook op te gaan wegens Djuwe, een indringster die niets dan problemen veroorzaakte.

Ze kneep haar ogen iets toe terwijl ze naar het meisje keek. Djuwe was al aan Malangi toegezegd toen ze nog maar een baby was. Ze was de dochter van een stamoudste van de Iwadja en alhoewel het leeftijdsverschil tussen hen groot was, was dat niet ongebruikelijk. De bondgenootschap tussen de twee stammen was belangrijk, want ze hadden gemeenschappelijke jachtgronden en vochten zij aan zij wanneer agressieve stammen aanvielen.

Opeens merkte Garnday dat de oude vrouw naar haar zat te kijken en er trok een huivering door haar heen toen ze begreep dat Djanay in groot gevaar verkeerde. Het was slechts een kwestie van tijd voordat hij met het meisje het bos in zou gaan en dan zou de oude vrouw hem onmiddellijk laten straffen. Niettegenstaande haar hoge leeftijd had ook zij nog toekomstplannen. Ze wilde dat Malangi de leider van de stam werd.

De twee vrouwen keken elkaar met felle ogen aan. Ze hadden het nooit met elkaar kunnen vinden en Garnday wist dat haar jeugdige leeftijd en het feit dat ze haar man nog vele zonen kon schenken een bron van ergernis voor haar was. Maar als tweede vrouw was ze niet alleen verplicht respect te tonen, maar moest ze van de oudere vrouw de geheimen leren die hen in staat stelden in leven te blijven, zich naar haar wensen schikken en op haar oude dag voor haar zorgen. Ze rechtte haar schouders, streek met een uitdagend gebaar haar dikke bos donker haar naar achteren en keerde snel terug naar het vuur.

Djuwe was nu al tien manen bij hen en nog steeds waren er geen tekenen dat ze zwanger was. Garnday bekeek haar met walging. Ze vermoedde dat ze het mengsel van bladeren en bessen at die haar van nieuw leven ontlastten.

Alle vrouwen deden dat, omdat het niet mogelijk was meer dan één kind te zogen en tegelijkertijd een nuttig lid van de clan te zijn. Als een vrouw een tweeling baarde, werd één van de kinderen onmiddellijk gedood, want in het droge seizoen moesten ze om water te zoeken vaak lange reizen maken over dor terrein waar alleen sterke mensen konden overleven.

'Ze heeft geen reden om kinderloos te blijven,' mompelde ze, 'tenzij ze onvruchtbaar is, en dat lijkt me sterk.' Ze zag dat het meisje Djanay een provocatieve blik toewierp. 'Nee, er zit iets anders achter.'

Haar gedachten keerden terug naar het hier en nu toen de rituelen van de avondmaaltijd een aanvang namen en het eten verdeeld moest worden. De mannen en geïnitieerde jongens werden het eerst bediend en kregen het beste vlees. De jonge vrouwen gaven vervolgens hun kinderen te eten en aten daarna zelf, terwijl de ouderen in de as moesten zoeken naar wat er overbleef. Deze gewoonte was geen blijk van gebrek aan respect. De oude mensen zouden binnenkort uitgezongen worden naar het land van de geesten, dus zou het zonde zijn voedsel aan hen te verspillen. Het was verstandiger om de jagers en verzamelaars te voeden, en de volgende generatie sterk te maken.

Terwijl Garnday het gloeiend hete vlees at, keek ze tersluiks naar Djuwe. Het meisje zat samen met de andere jonge vrouwen te lachen, haar lippen glanzend van het vet van de vogels en haar blik flitste steeds naar Djanay. Ze was erg mooi, moest Garnday met tegenzin toegeven, en Malangi was al achterdochtig en hield haar goed in de gaten. Er zouden problemen komen, tenzij Garnday dat kon verhoeden.

De maaltijd was voorbij. Het vuur werd opgestookt om het licht en de warmte en om roofdieren op een afstand te houden, en de verhalenverteller vertelde op zachte toon waarom de uil 's nachts op jacht ging. Gezinnen kropen op de zachte, rode grond samen onder de vachten van wallaby's en wombats en algauw was het stil in het kamp, op het gesnurk na en af en toe de kreet van een rusteloze baby.

Garnday nestelde zich in de kromming van het knokige lichaam van haar man, met de twee kleine jongens en haar baby tegen haar buik gedrukt, en de honden dicht bij hen in de buurt. De oudere vrouw kroop tegen de rug van haar man aan en sloeg haar arm om zijn middel, alsof ze de rechten van haar hoge leeftijd daarmee wilde onderstrepen.

Garnday wist dat ze vannacht niet snel in slaap zou vallen. Djanay lag bij de andere ongetrouwde jongens aan de andere kant van het kamp. Ze kon hem in het licht van het kampvuur zien en wist dat hij nog niet sliep. Malangi en zijn drie vrouwen lagen een eindje verderop en Garnday zag dat Djuwe een plaats had gekozen aan de buitenrand van de kluwen vrouwen en kinderen. Het was erg stil, onheilspellend stil, en Garnday voelde dat haar hart sneller begon te kloppen. Ze bleef waakzaam en gespannen liggen terwijl maanschaduwen onder de bomen dansten.

Djanay had meer dan genoeg gegeten, maar kon de slaap niet vatten. Geruisloos sloop hij weg, de donkere schaduwen in, omdat hij niet langer kon aanzien hoe Djuwe daar bij haar man lag en omdat hij wilde ontsnappen aan de waakzame ogen van zijn moeder.

Zijn blote voeten maakten vrijwel geen geluid toen hij zijn weg koos naar de oever van de rivier, waarin draaikolkjes ontstonden wanneer het water tegen de rotsen klotste en over platte stenen gleed.

Djanay ging gehurkt op een rotsblok zitten dat nog warm was van de zon en staarde naar zijn spiegelbeeld. Hij zag een man op het hoogtepunt van zijn viriliteit die nog nooit een vrouw had gehad. De stamwetten verboden dat tot je was getrouwd. Hij wist dat Djuwe nooit zijn vrouw kon worden, maar de opwinding die ze beloofde maakte het hem erg moeilijk nuchter te blijven denken. Hij stak zijn handen in het water en dronk met lange teugen in de hoop dat de *wanjina*, de watergeest, hem zou helpen.

De fluistering bereikte hem vanuit de duisternis: 'Djanay?'

Geschrokken keek hij op. Van zijn vastberadenheid was op slag niets meer over.

Hij kwam overeind, betoverd door de manier waarop het maanlicht over haar prachtige lichaam speelde. Toen ze hem aanraakte, schoot er vuur door zijn lichaam en hij volgde haar zwijgend het bos in.

Ze stonden tegenover elkaar en hun ademhaling was het enige geluid dat er te horen was. Djuwes vingers volgden een spoor van hitte van zijn slaap naar zijn lippen, over zijn borst en buik en verder. Door haar wimpers lachte ze naar hem, en het kuiltje in haar wang werd eventjes zichtbaar toen ze dichter bij hem kwam staan en fluisterde: 'Eindelijk.'

Djanay kon nauwelijks ademhalen. Aarzelend raakte hij haar borsten aan, verrukt over de manier waarop ze precies in zijn handen pasten, over hoe de donkere tepels hard werden toen hij er met zijn duimen over wreef. Djuwe streelde zijn buik en liet haar hand zakken naar zijn smachtende, kloppende lid. 'Snel!' hijgde ze. 'Voordat iemand het in de gaten krijgt.'

Eindelijk gaf hij toe aan de opgekropte wellust die hij had moeten onderdrukken vanaf het moment dat hij haar voor het eerst had gezien.

Verzadigd lagen ze op de grond, hun ledematen verstrengeld, hun huid nat van het zweet, wachtend tot hun ademhaling zou bedaren. Maar nu hadden ze de verboden vrucht geproefd en toen hun handen elkaar weer betastten, keerde het verlangen in alle hevigheid terug.

Ze gingen zo in elkaar op dat ze geen erg hadden in de stille figuur die lange tijd naar hen keek en toen wegliep en in de schaduwen verdween.

Het was nog niet licht en Garnday kon amper haar ogen open krijgen toen ze de baby aan haar borst legde en haar jonge zonen erop uitstuurde om hout te halen. Haar man sliep nog, maar de oude vrouw was al bezig de sintels van het vuur op te rakelen. Garnday rekte zich uit, krabde aan haar hoofd, plukte met geoefende vaardigheid de luizen en neten uit haar haar en drukte ze dood. Ze was erin geslaagd wakker te blijven tot ze de oude vrouw had horen snurken, maar toen ze midden in de nacht wakker was geworden, had ze meteen gezien dat het te laat was om het onvermijdelijke nog tegen te houden.

Haar enige troost was dat de oude vrouw sliep en dat Malangi was blijven snurken, onbewust van het overspel van zijn jongste vrouw. Garnday wist dat ze met haar zoon zou moeten praten voordat iemand in de gaten kreeg wat er aan de hand was. Ze moest hem duidelijk maken dat hij in groot gevaar verkeerde. Ze besloot hem apart te nemen wanneer de rest van de clan het druk had met andere dingen.

Ze hurkte bij het vuur, pakte de gladde stampsteen en begon zaadjes en kruiden fijn te stampen tot een poeder dat ze mengde met water. Het deeg werd daarna gekneed en tot schijven geplet, die ze in de as gaar liet worden. Het was een saaie taak, maar dit ongedesemde brood vormde de hoofdmoot van hun voedsel. Ze zouden het samen met vlees en vis eten voordat de zon opkwam, en ook na zonsondergang, als de jacht goed was geweest.

Djuwe kwam naar het vuur met een rieten mand vol verse vis, die ze op de zilverkleurige hoop naast Garnday liet glijden. 'Ik kan goed vissen,' zei ze. 'Ik vang grote vissen.'

De triomf in haar ogen grensde aan onbeschoftheid, vooral omdat haar woorden een dubbele betekenis hadden, en Garndays vingers jeukten om haar een klap in haar brutale gezicht te geven. Ze beet op de binnenkant van haar lip en zweeg terwijl ze de vissen omwikkelde met bladeren en kruiden en naast het bakkende brood legde. Ze zou voorlopig niets doen, maar vroeg of laat zou Djuwe de kracht van haar woede leren kennen.

Niet dat ze alleen het meisje de schuld gaf. Djanay was dwaas, koppig en zwak, maar hij was een man, hij kon het niet helpen. Ook al waren mannen nog zulke goede jagers en gingen ze daar nog zo prat op, zonder vrouwen zouden ze niet kunnen overleven; hun lusten waren hun zwakte.

De zon stond nog maar net boven de horizon en de koude van de nacht glinsterde nog op het lange gras. Er hing een opgewonden sfeer in het kamp toen de plannen werden doorgenomen en zodra iedereen zo veel had gegeten dat er geen hap mee bij kon, werd het vuur gedoofd en zochten de mannen hun speren, boemerangs, *woomera's* en schilden bij elkaar.

De hoofdvrouw begon aan het jaarlijkse ritueel van het verzamelen van emoe-eieren. Op haar scherpe bevel droegen Garnday en de andere vrouwen de eieren voorzichtig naar de rivier. Het vlees van de *ngurrurdu* was taai en niet lekker, maar de onbevruchte eieren waarvan de inhoud was verdroogd, waren bij uitstek geschikt om water in te vervoeren. In elk ervan was met behulp van een scherpe steen een gat gemaakt, en nadat de eieren met water waren gevuld, werden de gaatjes dichtgestopt met plukken gevlochten gras.

'We hebben er genoeg,' besliste de oude vrouw. 'Ieder van jullie neemt er een paar, maar ze mogen alleen in geval van nood gebruikt worden,' kraste ze. 'In de woestijn zijn er andere manieren om aan water te komen.'

Garnday hees de baby op haar heup, bracht het kind en de eieren in een geschikte positie en wachtte, leunend op haar stevige graafstok, terwijl de stamoudsten de geesten toezongen. Daarna zouden ze aan de tocht beginnen. Ze had geen kans gekregen met Djanay te praten – dat zou moeten wachten.

Een zwerm kleine, felgekleurde vogels zwiepte als een grote wolk over het kamp. De vogels doken een paar keer naar het water en streken uiteindelijk neer in de bomen. Het was een goed voorteken. De vogels waren naar hun honk teruggekeerd, en dat zou de clan ook doen.

Nadat alle noodzakelijke liederen en rituelen waren afgewerkt, stampten de stamoudsten op de grond, hieven hun schilden op en uitten een luide, triomfantelijke kreet. Nu konden ze vertrekken.

Zodra de clan de lange, koele schaduwen van de klippen verliet, betraden ze een scherp contrasterend landschap. De aarde was zo rood als bloed, de bomen waren onvolgroeid en dor, de hitte zinderde boven de uitgedroogde grond. Door vulkaanuitbarstingen waren spelonkachtige ravijnen ontstaan en bergpieken in rood en zwart die hoog oprezen naar de hemel; reusachtige mierenhopen stonden als wachtposten langs de route die de clan naar het zuiden aflegde. De hemel was zuiver blauw met alleen aan de horizon een zuil van grijs.

Daar spuwde de Geest van de Holle Berg vuur en rook uit als een waarschuwing dat niemand zijn land mocht betreden, maar Garnday wist dat ze het terrein van de boze geest niet zouden oversteken. Hun route zou hen zuidwaarts voeren, naar het hart van de Dromenden en de heilige heuvels van Uluru en Kata Tjuta.

Snikhete dagen en ijskoude nachten wisselden elkaar af en de tocht naar het zuiden duurde al een volle cyclus van de maan toen Garnday pas de gelegenheid kreeg met haar zoon te praten. Djanay was haar aldoor uit de weg gegaan.

Ze bevonden zich nu in het brandende hart van hun gigantische eiland. De grond was hier zachter en stof waaide achter hen op tijdens hun tocht naar de plek waar ze ieder jaar hun kamp opzetten. Rondom hen lagen reusachtige rotsblokken, die zo rond en glad waren als eieren. Dit was Karlwekarlwe en dit waren de eieren van de regenboogslang, hier achtergelaten gedurende de Droomtijd.

Het was een heilige plaats waar zo'n aparte sfeer hing dat iedereen op zachte toon sprak en waar kinderen dicht bij hun moeders bleven, omdat tussen de eieren boze geesten leefden die een menselijke gedaante konden aannemen om kinderen mee te lokken. Weggelokte kinderen kwamen nooit meer terug, tenzij speciale liederen werden gezongen, en soms werkte zelfs dat niet, want wanneer de geesten de kleintjes eenmaal hadden meegenomen, wilden ze ze meestal niet meer teruggeven.

Garnday zong samen met de andere vrouwen tot de regenboogslang. De medicijnvrouw rammelde met haar magische kalebas en de mannen sloegen met de speren op de schilden om boze geesten te verjagen. Uiteindelijk werd het teken gegeven dat de kampplaats veilig was.

De mannen hadden die dag een paar slangen en een grote, dikke hagedis gevangen, die nu boven het vuur werden geroosterd. Garnday ging op zoek naar de brede, vlezige bladeren van de planten die in de schaduw van de eieren van de regenboogslang groeiden. De bladeren bevatten water en sap en wanneer ze fijngestampt werden, waren ze een goed middel tegen insectenbeten, snijwonden en schrammen. Ze had echter een veel dringender reden om het kampvuur te verlaten: ze had Djanay zien weglopen.

'We moeten praten,' begon ze.

'Ik heb je niets te zeggen,' was zijn antwoord. 'Laat me met rust.'

'Ik heb ogen,' beet ze hem toe, maar op een gedempte toon uit vrees dat anderen hen zouden horen. 'Ik weet wat Djuwe en jij doen.'

Hij ontweek haar blik. 'Je weet niks,' mompelde hij.

Ze greep zijn kin en dwong hem naar haar te kijken. 'Ik weet het,' zei ze, 'en er moet een einde aan komen. Onmiddellijk. Malangi houdt haar in de gaten en hij zal jullie allebei doden.'

Hij keek op haar neer. 'Zorg voor je kinderen, moeder. Ik ben nu een man.'

Hij wilde zich omdraaien, maar ze greep zijn arm. 'Ja, je bent een man en dus weet je wat de straffen zijn voor het schenden van de heilige *mardayin*. Djuwe veroorzaakt niets dan problemen.'

Het gezicht van Djanay was ondoorgrondelijk. Hij trok zijn arm los en was met twee grote stappen in de duisternis verdwenen.

Garnday bleef met trillende onderlip staan en voelde tranen in haar ogen opwellen. Boos veegde ze de tranen weg, pakte de kostbare bladeren bij elkaar en keek om naar de gloed van het vuur. Ze was haar zoon kwijt. 'Hoe zal dit aflopen?' kreunde ze. Ze sloot haar ogen en bad tot de regenboogslang, maar in haar hart wist ze dat zelfs die belangrijke geest niets kon beginnen tegen de wellust van haar zoon en de sluwe streken van een lichtzinnig meisje.

Na de avondmaaltijd en het rituele verhalenuur gaf Garnday haar kinderen een plaatsje dicht bij haar man. Ze was somber gestemd en wist dat ze ondanks haar vermoeidheid vannacht geen oog zou dichtdoen, omdat Djuwe weer aan de buitenkant van haar familiegroep lag en de wellust van Djanay bijna tastbaar was. Ze legde de kangoeroehuid over haar slapende kinderen en lokte de *dalkanen* om hun warmte met hen te delen. Toen ze er zeker van was dat de kinderen in veiligheid konden slapen, glipte ze de duisternis in.

De lentemaan had bijna een derde van zijn nachtelijke weg afgelegd toen Djuwe rechtop ging zitten en het dierenvel van zich af duwde.

Garnday voelde de spanning in haar lichaam en keek snel naar Djanay. Hij deed alsof hij sliep, maar ze zag de gloed van het stervende kampvuur in zijn halfopen ogen.

Met een blik op haar slapende echtgenoot rekte Djuwe zich geeuwend uit. Voorzichtig maakte ze zich los van de groep en liep met zachte passen naar de struiken.

Garnday bleef als bevroren zitten.

Malangi was gaan zitten en keek zijn jonge vrouw na.

Garnday keek met bonkend hart naar Djanay. Hij deed alsof hij sliep.

Malangi trok de kangoeroepels rond zijn schouders, keek met een strak gezicht naar Djanay en richtte zijn blik toen weer op de duisternis buiten de gloed van het vuur.

Garnday hield haar adem in.

Djanay bewoog zich, duwde de wombatpels half van zich af en richtte zich op zijn elleboog op, klaar om achter het meisje aan te gaan.

Malangi verstijfde toen hij het zag.

Garnday wilde een kreet slaken om Djanay te waarschuwen, maar zijn lot was nu niet meer in haar handen.

Malangi bleef met een strakke blik naar zijn broer kijken en Djanay bleef roerloos liggen, alsof hij zich ervan bewust was.

Eindeloze seconden bleef hij zo liggen, steunend op zijn elleboog. Toen begon hij te draaien, alsof hij een gerieflijker plek zocht, en kroop weer onder de pels.

Garnday slaakte een zucht van verlichting, maar haar hart bonkte en haar mond was droog. Dit was op het nippertje geweest. Stilletjes verliet ze haar wachtpost. Ze moest het meisje zoeken en haar duidelijk maken dat er groot gevaar dreigde, nu Malangi's achterdocht was gewekt.

De eieren staken als onheilspellende silhouetten af tegen de nachtelijke hemel. Ze waren zo groot en majestueus dat ze er doodnerveus van werd toen ze over de oude, door de sterren verlichte paden sloop. Haar hart bonkte en toen een hagedis vlak voor haar voeten wegglipte, moest ze een geschrokken kreet onderdrukken.

Ze bleef aarzelend staan toen ze een zacht geluid hoorde dat niet op zijn plaats was in de nacht. Ze spitste haar oren, maar het geluid werd niet herhaald. Ze schudde haar hoofd en probeerde moed te vatten om door te gaan, maar de spanning was zo groot dat ze in elkaar dook bij iedere fluistering van de wind.

Ze sloop om de ronding van een reuzenei en bleef stokstijf staan.

'Ga weg,' siste de hoofdvrouw. 'Dit is niet voor jouw ogen bestemd.'

Garnday liep aarzelend langs de heilige rots naar het roerloze figuurtje op de grond. 'Wat heb je gedaan?' fluisterde ze.

De oude vrouw woog de zware steen op haar hand terwijl ze neerkeek op Djuwe. Er was verrassend weinig bloed gevloeid uit het gapende gat in de schedel van het meisje. 'Ze heeft de wetten geschonden,' zei ze. 'Ze moest gestraft worden.'

Garnday keek met gefascineerde afschuw naar het lijk. Haar maag draaide om en ze kreeg een bittere smaak in haar mond, maar slaagde erin zich in bedwang te houden. 'Het is de taak van de echtgenoot haar te straffen,' fluisterde ze.

De oude vrouw stak de steen in een zak van wallabyvachten rond haar middel. 'We moeten ons van haar ontdoen.'

Garnday deed een stap naar achteren. Het was verboden om een lid van je eigen stam te doden, en als je het deed op heilige grond, werden de geesten boos en zouden ze hun woede over hen uitstorten. Dit was de daad van een waanzinnige vrouw waarmee ze niets te maken wilde hebben.

De hoofdvrouw klemde haar klauwachtige hand rond haar arm. Garnday rook haar stinkende adem toen ze zich naar haar toe boog. 'Ze heeft samen met jouw zoon de wet overtreden. Ze heeft mijn zoon en onze familie te schande gemaakt. Het was beter ons van haar te ontdoen voordat de stamoudsten het te horen zullen krijgen. Het is beter voor jou dat je doet wat ik zeg.'

Het dreigement was niet mis te verstaan, maar Garnday was veel banger voor de geesten. 'Maar wat jij hebt gedaan is nog erger,' siste ze terug. Ze probeerde haar arm los te trekken uit de klauw, maar de oude vrouw was verbluffend sterk. 'Waarom heb je het niet overgelaten aan Malangi? Hij wist al dat er iets aan de hand was. Hij heeft haar vannacht in de gaten gehouden en is nu waarschijnlijk naar haar op zoek.'

'Dan moeten we snel zijn.' De oude vrouw liet haar arm los. 'We zijn moeders van zonen,' zei ze op gedempe toon. 'Het is onze plicht hun eer te beschermen, ongeacht wat ze doen.' Haar gerimpelde gezicht en verbleekte ogen waren een dodenmasker. 'Jouw zoon gaat binnenkort trouwen en je hebt andere zonen die hem zullen volgen. Ik heb er maar één en hij is voorbestemd om leider van de stam te worden. Dit meisje zou alles hebben verknoeid. Zul je me helpen?'

Het was geen verzoek. Ze kon niet weigeren. 'Maar waar kunnen we haar verbergen?'

'Dat weet ik wel. Snel.'

Garnday pakte het meisje bij de enkels terwijl de oude vrouw haar armen greep en aanduidde welke kant ze op moesten. Garnday begreep dat de oude vrouw deze heilige plaats goed kende toen een kloof in de rots bleek uit te komen bij een smalle, verborgen grot.

'Snel!' fluisterde de oude vrouw op dringende toon toen Garnday aarzelde. 'Ik heb nog meer te doen. We hebben niet veel tijd.'

Garnday gehoorzaamde. Samen droegen ze hun last door een lange tunnel. De echo's van hun ademhaling trilden tegen de muren en ze had het gevoel dat de ogen van de boze geesten haar nakeken toen ze verder en verder in de grot doordrongen.

'Dit is ver genoeg.'

Het was pikkedonker. Garnday liet haar last zakken en deed weifelend een stap achteruit. Ze kon haar zenuwen bijna niet meer in bedwang houden. Het was alsof de wanden van de grot op haar af kwamen.

De stem van de oude vrouw echode in de duisternis. 'Hier is een diep gat.' Haar benige hand klemde zich weer rond Garndays arm en ze trok haar mee tot haar tenen de rand van een onzichtbare afgrond voelden.

Garnday beefde van angst voor alle gevaren, maar wist dat ze moest gehoorzamen als ze levend uit deze afgrijselijke grot vandaan wilde komen.

Op bevel van de oude vrouw gooiden ze Djuwe de leegte in en ze hoorden hoe haar lichaam als rijp fruit tegen de onzichtbare wanden botste en steentjes en keien losmaakte. De stille val had iets obsceens en het duurde lang voordat het lijk op de bodem neersmakte.

De oude vrouw gooide de zware steen achter haar aan. 'Zo,' mompelde ze. 'Dat is dat.'

Garnday holde terug door de tunnel tot ze uitkwam in de grot. Zonder acht te slaan op de schrammen die ze opliep van de scherpe stenen en stugge, doornige planten, worstelde ze zich door de smalle opening naar buiten. Ze gleed over de gladde oppervlakte van het ei naar beneden, viel op de grond neer en klauwde dankbaar aan de zachte, rode aarde, terwijl ze de heerlijke, koude nachtlucht diep inademde.

Rollende steentjes kondigden de afdaling van de oude vrouw aan en Garnday hoorde een onderdrukte kreet van pijn toen ze naast haar op de grond terechtkwam. 'Wat is er?' vroeg ze nerveus. 'Heb je je bezeerd?'

De hoofdvrouw wapperde hooghartig met haar hand. 'Het is niets. Ga terug naar de anderen.'

Dat liet Garnday zich geen tweemaal zeggen. Ze holde naar het geruststellende licht dat het kampvuur nog verspreidde en kroop onder de kangoeroehuiden. Bevend bleef ze liggen tot ze voelde, zonder dat ze het kon zien, dat de oude vrouw terugkeerde naar het kamp. De oude heks bewoog zich als een schaduw. Nu begreep ze hoe het haar was gelukt de geliefden te bespieden.

'Mijn baby is verdwenen! Mijn baby is weg!' De ijselijke kreet verscheurde de stilte.

Garnday schoot met bonkend hart overeind en trok haar verschrikte kinderen naar zich toe. Iedereen schrok wakker. De mannen sprongen overeind en grepen onmiddellijk hun speren.

Het gezicht van de jonge vrouw was nat van tranen en ze trok woest aan haar haren. 'Ze is weg. De geesten hebben mijn baby meegenomen.'

'Hoe lang geleden?'

'Toen ik wakker werd, was ze er niet meer!' huilde de moeder.

Malangi liep met grote stappen naar het midden van de cirkel. 'Mijn vrouw is ook verdwenen,' verklaarde hij. 'Ik heb de halve nacht naar haar gezocht.' Hij wierp een blik op Djanay. 'Misschien hebben de geesten ook haar meegenomen.'

Djanay kreeg een wilde blik in zijn ogen. 'Ze is te oud voor de geesten,' stootte hij uit. 'Die nemen alleen kinderen mee.'

Daarop volgde instemmend gemompel, onderbroken door de panische kreten van de angstige moeder. 'We staan onze tijd te verkwisten!' gilde ze. 'We moeten gaan zoeken!'

De hoofdvrouw drong naar het midden van de groep. 'Zoek bij de stenen en verborgen doorgangen,' beval ze. 'Als we hen niet vinden, zullen we zingen om hen terug te krijgen.'

Garnday bekeek haar aandachtig. Ze zou toch niet een baby hebben weggehaald om haar daad te verdoezelen? En zo ja, wat had ze er dan mee gedaan?

'Vooruit! Waar wacht je op, Garnday?'

Garnday keek haar na toen ze wegliep en zag dat ze haar rechterheup ontzag. Misschien was dat de straf van de geesten voor het kwaad dat ze had gedaan, want letsel betekende de dood als ze het tempo van de clan niet kon bijhouden.

Toen de zon begon te stijgen vormden de vrouwen een danskring en begonnen te zingen. Ze moesten de geesten van Karlwekarlwe gunstig stemmen als ze degenen die verdwenen waren, ooit nog wilden zien.

Het gezicht van Malangi was als uit steen gehouwen toen hij naar de vlammen staarde. De ogen van Djanay waren rood, maar hij had voldoende kracht om zijn heftige emoties in bedwang te houden. Garnday concentreerde zich op de liederen. De straf die de geesten haar zouden geven, zou nog veel groter zijn als ook de baby niet terugkwam.

De woorden die ze zongen waren oud, overgeleverd van moeder op dochter sinds de Droomtijd. Eén voor één verlieten de vrouwen de kring om zich tussen de heilige stenen te begeven en de geesten aan te roepen om de verdwenen personen terug te geven. Alle ogen richtten zich hoopvol op iedere vrouw die terugkeerde, en het gezang stokte steeds even wanneer ze zagen dat ze met lege handen terugkwam.

Het zingen werd krachtiger naarmate de zon feller op hen neer scheen en er nog steeds geen enkel spoor was gevonden van de baby en de jonge vrouw. Garnday keerde terug naar de kring en zag hoe de oude vrouw op haar beurt wegliep. Ze bleef lang weg en een verwachtingsvolle huivering trok door de kring, maar toen ze uiteindelijk terugkeerde waren ook haar handen leeg. Garnday bekeek haar achterdochtig. Ze had kunnen zweren dat ze een triomfantelijke vonk in haar ogen had gezien. Maar waarom, als ze zonder het kind was teruggekeerd?

Een trillende kreet doorsneed de lucht.

Op slag was het doodstil en keerde iedereen zich om in de richting van het geluid, hopend dat ze het nogmaals zouden horen. En daar klonk het weer, krachtig, nijdig en vastberaden.

De moeder begon te gillen en holde erop af, op de voet gevolgd door de andere vrouwen. De baby lag op een richel van de rotsen, ongedeerd maar hongerig en bang. Vreugdekreten klonken op toen de moeder haar dochter oppakte, en niemand lette op de twee vrouwen die niet met de rest waren meegehold.

Op dat moment begreep Garnday hoe sluw en sterk de hoofdvrouw was, en wist ze dat zij en Djanay in levensgevaar verkeerden.

Er werd uitbundig feest gevierd, al hielden ze het kort, omdat iedereen zich er scherp van bewust was dat de geesten Djuwe niet hadden teruggegeven. Bepaalde rituelen moesten onmiddellijk worden uitgevoerd om haar geest de kans te geven het Verre Ginds te bereiken.

Garnday drukte haar kinderen tegen zich aan toen ze toekeek hoe Malangi zijn lichaam bedekte met koude as van het kampvuur en de dodenzang begon te zingen, een langdurige en eentonige lamentatie. Wat ging er in zijn hoofd om? Ze wist het niet. Een weduwnaar rouwde traditiegetrouw gedurende twaalf manen. Hij liet zijn vrouwen en kinderen dan achter bij de clan terwijl hij over het land zwierf. Maar vanwege de *corroboree* moest Malangi's eenzame expeditie worden uitgesteld.

Garnday glipte weg om Djanay te zoeken. Pas toen de schaduwen aan het lengen waren, vond ze hem.

'Waarom hebben ze haar meegenomen?'

Garnday wist dat ze met wijsheid moest antwoorden. 'Ze had de geesten boos gemaakt.'

Hij knikte en bleef naar het open land staren. 'Dan hadden ze mij samen met haar moeten weghalen, niet het kind.'

Ze hurkte naast hem neer. 'Ze hebben besloten de kleine terug te geven,' zei ze rustig. 'We moeten geen vraagtekens zetten bij hun redenen, maar dankbaar zijn dat ze ons op tijd hebben gewaarschuwd.'

Het bleef lang stil toen Djanay haar woorden verwerkte. 'Je hebt geprobeerd me te waarschuwen, maar ik was te verwaand om te luisteren. Nu is Djuwe verdwenen.' Hij keek haar aan en ze zag de diepe angst in zijn ogen. 'We hebben de heilige *mardayin* geschonden. Wat zal er met mij gebeuren?'

'Er zal een straf volgen,' zei ze behoedzaam, 'maar de geesten lijken voorlopig verzoend te zijn.'

Hij keek over haar hoofd heen naar de zingende clan. 'Wat moet ik doen, moeder?'

Er waren te veel gevaren en te veel geheimen. Garnday wist dat ze haar woorden met zorg moest kiezen. 'Je zult Djuwe vergeten,' zei ze met een kracht die haar eigen angst verloochende. 'Rouw samen met ons om haar en zet dan samen met ons de tocht voort naar Uluru en je huwelijksplechtigheid.'

'Hoe kan ik dat doen nu de geesten Djuwe zo gruwelijk hebben gestraft?'

'Omdat je een man bent die verantwoordelijkheden draagt ten opzichte van je familie, je clan en je aanstaande vrouw. De geesten kijken naar je, Djanay. Je moet heel voorzichtig zijn, want je hebt hen boos gemaakt.'

'Kijken ze echt naar me?' Hij blikte angstig om zich heen.

Garnday drukte door. 'Altijd. Daarom mogen jij en Aladjingu niet naar de Kunwinjku terugkeren nadat jullie zijn getrouwd,' zei ze. Hij keek hevig geschrokken, maar ze negeerde dat en ging door: 'Jullie moeten in de richting van de noordenwind trekken en je vestigen te midden van de Ngandyandyi. Die zijn familie van de oom van Aladjingu's moeder. Jullie zullen daar welkom zijn.'

'Maar mijn plaats is bij de Kunwinjku,' zei hij. 'Ik ben een zoon van de clanleider en voorbestemd voor de Raad van Stamoudsten.'

'De geesten zijn wraaklustig,' antwoordde ze. 'Maar ze zijn ook rechtvaardig. Als je je ballingschap en het verlies van je plaats te midden van je eigen volk aanvaardt, zullen ze daar genoegen mee nemen.'

Djanay gaf daar geen antwoord op. Garnday zag hoe hij met nerveuze energie begon te ijsberen, terwijl hij op zijn duimnagel beet. Toen hij weer voor haar bleef staan, zag hij er verslagen uit. 'Dan heb ik geen keus.'

Ze schudde haar hoofd.

Zijn schouders zakten. 'Ik luister naar je wijsheid, moeder.'

Hij boog zijn hoofd en ze kwam in de verleiding haar hand uit te steken en zijn wilde, zwarte krullen te aaien, maar ze wist dat hij te oud was voor een moederlijke streling en dat hij juist haar kracht nodig had om door deze moeilijke tijd heen te komen. In ieder geval had ze hem gered van de wraak van Malangi en zijn moeder, de oude heks, want zodra hij de clan had verlaten, zou hij geen bedreiging meer voor hen zijn.

Na tien reizen van de zongodin door de hemel bereikten ze hun bestemming. Majesteitelijk rees de oeroude berg Uluru op uit de omliggende bossen, zijn rondingen, spelonken en pokdalige wanden half verzonken in de schaduwen van de ondergaande zon. De steile, rode wanden en weidse pracht van de heiligste plek van hun volk hadden een machtig aura en de clan keek vol ontzag toe toen de ondergaande zon van okergeel veranderde in goud en oranje, en het landschap via steeds diepere, donkerder tinten eerst rood en toen gitzwart werd. Ze waren teruggekeerd naar de geestelijke bron van hun volk en moesten nu eer betonen aan de bewakers van Uluru, de Anangu.

Dit was de belangrijkste *corroboree* van het jaar en hij werd bijgewoond door alle mannen, vrouwen en kinderen die in staat waren de lange reis te maken. Kampvuren laaiden op toen de zon achter de horizon was verdwenen en samen met de rook hing een keur aan talen en dialecten boven het kamp, maar de opwinding was eensluidend en vroegere ergernissen en vijandigheden waren vergeten toen ze aan de voorbereidingen voor de ceremoniën begonnen.

De Kunwinjku richtten hun kamp in en begonnen speerpunten en stenen gereedschap te verhandelen voor bromhout, boemerangs, ceremoniële maskers en hoofdtooien. Toen het donker werd, bestreken de stamoudsten en de geïnitieerde jongens hun lichaam met oker en klei, deden hun maskers voor en zetten hun hoofdtooi op voor het eerste ritueel, dat uitgevoerd zou worden aan de voet van Uluru.

Nu werden de zachte, vibrerende klanken van zeker twaalf stuks bromhout hoorbaar. De platte, rijkelijk versierde stukken hout werden aan een koord van stevig gevlochten haar in de rondte geslingerd. Het volume van het geluid rees en daalde, zwol het ene moment aan tot het gebulder van een orkaan en zakte dan weer terug tot de zuchten van ontvlogen geesten. De ceremoniën konden een aanvang nemen.

Garnday zag Djanay met ferme passen weglopen en was er trots op dat hij haar wijsheid had aanvaard en nu aan de voorbereidingen voor zijn huwelijk begon. Ze keerde terug naar het vuur en wierp een blik op de oude vrouw die aan de overkant zat. De dagen na Djuwes dood waren moeilijk geweest voor haar. Door het letsel aan haar heup was ze steeds achteropgeraakt toen ze de woestijn hadden doorkruist. Garnday had gezien hoeveel moeite het haar had gekost door te gaan.

Hun blikken kruisten elkaar en Garnday zag de angst in de ogen van de oude vrouw. Ze had er begrip voor. Malangi's moeder wist dat de geesten haar riepen en dat haar laatste straf nabij was. Toch kreeg haar oude mond een verbeten trek en veranderde de angstige schittering in haar ogen in een uitdagende flonkering, want ze wist dat ze nog steeds macht had over Garnday en ze was nog lang niet bereid die op te geven.

De *corroboree* duurde vijftien reizen van de zon door de hemel. Met veel zang en dans werden de oeroude rituelen uitgevoerd, bondgenootschappen gesloten, toekomstige huwelijken geregeld en feestelijke maaltijden genuttigd. De verhalenvertellers hielden hun publiek in de ban met verschillende interpretaties van de Droomtijd, en de kunstenaars vereeuwigden de gebeurtenis op de heilige muren van Uluru.

Het huwelijk van Djanay en Aladjingu, een verbintenis tussen twee machtige stammen, zou op de laatste avond om middernacht worden voltrokken. De stam van Aladjingu had op de vereiste afstand van de stam van Djanay zijn kamp opgeslagen, en vlak voor zonsondergang werd een reusachtig kampvuur gemaakt. Even later zonden de zachte, ritmische klanken van het bromhout een lokkende oproep de lucht in.

Toen middernacht naderde begonnen de ooms de afkondiging te zingen waarmee ze aan alle aanwezigen vertelden dat er een huwelijksplechtigheid zou plaatsvinden. De kop van de processie werd gevormd door de leden van beide stammen die fakkels droegen. Ze liepen in twee rijen die samen een speerpunt vormden en toen ze elkaar bereikten, hielden ze de fakkels bij elkaar en stegen de vlammen hoog op in de heldere, stille lucht.

Djanay was op van de zenuwen toen hij en Aladjingu naar hun ooms liepen. Malangi stond wat afzijdig, zijn gezicht strak onder de witte klei en as van de rouw. Eén woord van hem zou een rampzalig einde maken aan de ceremonie en Djanay durfde hem niet in de ogen te kijken.

'Kinderen,' zei de oudste oom. 'Het vuur is het symbool van de ernst van de *mardayin*. Jullie gaan nu man en vrouw worden, vader en moeder, en jullie mogen van dat privilege geen misbruik maken. Het is de wens van de Grote Geest dat jullie de huwelijksband eren en respecteren. Net zoals vuur alles verteert zal de wet van jullie voorouders ieder vernietigen die de huwelijksband oneer aandoet.'

Djanay stond te trillen op zijn benen toen een gezamenlijke kreet opklonk en honderden speren tegen schilden werden geslagen, de fakkels in de vlammen werden gegooid en iedereen begon te zingen en te dansen. De geloften die hij vanavond had afgelegd hadden op een angstaanjagende wijze benadrukt dat hij de woede van de voorouder-geesten bijna had moeten voelen. Hij keek neer op Aladjingu terwijl de indrukwekkende woorden die hun huwelijk hadden bezegeld nog in zijn oren klonken.

Het meisje keek verlegen naar hem op en pakte zijn hand. 'Echtgenoot,' zei ze zachtjes, 'samen zullen we naar de noordenwind reizen en op een dag zul je mijn volk wijselijk leiden, want ik heb de fluistering van de voorouders gehoord.'

Djanay begreep toen dat hij gezegend was met een vrouw die dezelfde oeroude wijsheid bezat als zijn moeder. 'Vrouw,' antwoordde hij, 'samen zullen we sterk zijn.'

De grote bijeenkomst van de stammen was voorbij en ze verspreidden zich weer in alle windrichtingen. De Kunwinjku begonnen aan hun lange tocht naar het noorden, maar algauw werd duidelijk dat de hoofdvrouw het tempo niet kon bijhouden. De clan vertraagde de pas om haar in de gelegenheid te stellen hen in te halen en hield zelfs een dag rust bij een waterpoel om haar tijd te geven op krachten te komen, maar spoedig daarna was iedereen het erover eens dat ze een last was geworden. Ze leunde zo zwaar op haar man dat ze nauwelijks vooruitkwamen.

Op de vierde dag, toen iedereen verwachtte dat ze achtergelaten zou worden, voegde Garnday zich bij haar echtgenoot. 'Laat me je helpen,' zei ze kalm en ze ondersteunde de oude vrouw.

Toen de schemering inzette waren ze echter ver achtergebleven bij de rest van de clan en was er geen enkele hoop dat ze de anderen nog konden inhalen. Met een zucht hielp de stamoudste Garnday om zijn stervende eerste vrouw neer te vlijen op de grond onder een boom. 'Dit is de laatste nacht,' zei hij verdrietig.

Garnday pakte een van de kleinste, met water gevulde emoe-eieren en gaf die aan de hoofdvrouw, een laatste gift, zoals de traditie voorschreef. 'We moeten nu gaan,' zei ze zachtjes. 'Vaarwel, Kabbarli.'

De oude vrouw accepteerde de eerbiedige benaming 'grootmoeder' en de gift, maar de naderende dood maakte haar ogen dof.

Haar man legde zijn hand op haar gerimpelde voorhoofd. Zijn tranen stroomden over de rimpels en door de diepe groeven van zijn gezicht toen hij afscheid nam van de vrouw met wie hij meer dan dertig jaar geleden in het huwelijk was getreden. Toen draaide hij zich om en liep snel achter de anderen aan. Hij keek niet om.

Garnday leunde op haar graafstok en dacht aan de tijden die ze samen hadden doorgebracht en de dingen die ze hadden gedaan. Toen liep ze weg om haar rechtmatige plaats als hoofdvrouw in te nemen.

Djanay en Aladjingu vestigden zich in het noordoosten. Het land had sappig gras dat goed was voor de grazende dieren en de bomen boden schaduw tegen de hitte. Ze konden vissen vangen in de glinsterende oceaan en oesters loswrikken uit de diepte van het water. Het was goede jachtgrond en toen Djanay en zijn vrouw hun gezin in goede gezondheid zagen groeien, wist hij dat hem een tweede kans was geboden.

Door de kracht en wijsheid die hij aan zijn jeugdige ervaringen had overgehouden, werd hij een populaire stamoudste en toen het zijn beurt was om aan het hoofd te staan van de Ngandyandyi, bleek hij een bijzonder wijs leider te zijn. In alle eeuwen na zijn dood bleef zijn legende voortleven in de schilderingen in de rotsen die verborgen lagen in een gebied dat later Cooktown genoemd zou worden.

Toen de grote droogte terugkeerde was Garnday bijna veertig jaar oud, maar de geesten spraken tot haar in haar dromen en ze leidde haar uitgedunde stam tijdens een grote tocht zuidwaarts naar de rijke jachtgronden, goed gevulde rivieren en bulderende zee van Kamay en Warang, waar ze leefden op de strikte, eenvoudige manier die sinds de Droomtijd niet was veranderd.

Maar toen de wereld begon te hongeren naar nieuw land en rijkdom, was de levensstijl van de clan gedoemd te sterven. Weldra zou Kamay het middelpunt worden van de invasies van de blanken en zou het in de hele wereld bekend worden als Botany Bay.

DEEL EEN

Het onbekende Zuiden

1

Cornwall, juni 1768

Jonathan Cadwallader, graaf van Kernow, onderdrukte een geeuw en had moeite stil te blijven zitten. De lunch was allang voorbij, maar oom Josiah leek van plan te zijn de hele middag te blijven doorkletsen, en dat terwijl de zon scheen en Susan op hem zat te wachten.

'Zit niet zo te draaien, Jonathan,' zei zijn moeder vermanend, met ongeduld in haar stem.

'Laat hem toch, Clarissa,' bromde Josiah Wimbourne. 'Jongens van zeventien zijn rusteloos. Ik neem aan dat hij liever lekker buiten zou zijn dan dat hij moet luisteren naar zo'n ouwe knar als ik die maar zit te zeuren over de voordelen van het feit dat Brittannië de Zevenjarige Oorlog heeft gewonnen.'

'Op zijn zeventiende zou een jongeman moeten weten wat goede manieren zijn, waarde broer,' was het scherpe antwoord van Lady Cadwallader. Met een fel gebaar dat haar ongenoegen benadrukte, klikte ze haar kanten waaier open. 'Zijn vader, moge hij rusten in vrede, zou dit niet accepteren. Jonathan schijnt niets geleerd te hebben van de tijd die hij bij jou in Londen heeft doorgebracht.'

Jonathan ving de blik van zijn oom op en onderdrukte een grijns. Ze wisten dat het tegendeel waar was, maar om zijn moeder af te leiden verzocht hij zijn oom door te gaan. 'En wat zijn die voordelen dan wel, oom Josiah?' vroeg hij, terwijl hij het nonchalante uiterlijk van zijn oom in zich opnam.

De ogen van Josiah flonkerden en toen hij op zijn hoofd krabde, raakte zijn pluizige pruik los en zakte die scheef naar één oor. Hij was een openhartige man die geen blad voor de mond nam, geen geduld had voor domme mensen en weinig om zijn uiterlijk gaf. Op zijn vijfenveertigste was hij nog altijd een verstokte vrijgezel. Niet dat hij niet van vrouwen hield, zoals hij vaak genoeg aan zijn vertwijfelde zus had uitgelegd, maar hij begreep vrouwen niet en gaf de voorkeur aan het kalme gezelschap van boeken en geleerden.

'In tegenstelling tot voorgaande oorlogen was dit een wereldwijd conflict, dat niet alleen in Europa werd uitgevochten, maar ook in Amerika, India en op de Caribische eilanden. De overwinning van Brittannië houdt in dat het strategische machtsevenwicht nu zwaar naar onze zijde helt.'

Vol genegenheid liet Jonathan zijn blik gaan over de ouderwetse, versleten pandjesjas die zich over de buik van zijn oom spande en bijna tot aan zijn ballonkuiten reikte. 'Ik weet dat Frankrijk het grootste deel van haar bezittingen in Noord-Amerika en aanzienlijke delen van India aan Brittannië is kwijtgeraakt, maar hoe zit het met Spanje?'

'Op zee zijn we onze oude vijanden nu volkomen de baas,' vertelde Josiah terwijl hij zijn handen achter zijn rug ineensloeg en zijn buik naar voren stak. 'Onze zege is zo volkomen dat we onze aandacht nu kunnen richten op de Stille Oceaan en de claims die Spanje daarop denkt te hebben.' Hij wiegde van voren naar achteren op de bal van zijn voeten, die gestoken waren in schoenen met gespen; zijn ogen schitterden en zijn pruik zakte nu over zijn voorhoofd. 'De verlokkingen van het Grote Zuidland en de rijkdommen van India en de zuidelijke zeeën hebben een magnetische aantrekkingskracht op ontdekkingsreizigers, boekaniers en alle mensen die op naam en faam uit zijn. Dit zijn opwindende tijden, beste jongen.'

Jonathan was nog maar net zeventien, maar was altijd bijzonder nieuwsgierig geweest naar de wereld om hem heen, een wereld die voortdurend groter werd in deze eeuw van ontdekkingsreizen en uitvindingen. Hij had de afgelopen vier jaar doorgebracht in de sombere vertrekken en strenge sfeer van een Londense school, maar was geboren en getogen in Cornwall en had van kinds af aan een grote liefde voor de zee gehad en altijd de wens gekoesterd aan boord van een machtig zeilschip te reizen om te ontdekken wat er achter de horizon lag. Wat benijdde hij die boekaniers! Wat zou hij graag met hen meegaan!

De legende van *Terra Australis Incognita* en de geruchten over een zuidelijk continent waarvan nog vrijwel niets in kaart was gebracht en dat verbluffende rijkdommen zou bezittten, prikkelden de fantasie van iedere avontuurlijke schooljongen sinds de expeditie van Marco Polo. Portugal, Holland, Spanje, Frankrijk en Engeland bevoeren allemaal de wereldzeeën om hun rijk uit te breiden, te handelen en te plunderen, maar het waren de Spanjaarden en Nederlanders die geleidelijk aan het bestaan van zo'n land begonnen te bevestigen. 'Volgens degenen die de westelijke kusten ervan hebben bevaren, is het een onherbergzaam land,' zei hij.

'Die opinie is in elk geval bevestigd door de onfortuinlijke bemanning van het Engelse schip de *Triall* dat in 1622 op het rif voor Monte Bello Islands is vergaan. Het heeft zestig jaar geduurd voordat William Dampier New Holland bereikte en erover kon schrijven.'

Jonathan glimlachte. 'En ook hij was niet erg onder de indruk; waarom lijkt het mij dan toch een geweldig avontuur om op zoek te gaan naar het mysterieuze New Holland?'

Josiah negeerde de verwijtende blikken van zijn zus en nam er een paar ogenblikken de tijd voor om zijn stenen pijp op te steken. Zijn rode gezicht straalde van plezier. Hij was dol op levendige gesprekken met zijn geliefde neef. 'Geleerden en aardrijkskundigen beweren dat New Holland op dezelfde geografische breedte ligt als andere regio's die bekendstaan om hun vruchtbare bodem en rijkdom aan delfstoffen. Waarom zou dit land anders zijn? De zeelieden hebben slechts een klein deel gezien van een continent dat erg groot schijnt te zijn. Wie zegt dat wat zij gezien hebben kenschetsend is voor hoe het er verder landinwaarts uitziet?'

'De Nederlandse Oost-Indische Compagnie voelde er anders niets voor om er een kolonie te stichten, niettegenstaande het advies van Jean Purry,' bracht Jonathan hem in herinnering.

Josiah pafte aan zijn pijp tot de hele kamer vol rook stond en negeerde stoïcijns het nadrukkelijke gewapper van zijn zus. 'Purry was geen ontdekkingsreiziger,' zei hij. 'Zijn advies was gebaseerd op bestudering van de informatie over de geografie en het klimaat. Bovendien had de Oost-Indische Compagnie Zuid-Afrika al gekoloniseerd, een uiterst nuttige pleisterplaats op de handelsroute naar Nederlands-Indië en Batavia.'

Jonathan stond op en trok zijn geborduurde vest recht. In zijn verbeelding zat hij al op zee. 'Ik wou dat ík de zuidelijke zeeën kon gaan verkennen.'

'Jij hebt hier je verantwoordelijkheden,' zei zijn moeder op vlakke toon. Op haar bepoederde, hautaine gezicht waren rode blosjes te zien die niets te maken hadden met het kunstige gebruik van rouge of de warmte van het haardvuur. 'Je titel brengt verantwoordelijkheden met zich mee, Jonathan, en je kunt niet van mij verwachten dat ik de zorg voor het landgoed nog langer in mijn eentje blijf dragen.'

Het was een bekend argument, al telde het niet erg zwaar, want het landgoed werd beheerd door een uitstekende rentmeester, Braddock, en een groot aantal andere personen, en ondanks haar tengere gestalte en delicate gelaatstrekken had Clarissa Cadwallader de touwtjes van haar huishouden stevig in handen. 'Maar zou het niet goed voor me zijn als ik de wereld buiten ons landgoed ook zou verkennen, moeder?' vroeg Jonathan op kalme toon terwijl hij een blik wierp op zijn zakhorloge. Susan zou zich wel afvragen waar hij bleef. 'Van studeren en reizen word je volwassen, en ik ben er zeker van dat beide mijn vaardigheden hier alleen maar ten goede zouden komen.'

Het was alsof haar patricische neus smaller werd en er was geen warmte te bespeuren in haar fletse ogen toen ze naar hem keek. 'De jaren die je in Londen hebt doorgebracht zouden voldoende moeten zijn,' zei ze, 'maar zo te horen ontbreekt het je nog altijd aan voldoende wijsheid om de restricties van je afkomst volledig te doorgronden.' Haar borst rees en daalde onder het weelderige kant. 'En om te begrijpen hoe onkies het is je in te laten met de lagere klassen.'

Jonathan kreeg een kleur. Zijn liefde voor Susan Penhalligan was een bron van frictie tussen hen en het zag er niet naar uit dat zijn moeder haar stugge houding zou laten varen. Hij stond op het punt een scherp antwoord te geven toen zijn oom tussenbeide kwam.

'Zusje,' baste hij, 'je bent te streng. Hij is jong en moet zijn wilde haren kwijt. Zijn voorkeur voor vissermansdochters zal vanzelf tanen.' Hij zag de misprijzende uitdrukking op haar gezicht en ging snel door: 'Bovendien,' zei hij met zijn bulderende stem, 'zal er met het landgoed echt niets gebeuren als de jongen toestemming krijgt er een poosje aan te ontsnappen.'

Jonathan keek verrast op. Hij had allang het vermoeden gehad dat er een specifieke reden moest zijn voor dit onverwachte bezoek van zijn oom en nu wist hij dat de oudere man iets in zijn schild voerde.

Clarissa's lippen trokken strak en haar tot smalle streepjes geplukte wenkbrauwen stegen op naar haar weelderige pruik. '*Ontsnappen*? Waarom zou hij willen ontsnappen?'

Josiah schuifelde met zijn voeten, schraapte zijn keel en keek haar vermetel weer in de ogen. 'Ik heb een voorstel, zusje,' begon hij, met een snelle blik op Jonathan. 'Alhoewel ik hem niet de opwinding en het avontuur kan bieden van een ontdekkingsreis naar het mysterieuze Terra Australis, zou dit een unieke kans voor hem zijn.'

Jonathan luisterde gespannen. Zijn verbeelding hielp hem onmiddellijk ontsnappen uit de bedompte kamer, ver bij de wrevelige houding van zijn moeder vandaan.

'Je spreekt in raadselen,' zei ze bits.

'Men heeft mij verzocht, in mijn hoedanigheid van gerespecteerd astronoom en lid van de Royal Society, deel te nemen aan een expeditie naar Tahiti, teneinde de baan van Venus ten opzichte van de maan in kaart te brengen. Ik zou graag willen dat Jonathan me op die reis vergezelde.'

Jonathan durfde amper adem te halen. Tahiti! Met deze kans om de zeeën te bevaren en bevrijd te zijn van alle beperkingen van het leven in Engeland zouden al zijn dromen in vervulling gaan. Hij keek naar zijn moeder en probeerde haar zwijgend te dwingen hem toestemming te geven.

'Zou het een opvoedkundige expeditie zijn?'

'Uiteraard,' antwoordde Josiah zonder haar aan te kijken.

'Is het gevaarlijk?'

De spanning was bijna ondraaglijk. Jonathan ging op de vensterbank zitten om het trillen van zijn ledematen tegen te gaan terwijl zijn oom uitlegde wat de reis precies behelsde. Het belang van een maansverduistering zei zijn moeder niets, maar als er iemand was die haar kon overhalen hem te laten gaan, was het Josiah.

'Je wilt dat de jongen een volwassen kijk krijgt op zijn plaats in de wereld, Clarissa,' zei Josiah. 'Ik ben zijn oom en voogd en zal ervoor zorgen dat hem niets zal overkomen.' Hij tikte zijn pijp leeg in de haard. 'Je hebt me toestemming gegeven zijn schoolopleiding te regelen en een aantal jaren voor hem te zorgen. Sta me toe dat nog een poosje te blijven doen, waarna ik hem gezond en wel bij je zal terugbrengen, opdat hij zijn plichten hier kan gaan vervullen.'

Jonathan wist precies wat zijn moeders gedachten waren. Toen ze al jong weduwe was geworden, was Clarissa niet tegen de taak opgewassen geweest haar zoon in haar eentje groot te brengen. Ze had dat aan kindermeisjes overgelaten tot de jongen oud genoeg was om naar Josiah in Londen te gaan en ze was haar broer zo dankbaar voor zijn hulp dat ze hem vrijwel niets kon weigeren. Het feit dat Jonathan verliefd was op Susan Penhalligan vormde een extra complicatie. Ze werd verscheurd tussen haar wens de zorg voor het landgoed aan haar zoon over te dragen, en de kans dat tijd en afstand een einde zouden maken aan een romance die ze volslagen ongeschikt vond.

Ze keek naar Jonathan. Clarissa Cadwallader had wijlen de graaf een erfgenaam geschonken en ze vond dat ze daarmee haar plicht had gedaan. Ze hield niet van haar zoon. Voor haar was hij alleen maar een garantie dat de familienaam en titel zouden blijven bestaan en iemand die het enorme landgoed zou overnemen zodra hij meerderjarig was.

Clarissa koos een bonbon van het zilveren schaaltje dat op de tafel naast haar stond. Op de verfijnde manier van een hooggeboren dame knabbelde ze aan de randjes en bette haar lippen met een servet voordat ze weer sprak. 'Ik zie het nut er wel van in, beste broer, maar de kosten van een dergelijke reis...' Na de dood van de graaf was gebleken dat hij enorme gokschulden had gehad, waar het landgoed nu pas een beetje van was hersteld.

'De kosten zal ik op me nemen, zusje,' antwoordde Josiah. 'Mag ik ervan uitgaan dat we je toestemming hebben?'

Jonathan ging staan. Zijn hartslag bonkte in zijn oren. Hij bleef naar zijn moeder kijken toen die nog een bonbon koos en eraan knabbelde. Hij was zo ongeduldig dat hij het liefst met grote stappen op haar af was gelopen om die bonbon uit haar hand te slaan, maar blijkbaar was ze zich ervan bewust dat ze een hoofdrol speelde in dit kleine drama en was ze vastbesloten dat zo veel mogelijk uit te buiten.

Toen ze de bonbon op had, knikte ze. 'Maar na zijn terugkeer moet hij de volledige verantwoordelijkheid voor het landgoed op zich nemen en een geschikte vrouw zoeken die een behoorlijke bruidsschat zal inbrengen.'

Het was glashelder wat ze daarmee bedoelde, maar Jonathan weigerde in het aas te happen. Dat zouden ze nog wel uitvechten nadat hij was teruggekeerd van zijn avontuur. Susan was zijn grote liefde – het enige meisje van wie hij hield – en daar zou niets aan veranderen, wat zijn moeder ook deed of zei.

'Dat is dan geregeld.' Josiah omhelsde Jonathan met een kracht die zijn ribben bijna kneusde.

Jonathan keek over de stevige schouder van zijn oom naar zijn moeder, maar die had haar aandacht weer gericht op het bonbonschaaltje. 'Wanneer vertrekken we?' vroeg hij buiten adem.

'Zodra de Royal Society een leider voor de expeditie heeft gekozen,' antwoordde Josiah. 'We moeten morgen meteen terugkeren naar Londen om ons op de reis voor te bereiden. Er is veel werk aan de winkel.' Hij liet zijn neef los, deed een stap achteruit en keek hem aan met een plagerige maar ook begrijpende blik. 'Ga nu, mijn jongen,' zei hij zachtjes. 'We praten vanavond verder.'

'Mensen van stand trouwen niet met meisjes als jij, en als je denkt van wel, ben je niet goed snik.'

Susan Penhalligan liep de steile, met kinderhoofdjes bestrate steeg uit en begon aan de lange klim vanuit het dorp Mousehole naar de top van de klippen. De woorden van haar moeder lieten haar niet los. Ze probeerde er niet aan te denken, maar ze waren erg hardnekkig. 'Ze begrijpt het niet,' hijgde ze toen ze het steilste stuk van het traject nam, dwars door het lange gras dat op de helling groeide. 'Niemand begrijpt het. Maar op een dag zullen we aan iedereen bewijzen dat ze ongelijk hebben.'

Op de top bleef ze staan. De wind blies haar haren uit haar gezicht en deed haar rokken fladderen terwijl ze wachtte tot ze weer op adem was. Het was nu niet ver meer en Jonathan wachtte op haar. Dankbaar ademde ze de zilte zeelucht diep in haar longen. Het was hier schoon en fris, ver van de stank van de vis, en ze ontvluchtte het kleine huisje en de drukke kade dan ook zo vaak als ze kon om zich te laven aan de stilte en de pracht van het uitzicht.

Mousehole lag in de diepte, een rommelige verzameling huisjes aan de voet van de klippen, tegen de zee beschermd door een stenen kade en een smal strand. De vissersboten lagen voor anker in het ondiepe water van de haven, de netten waren te drogen gehangen en de kreeftenfuiken lagen opgestapeld klaar voor maandagochtend. Vandaag, de rustdag, was de rokerij verlaten en stonden de haringtonnen er verloren bij, maar morgenochtend zouden de stemmen van de vissers en de vrouwen die moeizaam probeerden aan de kost te komen, weer over de kade schallen.

Susan trok haar rafelige sjaal wat strakker om haar schouders en stopte de punten in de band van haar rok toen ze blootsvoets verder trok over de heuvels. Haar keurslijf zat strak en haar rok reikte maar nét tot op haar enkels, maar het waren haar zondagse kleren en ze had ze met zorg gewassen en versteld. Ze hadden thuis te weinig geld om het aan nieuwe kleren te kunnen uitgeven, hoewel ze op haar zestiende overal uit was gegroeid. Ze vond het echter niet erg. Vandaag was niets belangrijk, behalve haar afspraakje met Jonathan.

De grot was hun geheime plek waar ze sinds hun kindertijd altijd naartoe gingen. Hij bevond zich aan de voet van de donkere klippen, onzichtbaar achter grote, losliggende rotsblokken. Om er te komen, moest je een verraderlijk steile helling af, maar ze kende de weg zo goed dat het was alsof ze vleugeltjes had toen ze over het pad snelde waar bijna nooit iemand kwam.

Ze bleef even staan om haar kleren af te kloppen en haar haren in orde te brengen. Ze zag Jonathans paard nergens, dus had ze tijd om zich voor te bereiden op zijn komst. Ze zocht haar weg over de stenen en rond de poelen en ging toen de kille duisternis van de grot binnen. Het was eb en het tij zou pas over een uur keren. Ze zat er dus veilig.

De grot strekte zich uit tot diep in het hart van de klip, het plafond was zo hoog als dat van een kerk, de wanden waren keihard, bedekt met korstmos en gekleurd door het donkerrood en okergeel van de mineralen die rond Newlyn en Mousehole werden gewonnen. Susan stak de kaars aan die ze had meegebracht, zette hem in wat gedruppeld kaarsvet en ging zitten.

Met bonkend hart steeg Jonathan van zijn paard en daalde snel het pad af naar de grot. Daar was ze. Haar slanke figuurtje stak af tegen de duisternis van de grot, haar blonde haar hing los rond haar hartvormige gezicht en reikte tot aan haar smalle taille. Wat was ze mooi.

'Ik dacht dat ik nooit zou wegkomen,' zei hij buiten adem, 'en ik heb je zo veel te vertellen dat ik amper weet waar ik moet beginnen.'

'Dan is het geen ramp als je het nog even voor je houdt,' zei ze, terwijl ze met een glimlach naar hem opkeek. 'Je hebt me nog niet gekust.'

Hij pakte haar handen en keek in haar ogen, die de voortdurende wisselende stemmingen van de zee leken te bevatten. Van het diepste groen tot het helderste blauw spraken ze hem toe op een manier waarvoor woorden nooit toereikend zouden zijn. Hij nam haar in zijn armen en klemde haar zo strak tegen zich aan dat hij het kloppen van haar hart tegen zijn ribben kon voelen en toen ze haar gezicht naar hem ophief, sloot hij zijn lippen op de hare voor een kus waarmee hij haar hoopte duidelijk te maken hoeveel hij van haar hield.

Het duurde heel lang voordat ze zich van elkaar losmaakten om op adem te komen en in verwondering naar elkaar te kijken. Ze durfden nauwelijks te geloven in de kracht van hun gevoelens. 'Hoe kan iemand beweren dat dit niet was voorbestemd?' vroeg hij zachtjes.

Susan drukte haar wang tegen zijn handpalm toen hij haar gezicht streelde. 'Ze weten er niets van.' Haar ogen werden diepblauw en een kuiltje verscheen in haar wang toen ze lachte. 'Maar laten we deze dag niet verknoeien door aan hen te denken.' Ze stak haar vingers in zijn donkere haar. 'Kus me, Jon.'

Hij drukte haar weer tegen zich aan en kuste haar langdurig. Hij verlangde ernaar om de liefde met haar te bedrijven, maar hij wist dat dat verkeerd zou zijn. Ze was geen goedkope lichtekooi, maar het meisje met wie hij op een goede dag hoopte te trouwen. Hun liefde was volmaakt en om dat zo te houden, moesten ze de toestemming zien te krijgen van hun ouders. Ze zouden alle vooroordelen moeten overwinnen en aan de wereld moeten bewijzen dat ze voor elkaar bestemd waren, voor altijd.

Susan zat naast hem op de platte rots bij de ingang van de grot toen hij haar over de reis naar Tahiti vertelde. Ze had nog nooit van Tahiti gehoord, maar ze begreep dat het aan de andere kant van de wereld was en dat de reis ernaartoe erg lang zou duren, en dat ze onderweg blootgesteld konden worden aan gevaren, misschien zelfs aan de dood. Ze keek naar hem toen hij sprak, zag hoe opgewonden hij was en begreep dat ongeacht hoeveel hij van haar hield, hij niet de hare zou worden voordat zijn zucht naar avontuur was bevredigd. Het leven met haar in Cornwall zou erg tam lijken na zo'n reis en ze was bang dat ze hem kwijt zou raken.

Hij scheen haar bezorgdheid aan te voelen, want hij hield haar dicht tegen zich aangedrukt en kuste haar weer. 'Ik kom naar je terug, Susan,' zei hij zachtjes. 'Ik beloof het.'

Ze leunde tegen hem aan en wilde hem dolgraag geloven. Ze wist dat hij de woorden volkomen oprecht had uitgesproken, maar zouden ze net zo oprecht zijn nadat hij van de avonturen had geproefd waar hij zijn hele leven naar had verlangd? Ze maakte zich van hem los om hem te bekijken. Met zijn zwarte haar en donkerblauwe ogen was hij erg knap, ondanks de kleine, traanvormige moedervlek die rood afstak op zijn slaap. Jonathan had haar verteld dat er in iedere generatie Cadwalladers één persoon was die ergens op zijn lichaam zo'n moedervlek had en dat hij er zelf nauwelijks erg in had. Voor haar was het een dierbaar onderdeel van de man van wie ze hield en nu drukte ze er een kus op.

Ze keek diep in zijn ogen en herinnerde zich de kleine jongen die met een dienstmeisje naar haar huis was gekomen om met haar te spelen te midden van de kreeftenfuiken en visnetten. Weer zag ze hoe hij als elfjarige zijn nette kleren had uitgetrokken om samen met de dorpelingen de zee in te waden toen grote scholen sardientjes voor de kust waren gesignaleerd. En ze herinnerde zich die bijzondere ochtend een jaar geleden toen ze zich hadden gerealiseerd dat ze méér waren dan vrienden en dat hun kinderlijke genegenheid was uitgegroeid tot iets veel sterkers.

'Wanneer vertrek je?'

'Ik moet morgen terugkeren naar Londen,' antwoordde hij, terwijl hij zijn arm nog strakker om haar middel legde. 'We moeten voorbereidingen treffen.' Hij hief met zijn wijsvinger haar kin op en keek haar in de ogen. 'Maar ik heb je leren lezen en schrijven, zodat we contact kunnen houden, in ieder geval tot ik uitvaar.'

Ze knikte, niet in staat verder nog iets te zeggen. Dat lezen en schrijven van haar stond nog maar in de kinderschoenen en zijn brieven zouden een armzalige compensatie zijn voor zijn afwezigheid.

Het getij was gekeerd en de zee stroomde over het strand en klotste tegen de rotsen. De zon stond laag en gaf de rotsen en het water een gouden glans. Het was tijd om de grot te verlaten en terug te keren naar hun afzonderlijke levens. Jonathan steeg op zijn paard en stak zijn hand uit. 'Rij met me mee.'

Ze zette haar voet op zijn stoffige laars, pakte zijn hand en werd achter hem in het zadel gehesen. Ze sloeg haar armen om hem heen en vocht tegen haar tranen. Ze zou zich aan deze herinnering vasthouden tot hij terugkwam.

2

Plymouth, augustus 1768

Jonathan leunde op de reling van het schip en kon zijn opwinding nauwelijks bedwingen toen hij naar de drukte op de kade keek en naar de andere passagiers die met hun bagage, hutkoffers en kisten met instrumenten, aan boord gingen. Hij herkende de botanicus Joseph Banks en de natuuronderzoeker Daniel Solander. Hij kon nog steeds maar amper geloven dat hij hier echt stond, maar het rumoer in de diepte en het kraken van het houten dek onder zijn voeten waren meer dan voldoende bewijs.

Ze waren op 30 juli uit Deptford vertrokken en dertien dagen later in Plymouth aangekomen om de rest van de groep wetenschappers op te pikken die de baan van Venus voor de zon langs zouden berekenen. Na een blik op het sierlijke zakhorloge dat hij sinds de dood van zijn vader bij zich droeg, klemde hij zijn driekantige hoed onder zijn arm. Hij vroeg zich af hoe lang het nog zou duren voordat alles en iedereen aan boord zou zijn. Het schip lag nu al vijf dagen in Plymouth en er leek geen einde te komen aan de hoeveelheid spullen die werd ingeladen.

Hij hief zijn gezicht op naar de zon, sloot zijn ogen en haalde diep adem terwijl hij luisterde naar het gekrijs van de zeemeeuwen boven zijn hoofd. Geduld was een schone zaak, maar het viel niet mee om het bonken van zijn hart en de kriebel in zijn benen te negeren. Hij deed zijn ogen weer open, keek naar de groene heuvels van dit zuidelijke deel van Engeland en vroeg zich onwillekeurig af of hij Cornwall en Susan ooit zou terugzien.

Hij had na die dag in de grot geen gelegenheid meer gehad naar Cornwall te reizen en Susan had nog niet voldoende zelfvertrouwen om hem brieven te sturen die meer dan een paar woorden bevatten.

Had ze maar mee gekund, dacht hij. Ze zou het geweldig hebben gevonden. Hij zette alle gedachten aan haar resoluut van zich af. Hij was er zeker van dat zijn liefde gedurende deze reis niet zou verflauwen en hij kon weinig anders doen dan al zijn energie in dit avontuur steken. Hij keek nog even naar de drukte op de kade en liet zijn blik toen over het schip gaan.

Het was geen imposant vaartuig en toen Jonathan het in Deptford voor het eerst had gezien, was hij erg teleurgesteld geweest. Hij had de officieren bestookt met vragen, zijn oom uitgehoord en het hele schip van boeg tot achtersteven bekeken, en uiteindelijk had hij begrepen dat het schip juist bijzonder geschikt was voor de taak die hun wachtte.

De Admiraliteit had de *Earl of Pembroke* speciaal voor deze expeditie gekocht. Het was van oorsprong een kolenschip, klein en stevig, gebouwd in Whitby. Op de marinewerf van Deptford waren er lichtgewicht houten vloeren in gebouwd en hutten voor de gerenommeerde passagiers, waarna het schip een nieuwe naam had gekregen: *Endeavour*.

'Het is een prima schip voor onze doeleinden.'

De barse stem onderbrak zijn gedachten. Jonathan draaide zich om naar zijn oom. 'Dat is precies waar ik aan stond te denken,' antwoordde hij, terwijl hij zijn oom van top tot teen bekeek.

Jonathan was zelf gekleed in een witte broek met een wit overhemd, glanzend gepoetste schoenen met gespen en een smetteloze das boven zijn gebloemde vest. Zijn dikke, donkere haar had hij tot een staartje gebonden en hij had al snel besloten zijn pruik af te laten om de wind op zijn hoofd te kunnen voelen. Hij onderdrukte een glimlach toen zijn oom aan het bepoederde paardenhaar trok dat hem een ietwat belachelijk uiterlijk gaf. Josiah, die het grootste deel van zijn tijd doorbracht met het bestuderen van het zonnestelsel en het lezen van de boeken van zijn enorme bibliotheek, had weinig sociale vaardigheden. Niet dat dit de vooruitgang van zijn gekozen carrière ooit in de weg had gestaan of iets had afgedaan aan de achting die hij genoot als vooraanstaand lid van de Royal Society.

Josiah gaf de strijd op en propte de lastige pruik diep in de ruime zak van zijn jas. Hij wierp een uitdagende blik op de lange man met het bruine haar die toezicht hield op het inladen van het proviand.

'Het is te hopen dat de recentelijk gepromoveerde luitenant net zo betrouwbaar is als zijn schip,' merkte hij op.

Jonathan gaf daarop maar geen antwoord. De leden van de Royal Society hadden fel gedebatteerd over het feit dat de Admiraliteit erop had gestaan luitenant James Cook aan te stellen als leider van de expeditie, en zijn oom was nog steeds van mening dat Augustus Dalrymple de enige man met voldoende ervaring was om aan het hoofd van een dergelijke onderneming te kunnen staan.

'Het is een schandaal,' mopperde Josiah, terwijl hij aan de zoom van zijn lange pandjesjas trok waardoor er nog een knoop opensprong. 'De Royal Society heeft deze reis bekostigd, maar de Admiraliteit weigert ons Dalrymple te geven. Waarom Cook? Wie is hij helemaal? Wat weet de zoon van een boer uit Yorkshire nu van astronomie, en van de zee?'

Jonathan wist dat zijn oom geen antwoord verwachtte en dat hij zich er nooit bij zou neerleggen dat de Admiraliteit Cook boven Dalrymple had verkozen, ongeacht hoe lang ze er nog over zouden praten. Dalrymple was zo beledigd geweest toen de beslissing van de Admiraliteit bekend was gemaakt, dat hij had geweigerd deel te nemen aan de expeditie en daarmee was wat Jonathan betrof dit onderwerp afgesloten.

Uit zijn eigen navorsingen was hij te weten gekomen dat Cook weliswaar geen connecties had en inderdaad van heel eenvoudige afkomst was, maar dat zijn vaardigheden op zee tijdens de recente Zevenjarige Oorlog hem een goede reputatie hadden bezorgd. Hij had de St.-Lawrencerivier in Canada in kaart gebracht en was de leider geweest van de succesvolle expeditie van Wolfe om Québec op de Fransen te veroveren. Hij was dus inmiddels een ervaren en competente marinier.

Jonathan bleef naast zijn oom staan kijken naar de luitenant die op een rustige toon met bemanningsleden en passagiers sprak; het gezag dat hij uitstraalde deed je vermoeden dat hij veel vertrouwen had in zijn eigen bekwaamheden. James Cook zou een prima kapitein zijn, dacht hij, maar hij wou dat alles een beetje sneller ging opdat ze konden uitvaren voordat ze het getij weer misliepen.

Waymbuurr (Cooktown, Australië), december 1768

Het sikkelvormige strand lag tussen de beschermende armen van twee ruige klippen, die dicht begroeid waren met de schroefpalmen en varens die langs de hele baai en de noordelijke kustlijn groeiden. Erachter lagen de jachtgronden, het met weelderig gras begroeide terrein dat met behulp van fakkels regelmatig werd afgebrand, omdat het vuur nieuwe aanwas bevorderde en de dieren dan elk jaar terugkeerden om er te grazen. De bomen waren hier dunner, hadden een bleke bast en zilverachtige bladeren, en in hun takken nestelden niet alleen vogels, maar ook de koala's en opossums die zo lekker smaakten. Dit was het land van de Ngandyandyi, die het beheerden sinds hun oerouders de wereld hadden bewoond.

Anabarru zat gehurkt aan de rand van het water te wachten tot het getij zou keren en ze de schaaldieren kon verzamelen die zich op de rotsen vastzetten. Ze was volkomen naakt, maar droeg een smalle gordel van gevlochten haar om haar middel, een streng van schelpen om haar nek en een smal botje door haar neus. Ze was vijftien en dus geïnitieerd als vrouw, en haar donkerbruine huid vertoonde de diepe kerven en littekens van de ceremoniën. Ze was twee jaar geleden in het huwelijk getreden met Watpipa, de zoon van de stamoudste, wat inhield dat haar kinderen rechtstreekse afstammelingen zouden zijn van hun beroemde voorouder Djanay, de wijze, succesvolle leider wiens levensverhaal op de wanden van de heilige grotten was uitgebeeld.

Ze was volkomen tevreden over haar leven terwijl ze daar zat te kijken hoe de vurige wagen van de zongodin het laatste deel van zijn weg langs het firmament aflegde, en ze zag verlangend uit naar het avondmaal. Het ruime strand was net zo verlaten als het water; de rust en tijdloze schoonheid van haar omgeving waren niet aangetast door indringers. Haar familie leidde een vredig leven nu een wapenstilstand was bereikt met de Hagedismensen die op het aangrenzende land woonden. De vissers en schelpdierverzamelaars met de veel lichtere huid die ooit vanuit het verre noorden in hun eigenaardige zeevaartuigen naar deze kusten waren gekomen, waren nu al generaties lang niet meer waargenomen. Tijdens de *corroborees* werden nog altijd verhalen verteld over spookachtige mannen die in het noorden en het verre zuidwesten waren verschenen, en er bleven geruchten de ronde doen over grote kano's met witte vleugels die aan stukken braken op de rotsen, maar aangezien geen enkele levende man of vrouw kon zeggen dat ze die vreemde mannen met hun eigen ogen hadden gezien, werden de verhalen beschouwd als mythen.

Anabarru staarde naar de horizon en liet haar gedachten de vrije loop terwijl de golven rond haar voeten over het zand spoelden. Toen de zon achter de bomen wegzonk en de vogels nog een keer uitzwermden alvorens hun rustplaats voor de nacht op te zoeken, huiverde ze opeens. Niet omdat ze het koud had, maar vanwege een onbestemd gevoel van onbehagen. Dat was niets voor haar en ze wist dan ook niet wat ze ervan moest denken.

Ze zocht met haar ogen het strand af, blikte over haar schouder, tuurde naar het snel donker wordende regenwoud. Ze zag niemand, al wist ze dat er ergens in de buurt altijd wel een paar kinderen in het zand speelden en mannen in de kano's van holle boomstammen aan het speervissen waren. Ze richtte zich op, draaide de zee haar rug toe en keek met tot spleetjes toegeknepen ogen naar de ondergaande zon. Tussen de bomen was de schemering het diepst en ze zag er niets bewegen. Ook haar familie was in geen velden of wegen te bekennen.

Toen de geluiden van pratende en lachende mensen haar vanachter de bomen bereikten, vond ze dat ze zich dwaas had gedragen. Gerustgesteld door de wetenschap dat haar familie dichtbij was, tilde ze haar dochtertje op en zette haar op haar heup. Birranulu was een jaar oud en Anabarru voelde zich vanbinnen helemaal warm worden toen de baby naar haar lachte en zich aan haar vastgreep. Anabarru kuste haar en waadde het water in. Het voelde verfrissend koel aan op haar huid en de baby lachte verrukt toen de golven tegen haar beentjes spatten en haar buikje bereikten.

Toen de zon de hemel kleurde met het oranje en rood van vuur bracht Anabarru Birranulu terug naar het zand en gaf haar wat schelpen om mee te spelen terwijl ze zelf naar schaaldieren ging zoeken. Met een stenen hakwerktuig in haar hand en een van gras geweven tasje aan haar pols waadde ze de poelen in die het wegtrekkende getijde tussen de rotsen had achtergelaten en begon ze de glanzende zwarte mosselen los te steken. Binnenkort, dacht ze, terwijl ze de tas vulde, begint het oesterseizoen en dan zal ik de kleine, witte steentjes verzamelen om een halsketting voor Birranulu te maken.

Anabarru keerde terug naar het strand en begon zachtjes voor haar nu slapende kind te zingen. Toen ze zich bukte om de baby op te tillen, sloeg iemand een hand voor haar mond en werd ze opgetild.

Ze probeerde te gillen, maar de hand werd te strak op haar mond gedrukt en de arm te strak om haar lichaam geklemd. Ze vocht tegen haar ontvoerder toen die met haar over het zand naar de bomen rende. Ze probeerde hem te slaan en te trappen, trok aan zijn haar, graaide naar zijn ogen. Maar hij was te sterk en te vastberaden, en Anabarru moest niet alleen tegen de man vechten maar ook tegen de verlamming van de angst.

Hij droeg haar naar de donkere schemering tussen de bomen. Anabarru wist dat ze gehoord zou worden als ze zou kunnen gillen, want ze waren nog dicht bij haar familie – nog binnen het bereik van hun speren. Ze verzette zich uit alle macht terwijl hij tussen de bomen en manshoge varens door zigzagde. Opeens hoorde ze haar baby huilen en kreeg ze nieuwe hoop. Misschien zou Watpipa erdoor gealarmeerd worden en haar komen redden.

Terwijl de kreten van Birranulu tussen de bomen echoden deed Anabarru hernieuwde pogingen om los te komen, probeerde ze haar ontvoerder uit zijn evenwicht te brengen door zich tegen boomstammen af te zetten en takken vast te grijpen. Haar kreten werden gesmoord door zijn hand en haar oren tuitten van de holle geluiden in haar keel toen ze ondanks de harde hand op haar mond wanhopig probeerde adem te halen.

Opeens haalde de man zijn hand weg, maar voordat ze kon gaan gillen, kreeg ze een verblindende klap op haar hoofd en werd alles zwart.

Anabarru keek door haar ooghare naar hem toen hij haar weer verkrachtte. Ze walgde van zijn geur en aanraking, maar ze wist dat hij haar opnieuw zou slaan of haar misschien zou doden als ze zich tegen hem verzette. Ondanks haar doodsangst en de wetenschap wat hij was, bleef ze gedwee onder hem liggen, terwijl ze koortsachtig probeerde te bedenken hoe ze zou kunnen ontsnappen.

Ze zag aan de initiëringslittekens op zijn gezicht en lichaam dat hij een van de Hagedismensen was, en uit het feit dat hij er zeker van leek te zijn dat hij met haar kon doen wat hij wilde, maakte ze op dat ze op het terrein van zijn volk waren. Ze vocht hard om haar doodsangst in bedwang te houden. De Hagedismensen stonden erom bekend dat ze mensenvlees aten en als ze er niet in zou slagen te ontsnappen, zou ze gedood worden wanneer hij genoeg van haar had.

Ze klemde haar kaken op elkaar en dacht aan haar familie. Watpipa was de beste spoorzoeker van de clan; hij was vast niet ver bij haar vandaan. Maar zou hij de heilige wetten durven schenden door het land van de Hagedismensen te betreden? Ze moest hopen dat hij dat zou doen; ze moest hopen dat ze belangrijk genoeg voor hem was.

Ze wendde haar ogen af van de man boven haar en probeerde door haar wimpers de omgeving te bekijken. Ze besefte dat ze diep in een grot waren. De zon wierp slechts dunne vingers van licht naar binnen en het licht glansde heel vreemd op de stenen wanden, alsof het door de structuur ervan werd opgezogen, terwijl het toch licht genoeg was om de schilderingen op het lage plafond te kunnen onderscheiden, en de bergjes beenderen en as op de stenen vloer.

Ze wendde haar blik daar snel van af. Ze mocht niet blindelings op Watpipa vertrouwen. Ze moest zelf zien te ontsnappen. Ze moest kalm blijven, anders zou ze hier sterven, te midden van de overblijfselen van de doden en te midden van de kwade geesten die hier woonden. Anabarru keek naar het gezicht van haar kwelgeest die ruw in haar bleef stoten en haar zo'n pijn deed. Ze wist dat ze alleen zou kunnen ontsnappen als ze hem doodde. Maar daarvoor moest ze een wapen zien te vinden.

Ze tastte met haar vingers de vloer af. Ze rilde toen haar vingers rottend vlees raakten. Gebroken twijgen en verkoolde bladeren lagen over de hele vloer van de grot verspreid, maar dat waren geen wapens en ze was de wanhoop nabij. Toen raakten haar vingers een voorwerp dat hard, ruw en koud was.

Ze voelde het versnelde ritme van zijn wellust terwijl haar vingers zich om de steen klemden. Zo dadelijk kwam hij klaar. Ze moest snel zijn.

De steen paste precies in haar hand. Ze klemde hem vast, haalde diep adem en spande haar spieren. Toen sloeg ze de man met de steen keihard tegen zijn slaap.

Hij gromde, hield op met bewegen en begon met zijn ogen te rollen.

Anabarru's hart bonkte en ze raakte bijna verblind van het angstzweet toen ze zag dat hij alleen maar versuft was. Ze klemde haar vingers nog steviger om de steen en gaf hem nog een klap, en van pure angst had ze ditmaal de kracht van een man. De steen ging door huid en bot heen en maakte een gat ter grootte van een vuist in de zijkant van zijn hoofd.

Ze hield haar adem in toen hij naar haar gevoel een eeuwigheid boven haar bleef hangen. Ze wilde hem net nóg een klap geven toen hij verslapte en haar onder zijn gewicht verpletterde. Hij blies zijn stinkende adem midden in haar gezicht uit en bewoog niet meer.

Anabarru schoof hem van zich af en kroop onder hem vandaan, met de steen nog in haar hand, klaar om nogmaals toe te slaan. Ze schoof achterwaarts bij hem vandaan, op zoek naar de veiligheid van de solide wand en de duisternis. Haar hele lichaam deed pijn en haar maag kwam nu in opstand, maar haar ogen lieten hem geen ogenblik los. Ze wachtte angstvallig op een teken van leven. Ze moest er zeker van zijn dat hij haar niet zou achtervolgen, want ze was zo zwak dat ze niet aan hem zou kunnen ontsnappen als hij achter haar aan kwam.

Het duurde heel lang voordat ze voldoende moed had verzameld om naar hem toe te schuifelen en hem een duwtje te geven met haar voet. Hij verroerde zich niet en deed zijn ogen niet open. Bloed was uit de wond aan zijn hoofd over zijn lelijke, geschonden gezicht gestroomd en vormde een plasje op de vloer.

Met de steen in haar hand strompelde ze de grot uit naar de verblindende hitte van de dag. Glibberend en glijdend over de rotswand wist ze de bodem van het dal te bereiken, waar ze uitgeput neerviel in het gras. Haar hoofd voelde aan alsof het gevuld was met veren en haar mond was kurkdroog. Ze had sinds gisteren geen water meer gedronken en haar oren tuitten nog van de klappen die hij haar had gegeven. Ze keek naar haar benen, die nog trilden van wat er in de grot was gebeurd, en zag opdrogend bloed. De rest van haar lichaam zat ook onder de bloedspatten en ze rilde toen ze besefte waar het bloed vandaan was gekomen.

Anabarru kreunde. Ze had overal pijn en wilde het liefst in elkaar kruipen en gaan slapen, maar ze was nog in het land van de Hagedismensen, ze verkeerde nog in gevaar en wist dat ze moest proberen weg te komen. Met de steen, die het symbool van haar vrijheid was geworden, in haar hand geklemd hinkte ze door het gras tot ze de betrekkelijke veiligheid van de bomen bereikte.

Het was niet moeilijk om zijn spoor door het bos terug te vinden en nadat ze het vele kilometers door het dikke struikgewas had gevolgd, viel ze op de oever van een beek op haar knieën neer en dronk gulzig. Toen trok ze een breed, plat blad van een struik en reinigde zichzelf, ineenkrimpend toen het helende sap in de wondjes en schrammen drong. De gedachte dat ze misschien zijn zaad droeg, maakte haar misselijk en nadat ze haar wonden had verzorgd en zich van zijn stank had ontdaan, ging ze op zoek naar de speciale planten die het bloed van de nieuwe maan op gang zouden brengen en ontkiemend leven in haar zouden vernietigen.

Het kostte haar meer tijd dan ze had verwacht en omdat ze wist dat ze nog altijd ontdekt zou kunnen worden, bleef ze scherp opletten of er in de bosjes soms vreemde geluiden te horen waren. Ze hield haar gezicht naar het oosten gekeerd en strompelde weer verder in de richting van haar eigen land, naar de clan die zijn kamp had in het pad van de rijzende zon.

Ze had geen erg in het glanzende geel dat in de steen vonkte en als aderen over de oppervlakte liep. En als ze er wel erg in had gehad, zou ze niet geweten hebben wat het was noch wat het waard was. Voor Anabarru was de steen het voorwerp dat haar leven had gered, niet een grote klomp van het goud dat verderf zou zaaien onder de toekomstige generaties van haar volk.

Eindelijk kwam ze uit het bos en zag ze dat ze het jachtterrein van haar stam had bereikt. Het lange gras was nog koel en geurig van de dauw, maar naarmate de zon begon te stijgen werd ze duizelig en kon ze niet scherp meer zien. Ze was nog steeds ver van het kamp maar ze had geen kracht meer. Met de steen nog steeds in haar hand geklemd kroop ze onder een overhangende struik en sloot haar ogen. Ze zou heel eventjes rusten.

Toen ze haar ogen weer opendeed, was ze omringd door bekende gezichten. Koel water en genezende bladeren lenigden de pijn van haar wonden, en zachte woorden brachten haar troost. 'Hoe ben ik hier gekomen?' fluisterde ze.

'Watpipa was erop uitgegaan met jagers. Hij heeft je gevonden en je twee volle manen geleden naar huis gedragen.' De hoofdvrouw bleef haar ledematen masseren. 'Ga maar weer slapen.'

Ze verloor alle besef van tijd toen ze steeds wegzakte in de heerlijke duisternis, maar na een tijdje werd ze zich ervan bewust dat de toon van de stemmen om haar heen was veranderd. De zachte, sussende geluiden waren vervangen door die van een felle discussie. Ze deed haar ogen open en ging zitten.

'Waar is Birranulu?' vroeg ze.

'Bij de vrouwen,' vertelde de hoofdvrouw haar.

'Ik wil haar zien.'

De hoofdvrouw beval de andere vrouwen weg te gaan. Toen schudde ze haar hoofd. 'Nu je weer gezond bent, moet je het kamp verlaten en mag je geen contact hebben met het kind en met Watpipa tot je gezuiverd bent.'

Anabarru keek haar niet-begrijpend aan. Toen drong de afgrijselijke werkelijkheid tot haar door. 'Ik draag het zaad van de Hagedisman.'

'Je moet vandaag nog vertrekken.'

De twee vrouwen keken elkaar lange tijd aan in een zwijgend moment van begrip. Toen knikte Anabarru. Het was de wet van de stam. Tot ze zich had ontdaan van het ongewenste zaad zou ze alle anderen bezoedelen. Moeizaam kwam ze overeind.

'Ik zal naar de geboortegrot komen om je te helpen wanneer het je tijd is,' zei de oudere vrouw. 'Je weet wat er gedaan moet worden voordat je bij ons terug mag komen?'

Weer knikte Anabarru, maar de wetenschap dat ze verbannen werd om iets waar ze geen schuld aan had en dat ze vele manen moest doorbrengen buiten de veiligheid van het kamp en zonder haar familie, bracht haar sterk in de verleiding de oudere vrouw te smeken haar te laten blijven. Ze wist echter dat haar woorden niet gehoord zouden worden. Aan de heilige *mardayin* kon niets veranderd worden.

Ze keek naar de oude vrouw toen die uit de hut van takken en gras kroop die ze gebouwd hadden om haar uit het zicht van de clan te houden en ze wist dat ze haar pas zou terugzien wanneer de barenspijn zou beginnen. Ze keek naar de steen die haar leven had gered en stopte hem in de gevlochten tas die de oude vrouw voor haar had achtergelaten. Ze hadden vis en bessen voor haar verzameld, om het haar in de eerste dagen van afzondering wat makkelijker te maken, en daar was ze haar stamgenoten erg dankbaar voor. Ze was nog zwak en betwijfelde of ze de kracht had om te gaan jagen en vissen.

De zon stond hoog boven de bomen, de stralen maakten gevlekte schaduwen op de grond van het bos, de hitte glansde op de bladeren van de gombomen. Anabarru hoorde in de verte de geluiden van het kamp, dat achter de bomen lag, uit het zicht. Het was haar droef te moede toen ze haar korte graafstok en dunne speer pakte en aan haar reis naar haar ballingschap begon.

3

Tahiti, april 1769

Ze zaten nu bijna negen maanden op zee. Een deel van de passagiers had nog steeds last van zeeziekte, maar de strenge regel van Cook dat iedereen regelmatig citrusfruit en azijn moest nuttigen, had ervoor gezorgd dat niemand de gevreesde ziekte, scheurbuik, had gekregen.

Jonathan had genoten van het woelige water rond Kaap Hoorn en was een van de weinige passagiers die de hellende dekken en het opspattende schuim van het ijskoude water had getrotseerd om naar de wazige omtrek van het land te kijken dat aan stuurboord langsgleed. Zijn oom Josiah had het minder prettig gehad; het grootste deel van de reis had hij in zijn kooi gelegen, zo beroerd dat hij zich nauwelijks kon verroeren. Maar toen ze eenmaal in het kalme, turkooizen water rond Tahiti waren aangekomen, was hij zienderogen opgeknapt en nadat er voorraden vers fruit, schoon water, vis en vlees aan boord waren gebracht, was hij algauw weer helemaal zichzelf.

Tahiti was een openbaring voor Jonathan. Hij had er geen idee van gehad dat dergelijke oorden bestonden. Toen een school dolfijnen de *Endeavour* naar de kust vergezelde, zag hij palmbomen die zich diep over het witte zand bogen en bontgekleurde vogels die ertussendoor vlogen. Op het strand verschenen tientallen bruine inboorlingen, die het water in waadden en naar de *Endeavour* zwommen nadat het anker was uitgegooid. Ook naderden er exotisch versierde smalle kano's, die in snel tempo werden voortbewogen door stevige, lachende mannen die slechts in een rieten rokje gekleed waren.

Er heerste meteen een feestelijke stemming op het schip. De bemanningsleden die in het want waren geklommen om alles beter te kunnen zien, slaakten opgewonden kreten. De passagiers haastten zich naar de reling, wuifden en riepen naar de inboorlingen, die terugzwaaiden. Jonathan keek met open mond toe toen de inboorlingen via de touwladders naar het dek klommen. De vrouwen liepen met ontbloot bovenlichaam en leken zich er allerminst voor te schamen dat ze zo goed als naakt waren.

Hij kreeg een kleur als vuur toen een schoonheid met een honingkleurige huid een krans van exotische bloemen om zijn nek hing. Haar lichaam glom van het zeewater en haar lange zwarte haar reikte tot het korte rieten rokje dat ze rond haar slanke heupen droeg. Ze keek glimlachend naar hem op. Ze had amandelvormige ogen met lange wimpers waarop druppeltjes glinsterden als kleine diamantjes, en haar borsten raakten bijna zijn overhemd aan. 'Dank u,' stamelde hij. Hij wist zich met zijn houding geen raad.

'Kom met ik,' zei ze. Ze glimlachte bedeesd en legde haar hand op zijn arm.

'Nee, jongen, doe dat nou maar niet,' baste Josiah, die het meisje van hem losmaakte en wegtrok. 'Daar krijg je alleen maar ellende van,' bromde hij.

'Wat een mooi meisje.' Jonathan kon zijn ogen niet van haar afhouden toen ze over haar schouder naar hem glimlachte.

'Ja, heel mooi,' was zijn oom het met hem eens, 'maar voor je het weet, heb je een druiper. Afblijven, jongen, dat is mijn advies.'

Jonathan bloosde weer. Hij keek naar de sensuele draaiingen van haar heupen onder het rieten rokje en de manier waarop haar magnifieke borsten bewogen toen ze tussen de passagiers doorliep en behendig de graaiende handen van de matrozen ontweek. Het was lang geleden dat hij de genoegens van een meisje had gekend en hij voelde de bekende opwinding in zijn kruis. Hoe kon een zo jong en mooi meisje nu aan syfilis lijden?

Een zware hand kwam op zijn schouder te rusten en zijn oom klakte zachtjes met zijn tong. 'We zijn ver van huis, beste jongen, en ik weet dat jongemannen bepaalde behoeften hebben, maar als je verstandig bent, laat je de genoegens van dit eiland voor wat ze zijn, ook al is het allemaal nog zo verleidelijk. Ieder schip wordt hier op deze manier verwelkomd en de mannen zijn bereid hun vrouwen en dochters te verkopen voor een vaatje rum.'

Jonathan bleef naast zijn oom staan kijken naar de inboorlingen die over de reling klommen met hun gaven van fruit en bloemen. Hun taal was vrijwel onbegrijpelijk, een Engels mengtaaltje dat zo luid en schel klonk als het gekrijs van de exotische vogels. De mannen waren slank en hadden gespierde armen en geoliede lichamen. De vrouwen waren bijna allemaal jong en aantrekkelijk met hun lange, zwarte haar en vrijwel naakte lichamen, en de matrozen verdrongen elkaar om bij hen te komen.

'Cook mag wel oppassen,' mompelde Josiah. 'Voordat hij er erg in heeft, heeft de bemanning straks het schip van al het metaal beroofd.'

Jonathan maakte met moeite zijn blik los van de meisjes en keek zijn oom fronsend aan. 'Hoe bedoelt u?'

'In ruil voor de diensten van de meisjes,' antwoordde Josiah, en hij schudde nadrukkelijk nee tegen een meisje met een honingkleurige huid en zwarte ogen dat hem een paar kokosnoten aanbood. 'Je kunt de vrouwen hier kopen met spijkers, schroeven, moeren en bouten, en als Cook niet uitkijkt, komen we straks in de problemen, net als Wallis twee jaar geleden. De *Dolphin* is min of meer uit elkaar gevallen en het scheelde weinig of ze waren helemaal niet meer thuisgekomen.'

Jonathan luisterde naar wat zijn oom vertelde, maar hij had moeite het meisje te negeren dat nu naar hém lachte. Haar lange haar bedekte haar borsten, maar op een manier die de donkere tepels vrij liet. Ze was exotisch, bloedmooi en sensueel, maar zijn oom had gelijk: hij moest van haar afblijven. Hij maakte zich los uit haar greep en liep weg terwijl hij aan Susan dacht en de beloften die ze elkaar hadden gedaan. Ook al was hij ver van huis en van het meisje van wie hij hield, hij was vastbesloten haar niet te bedriegen.

Gedurende de daaropvolgende tien dagen draaide Lianni voortdurend om hem heen, tot hij nergens anders meer aan kon denken. Toen hij uiteindelijk voor haar zwichtte, verachtte hij zichzelf om zijn zwakte. Susan was zijn grote liefde, maar Lianni had hem betoverd op een manier waar hij geen verweer tegen had.

Drie maanden lang voerde Jonathan dagelijks strijd met zijn geweten, maar het was eenvoudig té makkelijk om steeds een smoesje te verzinnen om het schip te verlaten wanneer hij bij Lianni wilde zijn. In Londen hadden zijn avontuurtjes altijd in het geheim plaatsgevonden: wat onhandig gezoen en snelle bevrediging met meisjes die net zo onwetend waren als hij. In Tahiti zaten ze ver van de beperkingen van het Georgiaanse Engeland en werd het bedrijven van de liefde aanvaard als deel van het dagelijkse leven. Het werd zelfs openlijk aangemoedigd. Het was een geschenk dat gul werd gegeven en Lianni kende geen schaamte, ook al bleef Jonathan zich schuldig voelen om zijn zwakte.

Haar huid was zo zacht als zijde, geparfumeerd met oliën van de tropische bloemen die op het eiland zo weelderig bloeiden. Haar lange haar streek over zijn buik wanneer ze zich over hem heen boog, hun zweet vermengde zich wanneer hun ledematen zich verstrengelden. In de fluweelzachte nachten, als de sterren flonkerden in de zwarte hemel en de wind die de palmbomen deed ruisen een zoete geur verspreidde, werden alle gedachten aan Susan en thuis weggevaagd. Hij kon nog steeds niet helemaal geloven dat hij het niet allemaal droomde wanneer hij hele middagen samen met haar in de schaduw van de bomen lag te vrijen.

Hij was niet zo naïef dat hij dacht dat hij de eerste man was die ooit met haar had geslapen, noch dat hij de laatste zou zijn. Hij was ook niet zo verblind door zijn wellust dat hij niet zag dat het paradijs van deze vriendelijke, eenvoudige mensen en hun simpele manier van leven in gevaar werd gebracht door de komst van de schepen en de matrozen die hun watervoorraad moesten aanvullen en zich inlieten met de vrouwen. De Tahitianen woonden in armzalige hutten, hun levensverwachting was kort en er heersten veel ziekten. De omgeving was prachtig en de zee bood voldoende voedsel, maar ze leefden in grotere armoede dan de mensen in de krottenwijken van Londen.

Augustus 1769

De *Endeavour* zou over twee dagen uitvaren en Jonathan moest morgenochtend uiterlijk om elf uur aan boord zijn. Hij nam Lianni mee naar de waterval diep in het palmbos waar ze alleen konden zijn. Ze bedreven de liefde onder de bomen en zwommen in het ijskoude water van de poel tussen de rotsen terwijl papegaaien en vinken om hen heen vlogen. Het was hem droef te moede, omdat hij haar moest verlaten en haar nooit meer zou zien, en hij hield haar de hele nacht in zijn armen geklemd.

Toen de dageraad gloorde, bedreven ze nogmaals de liefde en zwommen voor de laatste keer in de poel. Hij klom op een platte steen en begon zich af te drogen met zijn overhemd toen ze als een zeemeermin uit het water oprees. Hij verslond haar met zijn ogen toen ze een bloem achter haar oor stak en haar lange haar kamde. Hij probeerde dit beeld in zijn geheugen te prenten, opdat hij haar nooit zou vergeten.

Ze lachte naar hem toen hij haar naar zich toe trok en het dikke, zwarte haar streelde dat in het zonlicht een blauwe glans had. 'Ik wou dat ik niet weg hoefde,' zei hij zachtjes. 'Jij en dit eiland hebben me betoverd.'

'Ik mee,' antwoordde ze. 'Tupaia kom ook. Hij priester. Mag van Cook.'

Hij sloeg zijn armen om haar heen. 'Nee, dat vindt Cook nooit goed.' Hij wist dat het een zwakke smoes was, maar hij móést een einde maken aan hun affaire. 'Tupaia mag alleen mee omdat hij voor ons kan tolken wanneer we de andere eilanden gaan bekijken,' legde hij uit.

Ze liet haar hoofd tegen zijn schouder rusten. 'Jij kom terug?' fluisterde ze.

Hij kuste haar gladde voorhoofd en de gesloten ogen met de lange, donkere wimpers. 'Dat weet ik niet.'

Ze lag stil in zijn armen en hij vroeg zich af waar ze aan dacht. Toen deed ze haar ogen open en keek hem met een indringende blik aan. 'Jij niet kom terug,' zei ze stil. 'Mannen van schepen nooit kom terug.'

Jonathan wist dat ze gelijk had. Hij drukte haar tegen zich aan en wenste dat hij haar méér kon bieden, al wist hij dat dat onmogelijk was. Ineengestrengeld bleven ze liggen terwijl de zon boven de horizon uitsteeg en het bos met zijn stralen doorboorde. Toen het geluid van de scheepsklok de stilte verbrak, voelde Jonathan zich zo mogelijk nog bedroefder. Het was tijd om te gaan. Met tegenzin maakte hij zich van Lianni los en trok hij zijn vochtige overhemd en smoezelige broek aan. Toen stak hij zijn hand in zijn zak en haalde het zakhorloge eruit dat zijn vader altijd had gedragen. Het was bijna een halve eeuw geleden speciaal voor hem gemaakt en was in alle opzichten een kostbaar bezit, maar het was het enige wat hij haar kon geven.

Het goud glansde in het zonlicht, maar was geen partij voor de flonkerende diamant die in het centrum van de fijntjes gegraveerde initialen C.C. rustte. Hij drukte behoedzaam op de rand van de kast waardoor die opensprong en het horloge zelf zichtbaar werd. Het witte keramiek en de zwarte Romeinse cijfers zagen er opvallend strak uit in deze exotische omgeving en de onderdelen van het gouden mechanisme glinsterden. Een piepkleine sleutel die in een speciaal daarvoor ontworpen holletje lag, diende om het ingewikkelde mechanisme op te winden. Ieder onderdeel van dit meesterwerk van ambachtskunst droeg een waarborgstempel.

'Ik heb de tekenaar van het schip, Sydney Parkinson, verzocht deze voor me te maken,' legde hij uit toen hij haar de prachtige miniaturen liet zien die in beide zijden van de kast waren aangebracht. Het ene was een portret van hemzelf, en het andere was er een van haar. Beide waren door de artiest gesigneerd en gedateerd.

Ze keek er vol verbazing naar. 'Is jij.' Ze wees met een slanke, bruine vinger naar zijn portret.

Hij knikte en lachte. 'En dat ben jij, Lianni.'

Haar ogen flonkerden toen ze het miniatuur bekeek. 'Ik?' Haar gezicht straalde van trots. 'Ik ben mooi?'

'Heel mooi,' zei hij. Hij sloot het horloge en legde het in haar hand. 'Dit krijg je van mij cadeau. Zorg er goed voor, mijn lieve schat, en denk aan me wanneer je ernaar kijkt.'

Ze drukte het tegen haar borst. 'Voor mij?' Toen hij knikte, klemde ze haar vingers er nog strakker omheen en rolde er een traan over haar wang. 'Jij gaat met schip, maar jij niet weg.'

Jonathan kuste haar voor de laatste keer, drukte haar op het hart het horloge niet nat te laten worden en de sleutel niet te verliezen, en holde toen door het bos naar het strand en de roeiboot die hem naar het schip zou brengen.

Even later volgde Lianni hem. Ze bleef staan in de schaduw van de bomen op de grens van het strand, keek naar de mannen die de kleine boot naar het schip roeiden en zag Jonathan langs de touwladder omhoog klimmen en verdwijnen. Ze keek naar het cadeau en toen ze het horloge tegen haar hart drukte, voelde ze het nieuwe leven voor het eerst in zich bewegen. Dankzij dit cadeau zou haar kind altijd weten wie zijn vader was.

Later op de ochtend kwam Jonathan uit zijn kajuit en ging aan dek. Zijn zware bovenkleding droeg hij allang niet meer; hij liep nu alleen nog maar rond in zijn kniebroek en overhemd, zeker op het heetst van de dag. Hij had de mouwen van het overhemd opgerold over zijn pezige, gebruinde armen en zijn haar hing los om zijn gezicht. Hij had kort na hun aankomst in Tahiti zijn achttiende verjaardag gevierd en was sterk geworden van het werk aan het fort in Port Venus dat hij had helpen bouwen.

De verblindende zon brandde op zijn hoofd maar hij zocht niet meer voortdurend de schaduw op; na de smog en stank van Londen genoot hij juist van de hitte. Deze drie maanden in Tahiti hadden niet alleen korte metten gemaakt met de ziekelijke bleekheid die hem in de stad eigen was geworden, maar hadden ook zijn lust naar ontdekkingsreizen en avonturen nog verder aangewakkerd. Het enige probleem was Lianni. Ze had hem betoverd, ook al had hij geweten dat er nooit iets van kon komen en wenste hij nu met zijn hele hart dat Susan hier bij hem was. Hij hield van haar en hij wou dat hij haar dat kon vertellen.

Hij leunde tegen de reling van het schip en staarde naar de kust terwijl hij helemaal opging in zijn gedachten aan Susan en de toekomst die ze hadden gepland, ondanks de bezwaren van zijn moeder en haar ouders.

'Ik vraag me af wat onze luitenant wil,' bromde Josiah, die bij zijn neef was komen staan. Met een zakdoek droogde hij zijn rode, bezwete gezicht en hij trok zijn hoed wat naar voren om zijn ogen tegen de zon te beschermen. 'Waarom laat hij ons op dit uur van de dag aan dek komen? Wat een hitte. Dat jij daar geen last van hebt!'

Jonathan bekeek zijn oom met een mengeling van genegenheid en meewarigheid. 'Als u nu eens uw jas uittrok, oom,' zei hij. 'Op deze manier wordt u levend geroosterd.'

De oude man keek hem vanonder de brede rand van zijn ouderwetse hoed geïrriteerd aan. Hij was het duidelijk niet eens met de nonchalante manier waarop zijn neef gekleed was. 'Het is niet gepast voor een man van mijn leeftijd om erbij te lopen als een inboorling,' was zijn antwoord. 'Als je moeder je kon zien, zou ze een flauwte krijgen. Je ziet eruit als een zigeuner.'

'Maar ik heb het in ieder geval niet zo warm,' antwoordde Jonathan opgewekt.

'Mmmm.'

Sinds de bijeenkomst was aangekondigd, hadden de passagiers en bemanning zich afgevraagd wat de reden ervan kon zijn en er werd nog steeds druk over gespeculeerd toen de scheepsklok om twaalf uur werd geluid. Prompt verscheen Cook aan dek en een opgewonden gemompel steeg op onder de passagiers toen ze de fiere inboorling zagen die naast hem kwam staan.

'Hij gaat de inboorlingpriester aan de passagiers voorstellen,' zei Josiah zachtjes. 'Wij weten al waarom hij hier is.'

'Ik heb van de regering van Zijne Majesteit een opdracht gekregen die ik tot nu toe niet heb kunnen openbaren. De reden daarvoor zal u zo dadelijk duidelijk worden.' Cook pauzeerde toen er weer gemompel opsteeg. 'Ik heb de Tahitiaanse priester Tupaia verzocht ons op het volgende traject van onze reis te vergezellen om op te treden als tolk. We zullen eerst de vele andere eilanden van deze streek in kaart brengen, zoals we hadden gepland, en daarna zuidwaarts zeilen tot een breedte van veertig graden om te proberen antwoorden te krijgen op de vragen over het bestaan van het grote, zuidelijke continent.'

Op die aankondiging volgde een verbijsterde stilte en Jonathan en zijn oom keken elkaar met grote ogen aan.

'Als we geen land vinden, zullen we westwaarts zeilen naar de oostkust van het land waarvan Tasman gewag heeft gemaakt en proberen vast te stellen of het een uitstulping is van het poolgebied dat Le Maire heeft geïdentificeerd, of dat het een afzonderlijk gebied is.'

Jonathan kon zijn opwinding nauwelijks bedwingen en grijnsde naar zijn oom. Daarna keek hij snel weer naar Cook.

'Wie er de voorkeur aan geeft niet aan boord te blijven, kan met de *Seagull*, die over een week vertrekt, mee terug naar Engeland. Ik heb de eerste stuurman verzocht een lijst te maken van degenen die in Tahiti blijven en zij worden verzocht morgenochtend vóór zonsopgang gereed te zijn om van boord te gaan.' Cook was een man van weinig woorden. Hij keerde zijn met stomheid geslagen toehoorders de rug toe en verdween samen met de Tahitiaanse priester in zijn kajuit.

'Dat is dus de reden waarom Dalrymple niet aan het hoofd mocht staan van deze expeditie,' zei Josiah. 'Zijn opvattingen zijn bekend en iedereen heeft zijn geschriften over het zuidelijke land gelezen.

De Admiraliteit en de koning wilden voorkomen dat de Fransen en Spanjaarden zouden raden wat het eigenlijke doel van onze reis was.'

Jonathan greep de arm van zijn oom vast. 'De Venusovergang was alleen maar een goed excuus, dat ze met beide handen hebben aangegrepen. Oom Josiah, vindt u dit niet vreselijk opwindend? We gaan misschien een heel nieuw continent ontdekken.'

Josiah trok zijn zware wenkbrauwen samen. 'Ik weet het niet,' zei hij. 'Ik heb van je moeder de verantwoordelijkheid gekregen voor je veiligheid en tot nu toe ben je knap lastig geweest. Niet alleen heb je je onmiddellijk ingelaten met dat inboorlingmeisje, maar je loopt rond als een bedelaar. De Heer mag weten wat er verder naar het zuiden allemaal nog gaat gebeuren en welke gevaren ons daar wachten.'

'Toch moeten we gaan,' zei Jonathan. 'Dat ziet u zelf toch ook wel in, oom? Dit is dé kans om te ontdekken of de legende over het Grote Zuidland waar is of niet. Dat gaat u ons toch niet ontzeggen?'

Josiah mompelde iets onduidelijks en frunnikte met zijn zakdoek. 'Je moeder zal het me niet in dank afnemen als je iets overkomt,' zei hij toen, 'en ik ben te oud voor avonturen, vooral in zo'n badkuip als deze.' Hij maakte een minachtend gebaar naar de masten van de *Endeavour*.

'Sinds wanneer schrikt u ervoor terug om iets buitengewoons te doen? Om tegen de autoriteiten in te gaan, regels te negeren en te zeggen wat u op uw hart hebt? Deze badkuip heeft ons veilig en wel hiernaartoe gebracht en Cook heeft zich ontpopt als een uitstekende kapitein.'

Bij de brallende toon van zijn neef kroop een rode kleur van ergernis vanuit Josiahs hals over zijn gezicht.

Jonathan begreep meteen dat hij te ver was gegaan. 'Denkt u eens in hoe men in Engeland naar ons zal opkijken als we het zuidelijke land ontdekken,' vleide hij. 'We zullen door iedereen in het zonnetje worden gezet. Misschien krijgen we zelfs een onderscheiding van de koning!'

Josiah wreef met zijn zakdoek over zijn gezicht en staarde in de verte, maar Jonathan zag de nadenkende blik in zijn ogen en besloot door te drukken. 'Hier wordt geschiedenis geschreven, oom. De ontdekkers van het nieuwe land zullen worden uitgenodigd over de reis te schrijven en lezingen te geven in heel Engeland, misschien in heel Europa. En bent u niet nieuwsgierig naar de astronomie van de zuidelijke landen? Zou u die niet met uw eigen ogen willen zien?'

Josiah slaakte een diepe zucht en stopte zijn handen in zijn zakken. 'Aangezien je vastbesloten lijkt te zijn je zin door te drijven, zal ik wel met je mee moeten. Maar als ik aan zeeziekte bezwijk of in de kookpot van menseneters terechtkom, ben jij degene die tekst en uitleg zal moeten geven aan je moeder.'

Jonathan slaakte een vreugdekreet die tot in het kraaiennest te horen was en de andere passagiers aan het schrikken maakte. Hij sloeg zijn armen om de oude mopperpot heen. 'U zult er geen spijt van krijgen,' beloofde hij.

'Mmmm,' was het antwoord van Josiah. Door de onstuimige omhelzing van zijn neef viel zijn hoed van zijn hoofd, maar hij wist hem nog net te grijpen voordat hij overboord viel. 'Rustig aan, jongen. Denk om het decorum.'

'Het decorum kan de pot op!' riep Jonathan. Hij greep de hoed en zeilde hem over het water. 'Op het avontuur! Op de ontdekking van het grote zuidelijke continent!'

Waymbuurr, september 1769

Het land was onlangs gefakkeld, waardoor de grond hier en daar nog zwart was en de geblakerde basten van de bomen afbladderden. Toch gaven de tere groene sprieten en zwellende knoppen blijk van nieuw leven en Anabarru wist dat de grazende dieren binnenkort zouden terugkeren naar haar land. De jacht zou goed zijn wanneer de regen kwam.

Haar blote voeten maakten weinig geluid toen ze over het kurkdroge terrein liep in de richting van de twee heuvels die als de borsten van een vrouw oprezen boven de bossen. Het was erg warm, de hemel was strakblauw en ontelbare insecten vergezelden haar zoemend op haar weg. Vogels vlogen tussen de bomen en spinnen sponnen tussen de takken hun dodelijke web om nietsvermoedende slachtoffers te vangen. Anabarru daarentegen wist dankzij haar ervaring en aangeboren kennis van het terrein precies waar gevaar loerde; ze leefde er nu al vele manen mee terwijl ze had gejaagd en gevist en sterk was geworden, er helemaal aan gewend voor zichzelf te zorgen. Nu was de tijd aangebroken om zich van haar last te ontdoen en naar huis terug te keren.

Ze haastte zich voort over het terrein dat langzaam opliep naar de twee pieken. Tegen de tijd dat ze boven de boomkruinen was gekomen, was de pijn al erg sterk en wist ze dat ze moest voortmaken. Toen de zon schaduwen achter haar wierp en in haar ogen scheen, bleef ze even staan om op adem te komen, de pijn op te vangen en haar positie te controleren. De twee ronde heuvels waren nu zo dichtbij dat ze iedere boom die erop groeide duidelijk kon onderscheiden en vanaf haar hoge positie kon ze over de kruinen van de hoogste bomen heen het glooiende land zien dat zich in alle richtingen tot aan de horizon uitstrekte. In de diepte zag ze de glinstering van het water waar de vrouwen nu vast en zeker aan het vissen waren.

Ze tikte met haar graafstok op de grond en toen ze de holle klank hoorde, wist ze dat ze er bijna was. Behoedzaam liep ze verder over de gladde oppervlakte van de rots tot ze de smalle opening zag tussen de twee hoge stenen die door de eeuwen heen door de wind en de regen tot wachtposten waren geslepen. Haar tenen grepen zich vast in de rulle aarde en haar handen klemden zich om de stugge planten die tegen de rotswanden groeiden, toen ze zich over de steile helling naar beneden liet zakken tot ze het plateau bereikte.

De hoofdvrouw zat al op haar te wachten. Ze was dankzij haar jarenlange ervaring precies op tijd hiernaartoe gekomen. Ze had een klein kampvuur gemaakt en de rook kringelde uit de opening van de grot terwijl ze de rituele liederen zong en bezig was het stenen snijwerktuig tegen de rotswand te slijpen.

Anabarru hurkte op de richel en zong zachtjes oude gebeden tot de oerouders om hen te verzoeken haar tijdens de beproeving bij te staan. Toen liet ze haar blik nog één keer over het bos gaan, liep verder over de richel en betrad de geboortegrot.

Het was een heilige plek waar alleen vrouwen mochten komen – geen enkele man, ongeacht hoe belangrijk hij was, mocht weten wat hier gebeurde, en de rituelen en ceremoniën rond de geboorte van een kind mochten nooit buiten de grot geopenbaard worden.

De grot had de vorm van een opengesperde mond en tussen de stenen lippen door had Anabarru een schitterend uitzicht op de twee heuvels en het bos in de diepte. Rond de ingang waren struiken geplant waarvan de bessen en bladeren de pijn van de geboorte konden verlichten. De vloer was bezaaid met de as van vele kampvuren en met de botjes en graten van de dieren en vissen die hier waren genuttigd tijdens de lange uren van wachten. Diep in de keel van de grot waren okertekeningen die vrouwen hadden gemaakt om hun verhaal te vertellen, al waren de meeste verschoten of bedekt met nieuwe, en groeide er hier en daar mos overheen. Op sommige plekken was de wand gaan verbrokkelen door binnensijpelend regenwater.

De hoofdvrouw wenkte haar naar zich toe, onderzocht haar snel en knikte. 'Het is bijna tijd. Neem dit. Het zal je helpen.'

Anabarru legde de steen die haar talisman was geworden achter in de grot en zag hoe hij glansde in het zonlicht toen ze op de warme stenen vloer ging zitten en het fruit at. Ze had de steen gedurende haar ballingschap bij zich gehouden, maar ze was blij dat ze hem nu kon achterlaten. Hij was een herinnering aan de gebeurtenissen die haar naar deze grot hadden gebracht, maar zodra ze was gezuiverd, zou ze hem niet meer nodig hebben.

Toen de pijn sterker werd en het kind aanstalten maakte om naar buiten te komen, nam de hoofdvrouw het heft in handen.

Anabarru werd bijna bedwelmd door de rook van het vuur en de bessen leken de pijn niet meer te kunnen verdoven toen ze hevig transpirerend probeerde het Hagediskind uit haar lichaam te verdrijven. Lange tijd leek het alsof het haar niet wilde verlaten, maar toen, in een stroom van bloed en water, werd het geboren.

De oudere vrouw greep de tere nek en brak die met een snelle beweging, voordat het kind een kreet kon slaken en zijn geest tot leven roepen. Het was voorbij.

Anabarru bleef stil liggen toen de navelstreng werd doorgesneden en afgebonden. Nog één keer persen en de nageboorte gleed uit haar lichaam en werd in het rokende vuur gelegd om te verbranden. Daarna zou het restant samen met het kind worden begraven. Ze sloot haar ogen toen de hoofdvrouw de rituele gebeden uitsprak en de ceremonie van het zuiveren een aanvang nam. Ze voelde geen spijt, had geen medelijden met haar dode kind. Dit waren de regels, en zo was het gedaan sinds het begin van de tijd. Nu kon ze terugkeren naar haar familie.

Voor de kust van Nieuw-Zeeland, oktober 1769

Nick, de scheepsjongen, was de eerste die de landtong zag, en daarom gaf Cook die de naam Young Nick's Head. Twee dagen later gingen ze voor anker op een plaats die Cook uiteindelijk Poverty Bay zou noemen, Armoedebaai, omdat ze er niets bruikbaars konden vinden om het schip mee te bevoorraden. Ze waren gearriveerd in het Staten Landt van Tasman, in het noorden van Nieuw-Zeeland.

Jonathan en de rest van de passagiers bleven aan boord toen Cook met zijn officieren, de sterkste matrozen en de Tahitiaanse tolk aan wal gingen. Josiah gaf Jonathan de telescoop. 'Ik heb slechte ogen. Vertel me wat je ziet.'

Jonathan tuurde door het koperen instrument en gaf een doorlopend verslag toen Cook en zijn metgezellen werden opgewacht door angstaanjagend uitziende krijgers met een donkere huid en talloze tatoeages op hun lichaam en gezicht. Hun welkom was allesbehalve vriendschappelijk. Ze stonden op het strand te zingen en met hun voeten te stampen, waarbij ze eigenaardige, uitdagende gebaren maakten met hun armen en handen, terwijl ze steeds hun tong uitstaken en naar de mannen staarden. Ze hadden speren en knuppels en het leed geen enkele twijfel dat het halve wilden waren.

'Het bevalt me niets,' zei Jonathan. 'En waarom trekt die idioot nu zijn degen?'

Zijn oom kreeg geen gelegenheid antwoord te geven, want een Maori had de degen van de officier afgepakt en holde ermee weg over het strand. De officier trok zijn pistool en vuurde. De knal echode door de verlaten baai en de Maori's reageerden met grote consternatie en angst toen hun broeder dood neerviel.

Cook en de anderen keerden haastig terug naar de sloep en de matrozen begonnen onmiddellijk te roeien. De Maori's waren, verward en onthutst over deze mysterieuze manier van doden, bij elkaar gekropen op het strand, maar toen ze merkten dat de moordenaar ervandoor ging, stonden ze als één man op en wierpen met een machtig gebrul hun speren.

De matrozen trokken nog harder aan de lange roeispanen toen een of twee speren in de zijkant van de houten boot drongen, maar algauw waren ze buiten hun bereik en kwam de rest van de speren in het water terecht.

Jonathan holde naar de reling om de mannen aan boord te helpen terwijl de Maori's in hun lange kano's stapten en met verrassend hoge snelheid naar het schip peddelden. Cook liep met lange passen naar het stuurwiel, gaf scherpe bevelen en een paar ogenblikken later bolden de zeilen en was het anker gehesen.

Jonathan bleef op het dek staan met de wind in zijn haar en het zilte vocht van de zee op zijn gezicht toen de *Endeavour* door de golven ploegde. Van pure blijdschap wilde hij lachen – dit was het avontuur waar hij als jongen van had gedroomd toen hij in die kleine haven in Cornwall de schepen voorbij had zien varen.

4

Mousehole, april 1770

Susan Penhalligan stond samen met de anderen op de smalle kade naar de zee te staren. De wind rukte aan haar haar en plakte haar lange rokken tegen haar benen. Ze trok haar wollen sjaal nog wat strakker om haar schouders. De kilte die haar verdoofde had weinig te maken met de kracht van de koude wind – de kilte zat veel dieper en klauwde aan haar binnenste als een hand uit het graf.

Onafgebroken beukte de zee op de grijze golfbreker die als een stevige, gebogen arm vanaf de kade in zee stak. Het schuim stoof hoog op en werd door de wind veranderd in ijzige naalden die haar gezicht geselden en haar tot op het bot doorweekten. Ze dook weg in de betrekkelijke warmte van haar sjaal, kromde haar blote tenen om de straatkeien en leunde tegen de stormwind in om zich in het natuurgeweld staande te houden. Slechts vier van de tien boten waren teruggekeerd en nu de schemering viel, begon de hoop samen met het laatste daglicht te verflauwen.

De kleine, stenen huizen van Mousehole waren allemaal verlaten, maar voor ieder raam brandde een lantaarn om de mannen de weg naar huis te wijzen. Susan wierp een blik op haar moeder en zag dat Maud Penhalligan ondanks haar stoïcijnse houding bijna buiten zichzelf van bezorgdheid was. Ze knipperde nauwelijks met haar ogen terwijl ze de stormachtige schemering in tuurde en haar handen klemden zich om de schouders van de dertienjarige Billy, de jongste van haar zes zonen, alsof ze op die manier ook haar andere zonen kon vastklemmen en hen samen met hun vader veilig en wel naar huis kon halen.

Susan sloeg haar arm om haar moeders smalle middel, maar die werd daar niet rustiger van. Ze tuurde gefixeerd naar de brullende zee, zocht wanhopig naar een eerste teken van de boot die een harde strijd moest leveren om thuis te komen. Met een sidderende zucht keek Susan naar de strakke gezichten om haar heen. De vrouwen en verloofden van haar broers hielden elkaars handen vast en Billy stond als een standbeeld in de omhelzing van zijn moeder. Hij was niet met de anderen uitgevaren omdat hij zijn been had gebroken en aan de gekwelde blik in zijn ogen was te zien dat hij zich zowel opgelucht als schuldig voelde – Billy had namelijk een gruwelijke hekel aan de zee.

Susans blik gleed over de kade, langs alle bekende gezichten waarop dezelfde angst te lezen stond; ze wist hoe moeilijk het was om de moed erin te houden en de hoop niet te verliezen. Oude mannen met gerimpelde gezichten waarin de ogen na de vele jaren op zee flets leken te zijn geworden, lurkten aan hun pijp. Niemand zei iets. Dit was geen tijd voor gissingen, geen tijd voor woorden, zelfs geen woorden van dankbaarheid om de mannen die waren teruggekeerd – niet tot alle boten veilig en wel binnen waren.

Susan huiverde en draaide zich om. In de stromende regen rende ze weg, dwars door de plassen die zich tussen de ongelijke kinderhoofdjes van de straten hadden gevormd, en ze bleef rennen tot ze thuis was. Daar deed ze de deur achter zich dicht en bleef even tegen het dikke hout geleund staan alsof ze er kracht uit wilde putten. Ze was in dit huis geboren en had nooit iets anders gekend. Het leven in het kleine vissersdorp was zwaar, maar het was een gezonder leven dan dat van de mijnwerkers in de tinmijnen, die onder de grond moesten hakken en graven en zelden daglicht zagen; de meesten van hen haalden de middelbare leeftijd niet eens, terwijl bejaarde vissers eindeloze verhalen over de zee konden vertellen wanneer ze hielpen de netten te boeten en de jongere generaties aanmoedigden in hun voetstappen te treden. De kleine huizen van hun vissersdorp waren warm, er was altijd voldoende voedsel en men was zelden ziek.

Toch brachten beide beroepen gevaren met zich mee. Mijnwerkers werden verpletterd of stierven de verstikkingsdood wanneer een deel van een mijn instortte omdat de eigenaars van de mijnen alleen maar geïnteresseerd waren in winst maken. Vissers waren overgeleverd aan de weergoden en in haar korte leven had Susan al vaker meegemaakt dat mannen en boten verloren gingen in een storm zoals die nu buiten woedde. 'Lieve Heer,' fluisterde ze met een ingehouden snik, 'bescherm onze mannen. Breng hen veilig thuis.'

De wind gierde om de dikke muren en sloeg in de schoorsteen waardoor een wolk grijze as naar binnen werd geblazen. Susan luisterde naar de betrekkelijke stilte binnenshuis en huiverde weer. Het was alsof de muren hun adem inhielden, wachtend op nieuws over degenen die hier woonden.

Ze knipperde haar tranen weg en zette deze gedachten resoluut van zich af. Snel liep ze over de vloer van flagstones naar het fornuis. Het enige licht in huis was afkomstig van de lantaarn op de vensterbank en de vlammetjes in het fornuis, maar de dansende schaduwen leken haar te verwelkomen en heel even voelde ze zich iets rustiger. Toch kon ze de onheilspellende voorgevoelens niet van zich afzetten en raakte ze weer in de greep van de angst toen ze dacht aan wat er van hen moest worden als de mannen niet thuiskwamen. Hoe moesten ze dan de huur betalen? Zou Lady Cadwallader hen uit hun huis zetten? Dat had ze al vaker gedaan na dergelijke tragedies. Was Jonathan maar hier; hij zou er wel voor zorgen dat ze niet op straat kwamen te staan.

'Denk niet aan Jonathan,' zei ze hardop tegen zichzelf. 'Hij kan niets voor je doen. Niemand kan iets doen.' Ze wilde niet denken aan wat het lot voor hen in petto had en zette de grote ketel op het fornuis. Terwijl ze wachtte tot het water zou koken, zocht ze droge sjaals bij elkaar, stapte in haar versleten klompen en greep een deken. Dit was niet de eerste nacht dat de dorpelingen de wacht zouden houden op de kade, en het zou ook niet de laatste zijn. Susan wist dat ze moesten proberen zo warm en droog mogelijk te blijven als ze deze afgrijselijke nacht wilden overleven.

Ze verwarmde wat bier, goot het in een grote aardewerken kruik, roerde er een lepel honing doorheen en deed de stop erop. Ze hadden al hun kracht nodig voor de dingen die komen gingen. Met een hoofddoek strak om haar hoofd gebonden nam ze de deken en sjaals onder haar arm, greep wat tinnen mokken en tilde de zware kruik op. De wind gierde door het huis en smeet de deur achter haar dicht toen ze met gebogen hoofd weer op weg ging naar de kade, het geklepper van haar klompen overstemd door het bulderende geweld waarmee de zee zich op de kademuur stortte.

'Ik heb bier gehaald,' riep ze boven het loeien van de wind uit.

Maud was niet in staat te glimlachen, maar dankbaarheid sprak uit haar roodomrande ogen toen ze de mok in haar ijskoude, door hard werk ruw geworden handen nam opdat de damp haar gezicht wat zou verwarmen.

Susan legde de deken over het kletsnatte haar van haar moeder, wikkelde een sjaal om Billy's hoofd en schonk warm bier in voor de anderen. Het was duidelijk dat er geen nieuws was, want alle gezichten stonden nog even bedrukt en alle ogen waren dof van angst. 'Ga een poosje naar huis, mam,' riep ze dicht bij haar moeders oor toen ze weer bij haar terug was.

Maud schudde haar hoofd.

Susan keek naar haar jongste broer en voelde een steek van bezorgdheid. Billy vocht tegen zijn eigen duivels; hij moest zijn uiterste best doen om een man te zijn, maar worstelde met de angsten van een kind dat zijn hele wereld ziet instorten. Ze kon geen woorden vinden om hem te troosten, dus sloeg ze alleen maar haar armen om hem heen en drukte hem dicht tegen zich aan, ondanks het feit dat hij tegenstribbelde. Ze hield zielsveel van hem en omklemde hem net zo fel als haar moeder had gedaan, tot ze besefte dat hij te oud was voor dergelijke dingen. Ze keek hem na toen hij bij haar vandaan liep, dook toen weg in een portiek en staarde weer naar de haven.

Dezelfde vier boten van voorheen lagen op hun kant, hoog op het strand in de luwte van de baai, ver van de hoge golven die door de smalle havenmond binnenrolden en meedogenloos de kiezels meesleurden. Zo ver van het zwakke licht van de lantaarns was het aardedonker en de huilende wind overstemde het snikken van de vrouwen. Ze voelde een machteloze, gefrustreerde woede in zich zieden. Ze zou het liefst een van die boten de zee in duwen om de mannen te gaan zoeken, maar ze wist dat ze met dergelijke roekeloosheid niets zou bereiken. Er zat niets anders op dan te wachten.

De dageraad brak door de zware bewolking heen, de waterige stralen van de aarzelende zon gaven een zilveren glans aan het rusteloze water dat nog steeds rees en daalde, maar zich niet meer met zo veel geweld op de grijze havenmuur stortte. Susan had de laatste uren van de nacht onrustig geslapen, nadat hernieuwde hoop was omgeslagen in wanhoop toen het nieuws hen had bereikt dat nog twee boten de haven hadden weten te bereiken, maar geen van de acht mannen die gespaard waren, Penhalligans bleken te zijn.

Wee van angst en vermoeidheid stond ze op van de zitkist bij het vuur en verliet ze het huis. Het regende niet meer en het was ook niet meer zo koud, al moest ze nog altijd tegen de wind in tornen toen ze naar de haven liep. De zon glansde op de natte straatkeien, zeemeeuwen krijsten en de zee stroomde sissend over het kiezelstrand. Er waren geen boten in de haven, want de mannen waren bij het eerste daglicht meteen uitgevaren om naar overlevenden te zoeken.

Susan had een kurkdroge mond en haar hart bonkte toen ze de eenzame gedaante zag zitten op de lage kademuur die parallel liep aan de huizen. Maud was vlak voor de dageraad thuisgekomen om droge kleren aan te trekken; ze zag lijkbleek en had een blaffende hoest over zich, maar ondanks Susans smeekbeden had ze geweigerd binnen te blijven.

'Waar is iedereen?' vroeg Susan. Ze bedoelde de vrouwen en verloofden van haar broers en van pure bezorgdheid om haar moeder klonk haar stem scherper dan ze had bedoeld.

'Ik heb hen naar huis gestuurd, naar hun moeders,' antwoordde Maud. 'Ze komen zo dadelijk wel weer.'

'En Billy?'

'Die is met de mannen meegegaan om te zoeken.'

Daarmee toonde Billy veel moed voor zo'n jonge jongen, gezien zijn gebroken been en angst voor de zee. Susan bad vurig dat hij veilig terug zou komen.

De dag sleepte zich voort en toen de weinige overgebleven boten van de vissersvloot van Mousehole na hun vruchteloze speurtocht één voor één terugkeerden naar de haven, werd de stilte zo zwaar als lood.

Die nacht sloeg de storm nogmaals toe en in de stille, bittere dageraad die erop volgde, trokken de vrouwen hun kinderen naar zich toe en keerden ze de zee de rug toe. Hun hoop was samen met hun mannen gestorven. De tijd van rouw was aangebroken.

De Tasmanzee, mei 1770

Over drie maanden zaten ze twee jaar op zee en zou Jonathan zijn negentiende verjaardag vieren. Hij lag in zijn ongemakkelijke kooi te luisteren naar het gesnurk van zijn oom. De arme man had het erg moeilijk sinds ze Nieuw-Zeeland hadden verlaten en Jonathan maakte zich zorgen. De scheepsarts had zijn best gedaan, maar Josiah Wimbourne had nu eenmaal geen zeebenen. Zodra de *Endeavour* ook maar een beetje begon te hellen, trok hij wit weg en moest hij zijn kooi opzoeken.

Als het weer niet snel opknapte, zou de oude man de reis niet overleven, want hij at vrijwel niets en kon alleen af en toe een slokje water en cognac binnenhouden. Het vooruitzicht dat hij de man die bijna een tweede vader voor hem was geworden, zou kunnen verliezen, bezorgde Jonathan koude rillingen. Had hij er maar niet op aangedrongen dat ze na Tahiti de reis voortzetten! Ze hadden voortdurend met zwaar weer te kampen gehad. Ze waren herhaalde malen uit de koers geraakt en afgezien van de twee maanden dat ze in een beschutte baai in het noorden van Nieuw-Zeeland voor anker hadden gelegen, hadden ze constant een gevecht moeten leveren tegen de wind en de golven. Deze weersomstandigheden schenen erg ongewoon te zijn voor de zuidelijke zeeën, waar hun juist een rustige, gestage wind en een kalme zee in het vooruitzicht waren gesteld. Zelfs de matrozen werden doodmoe van de nimmer aflatende strijd om het schip rechtop te houden.

Jonathan slaakte een diepe zucht, stond op en keek om zich heen in de kleine kajuit. De dozen en kratten met de spullen die ze tijdens de reis nodig hadden waren in de hoeken opgestapeld. Hij voelde zich rusteloos na maanden van nietsdoen en had hoofdpijn van de onaangename geur van de zieke en de claustrofobische sfeer in de kleine hut. Hij had behoefte aan frisse lucht en lichaamsbeweging.

Hij greep een dikke jas en verliet de hut. Toen hij de deur zachtjes achter zich dichttrok, sloeg de regen meteen in zijn gezicht en rukte de wind aan zijn kleren en zijn haar. Behoedzaam liep hij over het uitgestorven dek, bijna blij met de ongenadige regen. Alles was beter dan in de hut te moeten zitten, en het regenwater waste de stank van ziekte die tegenwoordig in ieders kleren zat, een beetje weg.

Gedurende de vele maanden die nodig waren geweest om Nieuw-Zeeland in kaart te brengen, had het voortdurend hard gewaaid. Uiteindelijk waren ze voor de tweede keer in een beschutte baai voor anker gegaan om het schip te bevoorraden, maar sinds ze achttien dagen geleden uit die baai waren vertrokken, hadden ze wederom bijzonder slecht weer gehad met een stormachtige wind en hoge zeeën. Ze voeren op een westelijke koers naar Van Diemensland en de kust van Nieuw-Holland. Daarvandaan zouden ze noordwaarts varen om via Oost-Indië terug te keren naar Engeland. Het avontuur was bijna ten einde.

Keer op keer klom de *Endeavour* tegen de hoge golven op, om dan weer in de diepte te worden gestort. Met veel moeite streken de matrozen het grootzeil om alleen op de fok, het stagzeil en de bezaan te proberen koers te houden, terwijl golven over het dek sloegen en de regen iedereen aan dek tot op het bot doorweekte. Jonathan hield zich stevig vast aan de reling en liep wijdbeens om de rollende bewegingen van het schip op te vangen. De woeste golven herinnerden hem aan Cornwall, aan hoe de zee soms de haven binnendrong en op de klippen beukte. Hier waren echter geen klippen, er was nergens land te bekennen, en hij voelde opeens angst opkomen, net als toen ze voor de kust van Nieuw-Zeeland bijna op de rotsen waren gelopen. Ze zaten ver van de beschaving, ver van huis, en de enorme leegte en macht van de oceaan deden hem goed beseffen hoe nietig en kwetsbaar ze waren.

De laatste tijd was hij zich gaan afvragen hoe hij zich straks weer zou moeten aanpassen aan het leven in Engeland. Na deze reis was alles daar natuurlijk verschrikkelijk saai. Hij kon zich net zo min voorstellen dat hij zich in Cornwall zou gaan bezighouden met de dagelijkse gang van zaken op het landgoed als hij zich kon inbeelden dat hij in Londen ging studeren en later zijn plaats zou innemen in het Hogerhuis.

Hij had weinig zin in het eentonige werk dat verbonden was aan het beheer van het landgoed en wist nu al dat er nog vele reizen zouden volgen op dit eerste avontuur. De vrijheid van het reizen had altijd een grote aantrekkingskracht op hem gehad en ongeacht wat er van hem werd verwacht als graaf van Kernow, was hij van plan om met Susan te trouwen. Samen zouden ze een nieuw leven beginnen, ver van het bekrompen Engeland.

Wanneer hij dacht aan haar glimlach, haar prachtige blauwe ogen, de manier waarop de wind speelde met haar lange haar, verlangde hij er hevig naar haar te kunnen zien. Het leven van een ontdekkingsreiziger hoefde niet per se een eenzaam leven te zijn, en zijn Susan was altijd nieuwsgierig geweest naar wat er achter de horizon lag. Hij nam zich heilig voor dat hij de beloften die hij in Mousehole had gedaan, niet zou beschamen.

Hij boog zijn hoofd toen de regen in zijn gezicht sloeg. Hij was geen kind meer, net zo min als Susan, dat was een feit. Het was tijd om samen de kans op een goed leven aan te pakken en alle conventies de rug toe te keren. Hij slaakte echter een diepe zucht, omdat hij wist hoeveel problemen dat zou veroorzaken. Waarom was het leven zo ingewikkeld?

Hij draaide zich om en stak voorzichtig het dek over naar de kleine kajuit die speciaal was ingericht voor de officieren en passagiers. Er stonden gerieflijke stoelen en een goed gevulde boekenkast, het rook er naar leer, cognac en pijptabak, en wie geen last had van zeeziekte kwam hier graag om de lange uren van ledigheid zoek te brengen. Jonathan keek door het raam en zag dat er maar twee mensen zaten. De onstuimige zee eiste vandaag blijkbaar een hoge tol.

Hij ging naar binnen en deed de deur achter zich dicht. Meteen sloeg de stank van natte honden hem in het gezicht. De drie hazewindhonden lagen languit op de vloer en verroerden zich alleen om zich te krabben of naar een stekende vlo te bijten. Hun baas, Joseph Banks, de welgestelde botanicus, zat zoals gewoonlijk te oreren en negeerde hem, maar Sydney Parkinson keek naar hem op en grijnsde.

Jonathan grijnsde terug. 'Hallo, Syd. Zware dag, zelfs voor honden.'

Sydney deed zijn best om zijn gezicht in de plooi te houden. Ze waren het allang met elkaar eens geworden dat Banks een bijzonder onaangename man was, met zijn openlijke minachting voor Cook en zijn honden die door het hele schip een stank verspreidden en iedereen voortdurend in de weg liepen. Niet dat Sydney dat ooit zou zeggen waar Banks, zijn leermeester en weldoener, bij was. Daarvoor was de Edinburgher te verstandig.

Sydney was een Quaker en alhoewel hij vijf jaar ouder was dan Jonathan, waren de twee jongemannen tijdens de reis dikke vrienden geworden. Sydney was een getalenteerde kunstenaar en toen Joseph Banks hem had ontdekt, had hij ervoor gezorgd dat hij als assistent van de officiële tekenaar, Alexander Buchan, mee mocht op de *Endeavour*. De arme Buchan was overleden voordat ze zelfs maar op Tahiti waren gearriveerd, waardoor Sydney het nu razend druk had met de botanische tekeningen en monsters. Het was een grote verantwoordelijkheid en bracht erg veel werk met zich mee voor zo'n jonge man. Hij bleef vaak de halve nacht op om een tekening af te werken.

Jonathan schonk een glas cognac in, stapte over de hazewindhonden heen die de halve vloer in beslag namen, en ging met een boek in een van de fauteuils zitten, maar hij had moeite zich op het boek te concentreren met het monotone gezeur van Banks op de achtergrond. Bovendien kreeg hij zin om hem in de rede te vallen, hem tegen te spreken, want Banks zwetste soms maar een eind in de ruimte en gedroeg zich met de arrogante eigendunk van iemand die gewend is dat anderen hem onderdanig bejegenen. Jonathan wist echter dat zijn mening niet op prijs gesteld zou worden en dat het zou uitlopen op een scheldpartij als hij de man onderbrak.

De sfeer op de *Endeavour* was merkbaar veranderd sinds ze de zuidelijke punt van Nieuw-Zeeland hadden gerond. Banks had gewild dat Cook de diepe fjorden aan de westkust zou bezeilen, maar Cook wist heel goed wat de gevaren waren van het navigeren met een zeilboot aan een westkust met westenwind. Het zou moeilijk, zo niet onmogelijk, zijn om smalle fjorden binnen te varen, en een dergelijke onderneming zou zacht gezegd een dwaasheid zijn. De vorm van de fjorden wees erop dat ze een rotsachtige bodem moesten hebben waarop een anker geen houvast zou krijgen en Cook had – volkomen terecht, vond Jonathan – geweigerd zijn schip in gevaar te brengen.

Banks had zich in zijn eer aangetast gevoeld en alhoewel hij zich beleefd was blijven gedragen tegenover Cook, had hij iedere gelegenheid aangegrepen om te laten doorschemeren dat het hun kapitein aan lef ontbrak om interessante waterwegen te gaan exploreren. De andere passagiers hadden er wijselijk voor gekozen zich niet met het meningsverschil te bemoeien en lieten zich er ook niet over uit wie naar hun mening gelijk had. Cook zelf leek zich weinig aan te trekken van de kritiek van Banks. Sterker nog: hij negeerde zijn gemopper, net zoals hij zijn verzoek had genegeerd.

Jonathan dronk zijn glas leeg en sloot het boek. Hij zat nog liever in zijn bedompte hut dan nog langer naar het gezeur van Banks te moeten luisteren. Hij ving de blik van zijn vriend op en gaf hem een meelevend knipoogje. Arme Sydney, dacht hij, toen hij over de vervloekte honden heen stapte en naar de deur liep. Banks had hem helemaal in zijn macht.

Mousehole, mei 1770

De granieten kerk van St.-Pol de Leon stond ruim anderhalve kilometer landinwaarts, hoog op de heuvel boven het dorp. Hij was omringd door kleine uit graniet opgetrokken huisjes, menhirs en bomen die door de wind scheef waren gegroeid. Het Keltische kruis dat in de muur van de begraafplaats was gemetseld, was meer dan duizend jaar oud. Zeemeeuwen cirkelden krijsend in de vrijwel wolkeloze hemel en ver beneden hen flonkerde de zee in het zonlicht, ontdaan van zijn kracht nu de storm was geluwd.

Wat er over was van de vissersvloot lag voor anker in de haven, met de netten en fuiken gereed in de boeg. Het dorp was uitgestorven, want alle bewoners waren via het pad dat ze iedere zondag namen de heuvel opgelopen om te horen hoe Ezra Collinson de zielen van de slachtoffers aan God zou toevertrouwen.

Collinson was een jaar geleden gearriveerd om de parochie over te nemen. Hij was een vrijgezel van onbestemde leeftijd, al waren de meeste parochianen van mening dat hij de dertig naderde en dus hoognodig moest trouwen. Met zijn donkere haar en donkere ogen had hij knap kunnen zijn, als hij niet zo'n grote neus had gehad en zo'n sombere gelaatsuitdrukking die slechts zelden werd verzacht door een glimlach. Hij was een lange, magere man en de dorpelingen waren er inmiddels aan gewend geraakt hem in zijn lange, zwarte jas over de heuvels en langs de kust te zien lopen. In de kerk hield hij opzwepende preken en hij leek zo door zijn roeping in beslag te worden genomen dat hij weinig tijd had voor sociale aangelegenheden, behalve als Lady Cadwallader hem op haar landgoed ontbood.

Met de woorden van de dominee nog in hun oren schuifelden de parochianen de harde banken uit en hun klompen klosten op de koude, stenen vloer toen ze naar de deur liepen om aan de steile afdaling terug naar het dorp te beginnen. Ze hadden gehoopt enige troost te kunnen putten uit de preek, maar het koninkrijk der hemelen leek erg ver verwijderd van de harde realiteit nu het leven moest doorgaan zonder hun zonen en echtgenoten. Het was alsof God hen in de steek had gelaten en zelfs het vurigste geloof zou de mannen niet terugbrengen en het leven niet makkelijker maken.

'Het is niet juist dat we geen lijken hebben om te begraven,' zei Maud op een amechtige toon toen ze de sombere kerk verlieten en de zonneschijn in liepen. 'Hoe kunnen we rouwen als we geen bewijs hebben dat ze er niet meer zijn?'

Susan gebaarde naar de anderen dat ze alvast moesten doorlopen en ondersteunde haar moeder toen die bijna dubbel boog van het hoesten. Ze hadden het hier al eerder over gehad, maar haar moeder bleef weigeren te geloven dat haar man en zonen dood waren. 'Het is nu al een week geleden,' zei Susan in het Cornish, de taal die ze onder elkaar nog altijd spraken. 'En wonderen zijn niet weggelegd voor mensen zoals wij.'

Maud veegde met een lapje stof haar mond af en zakte neer op het ruige gras, haar bruin-zwarte rok opbollend om haar heen. 'Ik weet het,' hijgde ze, 'maar ik kan niet bevatten dat ze echt dood zijn. Dat ik hen nooit meer zal zien.' Haar eenvoudige zwarte hoed beschaduwde haar gezicht toen ze in tranen uitbarstte.

'U zult hen terugzien in het koninkrijk der hemelen.' Ezra Collinson was hen ongemerkt genaderd vanuit de deuropening van de kerk. Hij legde zijn hand op de schouder van Maud. Zijn bleke gezicht stond ernstig en meelevend. 'Blijf op God vertrouwen, zuster.'

Maud keek naar hem op. Haar blauwe ogen waren betraand en haar gezicht was lijkbleek, op rode koortsblosjes na. 'Het valt niet mee om op God te blijven vertrouwen, meneer Collinson,' zei ze moeizaam in het Engels. 'Daarmee kun je de huur niet betalen en je kinderen geen eten geven. En het neemt het verdriet ook niet weg.'

'Aardse lasten moeten gedragen worden om er zeker van te zijn dat we onze plaats aan de rechterhand van God verdienen,' antwoordde de dominee. Zijn bleke, zachte vingers frunnikten aan de randen van zijn lange, zwarte jas, net zoals wanneer hij aan het preken was. 'God stelt slechts ons geloof op de proef.'

Susan had meer dan genoeg van zijn gezwets. Ze had hem van het begin af aan niet gemogen en begreep niet hoe hij in staat was in tijden als deze zijn ogen te sluiten voor de armoede en vertwijfeling van zijn parochianen. 'We hebben al meer dan genoeg lasten te dragen, meneer Collinson,' beet ze hem toe. 'Als God echt zo veel van ons hield, waarom heeft hij onze mannen dan bij ons weggenomen? Waarom wil hij ons per se op de proef stellen?'

Er verscheen een blos op de bleke wangen toen de donkere ogen zich afwendden van haar woedende blik. 'Hij heeft daar Zijn redenen voor,' was het antwoord. 'Het is niet aan ons die in twijfel te trekken.'

Hij legde nogmaals zijn hand op Mauds schouder, draaide zich toen om en liep met fladderende jaspanden dwars over de begraafplaats naar zijn huis, waarbij zijn goed geschoeide voeten niet werden gehinderd door de keien die uit het gras staken.

'Je moet niet zo onbeleefd doen tegen de dominee,' zei Maud verwijtend terwijl ze moeizaam overeind kwam, haar rok afsloeg en haar hoed rechtzette.

'Wat weet een man van lasten, als je in zo'n huis woont en een knecht en een huishoudster hebt die je de hele dag op je wenken bedienen?' zei Susan verbitterd. 'Hij heeft nog nooit gewerkt maar preekt over lasten en lijden alsof hij die aan den lijve heeft ondervonden. Moet je zijn handen zien, zo zacht als die van de gravin.'

Maud greep haar arm en leunde zwaar op haar dochter terwijl ze probeerde op adem te komen. Het verdriet had haar van alle energie beroofd en ze zag er opeens oud uit, ook al was ze pas begin veertig en was haar donkerbruine haar nog opvallend vrij van grijs. 'Hij is een goed mens, Susan,' hijgde ze. 'Dat kun je maar beter onthouden.'

Susan fronste toen ze haar hoofddoek opnieuw om haar door de wind verwaaide haar bond en haar te strakke keurslijf iets gerieflijker om haar bovenlichaam probeerde te schikken. Ze had het al zo ver mogelijk uitgenomen en kon nu weinig anders meer doen dan niet al te diep ademhalen. 'Hoezo?'

Maud kreeg weer zo'n zware hoestbui dat haar magere lijf ervan schokte en ze geen antwoord kon geven. De nachtwake op de kade had een zware tol geëist van haar lichaam dat al verzwakt was door jarenlange arbeid aan de haringtonnen en de tafels waar de vis werd schoongemaakt. Toen ze weer kon praten, gleden haar woorden als druppels ijswater langs Susans ruggengraat.

'Hij komt binnen een maand om je hand vragen.'

Susan dacht dat ze haar moeder verkeerd had verstaan, maar de vastberaden glans in Mauds ogen vertelde haar dat ze het wel degelijk goed had gehoord. 'U hebt koorts,' zei ze met een nerveuze lach. 'U weet niet wat u zegt.'

Maud omklemde Susans arm nog wat steviger en dwong haar door het lange gras terug te keren naar het pad. 'Hij heeft tien dagen geleden met je vader gesproken,' zei ze. Haar stem brak toen ze over haar man sprak. 'We hebben het samen overlegd en ik had het je willen vertellen zodra je vader... zodra je vader en de jongens...'

Ze dachten allebei terug aan die laatste ochtend, toen hun mannen vroeg waren vertrokken om de sardines te vangen die voor de kust waren gesignaleerd.

'Ik ga niet met die man trouwen.' Susan bleef stokstijf staan in het wuivende gras dat tussen de scheefgezakte, granieten zerken groeide. Ze sloeg haar armen over elkaar. Haar rok streek langs het stuifmeel van de veldbloemen. 'Niets en niemand kan me daartoe dwingen.'

Lange tijd keek Maud haar aan. 'Je bent altijd erg eigengereid geweest,' zei ze, 'maar als je verstandig bent, denk je er nog even over na.' Voordat Susan daarop kon reageren, trok Maud haar aan haar arm mee en liepen ze weer verder.

Susan keek naar de zee en naar de kleine, witte huisjes die in de luwte van de diepe vallei lagen. Ze kon niet met Ezra Collinson trouwen. Ze ging nog liever dood. Wanneer ze aan zijn sombere gezicht dacht en aan die zachte, bleke handen die vast koud en klam waren, werd ze bijna onpasselijk. Waarom hadden haar ouders een dergelijk huwelijk in overweging genomen, terwijl ze wisten dat ze van Jonathan hield?

'Ezra Collinson heeft connecties,' zei Maud na een poosje. 'Hij is de jongste zoon van de graaf van Glamorgan. Hij zal niet het familievermogen erven, maar heeft een goed inkomen uit een erfenis van zijn grootmoeder plus zijn bezoldiging van de kerk. Je zult je nooit meer zorgen hoeven maken om geld, meisje, en nooit meer netten hoeven te boeten of haring te pekelen.'

'U hebt blijkbaar goed geïnformeerd, moeder, maar daar schiet u niets mee op,' antwoordde ze kribbig. 'Al had hij kisten vol goud, dan nog zou ik hem niet willen.' Ze rukte haar hoofddoek af en liet haar haren wapperen in de zeewind. Er stonden tranen in haar ogen, maar ze zou haar moeder onder geen voorwaarde laten zien hoe kwaad ze was om het idee dat ze met zo'n droogstoppel van een man zou moeten trouwen. Was haar vader er nog maar, dan hadden ze er samen over kunnen praten. Hij zou haar nooit tot een dergelijk huwelijk gedwongen hebben. En was Jonathan maar niet de zee op gegaan. Bij het idee dat ze met een ander zou moeten trouwen, in het bijzonder Ezra Collinson, trilde ze van woede en zelfs van angst. Dan zou ze Jonathan voor altijd kwijt zijn.

'Sinds wanneer wijzen meisjes als jij zo'n aanbod van de hand?' Maud bleef staan. De zoom van haar rok sleepte over het pad en de banden van haar hoed fladderden onder haar kin. 'Je had allang getrouwd moeten zijn en een eigen huishouden moeten hebben, in plaats van te smachten naar die nietsnut van een Jonathan Cadwallader.'

'Hij is geen nietsnut,' zei Susan verontwaardigd.

Maud tuitte haar lippen. 'Hij is weg, Susan, en ook als hij terug mocht komen, is hij geen vrij man. Lady Cadwallader heeft een geschikte vrouw voor hem gevonden. De dochter van een adellijke familie uit Londen.'

Susans hart deed pijn bij de gedachte dat Jonathan met een ander zou trouwen. Ze had inderdaad gewacht tot hij terug zou komen om de beloften te kunnen waarmaken die ze elkaar tijdens zijn laatste bezoek hadden gedaan. 'Sinds wanneer vertrouwt Lady Cadwallader u zulke dingen toe?' Haar stem klonk rauw van verdriet en ongeloof.

Maud trok een benepen gezicht. 'Dat doet ze niet. Kort nadat de jongeheer met zijn oom was vertrokken voor die expeditie zijn we elkaar een keer tegengekomen. Ze zei dat ze blij was dat haar zoon minstens twee jaar zou wegblijven, omdat jullie daardoor allebei de tijd zouden hebben om tot bezinning te komen. Ze zei dat ze hoopte dat je in het dorp een geschikte echtgenoot zou vinden.' Maud kreeg een nieuwe hoestbui. 'We zijn het met elkaar eens dat jullie vriendschap niet passend meer is nu jullie allebei volwassen zijn. Mensen als hij trouwen niet met mensen als wij, dat heb ik je vaak genoeg gezegd.'

Susan kon zich precies voorstellen hoe de hooghartige, chic geklede douairière vanuit haar rijtuig tegen haar moeder had gesproken en hoe die een knicksje had gemaakt en onderdanig antwoord had gegeven. Haar moeder had in zoverre gelijk dat er een wereld van verschil was tussen haar en Jonathan, maar dat was voor henzelf nooit belangrijk geweest en het bewijs daarvan was zijn belofte dat hij met haar zou trouwen.

Ze hief uitdagend haar hoofd op. 'Lady Cadwallader moet zich met haar eigen zaken bemoeien,' zei ze fel. 'Ik maak zelf wel uit met wie ik trouw, daar heeft ze niets mee te maken, en als Jonathan hier was, zou hij het helemaal met me eens zijn.' Ze tilde de zoom van haar rok uit het stof toen ze weer doorliepen.

Maud maakte nu een erg vermoeide indruk en liep met onzekere passen toen ze het laatste en steilste stuk van het pad afdaalden. 'De graaf zit ver weg,' zuchtte ze, 'en zijn toekomst is al helemaal voor hem uitgestippeld. Ik wil graag geloven dat hij je oprechte beloften heeft gedaan, maar hij kan doodgewoon niet met je trouwen.' Haar adem reutelde in haar magere borst. 'Mevrouw de gravin is gewoon verstandig, lieve kind, en in dit geval ben ik het met haar eens.'

'Dat ze de eigenaresse is van al het land hier en dat we haar tienden en huur moeten betalen, geeft haar nog geen recht haar neus in onze zaken te steken.'

Maud glimlachte op een trieste manier. 'Wel als het om haar enige zoon gaat,' zei ze zachtjes. 'Hij is het enige wat ze heeft.'

'De graaf is al heel lang dood,' was het vinnige weerwoord van haar dochter.

Maud negeerde dat en ging door alsof ze alles wat ze op haar hart had kwijt wilde voordat ze thuis waren. Misschien dacht ze dat ze niet lang meer te leven had. 'Ongeveer zes weken geleden heeft de gravin nogmaals met me gepraat. Ze vertelde me dat Ezra Collinson belangstelling voor je heeft en geloof me, Susan, ik was net zo verbaasd als jij dat hij genegen is de dochter van een visser het hof te maken.'

Susan voelde een huivering door haar lichaam trekken toen ze de flits van trots in de ogen van haar moeder zag. Nu was alles haar duidelijk. Ze bleef abrupt staan en draaide zich naar Maud toe. 'De gravin weet bij u blijkbaar precies de vinger op de tere plekken te leggen,' zei ze op een zachte toon. Haar woede zinderde vlak onder de oppervlakte.

'Ik begrijp niet wat je bedoelt,' mompelde Maud.

'Ik ben ervan overtuigd dat veel mensen Ezra Collinson een goede partij vinden. Hij is van goeden huize, is geschoold en heeft geld van zichzelf. De gravin wist heel goed dat u het idee dat uw enige dochter door zo'n man ten huwelijk gevraagd zou worden, niet zou kunnen weerstaan. En u kunt het nu al niet nalaten met zijn connecties te pronken.'

Maud kreeg een kleur. 'Ik wil alleen maar wat voor jou het beste is,' zei ze. 'Denk even na, Susan. Je zou je eigen huishouden krijgen. Je zou de vrouw van de dominee zijn, iemand die aanzien geniet in het hele dorp.'

'De gravin wil gewoon dat ik met iemand trouw voordat Jonathan terugkomt,' antwoordde Susan op koele toon, 'En u wilt met me kunnen pronken tegenover al die roddeltantes bij de haringtonnen. Nou, ik wil hem niet en daarmee is alles gezegd.'

'Ik wist dat je moeilijk zou doen. Ik dacht dat als ik zou proberen... Maar het is te laat.'

Susan voelde dat ze wit wegtrok. 'Waarom?'

'Ik heb laten doorschemeren dat je het aanzoek van meneer Collinson in overweging zou nemen,' antwoordde Maud flauwtjes.

'Dat is dan jammer voor hem.'

Maud schudde haar hoofd. Haar hoed zakte over haar ogen. 'Je begrijpt het niet,' zei ze met schorre stem. 'De gravin heeft beloofd... en ik heb beloofd...' Ze bleef in haar woorden steken en wendde haar ogen af.

Susan staarde haar geschrokken aan. 'Wat hebt u beloofd?'

'Dat je het huwelijksaanzoek van meneer Collinson zult aannemen.' Maud rechtte haar schouders en richtte haar blik weer op het woedende gezicht van haar dochter. Ze sprak snel door, op een gesmoorde toon: 'De gravin heeft me bij zich ontboden op de dag nadat je vader... Ze heeft me beloofd dat ze op je trouwdag een document zal ondertekenen dat we geen huur meer hoeven te betalen. Dat we altijd in ons huis kunnen blijven wonen zonder ervoor te hoeven betalen.'

Susans benen konden haar niet meer dragen. Ze zakte neer in het gras naast het pad en sloeg haar armen om haar opgetrokken knieën. 'Hoe hebt u zoiets kunnen doen?' stootte ze uit. 'U bent mijn moeder! U zou me moeten beschermen in plaats van me te verkopen als een lading vis!'

Maud leek iets van haar formidabele kracht hervonden te hebben toen haar schaduw over Susan viel. Haar stem klonk krachtig en duldde geen tegenspraak. 'Ik had geen keus. Als je niet met meneer Collinson trouwt, worden we ons huis uitgezet. We hebben geen boot en geen man om voor ons te zorgen. Wat moeten we dan? Wat moet er dan worden van jou en Billy en mij?' Bij ieder woord won haar stem nog meer aan kracht. 'Moeten we soms op de hei gaan wonen? Net als die arme stakkers die zich in leven houden door rond de mijnen in het afval te snuffelen? Moet ik mijn enige overgebleven zoon de mijnen in sturen waar hij voor zijn dertigste aan longkoorts zal doodgaan?'

'We vinden er wel iets op,' mompelde Susan met strakke lippen.

'O ja? Wat dan?' zei haar moeder fel. 'Zonder boot kunnen we geen vis vangen en andere baantjes liggen niet bepaald voor het opscheppen nu er zo veel weduwen zijn.' Net zo plotseling als ze haar kracht had hervonden, stroomde die weer uit haar weg en was het alsof ze van pure wanhoop verschrompelde.

Susan kon haar moeder amper zien vanwege de tranen in haar ogen. Ze kwam met trage bewegingen overeind, sloeg haar armen om Maud heen en hield haar stevig vast. Maud had gelijk. Ze had geen andere keus. Ze zat in de val.

Great Barrier Reef, juni 1770

Het was een heldere nacht met goed maanlicht. De zeilen van de *Endeavour* bolden in een lichte bries terwijl het schip langzaam langs de kust voer. Ze hadden enige weken geleden voor het eerst land gezien en nu het weer was opgeknapt, had Josiah eindelijk zeebenen gekregen. Hij zat behaaglijk in een stoel op het dek, dik ingepakt in dekens die gevaar liepen in brand te vliegen door vonken uit zijn pijp, maar zijn bleke gezicht en de kringen onder zijn ogen waren stille getuigen van wat hij had moeten doorstaan. Hij keek naar de matrozen die een dieplood uitwierpen om de diepte van het water te meten. 'Riskante zaak met al die eilanden voor een kust die nog niet in kaart is gebracht,' mompelde hij. 'Cook neemt met zijn route door deze onbekende wateren enorme risico's.'

Jonathan, die na de avondmaaltijd zat te genieten van een glaasje cognac en een sigaar, keek naar de imposante hemel. De sterren vormden een magnifiek schouwspel boven de volle zeilen en hij kon er maar niet over uit hoe helder de sterrenbeelden hier in het zuiden waren. 'Hij doet het anders tot nu toe heel redelijk,' antwoordde hij. 'En u zult toch moeten toegeven, oom, dat de kust hier de moeite waard is. Alleen al de eilanden!'

Josiah trok een lelijk gezicht. 'Zodra het eerste enthousiasme een beetje is geluwd, besef je dat alle eilanden min of meer eender zijn, en dat ze geen van alle meer te bieden hebben dan wat palmbomen en een zandstrand.'

Sydney Parkinson was uit zijn hut gekomen en hoorde wat Josiah zei. Hij ging naast Jonathan in een dekstoel zitten. 'Toch wel iets meer dan een paar palmbomen, meneer. We hebben alleen al in Botany Bay duizenden nieuwe planten- en diersoorten ontdekt. Ik zal er jaren voor nodig hebben om die allemaal te catalogiseren.'

Josiah keek naar de jonge Schot. 'Aan planten heb je niet veel als je geen drinkwater, voedsel of brandhout hebt,' mopperde hij. 'Je hoeft maar naar de inboorlingen te kijken om te begrijpen dat mensen zich hier slechts met veel moeite in leven kunnen houden.'

Sydney beet op zijn lip. Zijn smalle gezicht werd verlicht door de lantaarn die naast hem hing. 'Het is waar dat ze er armoedig uitzien,' zei hij, 'maar ik heb de indruk dat ze tevreden zijn. Ze weten zich in leven te houden met wat het land en de zee opbrengen, het klimaat is mild, en aangezien ze geen behoefte hebben aan de overbodige frutsels en fratsels die wij Europeanen zo belangrijk vinden, zijn ze in hun onwetendheid best gelukkig.'

'Het zijn wilden,' bromde Josiah, 'armzalige, magere, onontwikkelde stakkers die sinds het begin van het mensdom amper zijn ontwikkeld en zich met moeite in leven weten te houden in een godverlaten, onvruchtbaar land, om redenen die me allerminst duidelijk zijn. Is dit nu het Grote Zuidland dat de koning en ons allen had moeten overladen met goud en rijkdom? Dat land bestaat duidelijk niet.'

'Ik ben het met u eens dat het land misschien niet interessant is voor degenen die op rijkdom uit zijn,' zei Sydney, 'maar u zult het met me eens zijn dat het wel de verbeelding prikkelt.'

Jonathan gooide de peuk van zijn sigaar overboord. 'Dat ben ik in ieder geval met je eens,' zei hij terwijl hij opstond. 'Ik wil weten wat er achter de kust ligt, wat voor soort land het is. Ik wil er zo veel mogelijk van onderzoeken, want als je de oude kaarten mag geloven, moet het erg groot zijn.'

Sydney knikte. 'Ik heb die kaarten ook gezien. Als het inderdaad één groot continent is, moet men de verhalen over het Grote Zuidland misschien niet zo snel naast zich neerleggen.'

'Wilden en tropische koorts,' bromde Josiah. 'Let op mijn woorden, jongeheren. Meer dan dat zullen jullie hier niet vinden.'

'We hebben ook wilden aan boord, meneer,' bracht Sydney ertegenin. 'Vergeet niet wat er met meneer Orton is gebeurd.'

'Die kerel is een ordinaire zuiplap,' zei Josiah fel. 'Als hij nuchter was gebleven, zou het niet zijn gebeurd.'

'Toch,' ging Sydney door, 'verdient geen enkele man het dat hij naakt wordt uitgekleed en dat er van beide oren een stuk wordt afgesneden. Dat is doodgewoon barbaars en ik zal me niet veilig voelen tot de dader is gepakt.'

'Cook heeft adelborst Magra al van dienst ontheven.' Josiah trok de deken wat strakker om zijn vermagerde lichaam en rilde, ook al was het een warme nacht. 'Hij schijnt de boosdoener te pakken te hebben. Je kunt dus gerust zijn.'

Jonathan luisterde niet meer. Hij dacht aan wat Sydney had gezegd over hoe dit land de verbeelding prikkelde en hij begon over het dek te ijsberen terwijl hij zich een leven als ontdekkingsreiziger inbeeldde. Hij had dolgraag verder landinwaarts willen trekken vanuit Botany Bay en was erg gefrustreerd geweest dat hij niet met de plaatselijke inboorlingen had kunnen praten, omdat zelfs Tupaia hun taal niet kon verstaan. Hij wist zeker dat ze veel te weten zouden zijn gekomen als ze een manier hadden gevonden om met elkaar te communiceren. 'Je hebt gelijk, Sydney,' zei hij, midden in het gesprek van de andere twee. 'We hebben alleen maar de oostkust gezien en niemand is landinwaarts getrokken. Wat een avontuur zou het zijn om het binnenland te gaan exploreren, om te ontdekken hoe het er achter die bossen uitziet.'

De andere twee keken hem een paar ogenblikken zwijgend aan. 'Je hebt een wat al te vruchtbare fantasie, mijn jongen,' zei Josiah. 'Deze expeditie zou meer dan genoeg voor je moeten zijn. Het is hoog tijd dat je al je jongensdromen van je afzet en gaat nadenken over je positie in het leven en de verantwoordelijkheden die het landgoed met zich meebrengt. Voor ontdekkingsreizen zul je geen tijd meer hebben als we naar huis zijn teruggekeerd.' Hij wuifde Jonathans poging om daarop in te gaan van de hand. 'Ik ga naar bed,' zei hij. Met moeite hees hij zich uit de stoel. 'Het is bijna elf uur, geen geschikte tijd voor een dergelijk debat.'

Jonathan begreep dat het geen zin had uit te wijden over zijn ambities, maar hij wist ook dat zijn droom niet zou verflauwen en dat hij die op een goede dag zou verwezenlijken, met of zonder de zegen van zijn moeder. Hij legde zijn hand onder de arm van zijn oom om hem overeind te helpen, en werd er opnieuw aan herinnerd hoezeer de oude man was verzwakt toen die zich aan hem moest vastklampen omdat hij op zijn benen stond te zwaaien.

Op hetzelfde moment kwam het schip plotseling knarsend en sidderend tot stilstand en vielen Jonathan en Josiah languit op het dek.

'Wat zullen we nu krijgen?' Josiah greep Jonathan vast en slaagde er met hulp van Sydney in weer overeind te komen.

'We zijn blijkbaar op de rotsen gelopen,' antwoordde zijn neef. Meteen was het een chaos op het schip. Cook en zijn officieren gaven bevelen aan de matrozen die op blote voeten over de houten dekken holden.

'We zullen verdrinken.' Sydney zag nog bleker dan anders en zijn tere handen grepen naar zijn keel, alsof hij al in het water lag.

'Houd je hoofd koel, Syd,' zei Jonathan. 'Aan hysterische taferelen hebben we niks en Cook zal iedere man aan boord nodig hebben om te voorkomen dat we ten onder gaan.'

De zeilen werden gestreken en kleine boten neergelaten in het water opdat de matrozen de diepte van het water konden meten en de schade opnemen. Hun kreten stegen op in de lichte bries.

'Vier vadem, kapitein.'

'Drie vadem, kapitein.'

'Koraalrand!'

Jonathan bleef zijn oom ondersteunen terwijl de andere passagiers uit hun hutten stroomden. Hij merkte dat Sydney niet de enige van de passagiers was die ervan overtuigd leek te zijn dat het schip zou vergaan of dat ze door wilden gevangengenomen zouden worden. De speculaties en onheilspellende prognoses waren niet van de lucht en zelfs de altijd zo bedaarde Banks zei dat hij de situatie enigszins alarmerend vond. Jonathan daarentegen voelde zich eigenaardig kalm toen hij naar de matrozen keek. Het was niet zijn lot hier te sterven, ook al was het vloed en moest het schip onder de waterlijn geraakt zijn.

Cook nam een beslissing. 'We moeten het schip lichter maken. Gooi alle zware voorwerpen overboord: kanonnen, ijzerwaar, stenen ballast, vaten, ringen, staven, oliekruiken, aangetaste voorraden.'

Jonathan, de andere passagiers en de bemanning werkten de hele nacht. Josiah was nog zwak en raakte al snel erg vermoeid, maar weigerde naar zijn hut te gaan om uit te rusten. Hij zette een stoel naast het ruim, ging erop zitten en kon zo deel uitmaken van de keten van mannen die spullen uit het ruim doorgaven om in zee te gooien.

Jonathan begreep dat Sydney nog steeds makkelijk in paniek zou kunnen raken en daarom beziggehouden moest worden. Zonder zich om de artistieke handen van zijn vriend te bekommeren liet hij hem meehelpen de zes kanonnen en de affuiten op te tillen en overboord te zetten. Ze werkten zich in het zweet en werden stinkend smerig, maar om vijf uur 's ochtends was het werk nog steeds niet geklaard. De *Endeavour* zat nog altijd vast op het koraalrif.

Lege tonnen en zelfs vaten met drinkwater werden over de reling gegooid. Ze sloopten al het ijzer van het dek, sleepten de zware meubels uit de luxe passagiershutten en de officierskajuit en gooiden alles in zee. De matrozen bonden de sloepen aan elkaar en zetten daar de zware kisten met wetenschappelijke instrumenten in die te kostbaar waren om aan de golven prijs te geven, alsmede de plantenmonsters, boeken en kaarten. De varkens krijsten toen ze in het water werden gegooid om te zwemmen of te verzuipen; de geiten die voor vlees en melk hadden gezorgd, blaatten toen ze overboord gingen. De eenden zwommen vrolijk weg en de kippen vlogen in het want.

Het werk ging de hele nacht door en leek beloond te worden, want het schip maakte geen water en de zee bleef kalm. Jonathan schatte dat ze minstens vijftig ton aan gewicht overboord hadden gezet, maar het was nog steeds niet genoeg om de *Endeavour* vlot te krijgen.

Het was nu elf uur 's ochtends en iedereen was doodmoe, maar Cook gaf het bevel door te gaan met ballast overboord te zetten op alle manieren die ze maar wisten te bedenken. Het was noodzakelijk vóór de volgende vloed van het rif los te komen.

Met veel tegenzin pakte Josiah de boeken in de bibliotheek bij elkaar terwijl de planken werden verwijderd. De matrozen haalden de vaten rum en bier uit het ruim en keken ze somber na toen ze wegdreven. Jonathan ging naar zijn hut, sleepte eerst zijn zware hutkoffers naar buiten en sloopte toen de kooien en de rest van het meubilair. In de kombuis liet de eenarmige kok de zware potten en pannen en zakken met meel en gedroogde groenten weghalen en gaf toen zijn personeel de barse opdracht de tafel uit elkaar te schroeven en de grote stenen los te wrikken die samen de drie ovens vormden waar hij zo trots op was.

Het was een gevecht tegen het getij en toen de vloed opkwam, begon het schip water te maken. Twee van de pompen in het ruim werkten non-stop, maar tegen het middaguur helde de *Endeavour* toch gevaarlijk naar stuurboord.

'Beman alle vier de pompen,' beval Cook. Het was nu vijf uur 's middags en het getij begon weer te stijgen.

Jonathan nam Sydney mee naar het ruim en probeerde samen met drie andere mannen de vierde pomp te bedienen, maar daar was iets mis mee. Er kwam geen beweging in, zelfs niet toen Jonathan al zijn niet onaanzienlijke kracht erop losliet. Gefrustreerd gaf hij er een schop tegen en liet alle vloeken erop los die hij kende, maar het ding bleef dienst weigeren en de tijd drong. Het getij steeg, het schip kwam langzaam overeind en het lek leek het te gaan winnen van de andere drie pompen. Met iedere minuut die verstreek leek Sydneys voorspelling te gaan uitkomen en voor het eerst van zijn leven ervoer Jonathan wat doodsangst was.

De nacht was gevallen en iedereen was bezweet en vermoeid, maar de mannen bleven met hun laatste krachten de pompen bedienen. Het schip had zich opgericht, maar het lek dreigde hen de baas te worden.

Iedere spier in Jonathans lichaam deed pijn, zijn handen zaten vol blaren, zijn overhemd was doordrenkt van het zweet dat ook constant in zijn ogen prikte. Het was donker en muf in de buik van de *Endeavour* en het water klotste om zijn kuiten. Hij had zich voorgenomen kalm te blijven, maar de angst stak nu toch weer de kop op. Ze zaten zeker twintig zeemijl uit de kust, te ver om te zwemmen nadat ze bijna vierentwintig uur aan één stuk door gewerkt hadden. Misschien was hij dan toch gedoemd om onder de met sterren bezaaide hemel in deze zuidelijke oceaan te verdrinken.

Het werd negen uur. Hun situatie was nog steeds ernstig. Als ze op het rif bleven zitten, zou het schip kapseizen en uit elkaar vallen. Als ze loskwamen, zou het water naar binnen stromen en zouden ze zinken.

'Er zit niets anders op dan het schip los te trekken,' zei Cook die bij de pompen was komen kijken. 'Het is gevaarlijk, maar ik moet het risico nemen, want het is onze enige kans. Ik heb alle hens die niet aan de pompen werken nodig om de lieren en windassen te bemannen.'

Jonathan keek naar Sydney. Hij was drijfnat van het zweet en zijn handen bloedden van het zware werk. 'Blijf pompen,' zei hij rustig. 'Cook lijkt te weten wat hij doet.'

Om even over tienen die avond werd de *Endeavour* losgetrokken van het rif en naar dieper water gesleept. Er stond meer dan drie voet water in het ruim toen de fok en het razeil werden gezet en het schip op zuidoostelijke koers naar land werd verhaald. Jonathan en Sydney klommen vermoeid naar het dek om uit te rusten terwijl een deel van de matrozen werd aangewezen om een onderlijzeil te prepareren en een ander deel om de mest uit de dierenhokken te scheppen –

bizarre taken in deze omstandigheden. 'Wat zijn ze aan het doen?' vroeg Jonathan aan de oude zeeman die samen met hem de pomp had bediend.

'Voorbereidingen aan het treffen om het gat te dichten,' was het schorre antwoord. De man transpireerde hevig en in zijn nek en op zijn gespierde armen welden aderen op als kabels.

'Hoe kunnen ze dat doen met een stuk zeil?'

De zeeman spoog een fluim over de reling en keek Jonathan aan alsof hij niet zulke domme vragen moest stellen. 'Je draait oude touwen uit elkaar, maakt ze los, mengt ze met wol, hakt ze in kleine stukkies en naait die op het zeil. Dan smeer je dat vol met kippen- en varkensmest en alle andere soorten poep die je kunt vinden. Paardenpoep is het beste, maar dat hebben we niet, dus zijn die honden eindelijk ook eens ergens goed voor. Dan trek je het zeil met lijnen onder de kiel van het schip door.'

'En als je niet weet waar het gat is?'

De waterige ogen keken hem minachtend aan. 'Je trekt het zeil net zo lang heen en weer tot je het gat gevonden hebt.'

'En dan?' De zeeman begon een beetje genoeg te krijgen van al die vragen, maar Jonathan wilde weten hoe het in zijn werk ging.

De oude man spoog weer. 'Dan laat de wol en de rest van de troep los en drijft het naar het gat en hopelijk komt dat dan goed genoeg dicht te zitten om de kust te kunnen bereiken.'

'Ingenieus,' zei Jonathan.

''t Is te hopen dat het werkt, anders kunnen u en ik tot sint-juttemis blijven pompen.'

Sydney zakte neer op het dek. Hij zag wit van vermoeidheid. Jonathan reikte hem het zilveren heupflesje met cognac aan, dat ze tot op de laatste druppel samen deelden.

'Alle pompen op één na stopzetten.' Het bevel kwam na een schier eindeloze tijd van nerveus wachten. 'Het gat is voldoende gedicht om aan land te kunnen komen.'

De stemming op het schip steeg meteen. De passagiers en bemanningsleden strekten zich op het dek uit terwijl twee van de sloepen eropuit gestuurd werden om de kustlijn af te zoeken naar een veilige haven waar reparatiewerkzaamheden konden worden verricht.

Jonathan liep wankelend bij het martelwerktuig vandaan waar hij zo veel uur aan had gezwoegd en toen hij eenmaal in de frisse lucht was, ging hij op het dek zitten met zijn rug tegen de officierskajuit en strekte hij zijn benen wijdbeens voor zich uit. Hij had geen greintje kracht meer over, was te moe om te kunnen eten, slapen of praten. Sydney kwam naast hem zitten. Zijn armen en benen trilden van de inspanningen waar hij niet aan gewend was, en zijn borst ging hijgend op en neer.

Josiah was erin geslaagd zijn stoel te behouden en sleepte die nu naar hen toe. Hij ging zitten. 'Mooi werk, jongens,' zei hij, terwijl hij zijn voorhoofd afdroogde. 'Ik wist dat Cook ons niet zou teleurstellen.'

Jonathan keek hem met genegenheid aan. Zijn oom had helemaal niet op Cook vertrouwd, maar in ieder geval had hij door de dreigende schipbreuk zo ver van huis weer kleur op zijn wangen gekregen en was hij wederom zijn oude, hoogdravende zelf geworden.

Tahiti, juni 1770

Het was midden op de dag en erg stil op het eiland, want er lagen geen schepen voor anker in de baai en op het strand lag maar één vlerkprauw. Op een paar door het water stappende vogels na was het strand verlaten en in het centrum van het dorp bewoog zich in de schaduwen van de palmbomen niets anders dan de lome rookpluimen die opstegen uit de verbrande hutten. Waar ooit vrouwen hadden gekookt en kinderen hadden gespeeld was nu een stille, lege plek, met als enig aandenken wat kookgerei en lege kokosnoten. In het verlaten dorp hing de geur van de dood.

De ziekte was een paar weken geleden op het eiland uitgebroken, overgebracht door zeelieden van een van de grote schepen die in de baai voor anker lagen. In het begin had men zich niet zo veel zorgen gemaakt, want sinds de komst van de schepen en de zeelieden waren er op het eiland voortdurend ziektes geweest, die de medicijnman altijd in bedwang had weten te houden.

Toen begonnen mensen dood te gaan. Eerst de allerjongsten, de ouderen en de zwakken. Daarna bezweken ook sterke mannen en vrouwen en trok de ziekte een vernietigend spoor door de gehele bevolking. Enkelen overleefden de epidemie, maar dat waren er niet veel. De bevolking raakte in paniek want hun wijze, geëerbiedigde leider, Tupaia, was nog steeds op reis, en de middeltjes van de medicijnman hadden geen invloed meer. Degenen die nog niet door de ziekte waren getroffen, laadden hun bezittingen in de vlerkprauwen en peddelden weg naar andere eilanden, in de hoop aan de dood te ontsnappen. Degenen die op sterven lagen en de weinige mensen die bereid waren hen te verzorgen, bleven eenzaam achter.

Lianni lag te klappertanden van de koorts die haar lichaam teisterde; haar kleurige sarong en de mat van gevlochten gras waar ze op lag, waren kletsnat van haar zweet. Ze lag op de vloer van de hut van palmbladeren, ineengedoken onder een dunne deken, haar knieën tot haar borst opgetrokken in een poging de sidderingen tegen te gaan die door haar uitgemergelde lichaam trokken. Het jeuken en schrijnen van de rode vlekken die enige tijd geleden waren verschenen, kon met al het koele water van de wereld niet verlicht worden en ze leed hevige pijn.

Lang geleden was een man met een zwarte tas van het schip bij hen gekomen; hij had haar pols gevoeld, in haar ogen en mond gekeken en de vlekken bekeken. Hij zei dat ze de mazelen had en dat ze snel weer beter zou zijn, maar Lianni voelde zich niet beter en nu was ze erg bang, niet alleen voor hoe het met haar zou aflopen, maar ook wat het lot van haar baby zou zijn. Haar moeder, twee van haar zusjes en een oom waren al aan deze ziekte overleden. Uit een andere hut dreef het geluid van een klagelijke stem naar hen toen, om haar er opnieuw aan te herinneren dat vrijwel van iedere familie op het eiland wel iemand was bezweken aan de ziekte.

Ze dook nog meer ineen onder de deken. Haar ogen brandden en haar hoofd bonkte toen hete golven haar van binnenuit leken te verzengen, al klappertandde en rilde ze alsof ze in ijskoud water stond, blootgesteld aan een snijdende wind.

'Lianni, drink dit. Het zal je verkoeling brengen.'

Zachte armen tilden haar hoofd van de vloer en door de koortsige waas zag ze dat het de zuster van haar vader was, Tahani, die in het begin ook ziek was geworden maar wonderwel in leven was gebleven. Ze voelde de koele, zoete kokosmelk in haar mond druppelen, maar het slikken deed zo'n pijn dat ze het algauw opgaf. 'Waar is Tahamma?' vroeg ze op een fluisterende toon.

'Hij is in veiligheid gebracht, Lianni, en hij maakt het goed. Je pappa heeft hem en de andere kleintjes naar een ander eiland gebracht, naar het huis van onze broer. Daar heerst de ziekte niet.'

Lianni hoorde amper wat haar tante zei en ze begreep niet waarom haar dierbare baby niet bij haar lag, zoals ze gewend was. Haar geest was beneveld, haar gedachten waren troebel. 'Ik wil hem zien.' Haar stem was een zucht, de woorden amper hoorbaar vanwege de schreeuwerige kreten van de vogels in het omringende bos. 'Ik wil hem nog één keertje vasthouden.'

Tahani nam haar in haar armen en wiegde haar zoals ze had gedaan toen ze klein was. 'Dat is niet verstandig, Lianni,' zei ze zachtjes, terwijl ze het met zweet doorweekte haar naar achteren streek. 'Hij is nog te klein om hiertegen te kunnen vechten, en het is ook niet mogelijk een bericht naar het andere eiland te sturen.'

Lianni sloot haar ogen, gesust door de zachte omhelzing van haar tante. Tahani had gelijk, besefte ze, toen de sluier van verwarring een ogenblik verdween. Tahamma was nog maar een paar maanden oud en alhoewel hij een stevige baby was met mollige armpjes en beentjes en een rond buikje, wist ze dat andere, net zo stevige kinderen waren bezweken. Op het naburige eiland was hij in ieder geval veilig.

Haar ogen gingen trillend open en ze raakte opeens erg geagiteerd toen ze zich iets herinnerde wat haar nu al dagen dwarszat. Ze maakte zich los uit de armen van haar tante en kroop, ondanks haar smeekbeden om rustig te blijven liggen, van de mat af en begon achter in de hut in de grond te graven. Haar vingers voelden de ruwe stof. Ze haalde het pakketje tevoorschijn, sloeg het zand eraf en drukte het tegen zich aan. Ze kroop terug naar haar tante en viel uitgeput op de mat neer, beroofd van het laatste restje energie. In haar binnenste begon het leven al te doven.

'Geef dit aan Tahamma wanneer hij een man is geworden,' fluisterde ze terwijl ze het pakketje aan haar tante gaf. 'Bewaak dit met je leven. Het is zijn erfenis.'

Tahani vouwde het doek open en zette grote ogen op. Ze haalde het zakhorloge eruit en hief het op zodat de zon op de flonkerende steen in het midden schitterde en het goud deed glanzen. 'Van wie heb je dit gestolen?' vroeg ze ademloos.

'Ik ben geen dief,' hijgde Lianni. 'Ik heb het van Tahamma's vader gekregen voordat hij met Tupaia is vertrokken.'

Tahani deed de kast van het horloge open en staarde naar de twee miniaturen. De uitdrukking op haar gezicht verzachtte toen ze zag dat Lianni de waarheid sprak.

Lianni rolde op haar zij en klemde met verrassend veel kracht haar hand om de arm van haar tante. 'Beloof me dat je het voor hem zult bewaren, Tahani. Beloof me dat je het nooit zult verkopen, ongeacht hoe erg alles nog zal worden.'

Tahani knikte. 'Ik beloof het,' antwoordde ze, 'maar ik zal dit voor mijn man verborgen moeten houden. Voor zoiets moois als dit kun je veel te veel rum en tabak krijgen.' Ze deed het horloge dicht en wikkelde het weer in de doek.

'Verstop het,' fluisterde Lianni. 'Bewaak het met je leven.'

Tahani klemde het pakketje tegen haar borst terwijl de tranen over haar wangen gleden. 'Met mijn leven,' fluisterde ze.

Lianni deed haar ogen dicht. Het was geschied. Haar zoontje zou zich de liefhebbende armen van zijn moeder niet herinneren, maar hij zou de gezichten van zijn ouders leren kennen en kunnen zien dat hij de rode traanvormige vlek op zijn huid van zijn vader had geërfd. Langzaam liet ze het leven gaan en toen haar laatste adem als een zucht haar lichaam verliet, zonk ze weg in het welkome duister waar geen koorts, pijn of aardse zorgen meer zijn.

5

Mousehole, juni 1770

Het huis stond achter de kerk, uit het zicht van de graniet- en diorietsteengroeven die het dorp precies in tweeën deelden. Het was een lelijk huis waaraan weinig eer te behalen viel. Het was opgetrokken uit het plaatselijke graniet en de ramen keken uit op het in de zeewind wuivende gras van de landtong en het kale kerkhof waar veel vissers en zeelieden begraven lagen. Het had grote, tochtige kamers waar voetstappen echoden en de wind met een naargeestig gefluit langs de ramen gierde. Het was zo spaarzaam gemeubileerd dat Ezra alleen de twee kamers beneden in gebruik had genomen en de kleinste slaapkamer, waar je uitzicht had op de hei. Een vrouw uit het dorp kwam iedere dag om schoon te maken en te koken, en Higgins, de inwonende knecht, had een kamertje naast de keuken – de enige kamer in het huis waar het echt warm was, omdat het fornuis altijd brandde, zelfs midden in de zomer.

Ezra vertraagde zijn pas toen hij het huis naderde. Hij verkeerde nog in de roes van de opzwepende preek die hij zojuist had gehouden, maar toen hij dacht aan wat hem die avond te wachten stond, zakte zijn stemming snel. De timing was niet in orde. Hij zou zo snel na hun enorme verlies geen aanzoek moeten doen. Hij had het willen uitstellen, maar vreemd genoeg had Maud Penhalligan er nogal fel op aangedrongen alles te laten zoals het was afgesproken. Nu zou hij vanavond volkomen voor gek komen te staan.

Niet dat hij Susan Penhalligan niet aantrekkelijk vond – integendeel – maar het was duidelijk dat ze hem niet mocht en hij duchtte haar minachting. Had hij zijn hart maar niet uitgestort bij de gravin! En had die hem maar niet aangezet tot dit ellendige plan. Nu had de zaak zich zodanig ontwikkeld dat hij onmogelijk nog kon terugkrabbelen. Maud verwachtte hem om zeven uur.

Hij slaakte een diepe zucht, draaide het huis zijn rug toe en keek over het wuivende gras naar de zee. Hij was zo verlegen van aard dat hij buiten de kerk de grootste moeite had een normale relatie op te bouwen met zijn parochianen. Hij wist dat hij de indruk wekte kil en afstandelijk te zijn, maar dat was hij niet. Hij voelde zich doodgewoon slecht op zijn gemak wanneer hij geconfronteerd werd met hun armoede en met de stoïcijnse manier waarop ze tragedies verwerkten. Achter zijn schijnbaar afstandelijke houding lagen diepgevoeld medeleven en grote frustratie over het feit dat hij geen daadwerkelijke troost of hulp kon bieden. Hij wist dat hij altijd een buitenstaander zou zijn, een vreemdeling met eeltloze handen, stijve manieren en een welgestelde familie, een rariteit die hun door de kerk was opgedrongen, maar hij hoopte vurig dat ze in ieder geval geloofden in de leer die hij verkondigde.

Ezra schrok op uit zijn gedachten toen hij twee vrouwen zag die moeizaam het steile pad naar het dorp afdaalden. Zijn hart begon te bonken en hij kreeg een droge mond toen hij zag dat het Susan en haar moeder waren, zo te zien verwikkeld in een heftig gesprek. Hij twijfelde er geen moment aan dat ze het over hem hadden en hij kreeg een wee gevoel bij de gedachte aan wat Susan waarschijnlijk over hem zei.

Verachtte ze hem? Zei ze tegen haar moeder dat ze nooit van haar leven met hem zou trouwen? Had ze zijn zogenaamd koele houding niet doorzien en begrepen wat hij voor haar voelde? Nee, hoe zou ze dat moeten weten? De regels van de kerk en zijn positie in de gemeenschap dwongen hem een gepaste afstand tussen hen te bewaren. Hij gedroeg zich altijd correct, misschien zelfs té correct, ook al zou hij haar veel liever recht in de ogen kijken en met haar praten zonder dat er anderen bij waren. Maar dat zou alle roddeltongen meteen losmaken en Susan had het al moeilijk genoeg.

Hij wist dat hij beter naar binnen kon gaan, maar hij kon zijn ogen niet van haar afhouden. Ze had de oude sjaal van haar hoofd getrokken en liet de wind met haar prachtige haar spelen. Ze was zo ongetemd als Cornwall zelf, zo taai als het gras dat zich aan de rotsige bodem vastklampte en zo begerenswaardig als de mooiste diamant. In haar woede zag ze er magnifiek uit: haar boezem rees en daalde binnen het strakke keurslijfje en ze hield haar kin fier opgeheven. Hij wou dat hij haar ogen kon zien; die schitterden vast als saffieren in haar door de zon gekuste gezicht.

Hij zag dat de vrouwen elkaar omhelsden en hun weg weer voortzetten. Hij bleef kijken tot ze uit het zicht verdwenen waren en liep toen met een diepe zucht door naar het eenzame huis met de holle kamers. Hij kon er alleen maar van dromen dat vuur te mogen bezitten, dat weelderige lichaam in zijn armen te nemen en die begerenswaardige lippen te kussen. Niet alleen zou ze nooit de zijne worden, hij voelde ook dat hij, alhoewel ze maar een vissermansdochter was, niet goed genoeg was voor haar. De angst sloeg hem weer om het hart toen hij eraan dacht dat hij haar vanavond onder ogen moest komen.

Hij liep de schemerige hal in en deed de deur achter zich dicht. Lange tijd bleef hij staan luisteren naar de stilte. Zo zou het altijd blijven voor een man als hij. Een ander zou hier misschien een thuis hebben gevonden, want het huis was berekend op een groot gezin. Het geluid van kinderstemmen en de lichte, snelle voetstappen van hun moeder zouden de sombere sfeer hebben verjaagd en de kamers hebben gevuld met een genoeglijke, warme sfeer.

God had hem gekozen omdat zijn eenzame lot bij zijn geboorte al was bepaald. Hij was de derde zoon, een nakomertje, en had altijd geweten dat hij een onwelkome verrassing was geweest voor zijn ouders. Ze hadden weinig verwachtingen van hem en vergaten zelfs bijna dat hij bestond; ze hadden hem eenvoudig overgelaten aan de zorgen van de bedienden tot hij oud genoeg was om naar kostschool te gaan.

Zijn moeder had zich geërgerd aan zijn gebrek aan omgangsvormen en zijn vader had hem al snel duidelijk gemaakt dat hij was voorbestemd voor de kerk of het leger. Zijn grootmoeder was de enige die genegenheid had getoond. Haar liefhebbende armen en zachte kussen hadden geholpen de wonden van de verwerping te genezen, en toen ze stierf, was het alsof zijn wereld ophield te bestaan.

Haar nalatenschap had hem van de armoede en de dreiging van een loopbaan in het leger gered en toen hij John Wesley had horen preken, had hij geweten dat hij had gevonden waar hij naar had gezocht. Eindelijk had hij het gevoel gehad dat hij ergens bij hoorde.

Hij was uitverkoren om Gods werk op aarde te verrichten, om Zijn evangelie te prediken en Zijn schaapjes naar het paradijs te leiden. Hij had aan de familie van Christus genoeg gehad tot hij op die fatale dag, nu bijna een jaar geleden, Susan op de landtong had zien staan, uitkijkend over zee. Ze had hem de adem benomen en daarna had hij in de kerk en op de kade voortdurend naar haar gezocht om zijn ogen aan haar te laven. Gods wegen waren ondoorgrondelijk. Misschien zou haar afwijzing hem vanavond sterken in zijn geloof dat hij was voorbestemd om Gods werk in eenzaamheid te verrichten, dat hij Zijn boodschap alleen door middel van onthouding en nederigheid kon overbrengen.

Nu Ezra's aanzoek onheilspellend dichtbij kwam, werkte Susan als een bezetene. Haar handen werden rood en ruw van de kou toen ze ladingen haring schoonmaakte en in tonnen pakte, maar ze lette er niet op, omdat ze alleen maar kon denken aan de manier waarop haar moeder haar had bedrogen. Toen ze weer thuis was, waar ze was omgeven door de geluiden van te veel mensen in een te kleine ruimte, wilde ze maar één ding: weg.

'Het is bijna tijd,' zei Maud, toen ze de stoomfluiten van de steengroeven hoorden. 'Je mag je wel gaan opknappen.'

Susan streek met haar rode handen over de ruwe stof van haar rok. 'Nergens voor nodig,' antwoordde ze.

Maud keek naar de gevlekte rok, het smoezelige keurslijfje en de blote voeten van haar dochter. 'Wanneer mijn dochter een heer ontvangt, ziet ze er behoorlijk uit,' zei ze met haar amechtige stem. 'Ga in ieder geval de schubben van je handen wassen en trek een schone rok aan.'

'Ik doe eerlijk werk waar ik me niet voor hoef te schamen.'

Maud greep haar bij haar arm en zei op zachte toon: 'Als ik iets aan de situatie kon veranderen, zou ik het doen, maar daarvoor is het te laat. Je hoeft de dominee daarom echter nog niet te straffen. Ik weet zeker dat hij geen flauw benul heeft van de intriges van de gravin.' Ze keek over haar schouder naar de anderen die nu bij hen inwoonden. 'Niemand weet daarvan, dus je bent gewaarschuwd.'

'Laten we het hem dan vertellen,' zei Susan. 'Misschien krabbelt de gravin dan van pure schaamte wel terug.'

Maud keek haar dochter verdrietig aan. 'Wanneer de gravin een besluit heeft genomen, kan niemand er iets aan veranderen. Susan, denk alsjeblieft aan wat dit huwelijk zal betekenen voor Billy en mij, en voor de weduwen van je broers.'

Susan beet op haar lip en keek naar wat er over was van hun familie. Haar jonge schoonzusjes zaten bij elkaar in Mauds keuken waar ze warmte en troost zochten bij het vuur terwijl ze praatten, breiden en probeerden hun verlies te aanvaarden. Twee waren er al dakloos en een van hen moest binnenkort bevallen. Ze waren uit nood bij Maud ingetrokken waardoor het erg vol was in het kleine huis.

De twee kleinkinderen van Maud waren nog te jong om te kunnen begrijpen hoe penibel hun situatie was, maar Billy begreep het heel goed. Hij stond in de deuropening te kijken naar een paar vriendjes van hem die een blikken bus over straat schopten. Zijn gebroken been was gezet en stevig verbonden en hij leunde tegen de deurpost. Het zou nog lang duren tot de breuk voldoende geheeld was om weer de zee op te kunnen, en zelfs dan was het niet zeker dat er plaats voor hem was in de weinige boten die over waren van de vissersvloot.

Gal steeg op naar haar keel en tranen prikten in haar ogen toen ze aan haar omgekomen broers en haar geliefde vader dacht. Wat was het lot toch wreed en wat haatte ze de gravin om haar gebrek aan mededogen. Ze had hun niet eens de tijd gegund om naar behoren te rouwen. In plaats daarvan was hun leven door haar aanmatigende daden volledig op zijn kop gezet. Als Jonathan thuis was geweest, zou het nooit zijn gebeurd.

Ze keek haar moeder aan en zag in haar ogen het verdriet dat ook uit de rimpels van haar gezicht sprak. Je kon alleen aan haar haar nog zien hoe jong ze in feite was, want haar lichaam was gekromd als dat van een oude vrouw door de lasten die op haar schouders terecht waren gekomen. De geestkracht en voortvarendheid die ze haar hele leven aan de dag had gelegd, waren in één klap vernietigd en Susan had zich er met een loodzwaar gevoel bij neergelegd dat zij de enige was die de schade nog een beetje kon repareren. 'Ik zal een schone rok aantrekken,' zei ze zachtjes.

'Goed zo.' Mauds gezicht klaarde iets op.

Susan liep snel de houten trap op naar de slaapkamer die ze nu deelde met haar schoonzusjes. Het was een kleine zolderkamer, met matrassen op de vloer en een raam dat nauwelijks licht binnenliet. Hun kleren hingen aan spijkers die in de dikke balken waren geslagen en het enige meubelstuk was een gammele tafel waarop een kruik water en een waskom stonden. Ze kleedde zich uit en pakte het stuk loogzeep om de schubben en de stank van ingewanden van haar handen te wassen. Ze schrobde ze tot haar huid gloeide.

Toen ze zich in de enige schone kleren perste die ze bezat, zette ze de wetenschap dat ze iets ging doen wat verkeerd was, ferm van zich af. Ze kamde de klitten uit haar haar en dacht bewust niet aan de dominee toen ze haar lokken bij elkaar bond met een stukje zwart lint. Het maakte niet uit – het maakte allemaal niets meer uit nu ze Jonathan kwijt was. Het zou de opoffering waard zijn, als haar moeder daardoor weer gezond zou worden en ze hier kon blijven wonen. Maar ze zou ervoor zorgen dat de gravin zich aan haar deel van de overeenkomst zou houden: ze zou het jawoord pas geven wanneer ze haar handtekening op het huurcontract zag staan.

Ezra staarde naar zichzelf in de penantspiegel. Zijn haar glansde en hij was gladgeschoren. Het wit van zijn boord sprong eruit in het grauwe daglicht dat door het diepliggende raam naar binnen kwam, en de snit van zijn kostuum paste goed bij zijn magere gestalte. Toch was hij allerminst tevreden: hij zag er nog steeds uit als een saaie dorpsdominee, een vogelverschrikker met knokige polsen en een neus die als een snavel uit zijn gezicht stak. Hij wendde zich van de spiegel af en zette zijn hoed op. IJdelheid was een zonde, maar ook als hij gezegend was geweest met een aantrekkelijker uiterlijk, zou Susan geen belangstelling voor hem hebben gehad.

Hij pakte het fluwelen doosje van het bed en deed het open. De diamanten ring had hij van zijn grootmoeder geërfd. Hij was niet erg kostbaar en de steen was vrij klein, maar ze had hem iedere dag gedragen, dus had hij voor Ezra veel sentimentele waarde. Het goud blonk in de laatste stralen van de zon en het diamantje fonkelde alsof het hoop wilde uitstralen. Hij klapte het doosje dicht en deed het in zijn zak. Hij mocht niet langer talmen. De sirenes van de steengroeven hadden al geklonken en Susan verwachtte hem.

Zoals gewoonlijk was Higgins nergens te bekennen en was de werkster al naar huis. Met een zucht van opluchting trok hij de voordeur achter zich dicht. Hoe minder mensen getuige waren van zijn afgang, hoe beter.

Zijn hart klopte in zijn keel toen hij door de ongelijk geplaveide straten liep. Hij vertoonde zich vrijwel nooit op de kade, want de bijgelovige vissers vonden het een slecht voorteken als ze hem zagen wanneer ze zich gereedmaakten om uit te varen, en hij was er zeker van dat ieder raam oplettende ogen en oren verborgen hield die waren toegespitst op de tikkende klank van zijn schoenhakken. Wist iedereen wat de reden van zijn bezoek van vanavond was? Maud Penhalligan had hem de verzekering gegeven dat ze het aan niemand zou vertellen, maar kon hij daarvan op aan? Was het hele dorp al op de hoogte van zijn ophanden zijnde afgang?

Nu stond hij voor de deur. Voordat hij van gedachten kon veranderen en snel terugkeren naar het huis op de heuvel, klopte hij op het door het zout uitgebeten hout.

Maud deed open, maakte een soort knicksje en drong langs hem heen. 'Gaat u maar naar binnen. Susan verwacht u,' zei ze en meteen snelde ze weg. Het klepperen van haar klompen echode in de stille avond.

'Komt u verder, meneer Collinson.'

Hij voelde hoe een blos zich vanuit zijn hals over zijn gezicht verspreidde. Susan was uit het donkere interieur van het huisje gekomen en stond nu voor hem, in een eenvoudige rok en bloes, met glanzend haar en ogen van het helderste blauw dat hij ooit had gezien. Ze zag er mooier uit dan ooit en hij kon geen woord uitbrengen.

'Ik denk niet dat u dit gesprek op de stoep wilt voeren, meneer Collinson, tenzij u het niet erg vindt dat het hele dorp meeluistert.' Ze sprak in het Engels, met slechts een licht Cornwalls accent.

Hij boog zijn hoofd en betrad de enige benedenkamer die het huisje rijk was.

Susan deed de deur dicht en meteen waren ze overgeleverd aan het flakkerende licht van de lantaarns en de gloed van het fornuis. Met een gebaar nodigde ze hem uit op de bank te gaan zitten. Hij wachtte tot ze tegenover hem had plaatsgenomen. Ze staarden elkaar aan en wisten geen van beiden hoe het nu verder moest.

Ezra vroeg zich af hoe ze hem zag nu ze hem met zo'n ernstig gezicht bekeek. Toen ze naar hem glimlachte, kreeg hij nieuwe moed en durfde hij eindelijk zijn mond open te doen. 'Juffrouw Penhalligan...' Hij schraapte zijn keel. 'Ik heb met uw moeder gesproken en zij heeft me te kennen gegeven dat u geen bezwaar zou hebben tegen mijn bezoek.'

Susan knikte, maar zei niets.

Ezra schraapte nogmaals zijn keel en grabbelde in zijn zak. Hij haalde het fluwelen doosje eruit en klemde zijn hand eromheen. 'Dit zal wel als een verrassing komen,' begon hij, 'maar ik koester nu al maanden een grote genegenheid voor u, al durf ik bijna niet te spreken nu ik eenmaal hier ben.'

Susan ging rusteloos verzitten. Ze had een uitdagende blik in haar ogen, al hield ze een kalme, beleefde uitdrukking op haar gezicht.

Ezra besloot alle voorzichtigheid in de wind te slaan. Hij knielde voor haar neer en nu kwamen de woorden als een wervelstorm van emoties naar buiten. 'Juffrouw Penhalligan, Susan, ik hou van u met heel mijn hart en ook al lijk ik veel te oud en te saai voor iemand als u, smeek ik u medelijden met me te hebben. Onder dit nogal strenge uiterlijk klopt het hart van een man die u aanbidt, die ernaar smacht u lief te hebben en alles te doen wat in zijn vermogen ligt om u gelukkig te maken.'

Susan had op het punt gestaan hem in te lichten over de chantage van de gravin en hem te vertellen dat ze niets dan minachting had voor zijn aandeel in het gekonkel, maar zijn woorden en daden noopten haar tot zwijgen. Ze was overdonderd door zijn hartstocht, door de pure wanhoop die uit zijn aanzoek sprak. Ze had er geen flauw idee van gehad dat hij dergelijke gevoelens voor haar koesterde. Ze had hem geen blik waardig gekeurd, behalve in de kerk. En nu zat hij hier op zijn knieën voor haar en smeekten zijn donkere ogen haar naar hem te luisteren. Het was allemaal heel verrassend – en het maakte haar deemoedig.

De uitdrukking op haar gezicht werd zachter toen ze hem eens goed bekeek, voor het eerst. Hij had mooie ogen en was best knap nu er een blos op zijn gezicht lag en zijn mond niet zo'n strenge trek had. Misschien had hij zijn gevoelens verborgen omdat hij bang was gekwetst te worden. Ze voelde een golf van medelijden voor hen beiden. Ze zou nooit van hem houden, zou hem onwillekeurig altijd met Jonathan vergelijken, en hij had recht op veel meer dan ze hem kon geven. Ze slikte moeizaam toen ze zich probeerde in te beelden hoe het zou zijn om zich te binden in zo'n eenzijdig huwelijk. Misschien had Ezra voldoende hartstocht voor hen beiden.

'Ik vind het een eer dat u dergelijke gevoelens voor me koestert, meneer Collinson,' zei ze zachtjes, 'en uw aanzoek is inderdaad een verrassing.' Ze glimlachte flauwtjes om haar woorden te verzachten. 'Maar ik ben in de rouw en kan niet --'

'Ik weet dat u in de rouw bent,' onderbrak hij haar, 'en dat dit niet het juiste moment is om u dit te vragen.' Zijn handen trilden toen hij het doosje openmaakte en aan haar voorhield. 'Maar zou u, zodra de rouwperiode voorbij is, me de enorme eer willen doen mijn vrouw te worden?'

Haar boezem rees en daalde binnen de beperkingen van haar strakke keurslijfje toen ze naar de ring keek en haar blik vervolgens weer naar hem ophief. Ze zag de smeekbede in zijn ogen toen de stilte tussen hen zich rekte en wist toen dat hij geen weet had van de trucjes van de gravin. Hij had zijn ziel voor haar ontbloot, zijn trots aan haar voeten neergelegd in de hoop dat ze zijn liefde kon beantwoorden. Haar hart kromp ineen om zijn kwetsbaarheid en om het feit dat ze op het punt stond zijn vertrouwen te beschamen.

'Ja.' Het was bijna een zucht.

Hij staarde haar aan met een blik die duidelijk liet zien dat hij amper kon geloven dat hij het goed had verstaan. Ter bevestiging legde ze haar hand op de zijne en toen begon zijn gezicht te stralen van blijdschap. Zenuwachtig peuterde hij de ring uit het doosje en liet hem bijna op de stenen vloer vallen voordat hij erin slaagde hem aan haar vinger te schuiven. De ring zat haar als gegoten.

Susan wenste dat ze ook maar een fractie van Ezra's blijdschap voelde. Dan zou ze misschien niet zo ongelukkig zijn.

6

Endeavour River (Cooktown), juni 1770

Na vier dagen moeizaam manoeuvreren langs het koraalrif bereikten ze de monding van de rivier, die Cook naar zijn schip zou vernoemen. Nadat het anker was uitgegooid in de zanderige bodem en de romp van het schip kon worden geïnspecteerd, werd duidelijk hoeveel geluk ze hadden gehad. Hoewel het geprepareerde zeil een deel van de gekartelde gaten had gedicht, waren ze gered door het koraal zelf, omdat een aanzienlijke brok ervan in het grootste gat was blijven steken, waardoor het waterdicht was afgesloten. Als dat niet zo was geweest, was de *Endeavour* met man en muis vergaan.

Anabarru en de andere vrouwen verscholen zich met hun kinderen in de schaduwen van het bos terwijl de stamoudsten een dringende vergadering hielden. De vreemdsoortige kano met de grote vleugels was enige tijd geleden gesignaleerd. Toen hij langzaam maar zeker de rivier op was gevaren, hadden renners hem in de gaten gehouden en steeds verslag uitgebracht. Er heerste grote consternatie in het kamp. Zat er op dat angstaanjagende vaartuig een vijand die hen kwam vermoorden? Waren de vooroudergeesten gekomen om hen te straffen? Hadden ze de geesten boos gemaakt, en zo ja, wiens schuld was dat?

De stamoudsten waren in een verhit gesprek verwikkeld. Ze schudden hun vuisten en verhieven hun stemmen in een poging boven de anderen uit te komen. De jongere mannen waren van mening dat het vijanden uit het noorden waren en wilden ten strijde trekken. Ze waren al begonnen hun speren in orde te maken en hun lichaam te beschilderen met okerklei. De oudere, wijzere mannen pleitten voor kalmte en waardigheid. Naar hun mening moesten ze afwachten wat het vaartuig naar hun land had gebracht. Sommige stamoudsten waren ervan overtuigd dat de oeroudergeesten waren gekomen en dat ze zich dus moesten voorbereiden op het einde van de wereld.

Anabarru zette haar zoontje op haar heup en trok haar dochtertje naar zich toe. Ze was bang, zowel om het lot van haar kinderen als dat van haarzelf. Ze wilde niet sterven, ze wilde niet dat er een einde aan de wereld kwam voordat ze haar kinderen kon zien opgroeien. Ze zag dat haar man, Watpipa, opstond en naar het midden van de kring van stamoudsten liep. Hij had de afgelopen seizoenen veel respect verworven en was, net als zijn beroemde voorouder Djanay, nu een leider van de Raad. De geest van Djanay leefde in hem, want hij was een wijze, charismatische man die de opstandige stemmen tot zwijgen bracht en de hitte van het debat wist te bekoelen.

'Laat ons denken aan de verhalen van de oerouders,' zei hij kalm toen het stil was geworden. 'Die vertellen ons over andere kano's met de vleugels van zeevogels en de mannen die ze bevoeren. Die mannen waren alleen maar uit op de bijzondere schelpen en ons volk stond op vriendelijke voet met hen. De oeroudergeesten zullen niet tot ons komen als mannen, maar als een licht aan de hemel of in de adem van een sterke wind.' Hij keek de stamoudsten een voor een aan. 'Wanneer het einde van de wereld nabij is, zullen we dat weten, want de geesten zullen ons tekenen sturen om ons te waarschuwen. Dat hebben ze nog altijd niet gedaan.'

'De kano is een teken,' viel een van de jonge mannen hem in de rede.

Watpipa's gezicht kreeg een harde trek toen gemompelde instemming opsteeg onder de aanwezigen. 'Je zegt dat omdat je hunkert naar bloedvergieten en ons volk in angst wilt laten leven. Als de geesten boos waren, zouden ze de aarde laten beven en vuur uit de hemel sturen in plaats van een door mensen gemaakte kano.'

'Maar wat moeten we eraan doen?' vroeg de hoofdoudste. 'De kano ligt in de rivier. Onze heilige grond is al geschonden.'

'We zijn jagers,' zei Watpipa. 'Tijdens onze inwijdingsperiode leren we zo geruisloos te zijn als een slang, zo onbeweeglijk als een mierenhoop, zo schrander als een opossum. We leren dat we de levenswijze van de dieren en planten om ons heen moeten bestuderen en interpreteren opdat we ons in leven kunnen houden. Hetzelfde geldt voor deze kano. Pas als we weten en begrijpen wat die ons brengt, kunnen we besluiten of hij een bedreiging voor ons vormt.'

De krulletjes van de baby waaiden op van de zucht die Anabarru slaakte toen de stamoudsten besloten zijn advies op te volgen. Het einde van de wereld was niet gekomen en de oeroudergeesten waren niet boos. Toch bleef de gedachte haar kwellen dat ze de heilige oerouders nog niet volledig tevreden had gesteld; dat zij de oorzaak was van deze problemen voor haar stam; dat door haar daden een kwade geest hun stam was binnengedrongen.

Met de baby op haar arm stond ze op. Birranulu greep meteen haar hand vast. Ze was nu een kleuter, maar ze was verlegen en schrikachtig en bleef altijd dicht bij haar moeder. Anabarru vroeg zich af of ze zich die afschuwelijke dag op het strand herinnerde. In haar eigen geest stond die scherp geëtst. Ze werd nog steeds gekweld door nachtmerries die haar deden beven van angst.

Toen ze in de schaduw van de bomen stond te kijken naar de mannen die hun speren pakten en op weg gingen naar het bos langs de oever van de rivier, wist ze wat ze moest doen. Ze liep snel naar de moeder van Watpipa. De oude vrouw had de kinderen om zich heen verzameld terwijl hun moeders eropuit gingen om de vette barramundi te vangen die stroomopwaarts in de ondiepe gedeelten van de rivier leefden. Ze vertelde hen het droomtijdverhaal van Otchout, de vader van de grote kabeljauw, en de kinderen zaten met open mond te luisteren.

Anabarru glimlachte naar haar toen ze haar twee kinderen bij haar achterliet, pakte haar geweven tas, graafstok en korte speer en liep snel achter de vrouwen aan. Toen ze eenmaal uit het zicht van het kamp was, nam ze echter een ander pad: haar bestemming lag ver weg, midden in het oerwoud. Haar route herinnerde haar aan de weg die ze lang geleden had genomen toen de zuiveringsceremonie had plaatsgevonden. Toen ze de mond van de geboortegrot bereikte en de oeroude gebeden prevelde, beefde ze van angst. Ze ging naar binnen en hurkte op een door de zon verlichte plek. Ze klemde haar armen om haar knieën terwijl ze naar haar eigen verhaal keek, dat met oker op de heilige muur was geschilderd. Het stond er allemaal. De ontvoering, het doodslaan van haar verkrachter, de geboorte en dood van het kind dat ze niet had mogen houden.

Ze voelde weinig emoties toen ze naar de primitieve schilderingen keek, want alhoewel haar ballingschap een tijd van angst en gevaar was geweest, had ze die goed doorstaan en was ze na haar zuivering opnieuw verwelkomd binnen de stam. De dood van de baby was een noodzakelijk onderdeel van de zuivering geweest. Het bloed van de stam moest zuiver worden gehouden en een kind dat het resultaat was van een verkrachting door een Hagedisman kreeg geen toestemming in leven te blijven.

Anabarru veegde een druppel zweet uit haar ogen en staarde naar het land. Op die lang vervlogen dag had ze de geboortegrot verlaten zodra de rituelen waren afgewerkt. Ze glimlachte toen ze eraan terugdacht hoe hartstochtelijk Watpipa haar die eerste nacht had genomen. Hij was onverzadigbaar geweest en ze had zich aan hem vastgeklampt, blij dat ze zijn lichaam weer mocht voelen en zich kon koesteren in de veilige omhelzing van zijn sterke armen. Algauw was haar buik gaan zwellen door de verwekte zoon, een teken dat de geesten haar weer goedgezind waren.

Ze zette deze herinneringen van zich af en keek naar de zon. Die begon al aan de daling boven de twee heuvels. Ze moest opschieten.

Haar blik ging naar de steen waarmee ze haar ontvoerder had gedood. Ze had die hier vele manen geleden neergelegd, maar ze wist nog goed dat de vreemde kleur die erin glansde haar tijdens de bevalling van haar zoontje een heel onrustig gevoel had gegeven. Andere vrouwen hadden over dezelfde onrust gesproken, over hoe hun ogen steeds naar de steen werden getrokken en hoe opgelucht ze waren geweest toen ze de grot hadden kunnen verlaten.

Nu begreep ze dat de aanwezigheid van de steen een negatieve herinnering was aan wat er was gebeurd. In de steen school een onheil dat nu tot in deze heilige plek was doorgedrongen, en zij was degene die hem hierheen had gebracht. Ze had hem gestolen van de Hagedismensen en nu dreigde hij zijn onheil over hen uit te storten door middel van de vreemdsoortige kano. Ze moest hem terugbrengen.

Ze stond op, haalde diep adem om moed te scheppen, greep de steen en stopte hem snel in haar tas. Toen pakte ze haar graafstok en korte speer, verliet de grot en begon aan haar tocht naar het westen.

Toen de zon al een eind was gezakt en de hitte begon af te nemen, bereikte Anabarru de grens van het land dat toebehoorde aan de Ngandyandyi. Ze klom in een hoge boom, ging op een stevige tak zitten en haalde de steen uit haar tas. Zonder er nogmaals naar te kijken gooide ze hem zo ver mogelijk weg naar het terrein van de Hagedismensen. Het was geschied.

'Ze houden ons nog steeds in de gaten,' zei Sydney toen hij samen met Jonathan de kisten met monsters en schetsmappen uit de sloep terugbracht naar Sydneys onttakelde hut.

'Ja, ze zitten er al twee dagen.' Hij strekte zijn rug en veegde het zweet van zijn voorhoofd. Het was verschrikkelijk warm en het water van de rivier was zo lauw als badwater. 'Maar ze lijken me eerder nieuwsgierig dan agressief. Ze hebben waarschijnlijk nog nooit blanken gezien en vragen zich af wie en wat we zijn.'

'Ze hebben speren bij zich,' antwoordde Sydney. 'Het zou me niks verbazen als ze ons vannacht komen vermoorden.'

Jonathan gaf zijn vriend een ferme klap op zijn schouder en lachte om zijn bedrukte gezicht. 'Jouw optimisme kent geen grenzen, Syd. Vooruit, niet zo somber. Straks steek je me nog aan.' Hij keek naar de bomen aan de rand van het strand. 'Als ze ons wilden vermoorden, hadden ze dat allang gedaan. Volgens mij vinden ze ons alleen maar amusant en zijn ze niet van plan ons in hun kookpotten te stoppen.'

Ze werkten weer door, maar Jonathan zag aan het gezicht van zijn vriend dat die zich allerminst behaaglijk voelde. Toen de laatste kist veilig en wel naar de hut was gebracht, liet hij Sydney daar achter om zijn werk te doen en keerde hij zelf terug naar de zandige rivieroever om de activiteiten rond het schip te bekijken.

De *Endeavour* was hoog op de zandbank getrokken om aan de reparatiewerkzaamheden te kunnen beginnen. Zelfs hij begreep dat het nog wel een poosje zou duren voordat het schip weer zeewaardig zou zijn, maar hier was in ieder geval voldoende stevig hout te vinden. Of ze daarna weer uit deze tropisch warme riviermond weg konden komen, hing af van het feit of ze een doorgang zouden vinden in de grote barrière van koraalriffen die langs de hele kust scheen te liggen. Cook zou al zijn vernuft nodig hebben om heelhuids weer in het diepe water van de oceaan te komen.

Zijn gedachtegang werd onderbroken toen Josiah door het zand naar hem toe sjokte en naast hem ging zitten. Hij droeg nog altijd zijn overjas, maar had vanwege de moordende hitte eindelijk afstand gedaan van zijn vest en pruik. 'Cook en Tupaia willen proberen met de inboorlingen te praten,' bromde hij met een norse blik op de bomen. 'Sinds we de rivier zijn opgevaren houden die ons in de gaten.'

Jonathan knikte. 'In Botany Bay waren de inboorlingen erg vriendelijk. Ik zie geen reden waarom deze dat niet ook zouden zijn.'

Josiah trok zijn hoed naar voren en tuurde naar de bewegende zwarte figuurtjes tussen de bomen. 'Dit herinnert me aan mijn jeugd,' zei hij peinzend.

Jonathan keek hem verbaasd aan.

'Vroeg in de lente zette de boswachter altijd voedsel uit voor de herten,' legde Josiah uit. 'De hertenbokken kwamen dan het eerst het bos uit. Ze snuffelden aan de lucht, pronkend met hun gewei, maar altijd op hun qui-vive.' Hij knikte in de richting van de inboorlingen met de speren die hen in de gaten hielden. 'Net als die daar.' Hij stootte een korte, hoestende lach uit. 'Daarna kwamen de wijfjes, aarzelend, achterdochtig, langzaam voortstappend, gereed om bij het minste of geringste gerucht te vluchten. De wijfjes werden gevolgd door de reekalfjes, in een wirwar van ranke pootjes en wippende staartjes.' Hij veegde met zijn zakdoek langs zijn ogen. 'Het was een prachtig gezicht, waar ik nooit genoeg van kreeg.'

Jonathan begreep waarom zijn oom deze analogie had gekozen. Gedurende de afgelopen twee dagen hadden de vrouwen van de inboorlingen zich bij de mannen gevoegd en daarna had hij de rappe figuurtjes van kinderen gezien die vanachter hun ouders en hoog in de bomen naar hen gluurden. Hij glimlachte toen hij dacht aan de nieuwsgierigheid die afstraalde van de kindergezichtjes die de *Endeavour* en de mannen die eraan werkten vol ontzag bekeken. Het leken erg energieke kindertjes te zijn met dezelfde wilde haardos, grote ogen en magere armen en benen als hun soortgenoten in Botany Bay.

Hij had boeken over hen gelezen en vond het fascinerend dat ze in zo veel opzichten verschilden van de zwarte mensen in Afrika. Deze inboorlingen waren tengerder en kleiner van stuk, en in plaats van het kroezende zwarte haar van de Afrikanen, hadden sommigen van hen volkomen steil haar, terwijl anderen een bos krullen hadden en weer anderen een krans van wollige klitten rond hun hoofd.

Jonathan en Josiah kwamen overeind toen Cook, Tupaia en drie scheepsofficieren de *Endeavour* verlieten en langzaam in de richting van de bomen liepen. Het tijdstip was aangebroken om het eerste contact te leggen. Nu zouden ze snel genoeg te weten komen of ze hier welkom waren.

De passagiers en bemanning hielden op met wat ze aan het doen waren en stelden zich in slagorde op voor het schip, hun handen op hun geweren en kapmessen. De honden van Banks trokken jankend en blaffend aan hun riemen en lieten hun tong uit hun bek hangen nu ze de geur van prooi roken.

'Ik hoop dat hij die verdraaide beesten goed vasthoudt,' bromde Josiah. 'Eén hap in de enkel van zo'n inboorling en we zijn er geweest.'

Anabarru en de andere vrouwen konden hun nieuwsgierigheid niet langer bedwingen. Ze waren eerder op de ochtend behoedzaam het bos doorgelopen naar de mannen, om het vreemde vaartuig op de oever te kunnen bekijken. Algauw waren ook de kinderen achter hen aangekomen en nu renden die opgewonden heen en weer, zich niets aantrekkend van de standjes die ze van hun moeders kregen, tot ze door de stamoudsten scherp werden berispt.

Anabarru hield de baby op haar arm, maar Birranulu had tot haar grote verbazing opeens haar hand losgelaten en rende opgewonden heen en weer tussen de bomen. Ze was niet de enige: alle kinderen waren nieuwsgierig en helemaal niet bang, zelfs niet toen *dalkans* aan touwen naar buiten werden gebracht. Het waren heel eigenaardige dingo's, magere beesten met hoge poten, een smalle, lange neus en slappe oren, en hun vacht had een vreemde, grijze kleur. Ze maakten ook vreemde geluiden, die helemaal niet leken op het zachte gepuf van de plaatselijke honden, en ze klauwden in de lucht alsof ze hun baas naar de keel wilden vliegen.

Anabarru gluurde tussen de bomen door terwijl Watpipa en de andere stamoudsten zich rusteloos in de schaduwen voortbewogen. De kano was ontzettend groot en de touwen waarmee hij aan de bladerloze bomen was vastgebonden leken op lange slangen, gereed om hen aan te vallen, toen ze door de hete wind op en neer werden bewogen. Ze keek naar de mannen die rond de kano aan het werk waren en langs de opgerolde doeken klommen, en ze beefde van angst om hun spookachtige gezichten. Het grote vaartuig werd bevaren door de geesten van de doden. Misschien was dit een teken van de oerouders dat het einde van de wereld nabij was of misschien waarde de boze geest nog steeds rond, hoewel ze de steen had teruggebracht.

Ze keek om zich heen om te zien waar haar dochtertje was gebleven en ze zag dat het kind opeens helemaal over haar angsten heen was en op een tak van een boom was geklommen, waar ze opgewonden met haar vriendjes zat te babbelen. Ze wezen elkaar de vreemde dingen aan die op het strand gebeurden. De kinderen kenden helemaal geen angst en Anabarru vroeg zich af hoe dat kwam. Ze hield de baby stevig tegen zich aan gedrukt en stond op het punt Birranulu uit de boom te sleuren toen de opgewonden stemmen van de mannen haar aandacht trokken. De stamoudsten waren dicht bij elkaar gaan staan met hun schilden en speren in de aanslag. Ze keek naar het strand en zag waarom. Een paar van de geesten kwamen op hen af.

Anabarru stond in tweestrijd. Ze wilde het liefst vluchten, samen met de andere vrouwen tussen de bomen uit het zicht verdwijnen, maar Birranulu zat buiten haar bereik op een tak, en ze kon haar natuurlijk niet achterlaten. Ze keek hulpzoekend in de richting van haar man, maar die stond bij de andere stamoudsten en was helemaal geconcentreerd op de mannen die hen naderden. Als vrouw van een stamoudste werd ze geacht een goed voorbeeld te geven. Als haar man niet bang was, had ze geen andere keus dan zich aan zijn zijde op te stellen, in dit geval op een kleine afstand achter hem.

Een koortsachtig, gedempt debat ontspon zich tussen de stamoudsten toen de vreemdelingen langzaam naderden. Anabarru bleef onzeker achter Watpipa staan, met de baby op haar heup, haar ogen gericht op de gezichten van de spookachtige mannen. Ze vestigde haar blik op de vrij kleine man die hen leidde, want die droeg tenminste geen vreemde huiden op zijn lichaam en geen hoofdtooi. Ze bekeek hem belangstellend, want hij was duidelijk geen spook. Zijn huid was donker, maar niet zo donker als die van haar, en hij had lang, zwart haar dat bijna tot zijn middel reikte. Hij was naakt, op het gras na waarvan hij een soortement bedekking had geweven die hij om zijn heupen had gebonden en die tot op zijn blote voeten reikte. Hij was breedgebouwd en haarloos; de spieren van zijn borst en armen glommen in de zon alsof hij zich had ingesmeerd met vet.

Watpipa en de andere stamoudsten verlieten gezamenlijk de schaduw van de bomen en liepen een paar stappen naar voren, het felle zonlicht in. Ze bleven fier staan, met hun schilden en speren in gereedheid om een aanval af te weren. 'Wie zijn jullie en wat willen jullie?' vroeg Watpipa op ferme toon. 'Door onze heilige grond te betreden, schenden jullie de wetten van onze stam.'

Anabarru luisterde naar het antwoord van de man met de donkere huid, maar het waren vreemde woorden die haar niets zeiden. Nu was het de beurt van een grote man met lang bruin haar en een eigenaardige hoofdtooi om iets te zeggen, maar ze begreep zijn woorden ook niet. Uiteindelijk gingen de mannen van de kano in het zand zitten en nodigden ze de stamoudsten met gebaren uit bij hen te komen zitten.

Onder de hete zon nam de spanning nog meer toe. Anabarru hoorde het drukke gepraat van de stamoudsten en wist dat ze zeer achterdochtig waren, ondanks het ogenschijnlijk vriendschappelijke gedrag van de vreemdelingen. Haar ogen werden groot van angst toen Watpipa als eerste de bescherming van de bomen verliet. Gezamenlijk liepen de stamoudsten naar de groep in het zand.

Anabarru voelde de spanning zakken toen ze zag dat haar man en de anderen hun speren lieten zakken en in het zand hurkten. Als Watpipa niet bang was, kon ze wel wat dichterbij sluipen om te horen wat er gezegd werd.

Ook de andere vrouwen en de kinderen kwamen nu behoedzaam tussen de bomen vandaan. Ze bleven geschrokken staan toen nog meer witte mannen naar de groep in het zand liepen. Anabarru hield hen scherp in de gaten, gereed om te vluchten, maar zo te zien hadden ze geen kwaad in de zin, want hun handen waren leeg en ze lachten. Met haar baby tegen zich aan gedrukt deed ze nog een paar stappen naar voren.

De man met de *dalkans* kwam dichterbij en weer aarzelde ze, onzeker over zijn bedoelingen en het woeste karakter van de vreemde dieren. Haar angst verdween echter toen ze op zijn bevel gingen zitten, hijgend van de warmte, met flonkerende ogen van ondeugd, hun tongen uit hun bek.

Nu waren de kinderen niet meer te houden: ze zwermden het bos uit en vormden een opgewonden, kwebbelende kring rond de man en zijn honden. Anabarru uitte een waarschuwende kreet toen Birranulu haar handje uitstak en een van de honden over zijn kop aaide. Bang en boos was ze, want het kind wist dat ze onbekende honden niet mocht aanraken. Er waren altijd wel ergens puppy's, maar de volwassen dieren konden gevaarlijk zijn.

Haar angst bleek ongegrond, want het dier likte het handje van het kind en algauw holden de kinderen en de honden samen spelend over het strand. Anabarru hurkte in het zand toen een paar mannen van de kano zich bij de kinderen voegden. Ze schopten elkaar een rond, rood voorwerp toe en moedigden de jongens aan mee te doen. Het was allemaal bijzonder vreemd en ze wist niet goed wat ze ervan moest denken. Het leek een beetje op een *corroboree*, maar toch weer heel anders.

Ze keek naar de kring van mannen en zag dat ze naar elkaar lachten. Ze grepen elkaars handen en er werden gekleurde lappen en strengen mooie steentjes op het zand gelegd, als uiting van vriendschap. Zo te zien hadden ze vrede gesloten. Anabarru slaakte een zucht van verlichting. Ze was blij dat ze de steen had teruggebracht: de kwade geesten van de steen zaten niet in deze mannen, maar waren ver weg in het land van de Hagedismensen, waar ze haar stam geen kwaad konden doen.

7

Waymbuurr, juni-augustus 1770

Jonathan bleef buiten de kring staan en bekeek de gezichten van de inboorlingen toen Cook en de Tahitiaanse priester probeerden duidelijk te maken wat ze wilden zeggen. Ze waren hier nu een paar dagen en de enige communicatie die ze met de zwarte mannen hadden, was via mimiek en gebaren tot stand gekomen. Het was frustrerend, maar in ieder geval leken de inboorlingen over hun aanvankelijke angst heen te zijn nu het ijs was gebroken door de kinderen, die het prachtig vonden dat ze nieuwe speelmakkers hadden gekregen.

Hij ving de blik op van de jonge man die de leider van de kleine groep leek te zijn en lachte naar hem. Ze hadden elkaar de afgelopen dagen tersluiks opgenomen en vriendelijk naar elkaar geknikt.

De man lachte terug en haalde zijn schouders op. Zo te zien had ook hij genoeg van het gedoe. Hij kwam overeind en zijn pezige gestalte stond als een silhouet tegen de donkere achtergrond van het bos afgetekend toen hij zich op zijn borst sloeg en fier zijn kin ophief: 'Watpipa.'

Jonathan ging ervan uit dat dat zijn naam was. Hij legde ook zijn hand op zijn borst en hield het bij een simpel 'Jon', omdat hij opeens bedacht dat de ander misschien moeite zou hebben met 'Jonathan'.

Watpipa lachte zijn mooie tanden bloot. 'Jon.' Hij lachte, brabbelde iets onverstaanbaars en wenkte Jonathan.

Na een snelle blik op de anderen verliet Jonathan het strand. Hij was helemaal opgetogen. Hier had hij nu al die tijd op gewacht! Misschien zou hij nu de geheimen van dit intrigerende land en volk ontdekken.

Watpipa liep in een snel tempo, zigzaggend tussen de bomen door. Zijn blote voeten waren gewend aan de prikkende dennennaalden en het vlijmscherpe koraal waarmee de grond bezaaid was. Jonathan begon onmiddellijk te transpireren en toen ze verder doordrongen in het bos, werd hij aan alle kanten gestoken door muggen. Hij sloeg ze zwijgend van zich af, vastbesloten om geen zwakte te tonen in het bijzijn van de andere man.

Watpipa leidde hem naar een snelstromende rivier, hurkte op de oever en schepte met zijn handen water in zijn mond. Jonathan volgde zijn voorbeeld en had nog nooit zulk lekker water gedronken. Ze bleven er niet lang en toen ze hun tocht door het bos voortzetten, plukte Watpipa wat brede, groene bladeren van een struik en liet Jonathan zien dat hij die moest fijnknijpen om zijn huid in te smeren met het sap. Meteen hield het jeuken van de muggenbeten op en liep Jonathan opgelucht door tot ze de beschutting van het bos verlieten en in oogverblindend zonlicht terechtkwamen.

Ze stonden aan de rand van een grasvlakte die zich tot aan de horizon uitstrekte. De wolkeloze hemel was onvoorstelbaar blauw en het gele gras bewoog ruisend in de zachte, warme wind, als een gigantische binnenzee. Hij wilde er net iets over zeggen toen de zwarte man een hand op zijn arm legde en hem ruw neertrok op de grond.

Geschrokken ging Jonathan naast hem in het lange gras liggen en keek in de richting van de gestrekte vinger. Hij moest een kreet onderdrukken. Hij had nog nooit zo'n vreemd dier gezien. Het had enorme achterpoten en heel kleine voorpootjes, en zijn vacht had dezelfde okerkleur als de grond. Het dier was groter dan een man.

'Kangoeroe,' fluisterde Watpipa. Met trage bewegingen kwam hij tot op zijn hurken overeind en trok een gebogen stuk hout uit de van gras gevlochten riem die hij om zijn middel droeg. Hij bleef doodstil zitten, zijn ogen tot spleetjes toegeknepen. Toen sloop hij heel behoedzaam op het dier af, zonder dat zijn voeten geluid maakten. Hij boog zijn arm naar achteren. Het wapen vloog draaiend door de lucht en raakte met een klinkende klap de zijkant van de kop van het dier, dat meteen neerviel. Watpipa draaide zich naar Jonathan om met een brede grijns op zijn gezicht. 'Kangoeroe!' riep hij.

Jonathan merkte nu pas dat hij zijn adem had ingehouden en blies die uit. 'Geweldig,' zei hij ademloos. 'Wat een precisie.' Hij gaf Watpipa een schouderklopje.

Watpipa verstijfde, zijn glimlach nu onzeker, maar toen hij de opgetogen uitdrukking op Jonathans gezicht zag, grinnikte hij weer en gaf Jonathan een flinke mep op zijn schouder.

Jonathan begreep dat de kangoeroe nog niet dood was maar alleen bewusteloos toen Watpipa een scherpe steen uit een zakje aan zijn riem haalde en snel de keel van het dier doorsneed. Hij pakte het andere wapen en balanceerde het op zijn hand. Het was vervaardigd van donker hout en versierd met tekens en symbolen, en het was vrij zwaar. 'Hoe heet dit ding?' gebaarde hij, toen hij het teruggaf.

'Boemerang,' zei Watpipa. Hij bracht zijn arm naar achteren en wierp de boemerang opnieuw weg.

Jonathan keek de boemerang na toen die met een suizend geluid wegvloog en zijn adem stokte van pure verbazing toen het ding terugkwam en door Watpipa netjes werd opgevangen. 'Wat een schitterend ding!' riep hij uit. 'Mag ik het ook eens proberen?'

Het gooien met de boemerang bleek veel lastiger dan Jonathan had gedacht. Het ding leek vastbesloten te zijn zich in de grond te boren of weg te vliegen en ergens ver weg in het gras te verdwijnen. Hoe hij ook zijn best deed, het vermalijde stuk hout weigerde terug te komen. Uiteindelijk gaf hij het op. Het was veel te warm om steeds over het veld te moeten hollen om hem op te halen.

Watpipa keek geamuseerd toe. Blijkbaar vond hij Jonathans moeizame pogingen wel grappig. Hij tilde het dode dier op zijn schouders en begon aan de weg terug naar het strand.

Jonathan liep naast hem mee en keek naar de hem onbekende bomen, varens en grassoorten. Watpipa pakte een handvol van de groene mieren die over de takken en bladeren kropen, kneep ze dood en stak ze in zijn mond alsof het snoepjes waren. Hij bood er een paar aan Jonathan aan, die ze aanpakte om hem niet te beledigen, zijn ogen dichtdeed en kauwde. Tot zijn verbazing waren ze aangenaam zoet.

Onder het lopen hoorde hij de kakelende lach waar ze allemaal zo nieuwsgierig naar waren geworden toen ze op het strand hun kamp hadden opgeslagen. Hij keek op naar de bomen en zag een kleine, bruine vogel die een sterke gelijkenis toonde met de ijsvogel, maar dan zonder kleur, en bleef staan om hem te bekijken.

'Kookaburra,' zei Watpipa. Hij wierp zijn hoofd in zijn nek en imiteerde de roep, waardoor de vogel weer begon te lachen.

Toen ze op het strand waren aangekomen, wierp Watpipa de kangoeroe in het zand.

'Het is een geschenk,' legde Jonathan aan de verbaasde omstanders uit, 'en hij heeft me laten zien waar we water kunnen vinden.' Hij glimlachte naar Watpipa. 'Dank je.'

Watpipa knikte terug, wierp een minachtende blik op de gekleurde kraaltjes en prulletjes die de anderen hem aanboden, riep zijn vrouw en kinderen bij zich en verdween in het bos.

De halve nacht lag Jonathan wakker in de tent die hij met Sydney en zijn oom deelde en herleefde zijn tocht naar het binnenland. De anderen wilden zo snel mogelijk vertrekken, maar hij bad vurig dat het nog lang zou duren voordat de *Endeavour* was gerepareerd, want als hij het vertrouwen van Watpipa won, zou er misschien een heel nieuwe wereld voor hem toegankelijk gemaakt worden, wat een kroon zou zijn op dit avontuur.

Tegen het einde van de volgende ochtend verscheen Watpipa weer. Jonathan stond al op hem te wachten. Ze verlieten het strand en verdwenen tussen de bomen. Ditmaal namen ze een andere route waarbij ze stroomopwaarts de loop van de rivier volgden. Algauw liepen ze door gras dat tot zijn heupen reikte. Mierenhopen stonden als wachtposten op de donkerrode aarde; sommige waren maar een paar centimeter hoog, andere bijna twee meter met een diameter die een volwassen man met zijn armen niet kon omvatten.

Jonathan ademde de warme, vochtige lucht in en keek om zich heen, naar het bos dat ze achter zich hadden gelaten en naar de blauwe heuvels die in de verte opdoemden. Dit was een paradijs in de ware zin van het woord, onveranderd sinds het begin der tijden. Hij keek naar Watpipa die naar prooi speurde en hoopte dat de komst van de *Endeavour* geen veranderingen teweeg zou brengen in zijn leven, want Watpipa en zijn volk waren primitief in de positieve zin van het woord. Naakte jager-verzamelaars die in harmonie leefden met hun land. Ze teelden geen gewassen, hielden geen dieren, en als de buitenwereld hen met rust zou laten, konden ze eeuwig zo blijven leven.

Ze vingen die dag een portie forse barramundi; dat wil zeggen, Watpipa ving ze. Hij probeerde Jonathan te leren hoe je in de schaduw op je buik moest gaan liggen, je handen in het water steken, wachten tot een vis binnen je bereik was en die dan naar de oever zwiepen. Iedere keer dat Jonathan misgreep, lachte hij zich slap. Jonathan lachte met hem mee, want hij begreep best hoe mal hij overkwam, maar ondertussen genoot hij met volle teugen.

Toen Watpipa een steen verhitte boven een vuurkuil en een van de vissen begon schoon te maken, grabbelde Jonathan in zijn broekzak en gaf Watpipa zijn zakmes. Het was het enige nuttige voorwerp dat hij Watpipa te bieden had.

Watpipa bekeek het aandachtig en draaide het om en om, gefascineerd door de manier waarop het zonlicht op het metaal weerkaatste en het ivoren handvat deed glanzen.

Jonathan liet hem zien hoe je met het mes een vis snel en kaarsrecht kon opensnijden en Watpipa griste het mes meteen uit zijn hand om het zelf te proberen. Terwijl de vis in een wikkel van bladeren op de hete steen gaar lag te worden en Watpipa het zakmes samen met de primitieve snijsteen had weggestopt, zaten de twee mannen in een harmonieus zwijgen bij elkaar. Het was het begin van een vriendschap die ze zich hun hele leven zouden herinneren.

Naarmate de weken verstreken trok Jonathan regelmatig met Watpipa het bos in en werden de passagiers en bemanningsleden van de *Endeavour* door de stam geaccepteerd als welkome gasten. Ze wezen hun de beste bomen aan voor de reparatiewerkzaamheden aan het schip, lieten hun zien waar ze drinkwater en eetbare bessen konden vinden en amuseerden hen 's avonds met zang en dans.

De vrouwen van de clan werden nadrukkelijk bij de mannen van de *Endeavour* vandaan gehouden en angstvallig bewaakt. Gelukkig had geen van de matrozen hen benaderd, misschien geïntimideerd door de scarificatie van de stamleden en de scherpgepunte speren van de mannen. Dit was niet Tahiti: hier zou geen sprake zijn van losbandig gedrag en hun overlevingskansen berustten op goede relaties.

Jonathan vond Anabarru en haar kinderen fascinerend en het frustreerde hem in hoge mate dat hij niet in staat was met hen te praten. Hij vond hun taal erg moeilijk uit te spreken en had slechts een paar woorden geleerd. De vrouwen en mannen leken op voet van gelijkheid met elkaar om te gaan, behalve op het gebied van het jagen met de boemerang en het nemen van besluiten. Zo te zien hadden ze hun eigen gedragsregels, hun eigen mysterieuze taboes en een erg hecht gezinsverband. Ze hadden hun eigen hiërarchie waarin de jongeren voor de ouderen zorgden, en de oudere vrouwen op de kleine kinderen pasten wanneer de moeders gingen vissen en vruchten plukken. Alle leden van de stam bezaten een grote kennis van het land en een diepgaand begrip voor de natuur, en ondanks het feit dat ze een primitief leven leidden, leverde het land hun alles wat ze nodig hadden. In zeker opzicht vond Jonathan dat benijdenswaardig.

Hij kon niet iedere dag met Watpipa op stap gaan, want hij had ook zijn eigen taken. Ze hadden op het strand, aan de rand van het bos, een kamp ingericht door stukken canvas tussen de takken te spannen om schaduw te creëren. De reparatiewerkzaamheden vorderden naar wens, maar ze zaten nog steeds met de vraag hoe ze uiteindelijk van dit tropische strand zouden kunnen wegkomen. Jonathan ging in op een uitnodiging van Banks, Sydney en Solander om in een van de sloepen het rif te gaan bekijken.

De grote muur van koraal steeg bijna verticaal op uit de peilloze oceaan. Bij vloed lag het rif geheel onder water, maar vanuit de boot kon je het gekrioel van de kleurige vissen en weekdieren makkelijk bekijken, want het water was zo helder als glas en zo blauw als de hemel.

Sydney straalde van geluk. 'Voor tekenaars is dit een paradijs, Jon. Ik weet amper waar ik moet beginnen. Er valt zo veel te schilderen en ik heb zo weinig tijd om alles vast te leggen.'

'Het zal je best lukken,' antwoordde Jonathan. 'Als je maar niet vergeet af en toe te eten en te slapen, Syd. Je kunt niet dag en nacht tekenen en schilderen en van de wind leven.'

'Jammer genoeg niet.' Hij haalde diep adem. 'De lucht is hier zo puur. Nog gezonder dan in Schotland.'

'Dat is waar,' zei Jonathan. Hij vond het kleurige koraal en het rijke onderwaterleven erg mooi, maar hij zat nog liever in Watpipa's primitieve boomstamkano om op de grote schildpadden te jagen die loom in het warme water zwommen en zo heerlijk smaakten.

Hij glimlachte toen Sydney lyrisch uitweidde over de botanische wonderen van deze afgelegen hoek van de wereld. Jonathan wist weinig van planten en interesseerde zich er ook niet voor en hij kon dan ook onmogelijk hetzelfde enthousiasme als zijn vriend opbrengen voor de vorm van een blad of de kleur van schors. Het werd een heidens karwei om Sydney 's middags over te halen even te stoppen met schilderen en samen met hem een glaasje te drinken. Sydney gaf zich pas gewonnen wanneer de thermometer zover was gestegen dat hij onmogelijk kon blijven werken. Onder een van de luifels dronken Jonathan en hij dan broederlijk uit een van de flessen rum die op het strand waren aangespoeld, terwijl ze naar de joelende kinderen keken.

De eerste dagen had Josiah iedereen in de weg gezeten tot hij ontdekte dat zijn afgrijselijke zangstem grote aantrekkingskracht had op de kinderen van de inboorlingen. Binnen een mum van tijd had hij hun geleerd Engelse kinderliedjes te zingen, terwijl hun moeders en grootmoeders vol ontzag toekeken. Nu probeerde hij hun de spelregels van cricket bij te brengen.

Jon bulderde van het lachen toen Josiah probeerde zijn pupillen op te stellen, want die vonden het veel leuker om aan zijn jaspanden te trekken terwijl ze in rondjes om hem heen holden. Zijn oom had zijn overjas allang niet meer aan, liep blootshoofds en op blote voeten, en zijn gezicht liep steeds roder aan. Jonathan had hem nog nooit zo ontspannen en zorgeloos meegemaakt en het deed hem ontzaglijk veel goed dat hij zienderogen gezonder werd.

Toen de zon wat van zijn kracht had verloren en een koele bries over het strand woei, kondigde Cook aan dat hij de hoge heuvel achter de bomen ging beklimmen om een idee te krijgen van hun positie en om te zien of hij een koers kon uitzetten door het rif. Jonathan had genoeg van het nietsdoen en sloot zich bij de expeditie aan.

Het was een steile heuvel waar geen einde aan leek te komen. Hevig transpirerend en buiten adem, met pijnlijk stijve kuitspieren, bereikte Jonathan uiteindelijk de top. Hij was niet voorbereid geweest op het uitzicht en toen hij vol ontzag om zich heen keek, kon hij Cooks wanhoop onmogelijk delen. Het was eb en er lagen talloze zandbanken en ondiepten langs de kust, maar daarachter strekte de oceaan zich tot aan de horizon uit in onvoorstelbaar lichtgroen en diepblauw.

'Als we geen doorgang vinden, zitten we hier lelijk vast,' zei Cook terwijl hij de kust door zijn verrekijker bekeek. 'Ik heb besloten Bob Molyneaux op verkenning te sturen en zal hem niet laten rusten tot hij een doorgang heeft gevonden.'

Molyneaux trok er iedere dag op uit en op Jonathan na werd iedereen langzaamaan wanhopig van het vruchteloze zoeken naar een uitweg uit hun wondermooie, maar geïsoleerde koraalgevangenis.

Uiteindelijk klom Cook bij eb in de mast om het rif nogmaals te bekijken. Daarna voer hij in een kleine boot naar een eiland dat volgens hem de uiterste rand van het rif vormde. Een soort verslagenheid maakte zich van Jonathan meester toen Cook naar het strand terugkeerde met de mededeling dat hij een doorgang had gevonden. 'Het zal een riskante onderneming worden, maar we kunnen het ons niet veroorloven nog langer hier te blijven en in winterse stormen terecht te komen.'

Jonathans medepassagiers waren blij met het nieuws. Ze hadden meer dan genoeg van de hitte en de korte, hevige regenbuien die alles tot stilstand brachten en de vochtigheidsgraad nog hoger maakten. Ze wilden naar huis.

'Godzijdank,' zuchtte Sydney. 'Ik dacht dat we Engeland nooit meer zouden zien.'

'Ik dacht dat je het hier juist fijn vond,' zei Jonathan verbaasd.

'Ik vond het heerlijk om zo veel prachtige diersoorten te ontdekken, maar ik ben een Schot in hart en nieren. Ik heb behoefte aan de koude wind in mijn gezicht en de geur van hei in mijn neus.' Hij keek peinzend naar de blauwgroene zee. 'Ik voel me een stuk beter nu ik weet dat we kunnen terugkeren naar de beschaving.'

Op de avond voor hun vertrek kregen ze een uitnodiging van Watpipa en de stamoudsten. Er zou te hunner ere een feest worden aangericht met veel zang en dans. Het was Jonathan droef te moede toen hij voor de laatste keer bij het kampvuur zat en hij probeerde de gezichten, geuren en omgeving in zijn geheugen te prenten om mee naar huis te nemen.

Watpipa, Anabarru en hun stam hadden een maaltijd bereid waarmee ze een koning hadden kunnen onthalen. Ze aten geroosterde varaan en wallaby, duiven en schildpadden, en bijzonder lekker ongedesemd kruidenbrood. Toen iedereen verzadigd was, gaf Watpipa het teken dat het tijd was om te dansen. De dans had niets van de erotische heupbewegingen van de Tahitianen, noch van het stijlvolle gehuppel van de Londense aristocratie. Deze dans imiteerde de vogels en dieren van de bush – wild maar beheerst, alsof iedere stap belangrijk was, iedere beweging van de hand en iedere grimas het spirituele van de dieren tot uitdrukking moest brengen.

Ze maakten muziek door houten stokken op elkaar te tikken als begeleiding van het sonore, ritmische geluid van een lang, hol, houten instrument dat was beschilderd met cirkelvormige figuren en primitief uitgebeelde dieren. 'Didgeridoo,' zei Watpipa en hij gaf het instrument aan Jonathan.

Het was verrassend zwaar en log, en na een bemoedigend knikje van zijn vriend deed hij zijn best er geluid uit te krijgen. Hij bracht het tot iets wat leek op het geloei van een koe en gaf het instrument met een beteuterd gezicht terug, terwijl de bulderende lach van de inboorlingen in zijn oren galmde.

Watpipa overhandigde hem het instrument echter weer en duidde met gebaren aan dat het een cadeautje was, en Anabarru bood hem een halsketting van schelpen aan. Jonathan boog zijn hoofd zodat ze de ketting om zijn nek kon hangen, waarna ze giechelend terug snelde naar haar kinderen.

Uiteindelijk kwam er een einde aan de avond en stonden de twee mannen tegenover elkaar in de wetenschap dat ze elkaar waarschijnlijk nooit meer zouden zien. Jonathan stak zijn hand uit en Watpipa greep die vast. Een lang moment bezegelden ze zo hun vriendschap. Toen draaide Jonathan zich om en keerde hij terug naar het schip.

De nieuwe dag was net aangebroken toen Jonathan op het dek stond en naar de matrozen keek die zich gereedmaakten om de zeilen te hijsen en de sloep te volgen door het labyrint van koraal. Hij zou dit prachtige oord, het volk, het klimaat en de geheimen van het leven van de inboorlingen missen.

'Een droeve dag,' mompelde Josiah. Hij zwaaide naar de kinderen op de zandbank. 'Ik zal die kleine rakkers missen.'

'Ze hebben u beslist nieuw leven ingeblazen, oom. Misschien zou u thuis moeten overwegen te trouwen. U bent voor het vaderschap in de wieg gelegd.'

'Welnee. Kinderen zijn alleen goed gezelschap wanneer ze van iemand anders zijn. Dan kun je ze tenminste terugsturen wanneer je genoeg van ze hebt.'

Ze zwegen toen het schip langzaam aan de lange tocht door de monding van de rivier naar de zee begon, en Jonathan leunde zo ver mogelijk over de reling om Watpipa en zijn gezin nog even te kunnen zien.

De *Endeavour* voer langzaam door de smalle doorgang naar de zee terwijl de bemanningsleden voortdurend het peillood uitzetten toen ze de koraalmuur bereikten en koers zetten naar het noordelijke uiteinde van het eiland dat Cook de naam Lizard Island had gegeven. Behoedzaam voeren ze door het doolhof van koraalbanken en de dag daarop was het land al uit het zicht verdwenen.

'Er komt nog steeds veel te veel water binnen,' zei Jonathan op zachte toon tegen zijn oom. 'Aan de pompen hebben we niks en de zeilen zijn aan het verrotten. Het valt nog te bezien of we Batavia wel halen.'

De *Endeavour* had er acht angstige dagen voor nodig om de open zee te bereiken en aan het lange traject naar Batavia te beginnen. Tot dan toe was er gedurende de lange reis niemand aan scheurbuik bezweken, maar de thuisreis werd geteisterd door ziekte en dood, omdat Batavia vergeven was van besmettelijke ziekten. Gedurende de drie maanden die ze daar moesten blijven om de *Endeavour* naar behoren te laten repareren, stierf allereerst de scheepsarts, snel gevolgd door Tupaia en zijn bediende. Nog veertig man werden ziek en de hele bemanning raakte verzwakt toen de vele ziektes hun tol eisten. De nasleep plaagde hen tot ver op de Atlantische Oceaan en toen ze op koers lagen naar Kaap de Goede Hoop stierven de eenarmige kok, tien matrozen, drie mariniers en de stoere, oude zeilmaker, alsmede de astronoom Green, adelborst Monkhouse en Sydney Parkinson.

Jonathan stelde zijn eigen gezondheid in de waagschaal door constant bij zijn vriend te waken toen die lag te ijlen. De dood van Sydney trof hem zwaar. Ze hadden veel plannen gemaakt voor wanneer ze weer in Engeland zouden zijn. Toen hij zwakjes in de houding stond op het dek en toekeek hoe het lichaam van Sydney aan de zee werd prijsgegeven, besefte hij dat de wereld een getalenteerde tekenaar had verloren, en hij een goede vriend.

Nog vier mensen stierven bij Kaap de Goede Hoop, en daarna nog drie, onder wie Molyneaux, die zo onversaagd naar een doorgang in het rif had gezocht.

Josiah herstelde tot Jonathans grote verbazing zeer snel van de tropenkoorts en leek, niettegenstaande de zware zeeën rond de Kaap, eindelijk van zijn zeeziekte af te zijn. Hij liep iedere dag rondjes over het dek en moedigde anderen aan zijn voorbeeld te volgen en toen Jonathan weer beter was, stond de oude man erop dat hij met hem meedeed.

Jonathan was algauw weer kerngezond en genoot van de lichaamsbeweging op het dek: hij was op weg naar huis, naar Engeland en

Susan. Hij kon amper wachten tot hij haar zou terugzien en tot vrouw kon nemen.

Op een dag zei Josiah toen ze over het dek liepen: 'Cook heeft de oostkust vanaf Botany Bay tot Cape York in kaart gebracht en alle eilanden, baaien, havens en rivieren uit naam van koning George in bezit genomen, maar ik ben het met hem eens dat onze expeditie slechts van zijdelings belang is in de globale context van het koninkrijk.'

Moeizaam maakte Jonathan zich los van zijn gedachten aan Susan. 'Onze expeditie zal heel relevant worden zodra het binnenland is onderzocht,' bracht hij ertegen in. 'U hebt slechts een klein deel van het land gezien, maar er is nog veel meer en ik durf er alles om te verwedden dat er grote rijkdommen te vinden zijn.'

Josiah snoof hooghartig. 'De annexatie van Australië is erop gericht onze vijanden een nieuw territorium te ontzeggen waarvan het bezit misschien in de toekomst van nut zal blijken te zijn,' antwoordde hij. Hij keek naar zijn neef en trok zijn borstelige wenkbrauwen samen. 'Al staat nog te bezien wat voor nut dat dan zou zijn.'

Tahiti, augustus 1770

Tahani was samen met de andere overlevenden naar het eiland teruggekeerd. Het had vele weken gekost om het dorp te ontdoen van de herinneringen aan wat er was gebeurd en zelfs nadat ze de nieuwe hutten hadden gebouwd en het leven weer zijn normale gang ging, meende ze de fluisterende stemmen van de doden tussen de bomen te horen. Ze joegen haar echter geen angst aan omdat ze heilig geloofde dat Lianni zich in de buurt van haar zoon ophield en kon zien dat hij gezond en sterk werd.

Er lagen twee schepen in de baai en er werd druk gehandeld in rum, ijzer en de medicijnen die de ziekten zouden genezen die de buitenlanders met zich meebrachten. De zware regens waren achter de rug en de lucht was doordrongen van de zoete geur van de kleurige bloemen die zo overvloedig tussen de bomen bloeiden.

Tahani keerde terug van het strand met een tenen mand op haar heup, zwaar van de zilverkleurige vissen die ze had gevangen. Ze neuriede zachtjes en was in gedachten druk bezig met plannen voor Tahamma. Het was een stevig kind en alhoewel hij pas een paar maanden oud was, straalde er grote nieuwsgierigheid uit zijn ogen en had de manier waarop hij zijn omgeving bekeek een bijna koninklijke waardigheid. Hij reageerde kwiek op stemmen, kleuren en het gefladder van de vogels, en maakte kirrende geluidjes wanneer ze voor hem zong. Ze glimlachte en hees de mand wat hoger op haar heup. Alleen Tahamma leek haar zang mooi te vinden; haar eigen kinderen en kleinkinderen staken altijd hun vingers in hun oren.

Ze zette de mand neer bij de ingang van de hut, bukte zich en ging het koele schemerdonker binnen. Tahamma had liggen slapen toen ze was vertrokken, maar was nu vast gereed voor zijn melk.

'Waar heb je gezeten?' De norse stem kwam vanuit de diepste schaduwen in de hoek.

Tahani schrok. Haar man, Pruhana, had weer aan de rum gezeten. 'Ik ben gaan vissen,' antwoordde ze rustig. Ze wilde zich net omdraaien naar de baby die in zijn rieten mand lag te kraaien, toen de stem van haar man haar abrupt tegenhield.

'Hoe kom je hier aan?' Hij hield haar het horloge voor.

'Het was van Lianni,' fluisterde ze.

Hij draaide het horloge heen en weer zodat het zonlicht erop viel. Zijn ogen glinsterden van hebzucht. 'Die heeft er nu niks meer aan.'

Tahani probeerde het uit zijn hand te grissen, maar hij hield het buiten haar bereik. 'Het is van mij,' zei ze ferm. 'Lianni heeft gezegd dat ik het moest bewaren voor Tahamma.'

'Wat moet een baby nou met zulke dingen?' sneerde Pruhana. Hij kwam moeizaam overeind. Hij stond op zijn benen te zwaaien en keek alsof hij moeite had scherp te zien. Hij was een grote man met brede schouders en een dikke buik, die zich verrassend snel kon bewegen wanneer hij nuchter was. Hij was erg kortaangebonden, vooral wanneer hij rum had gedronken, en Tahani wist dat ze al haar vernuft moest aanwenden als ze aan zijn vuist wilde ontsnappen en het horloge weer in haar bezit krijgen.

'Het is zijn erfenis,' antwoordde ze zo kalm mogelijk. 'Vlak voordat Lianni stierf heb ik haar beloofd dat –' Hij sloeg haar zo hard dat ze door de hut vloog en op de vloer terechtkwam voordat ze besefte wat er gebeurde.

'En nu is het van mij!' schreeuwde haar man. 'Van mij! Hoor je me, vrouw?'

Tahamma begon te huilen. Tahani was duizelig van de klap, maar krabbelde overeind en vloog haar man met geklauwde vingers aan. 'Nietwaar!' riep ze, haar vingers gericht op zijn ogen. Ze beukte met haar kleine vuisten op zijn brede borst en schopte tegen zijn schenen. 'Ik heb het Lianni plechtig beloofd,' hijgde ze. 'Het is niet van jou!'

Pruhana sloeg haar van zich af zoals hij vliegen van zich afsloeg. Hij greep haar haren en trok zo hard dat ze haar hoofd achterover moest buigen en op haar knieën werd gedwongen. 'Je kunt beter niks voor me achterhouden, Tahani,' zei hij lallend. 'Met beloften komt er geen eten op tafel en ook geen rum.' Hij duwde haar van zich af. 'De matrozen zullen hier veel voor betalen.'

Tahani wist dat ze het horloge nooit meer zou zien als hij er nu mee verdween. Ze tastte de vloer af, vond een koekenpan en gaf hem daarmee een klap op zijn hoofd, zonder over de gevolgen na te denken.

Pruhana's voeten bleven echter stevig op de grond staan. Hij draaide zich om en de kracht van zijn woede straalde uit zijn ogen toen hij op haar afkwam.

Tahani gilde toen ze met haar rug tegen de van gras geweven muur kwam te staan en wist dat ze in de val zat. Hij begon haar te slaan. Ze rolde zich tot een bal ineen op de vloer terwijl zijn vuisten en voeten haar overal raakten. Haar kreten stierven weg en de wereld werd een donkere afgrond van pijn.

Opeens hield het op. Ze keek angstig op en huilde van opluchting toen ze zag dat haar broers haar te hulp waren gekomen. De vadsige Pruhana was geen partij voor de vier sterke armen die hem in bedwang hielden.

Ze krabbelde overeind en ondanks haar dichtgeslagen ogen en de snee aan de zijkant van haar mond gingen haar gedachten allereerst uit naar Tahamma. Toen ze hem uit de rieten mand tilde, vertelde ze haar broers wat ze Lianni had beloofd, en dat Pruhana het horloge van haar had gestolen.

Haar broers ontworstelden het uit de greep van haar man en gaven het aan haar terug. Ze sleepten hem naar buiten en bonden hem aan een boom in afwachting van zijn straf. Vrouwenmishandeling en diefstal waren op zich al erg, maar dat hij een heilige belofte had geschonden was nog veel erger. De hoofdmannen zouden een vergadering beleggen om te besluiten wat er met hem gedaan moest worden, maar hij zou in ieder geval naar een ander eiland worden verbannen.

Tahani zat in haar hut en suste de huilende baby terwijl de tranen over haar gehavende gezicht rolden. Ze hield het horloge tegen haar borst gedrukt. Het goud glansde niet meer zo mooi en er zat een deuk in de kast, maar ze had zich aan haar belofte gehouden. Ze wist echter dat haar man nu haar vijand was en dat Tahamma's erfenis in gevaar zou zijn zolang Pruhana leefde.

8

Mousehole, mei 1771

Er was bijna een jaar verstreken sinds Ezra zijn aanzoek had gedaan en Susan wist dat ze het huwelijk niet langer kon uitstellen. De rouwperiode was voorbij, haar moeder had haar levenskracht hervonden en de douairière was ongeduldig. Jonathan zat nu bijna drie jaar op zee en Susan had helemaal geen nieuws van hem ontvangen. Er zat niets anders op dan met Ezra te trouwen en er het beste van te maken.

Ze stopte even met haar werk op de kade, toen ze dacht aan het sombere huis waar ze binnenkort zou wonen. De locatie ervan leek te benadrukken hoe geïsoleerd ze zich zou voelen wanneer ze daar eenmaal was ingetrokken. Het huwelijk met Ezra zou een afstand scheppen tussen haar en haar familie en de manier van leven die ze vanaf haar geboorte had gekend.

De voorbereidingen voor haar nieuwe leven waren in volle gang en haar Engels was een stuk beter geworden. Ezra had haar ook geleerd hoe de verbijsterende hoeveelheid messen, vorken, lepels en glazen aan het diner gebruikt diende te worden. Mensen uit de hogere kringen leken zich meer bezig te houden met de rituelen rond het eten dan met het eten zelf, maar zij hadden dan ook nooit honger geleden. Ze had ook moeten leren wat servetten waren en hoe je bedienden moest toespreken, wat haar een onbehaaglijk gevoel had gegeven, omdat zowel mevrouw Pascoe als meneer Higgins duidelijk had laten merken dat ze niets met het huwelijk op hadden. Ezra was de goedheid zelve en dankzij zijn geduld had ze zelfs plezier gehad in de lessen, maar ze zag evengoed op tegen de dag waarop ze de gravin op de thee zou moeten vragen. Die dag zou onvermijdelijk komen, want Ezra's moeder was een achternicht van de douairière.

Ze werd in haar gedachten gestoord door een puntige elleboog in haar ribben. 'Zit je aan je huwelijksnacht te denken? Ik wil wedden dat de dominee je in een mum van tijd op je knieën heeft. Net als mijn man mij.' Hikkend van het lachen gaf Molly haar weer zo'n por dat ze bijna van haar kruk viel. 'Ze zeggen dat je aan de voeten van een man kunt zien hoe groot zijn knuppel is,' proestte ze. 'Bereid je dus maar voor, meisje. Meneer Collinson heeft schuiten van schoenen!'

Susan bloosde en lachte. Ze was gewend aan Molly's gevoel voor humor. Dankzij haar schuine moppen was het werk aan de pekeltafels iets minder monotoon. 'Je bent gewoon jaloers, Moll. Ik heb de schoenen van jouw vent gezien. Een kindermaatje.'

Ze lachten zo hard dat ze er pijn in hun zij van kregen en Susan was blij dat ze wat stoom kon afblazen. Alles was de laatste tijd zo serieus. Uiteindelijk droogden ze hun ogen en gingen ze door met het pekelen van de sardines, die in tonnen verpakt naar Spanje werden geëxporteerd. Molly was haar beste vriendin, met wie ze al van kleins af heel wat kattenkwaad had uitgehaald. Ze was acht maanden geleden getrouwd en nu al hoogzwanger, een stevig meisje met een blozend gezicht, blauwe ogen en een zonnig karakter.

'Ben je klaar voor zaterdag?' vroeg Molly nu op zachte toon. De oude roddeltantes hadden scherpe oren en een nog scherpere tong.

'Min of meer,' antwoordde Susan en ze meed Molly's indringende blik.

'Waarom ga je met hem trouwen als je niet van hem houdt? Er zijn mannen genoeg die je zó zouden willen als je hun de kans gaf.'

Susan had Molly niet volledig in vertrouwen genomen, omdat haar mond zo groot was als die van een walvis. 'Ik ga met Ezra trouwen omdat hij me heeft gevraagd en omdat ik het wil,' zei ze kordaat. 'Ik zal nu een heel ander leven gaan leiden, Moll, en ik ben gewoon nerveus, meer niet.'

Molly's blozende wangen bolden op toen ze een zucht slaakte. 'De vrouw van de dominee,' zei ze ademloos. 'Wie had dat ooit kunnen denken? Ik wil wedden dat je hem niet hebt verteld dat we een keer met die twee jongens in de droogschuur zijn betrapt en ook niet dat je toen op die bruiloft zo veel bier hebt gedronken dat je helemaal tipsy was en je vader je als een zak kolen over zijn schouder naar huis moest dragen.'

'Natuurlijk niet en daar moet jij ook netjes je mond over dichthouden.' Ze grinnikte. 'Ik word nu een belangrijk personage in het dorp, de vrouw van de dominee die woont in het grote huis op de heuvel. Je mag van nu af aan wel oppassen hoe je tegen me praat, meisje.' Ze barstte in lachen uit, maar stopte toen ze zag dat haar vriendin met bedroefde ogen naar haar keek.

'Ik neem aan dat we elkaar niet zo vaak meer zullen zien als je eenmaal getrouwd bent,' zei Molly. 'Je zult geen netten meer boeten en niet meer aan de pekeltafels werken; dat doen domineesvrouwen niet.' Ze slaakte een diepe zucht. 'Je zult ons hier beneden niet meer willen kennen en wij zouden ons niet prettig voelen als we daar boven bij je op bezoek kwamen.'

'Ik ga je heus niet negeren omdat ik toevallig met Ezra getrouwd ben,' protesteerde Susan, 'en je weet heel goed dat je altijd welkom bent.' Ze legde haar hand op die van Molly en probeerde te glimlachen maar ze wist dat haar vriendin de waarheid had gesproken. Zodra ze met Ezra getrouwd was, zou ze ver van het leven op de kade en de stank van de vis staan. Ze zou moeten leren een dame te zijn en zich als zodanig te gedragen.

'In ieder geval zul je geen schubben meer in je onderbroek hebben,' grapte Molly, maar ze konden er geen van beiden om lachen. Ze keken elkaar lange tijd aan, draaiden zich toen weer om naar hun tonnen en hervatten zwijgend hun werk.

Billy Penhalligan lag in het lange gras en loerde het strand af. Het was een kalme avond en de maan zat verborgen achter het dikke wolkendek dat aan het einde van de middag was komen opzetten. Hij lag er al een tijdje, want je wist nooit wanneer de boot zou komen, en zijn maag knorde. Hij was veertien en groeide met sprongen. Een homp oud brood met wat kaas kon de honger niet stillen die hem voortdurend plaagde.

Hij rolde om in het gras, rekte zich uit om zijn verstijfde spieren te ontspannen, en tuurde het kustpad af om te zien of hij was gevolgd. In het donker konden de inspecteurs van de belastingdienst zich overal verschuilen, in afwachting van het moment waarop de Retallicks voet aan wal zetten. Billy grijnsde. Dat hoorde er allemaal bij en omdat hij in de zes maanden dat hij nu met de broers samenwerkte niet was gepakt, genoot hij met volle teugen van de spanning.

Toen hij er zeker van was dat er niemand in de buurt was, nam hij een teugje rum uit de fles aan zijn riem, en draaide zich weer om naar het strand.

Zijn oogleden zakten bijna dicht toen hij het geluid hoorde. Hij tilde zijn hoofd op en tuurde de duisternis in. Daar had je het weer. Behalve het zachte geruis van de branding was een plonzend geluid en het kraken van roeiriemen te horen. De Retallicks waren er.

Hij greep de lantaarn, kroop door het gras en klauterde over de rotsen naar het strand. Hij stak de lantaarn aan en zwaaide hem heen en weer om hen de weg te wijzen. De korte roep van een uil vertelde hem dat ze hem hadden gezien en hij gaf op dezelfde manier antwoord. Even later waadde hij de zee in, greep het touw en hielp hen de boot op het kiezelstrand te trekken.

'Goed gedaan, jochie,' fluisterde Ben Retallick. 'Weet je zeker dat je niet bent gevolgd?'

Billy knikte toen de grote, bebaarde man zijn schouder vastgreep. Ben Retallick was een stuk ouder en forser dan hij en nogal intimiderend, maar voor Billy was hij een held. 'We moeten snel zijn. Het begint op te klaren.'

De grote man keek op naar de lucht en fluisterde instructies. Billy hielp de broers om de vaten cognac, balen zijde, en kisten met tabak en snoepgoed uit te laden en naar de grot te dragen die boven de vloedlijn tot diep in de klif doordrong. Daar zouden ze blijven tot hij morgenavond terugkwam met paard en wagen om alles naar de taveerne Beggars' Roost in Newlyn te brengen. Daar zouden de spullen per opbod verkocht worden, waarna Billy een percentage van de opbrengst zou krijgen.

De wolken waren bijna geheel weggetrokken toen ze de laatste kist de grot in droegen. 'Ik laat de wagen op de vaste plek achter,' fluisterde Ben toen hij weer in de boot stapte. 'Hier heb je een extraatje. Stel me niet teleur.'

Billy keek naar het strenge gezicht, zag de flonkering in de donkere ogen en wist dat Ben tevreden over hem was. 'U kunt op me rekenen,' fluisterde hij.

Ben Retallick stapte bij zijn broer in de boot en Billy keek hen na toen ze rond de klip roeiden en uit het zicht verdwenen. Hij keek naar wat ze hem hadden gegeven. Twee gouden munten blonken in het maanlicht. Niet gek voor een paar avonden werk. Smokkelen was niet alleen opwindend, maar ook lucratief. Als hij dit volhield, hoefde hij nooit meer in een vissersboot te stappen.

'Die jongen zal mijn dood nog zijn,' zei Maud nijdig terwijl ze de avondmaaltijd bereidde. 'Hij zal wel weer bij de Retallicks zitten en je weet wat dat betekent.' Ze roerde heftiger in de vissoep dan nodig was. 'Hij hield altijd al van kattenkwaad, maar ditmaal zal hij opgepakt worden, dat geef ik je op een briefje.'

Susan wist dat Billy altijd de bendeleider was geweest bij het appelen stelen, belletje trekken en knokken met de andere jongens. Ze hadden gehoopt dat hij eroverheen zou groeien, maar dat leek niet het geval te zijn. 'Ik zal met hem praten, al luistert hij tegenwoordig naar niemand.' Susan legde een brood op de tafel. 'Het geld waarmee hij thuiskomt, is anders een geschenk uit de hemel.'

'Ik weet het.' Maud zuchtte. 'Nu we met zo veel zijn en er bijna geen werk te vinden is, zouden we zonder dat geld de grootste moeite hebben eten op tafel te krijgen.' Ze streek het haar uit haar ogen.

Ze liep bij het fornuis weg om haar jongste kleinzoon te grijpen die poedelnaakt en luid schreeuwend door het huisje rende om te ontsnappen aan de pogingen van zijn moeder hem in de wastobbe te krijgen die bij de achterdeur stond. Het was vrijdag, badderavond, en Maud streed een verloren strijd om orde in de chaos te krijgen, opdat ze zich op de dag van morgen zouden kunnen voorbereiden.

Susan ontfermde zich over de potten en pannen en luisterde naar haar moeder die al Billy's tekortkomingen opsomde. Hij had nooit visser willen worden en was bang voor de zee. Door een speling van het lot was hij op de dag van de storm thuis geweest en daardoor nu in de klauwen van de Retallicks gedreven. Hij had de opwinding ontdekt die gepaard ging met het verkopen van smokkelwaar en bloeide er zichtbaar van op. Arme moeder, dacht ze. Alsof ze nog niet genoeg problemen had, liep Billy nu voortdurend het risico gearresteerd te worden.

Ze dacht aan de weduwen van haar broers. Twee woonden nog steeds bij hen in met hun kinderen en hadden eindelijk een baan gevonden in de fabriek waar visolie werd verwerkt. Ze verdienden er niet veel, maar het was beter dan niets. De jongste was teruggekeerd naar haar ouders in St.-Mawes en werkte daar in de touwfabriek. Ze hadden gehoord dat ze verkering had met de zoon van een herbergier. En over luttele uren zou Susan zelf dit kleine huis voor de laatste keer verlaten.

Ze tastte naar de ring die ze van Ezra had gekregen, die ze aan een leren koordje rond haar nek droeg om hem te beschermen tegen de vis en het zout.

Haar gezicht betrok toen ze aan haar bruidegom dacht. Ze wou dat hij dezelfde hartstocht was blijven tonen als toen hij zijn aanzoek had gedaan, in plaats van zich zo stijf en beleefd te gedragen sinds ze officieel waren verloofd.

Hij was bijna onderdanig in zijn bereidheid haar te behagen en ze had snel geleerd dat ze in hun relatie makkelijk de boventoon kon voeren als ze dat wenste. Ze was echter van mening dat de man assertief en sterk diende te zijn en dat de vrouw moest krijgen wat ze wilde door uit te zoeken hoe haar man over bepaalde dingen dacht, niet door te proberen over hem te heersen.

Hoewel ze steeds meer op Ezra gesteld was geraakt, zag ze angstig op tegen de noodzakelijke intimiteit die tijdens de huwelijksnacht zou plaatsvinden. Hoe kon ze de kussen van Jonathan, de kracht en warmte van zijn handen op haar lichaam en haar verlangen om zijn huid op de hare te voelen, ooit vergeten?

'De soep brandt aan,' zei Maud. Ze nam de houten lepel van Susan over en duwde haar opzij.

Susan besefte dat niemand hier iets aan haar had, dus liep ze naar buiten, waar ze haar omslagdoek om haar schouders wikkelde toen ze de kille avondbries op haar armen voelde. Op de kop van de golfbreker, met de zoutige geur van het schuimende water in haar neus, keek ze langs het kleine Isle of St.-Clement naar de zee, die als gesmolten zilver deinde onder de rijzende maan.

Ergens daarginds was Jonathan en ze vroeg zich af of hij aan haar dacht. Hadden de tijd en de afstand haar uit zijn geheugen gevaagd, of wachtte hij vol verlangen op de dag dat hij haar kon huwen? Alles werd wazig van haar tranen toen ze besefte dat ze het nooit zou weten.

Tahiti, juni 1771

Tahani wist dat Pruhana een zinderende wrok tegen haar koesterde. Ballingschap op het eiland Huahine betekende dat hij daar met de nek werd aangekeken door zijn buren en de hele eilandbevolking. Hij moest zich in leven zien te houden door de weinige parels die hij had te verhandelen, maar hij was geen jonge man meer en kon niet diep en lang genoeg duiken om de beste oesterbedden te bereiken die verder uit de kust lagen.

Ze had na zijn verbanning meteen noodmaatregelen genomen, want ze wist dat hij zou proberen naar Tahiti terug te komen om wraak te nemen. De behoefte aan rum was een machtige kwelgeest, die hem nu vast en zeker teisterde en zijn verlangen naar wraak nog meer aanwakkerde. Hij was sluw genoeg om te kunnen ontsnappen en terug te komen voor het horloge.

Tahani draaide zich om en om op de mat zonder de slaap te kunnen vatten. Het horloge lag verborgen in de hut van haar broers, en als Pruhana ernaar kwam zoeken, was ze haar leven niet zeker. Ze stond op, wikkelde een sarong om haar lichaam, ging in de deuropening staan en keek de duisternis in. De hemel was bezaaid met sterren en het licht van de maan werd weerspiegeld in het water dat over het verlaten strand kabbelde. De lucht was doordrongen van de geur van bloemen en het hele dorp lag er stil bij, want het was laat en iedereen sliep. Ze keek naar het kind dat in de hoek lag te slapen. Misschien kon ze beter met hem naar de hut van haar broers gaan. Ze zouden begrip hebben voor haar angst en haar met open armen ontvangen.

Ze liep weer naar binnen en ging op de mat zitten. Wat deed ze nu toch dwaas, dacht ze spottend. Ze zag spoken! Pruhana zou het niet wagen de wet te overtreden, want de straf die daarop stond was de dood en hij was te laf om risico's te nemen. Ze ging liggen en sloot haar ogen, vastbesloten niet aan hem te denken.

Ze werd wakker omdat ze iemand hoorde ademen. Steelse voetstappen kwamen op haar af en ze rook de geur van zijn zweet. Verlamd van angst deed ze net alsof ze sliep, maar door haar wimpers herkende ze haar man en zag ze de glinstering van een mes in zijn hand.

Voordat ze kon gillen, werd het mes in haar rug gestoken. Ze bleef roerloos op de grond liggen en dacht alleen maar aan het slapende kind. Ze bad dat Pruhana hem niet óók zou doden als hij ontdekte dat het horloge niet in de hut was.

9

Mousehole, 5 juli 1771

De ochtendzon straalde aan een wolkeloze hemel. Ezra gooide het slaapkamerraam open en snoof de zomergeuren op terwijl hij zijn gezicht ophief naar de zon. Hij voelde zich als herboren, vervuld van blijde verwachting, want vandaag ging hij trouwen.

In het huis klonken de stemmen van de bedienden van Lady Cadwallader die de huwelijkslunch bereidden en de nieuwe meubels afstoften en op hun plaats zetten. Dankzij Susan begon het sombere oude huis tot leven te komen. Het geurde naar bijenwas, gebraden vlees en vers brood, en overal hoorde je rappe voetstappen, lachende stemmen en opgewekt gepraat.

Hij wendde zich af van het raam en bekeek de slaapkamer. Ook die was veranderd. Het grote hemelbed, een geschenk van Lady Cadwallader, had zware gordijnen en een baldakijn van schitterende, bloedrode zijde, rijkelijk geborduurd en met kwastjes versierd. Een koningin waardig. Verder stonden er vazen vol rozen die Ezra bij zonsopgang had geplukt; op de tere blaadjes parelden nog dauwdruppeltjes en de zoete geur vulde het vertrek. De linnenkast had hij speciaal uit Truro laten komen en de onderste la ervan was gevuld met lakens en dekens die geurden naar lavendel, terwijl de andere laden bekleed waren met mooi papier en wachtten op Susans japonnen, nachtkleding en ondergoed.

Higgins had zijn kostuum op het bed klaargelegd, maar daarna had Ezra hem weggestuurd, omdat hij deze laatste uren alleen wilde zijn om zich in alle rust voor te bereiden op wat er ging komen. De enige donkere wolk op deze bijzondere dag was dat er niemand van zijn familie bij zou zijn. Zijn broer Gilbert had niet gereageerd op de uitnodiging, maar hij zat dan ook in het leger en de post was onbetrouwbaar. Zijn ouders brachten de zomer in Londen door, evenals zijn oudste broer James. Ze hadden brieven gestuurd met formele felicitaties en de mededeling dat ze het huwelijk tot hun spijt niet konden bijwonen wegens eerder gemaakte afspraken. Ze hadden wel dure cadeaus gestuurd: een servies en een aantal grote zilveren schalen.

Ezra had hieruit geconcludeerd dat ze niets meer met hem te maken wilden hebben nu hij ging trouwen met een vissermansdochter en dat hun overdadige cadeaus alleen maar dienden om hun schuldgevoelens over het feit dat ze hem onterfd hadden, te sussen.

Hij kleedde zich aan en speldde met zorg de prachtige, witte camelia op zijn jas. De bloem was gisteren geplukt in de tuin van de gravin en had de hele nacht in water gelegen. Hij keek naar zijn spiegelbeeld en glimlachte. Voor het eerst van zijn leven was hij bijna knap.

De advocaat van de gravin had Maud uitgelegd wat er in de akte stond en die werd nu bij zonsopgang bij haar thuis afgeleverd door de rentmeester. Hij wachtte tot Maud zorgvuldig haar handtekening onder die van de gravin zette en bezegelde het document toen door er met een zwierig gebaar een stempel op te zetten. Daarna deponeerde hij een groot pakket op de keukentafel en vertrok hij meteen weer.

Susan keek hem met boze ogen na toen hij met haastige passen hun huis verliet en richtte haar blik toen op het pakket. 'Maak eens open,' zei Maud opgewonden.

Susan pakte het kaartje en ontcijferde langzaam het spichtige handschrift. Alhoewel Ezra haar had geholpen met haar leeslessen, had ze er nog steeds moeite mee. 'Het is een cadeau van de douairière,' zei ze toonloos. 'Waar ik ongetwijfeld dankbaar voor moet zijn.'

'Susan,' zei haar moeder en haar rode hand omvatte die van haar dochter, 'gedane zaken nemen geen keer en Ezra is een goed mens. Hij zal een goede echtgenoot voor je zijn, als je hem de kans geeft.'

Susan slaakte een diepe zucht. 'Dat weet ik, maar hij verdient beter.'

Maud negeerde dat en begon het papier van het pakket te scheuren. Toen de inhoud zichtbaar werd, stokte hun adem, want op de schoongeschrobde keukentafel lag een japon van prachtige, roomwitte zijde. De stof glansde in het bleke licht dat door het raam naar binnen viel, het lijfje was versierd met borduurwerk en het delicate stikwerk was verfraaid met zaadparels en glazen pijpkraaltjes die in het sombere vertrek glinsterden en leken te knipogen.

Susan tilde de japon voorzichtig op; ze durfde hem amper in haar handen te nemen. Het lijfje was laag uitgesneden en liep in een punt uit tot onder de taillelijn. De pofmouwen waren bij de elleboog gerimpeld en vielen daarvandaan als een waterval van schuimig kant tot aan de polsen. De zoom van de onderrok was versierd met geborduurde bloemen en bladeren en hetzelfde patroon bedekte de twee panden van de overrok, die zodanig waren gesneden dat het onderliggende borduurwerk zichtbaar was. Ze had nog nooit van haar leven zo'n mooie japon gezien, ook al was het een afdankertje van een vrouw die ze haatte.

'Er zit van alles bij,' zei Maud. Ze tilde een petticoat, een paar sierlijke schoentjes met hoge hakken en prachtige zijden kousen uit het papier. 'O, Susan.' Tranen stroomden over haar bleke wangen. 'Je zult eruitzien als een prinses.'

Susan slikte een scherp antwoord in. Lady Cadwallader had heel goed geweten dat ze zo'n japon nooit kon versmaden. Het zou haar verdiende loon zijn als Susan hem in het pakket liet zitten en de japon aantrok waar zij en haar moeder weken aan gewerkt hadden; sterker nog, als ze in haar werkplunje naar de kerk ging. Maar als ze dat deed, zou ze Ezra er alleen maar mee kwetsen. Nee, ze zou het kreng niet alleen laten zien dat ze een dame kon zijn, maar ook haar best doen een goede echtgenote te zijn voor Ezra en iets van haar leven te maken, nu haar deze kans werd geboden.

Ze greep de japon en holde de steile trap op naar de kamer die ze deelde met haar schoonzusjes.

Ezra gaf alle leden van het kerkcomité een hand toen ze arriveerden. Hij begroette de dominee die uit Penzance was gekomen om het huwelijk in te zegenen en legde uit dat hij in zijn eentje voor hem zou staan, omdat hij niemand anders dan zijn broer Gilbert als bruidsjonker naast zich wenste.

De gasten stroomden naar de kerk, sommigen in rijtuigjes of koetsjes, de meesten te voet of te paard. Zijn parochianen uit Newlyn en de dorpen Sheffield, Tradevoe en Mousehole vormden de hoofdmoot van de kerkgangers – een bruiloft was een mooie gelegenheid om de laatste roddels te vernemen – maar er waren ook een paar hoogwaardigheidsbekleders van de gemeenteraad, de eigenaren van plaatselijke bedrijven en een aantal dames op leeftijd. De douairière arriveerde in een koets met een lakei die haar hielp uitstappen. Nadat ze Ezra met een hooghartig knikje had begroet, liep ze de kerk in.

Ezra was geen man die makkelijk vriendschappen sloot en de meesten van de aanwezigen waren slechts kennissen, maar er hing een vrolijke stemming, de zon scheen en de kraakwitte mutsjes en zondagse jurken van de vrouwen leken erop te wijzen dat de dag gladjes zou verlopen. Toch was Ezra nerveus toen hij naar het steile pad keek dat naar het dorp leidde. Stel dat Susan van gedachten was veranderd? Zijn allengs toenemende angstgevoelens werden een halt toegeroepen door een zware hand op zijn schouder.

'Wat hoor ik? Wil jij geen bruidsjonker, Ezra? En ik dacht nog wel dat dat mijn baantje was.'

Ezra draaide zich met een ruk om. 'Gilbert,' stamelde hij, terwijl hem de adem werd benomen in een stevige omhelzing. 'Ik wist niet dat je zou komen.'

Gilbert liet hem los en grinnikte naar hem. Ze leken op elkaar, waren even groot en hadden allebei zwart haar, maar daarmee hield de gelijkenis op. Gilbert zat al tien jaar met het leger in India en zijn huid was diep gebronsd. Hij zag er zwierig uit in zijn rode jas en hoed met kokarde; zijn brede schouders en gespierde benen waren het resultaat van dagelijkse lichaamsoefeningen, terwijl zijn brede snor een bewijs was van zijn ijdelheid. 'Ik kon mijn broertje moeilijk in zijn eentje laten trouwen. Of wel soms?'

'Nee,' zei Ezra verheugd. 'Maar waarom heb je niet geschreven om te zeggen dat je zou komen?'

'Wie in het leger zit, kan op ieder moment overgeplaatst worden. Je weet nooit waar je aan toe bent. Nu was ik toevallig net thuis met verlof en hoorde ik van pa en ma over je trouwplannen.' Hij trok één wenkbrauw op en draaide aan de punten van zijn snor. 'Dit hadden we nooit achter je gezocht, Ezra.'

'Als je bent gekomen om de draak met me te steken, kun je wel weer gaan,' zei Ezra op zachte toon. De blijdschap van het weerzien met zijn broer ebde weg.

Gilbert bulderde van het lachen en liet zijn vlezige hand met een flinke klap op Ezra's schouder neerkomen. 'Pa en ma hebben me verboden je bruiloft bij te wonen en het tere vrouwtje van James viel bijna in katzwijm toen ik vertelde dat ik van plan was als bruidsjonker op te treden.' Zijn flonkerende donkere ogen boorden zich in die van Ezra en hij grijnsde breed. 'Je weet hoe ik ben, ouwe reus. Sinds wanneer luister ik naar domme vrouwspersonen?' Hij zweeg en nu kreeg zijn gezicht een ernstige trek. 'Ik ben geen goede broer voor je geweest, Ezra, maar daarin zal nu verandering komen. Je hebt bij pa en ma altijd in het verdomhoekje gezeten, maar van nu af aan zullen wij, de jongsten, voor elkaar opkomen.'

Ezra werd vervuld van blijdschap toen hij zijn broer omhelsde en God dankte voor dit kostbare geschenk.

De sfeer werd doorbroken door het geluid van violen, trommels en enigszins onzuivere zang. 'Wat een vrolijke optocht. Zou dat de bruid zijn?'

Ezra keek naar het pad en werd opnieuw vervuld met vreugde. Hij voelde zich alsof hij de zon had ingeslikt. 'Inderdaad. Laten we maar gauw naar binnen gaan.' Hij grabbelde in zijn zak. 'En nu moet jij dit voor me bewaren.'

Gilbert pakte met zijn ruige vingers de eenvoudige gouden ring aan. 'Van grootmama, als ik me niet vergis,' zei hij zachtjes. 'Jij was altijd haar lievelingetje.'

'Zij hield tenminste van me,' zei Ezra. 'Voor de rest scheen niemand er erg in te hebben dat ik bestond.'

'Maar nu heb je mij. Vooruit, anders is de bruid al bij ons voordat we op onze plek staan.'

Lady Cadwallader zat pontificaal in de met een hekje afgesloten bank op de eerste rij. Ezra bleef aarzelend staan, niet in staat zijn ogen af te wenden van de overvloed aan veren en opgezette vogels die in haar kunstig vervaardigde pruik waren verwerkt.

'Ik zie dat de ouwe taart er ook is,' fluisterde Gilbert. 'Noblesse oblige.'

Ezra stootte hem aan. 'Ssst! Straks hoort ze je nog.'

Gilbert draaide aan de punten van zijn snor en hief zijn kin op. 'Hare koninklijke hoogheid weet precies hoe ik over haar denk,' zei hij hardop. Alle hoofden draaiden zich naar hem toe.

Een opgewonden geroezemoes golfde door de kerk toen de twee mannen naar voren liepen. Alle ogen volgden hun gang door het middenpad, waarbij veel jonge vrouwen zenuwachtig met hun ogen knipperden. Gilbert zag er fantastisch uit, dacht Ezra, toen ze hun plaatsen innamen voor het altaar, maar dit was zijn dag, de dag van hem en Susan, dus mocht hij zich nergens door laten afleiden.

Commotie achter in de kerk kondigde de aankomst van de bruidsstoet aan en de dorpelingen maanden hun kinderen tot stilte. De organist wachtte tot het stil was in de kerk. Toen stegen de eerste tonen op naar het plafond en kwamen de parochianen overeind om de bruid te verwelkomen.

Met bevende handen streek Susan haar rok glad. Het was een heidense klus geweest om het steile pad te nemen en de zoom van de rok van de grond te houden, maar het was haar gelukt. Ze schopte haar klompen uit en deed de sierlijke schoentjes aan. Haar moeder gaf haar het bosje veldbloemen.

'Zullen we dan maar, Susan?' Billy zag er bijzonder knap uit in zijn vaders kostuum, ook al was het hem iets te groot.

Susan had pijn in haar maag en kon bijna niet ademhalen. Zo had ze zich haar trouwdag altijd voorgesteld: met een prachtige trouwjurk, bloemen en een kerk vol vrienden en familie. Maar de trouwjurk maakte deel uit van de prijs die ze moest betalen opdat de rest van de familie een dak boven het hoofd zou houden, haar vader was er niet meer om haar weg te geven en de bruidegom was een man van wie ze niet hield.

Ze keek over haar schouder in een vergeefse poging alsnog een glimp op te vangen van Jonathans schip. De horizon was echter volkomen leeg. Ze moest accepteren dat hij nooit meer deel zou uitmaken van haar leven en dat hun beloften niet waargemaakt zouden worden.

'Susan?' Billy keek bezorgd.

'Ja, Billy, laten we maar naar binnen gaan,' zei ze met een zucht.

'Asjemenou,' zei Gilbert verbaasd toen Susan over het middenpad naar hen toe liep, 'ze mag er zijn, die vissermansdochter van je. Bofkont! Wie had dat ooit kunnen denken?'

Ezra gaf geen antwoord. Hij keek als betoverd naar het meisje dat naar hem toe liep. Haar haar was naar achteren geborsteld en boven op haar hoofd vastgezet terwijl glanzende krullen tot over haar schouders vielen. Ze zag er bijzonder mooi uit in Lady Cadwalladers japon toen ze met trage passen over de grijze leisteentegels naar voren kwam. Susan Penhalligan was een koningin onder de vrouwen.

Susan keek op naar Ezra toen ze tegenover God haar geloften deed. Zijn liefde straalde uit zijn ogen en het was alsof hij nog langer was en vervuld van een gloednieuw zelfvertrouwen toen hij de ring aan haar vinger deed. Ze zag hoe zijn hand beefde en legde haar eigen hand erop om hem te kalmeren. Opeens besefte ze dat hij haar nodig had, dat ze met dit huwelijk zijn verlegenheid en eenzaamheid kon verdrijven en hem gelukkig kon maken. Het maakte niet uit dat ze niet van hem hield. Hij had voldoende liefde voor hen beiden.

Het Kanaal, 13 juli 1771

Jonathan stond op het dek en laafde zijn ogen aan de kust van Engeland. Hij was bijna thuis, bijna terug bij Susan. Zodra de *Endeavour* de haven zou hebben bereikt, zou hij naar haar toe snellen om zijn beloften waar te maken.

DEEL TWEE

De weg naar Botany Bay

10

Newlyn, Cornwall, januari 1782

Het leven was goed voor Billy Penhalligan en dit jaar zou het nog beter worden, verwachtte hij. Zijn kamers boven de Beggars' Roost waren warm en gerieflijk, hij had geld bij de vleet en droeg kleren van de beste kwaliteit. Smokkelen was een bijzonder winstgevende bezigheid en Billy bleek talent te hebben voor het vinden van de juiste klanten en het distribueren van de goederen die de Retallicks uit Frankrijk aanvoerden. Met het verstrijken van de jaren had hij het volledige vertrouwen van de gebroeders Retallick gewonnen en de taak van bankier en tussenpersoon overgenomen. Nu was hij vijfentwintig jaar oud en had hij meer geld dan hij ooit had durven dromen. Het enige minpunt was dat hij zijn moeder en zus vrijwel nooit zag.

Hij trok het meisje wat hoger op zijn knie en nam een slok uit de tinnen kroes. Het meisje was gewillig, de volgepakte herberg was aangenaam rumoerig, en Billy had zojuist een heerlijk diner genuttigd.

'Belastinginspecteurs!'

Het was op slag stil en iedereen keek naar de straatjongen in de deuropening.

'Ze zijn al op de hoek en komen deze kant op!'

Het barmeisje op Billy's knie kwam met een bons op de vloer terecht toen hij snel overeind kwam, over de tapkast sprong en de herbergier vastgreep. 'Laat mijn paard naar Tinners Field brengen,' zei hij bedaard en hij drukte een gouden munt in de hand van de man. Zonder op antwoord te wachten, holde hij de smalle trap op naar zijn kamer.

In de houten lambrisering zat een paneel dat toegang gaf tot een donkere ruimte en een touwladder. Daar stond een reistas klaar voor noodgevallen. In de tas zaten zijn geld, de boekhoudboeken en wat kleren. Hij deed het paneel achter zich dicht, greep de tas en klom langs de touwladder omhoog naar de zolder. Daar trok hij de touwladder snel omhoog. Hij bleef even zitten om op adem te komen en zijn ogen te laten wennen aan het schemerdonker. Hij kon het geschreeuw van de mannen in de herberg en het hoefgekletter op straat duidelijk horen. Veel tijd had hij niet.

De open zolders van de huizen vormden als het ware een tunnel. Hij bad dat de rottende balken zijn gewicht zouden dragen toen hij er gebukt doorheen snelde. De bedompte lucht stonk naar ongedierte en spinnenwebben plakten aan zijn haar en zijn gezicht, maar daar lette hij niet op. Toen hij boven het laatste huis was aangekomen, stopte hij weer om te luisteren. Onder hem was geen enkel geluid te horen.

Hij liet zich door het zolderluik naar beneden zakken en landde met een zachte bons op de vloer van een verlaten kamer. De wielenmaker had blijkbaar besloten dat hij beter in de herberg kon blijven wanneer Billy vluchtte. Hij zou ruimschoots beloond worden als alle commotie achter de rug was.

Billy holde de smalle trap af naar de werkplaats en woonruimte. Het geluid van roepende stemmen kwam dichterbij en zijn hart begon te bonken toen hij het hoefgekletter van naderende paarden hoorde.

Het luik zat goed verborgen achter een stapel onbewerkt hout. Billy kroop erdoorheen en vervolgde zijn weg door een doolhof van tunnels die waren ontworpen om niet-ingewijden op een verkeerd spoor te brengen. Hij kende de weg op zijn duimpje want hij was hier al vaak geweest. Zo snel als hij kon holde hij erdoorheen, onder de straten en huizen van Newlyn door.

Toen hij naar buiten kwam, was het eerste wat hij zag de maan die half achter de wolken verscholen zat. De zeewind blies recht in zijn gezicht. Tinners Field lag ten oosten van de stad en als hij tijd en gelegenheid had gehad, had hij achter de landtong de flonkerende lichtjes van Mousehole kunnen zien.

Het gras was vochtig en hij bleef een ogenblik liggen om op adem te komen en te luisteren of de belastinginspecteurs soms in de buurt waren. De brokkelige schoorsteen van de in onbruik geraakte tinmijn rees als een donker silhouet op in het licht van de maan. Het gras werd alleen bewogen door de wind. Billy floot zachtjes.

Het paard hinnikte en kwam vanuit de duisternis in draf naar hem toe. Billy steeg op, hing zijn tas aan het zadel en drukte zijn hakken zachtjes in de flanken van het dier.

'Stop! In naam van de koning!'

De stem kwam vanuit de schaduwen rond de oude schoorsteen en meteen kwam een aantal ruiters tevoorschijn.

Billy bleef een ogenblik als bevroren zitten en trok toen hard aan de teugels. De angst sloeg hem om het hart toen hij aan de horizon nog meer mannen zag verschijnen. De enige weg die voor hem openlag, was die naar de landtong. Hij zat in de val. Met een vloek keerde hij zijn paard en drukte zijn hielen hard in de flanken. Het dier begon geschrokken te galopperen.

'Blijf staan of we schieten!'

Billy boog zich voorover in het zadel en gaf het paard de sporen. Er zat een ruimte tussen twee van de ruiters tegenover hem. Als hij daar doorheen kon komen, zou hij misschien kunnen ontsnappen, want zijn paard was snel en hij kende het terrein als zijn broekzak.

De mannen achter hem begonnen terrein te winnen en degenen die voor hem stonden, voerden iets in hun schild.

Billy kneep zijn ogen tot spleetjes en tuurde de duisternis in terwijl zijn paard in volle vaart op de rij gewapende mannen afstoof. Een hooiwagen werd naar voren getrokken om hem te weg te versperren. Hij had geen andere keus dan af te buigen naar de rij mannen en het risico te nemen dat ze op hem zouden schieten. Hij boog zich diep over de nek van het paard om een zo klein mogelijk doelwit te vormen. Nu kon hij de pistolen zien en het wit van hun ogen.

'Vuur!'

Hij voelde een klap tegen zijn schouder en wist dat hij geraakt was. Het paard schokte en stortte met een afgrijselijk gehinnik ter aarde. Billy werd uit het zadel geworpen, maar zijn voet zat klem in de stijgbeugel. Krimpend van de pijn keek hij op naar de mannen die om hem heen kwamen staan.

'Eindelijk is het dan zover, Billy. Het doet me genoegen je mede te delen dat ik je hierbij in hechtenis neem wegens misdaden tegen de Kroon. Het is te hopen dat je een lange straftijd krijgt.'

Met de laatste bravoure die hij kon opbrengen, zei Billy, toen het paard bij hem werd weggesleept en hijzelf ruw overeind werd gezet:

‘Goed, jij wint, ook al heb je er elf jaar over gedaan om me te pakken te krijgen en heb je een verdomd goed paard gedood.’

Het Bodmin-proces, april 1782

De rechtszaak werd drie maanden later gehouden en nam een paar uur in beslag. Het bewijs was overweldigend en de kans op clementie nihil. Billy stond samen met Ben Retallick en nog een heleboel andere mannen in de beklaagdenbank. Een zogeheten chirurg had de kogel uit zijn schouder verwijderd, maar hij leed nog steeds pijn. Ben had hem geld gegeven voor medicijnen en schoon verband, zodat het gevaar van bloedvergiftiging niet zo groot was geweest, maar hij maakte zich zorgen dat hij zijn arm nooit meer volledig zou kunnen gebruiken.

Hij wist inmiddels dat het de wielensmid was die hem had verraden. In ruil voor gratie had die de politie alles verteld wat hij wist, al had hij daarna Newlyn en de hechte vissersgemeenschap, die sterk afhankelijk waren van de smokkelaars, noodzakelijkerwijs moeten verlaten.

Terwijl Billy naar de juristen luisterde die in de bedompte rechtszaal hun monotone pleidooien hielden, ging zijn blik over het joelende publiek. Het was een ongeordende bende en de schout en schepenen konden nauwelijks boven het geschreeuw en gefluit uitkomen.

Ze viel op omdat ze volkomen stil zat en toen hun ogen elkaar vonden, ervoer hij opeens een grote schaamte. Susan was gekomen om hem een hart onder de riem te steken en was nu getuige van zijn vernedering. Ze was een onschuldig slachtoffer van de schande die hij over de familie had uitgestort. Hij had gehoopt dat moeder en zij niets over zijn penibele situatie te weten zouden komen, maar al een paar dagen na zijn arrestatie waren de roddelpraatjes hun ter ore gekomen. Ze glimlachte en hij glimlachte terug, maar het ging hem niet makkelijk af. Hij was blij dat moeder tenminste niet met haar mee was gekomen.

‘Benjamin Retallick, u wordt veroordeeld tot de strop. Neem hem mee.’

Sprakeloos van schrik staarde Billy naar de man die hij zo lang had bewonderd. Hij greep zijn hand voordat hij werd meegesleept.

Goede god, zouden ze allemaal opgeknoopt worden? Hij keek naar de rechter en voelde het angstzweet over zijn rug lopen toen de andere mannen een voor een hun vonnis te horen kregen. De straffen liepen uiteen van zeven jaar dwangarbeid en deportatie tot opknoping. Voor het eerst in zijn leven begon Billy te bidden.

'William Penhalligan, u zult veertien jaar dwangarbeid verrichten en op de *Chatham* wachten op deportatie.'

Deportatie? O god, nee! Dat overleefde hij nooit. Gal steeg op naar zijn keel en herinneringen aan de nachtmerries uit zijn kinderjaren kwamen boven toen hij zich de verschrikkingen van de eindeloze reis in het ruim van een schip voorstelde. Hij had nog liever de strop. 'Nee,' stamelde hij en hij probeerde zich uit de greep van de cipier los te maken. 'Nee, geen deportatie. Stuurt u me alstublieft niet –'

'Zwijg!' De rechter liet zijn hamer neerkomen. 'Neem hem mee.'

'Alstublieft niet, edelachtbare, doe hem dat alstublieft niet aan. Deportatie overleeft hij niet.'

Billy wierp een blik op zijn zus, die overeind was gekomen. Alle kleur was uit haar gezicht weggetrokken.

'Stilte, mevrouw,' bulderde de rechter.

Billy zag tranen in haar ogen en was de cipier bijna dankbaar dat hij hem meenam, zodat hij geen getuige hoefde te zijn van haar verdriet.

De arrestantencellen waren vergeven van het ongedierte en de vlooien. Het stro was smerig, de toiletemmers stroomden over. Vrouwen huilden, kinderen blèrden en mannen vochten om een fles sterkedrank die iemand naar binnen had gesmokkeld. Hij zocht naar Ben en de anderen, maar kreeg te horen dat die naar een andere gevangenis waren gebracht in afwachting van hun executie.

'Penhalligan! Kom hier!'

Hij drong door de krioelende, onwelriekende mensenmassa heen naar de cipier. 'Wat moet je?' vroeg hij. Als de man geld van hem verwachtte in ruil voor extra voedsel en dekens, zou hij van een koude kermis thuiskomen, want de belastinginspecteurs hadden hem alles behalve de kleren aan zijn lijf afgenomen.

'Je hebt bezoek,' zei de man met een wellustige grijns en hij maakte het hek open.

Billy gleed bijna uit op de glibberige keien toen hij naar de open binnenplaats van de gevangenis werd gebracht waar gevangenen die geld hadden een paar ogenblikken van vrijheid binnen de granieten muren konden afkopen. 'Susan,' zei hij. 'Ik wil niet dat je hierheen komt.'

'Je bent mijn broer,' zei ze met een snik in haar stem. Ze sloeg haar armen om hem heen en barstte in tranen uit. 'Ik heb geprobeerd hem tot andere gedachten te brengen, maar... o, Billy, ik vind het zo vreselijk dat je gedeporteerd wordt.'

Hij deed zijn best zijn zelfbeheersing te bewaren, maar dat viel niet mee nu hij zijn zus zo zag. 'Het geeft niet,' zei hij. 'Misschien zetten ze ons alleen maar op het schip, nu ze ons niet naar Amerika kunnen sturen.' Dat zou een schrale troost zijn en eerlijk gezegd geloofde hij het zelf niet.

'Denk je?' Ze liet hem los en keek naar hem op.

Toen hij de hoop in haar ogen zag, kon hij het niet over zijn hart verkrijgen haar nog meer verdriet te doen. 'Ik weet het zeker,' zei hij op een ferme toon die zijn angst verloochende. 'Droog je ogen dus maar en laat eens zien wat er in die mand zit.'

Ze snoot haar neus, tilde de zoom van haar sierlijke japon uit de modder en trok haar broer mee naar een rustig hoekje buiten gehoorsafstand van de andere gevangenen. 'Ik heb de cipier geld gegeven, opdat we niet gestoord worden,' zei ze, terwijl ze een deken ontrolde en uitspreidde op het stro.

Billy's hart deed pijn toen ze de mand begon uit te pakken. Ze probeerde zich goed te houden, maar ze wist hoe bang hij voor de zee was en dat deportatie voor hem vrijwel zeker zou uitmonden in de dood of waanzin. Hij probeerde zijn angst te onderdrukken terwijl hij luisterde naar de nieuwtjes van thuis.

Weinig mensen zouden haar dertig geven en de elegante jonge vrouw die tegenover hem zat, had vrijwel niets meer van het meisje dat in de haven had gewerkt. Ze droeg haar haar nu opgestoken met kleine krulletjes rond haar gezicht, en haar hoed en japon waren van goede kwaliteit. Haar blanke huid was glad en haar ogen stonden helder. De tand des tijds had nog geen invloed op haar. Ze had nog steeds een slank postuur, ook al had ze vijf kinderen gebaard en haar taille was slechts een fractie dikker dan die op haar trouwdag was geweest.

'Je ziet er goed uit, Susan,' zei hij zachtjes. 'Ik heb altijd al gezegd dat het leven met Ezra je in een echte dame zou veranderen.'

'Het is anders niet makkelijk geweest,' zei ze en ze gaf hem een knapperig pasteitje. 'Alle lessen in etiquette die ik heb moeten doorstaan voordat ik toestemming kreeg me in te laten met de vooraanstaande leden van de parochie.' Toen ze lachte zag hij opeens weer de robbedoes die hij zich herinnerde. 'Als je eens wist hoe vaak ik in de verleiding ben gekomen alles in de steek te laten en op mijn blote voeten met de anderen mee naar de haven te hollen wanneer een school sardines was gesignaleerd.' Ze zuchtte. 'Ik ben zelfs een poosje jaloers geweest op jou, omdat je kon doen en laten wat je wilde, zonder dat je aan iemand rekening en verantwoording hoefde af te leggen. Maar nu moet jij daarvoor een hoge prijs betalen en ik wou... ik wou...'

Billy begreep dat de tranen haar weer hoog zaten en zei niets. Hij kon haar noch zichzelf troost bieden en wist dat ze eventjes de tijd nodig had om haar zelfbeheersing terug te vinden. Hij beet in het pasteitje en genoot van de smaak van echt voedsel. De slappe kost die hij in de gevangenis kreeg, was om van te kotsen, maar hij at het om in leven te blijven. En als hij de deportatie in het ruim van het schip overleefde, wachtten hem nog veertien jaar van dergelijke smerige kost. Hij zette die gedachten van zich af en concentreerde zich op zijn zus.

'Ben je gelukkig met Ezra?' vroeg hij toen hij het pasteitje op had en er nog een nam.

Susan knikte. 'Hij is een goed mens en ik ben tevreden.'

Hij bekeek haar aandachtig en zag dat ze de waarheid sprak. 'Hou je nu dan van hem?'

Ze lachte luchtig. 'Ik geef toe dat ik nooit had gedacht dat ik van hem zou gaan houden, Billy, maar ik heb nu veel respect en genegenheid voor hem en we kunnen goed met elkaar overweg. Hij is een goede echtgenoot en ik hou van zijn kalme karakter en grote toewijding aan zijn parochianen en de kerk. En uiteraard brengt ook de liefde voor onze kinderen ons nader tot elkaar.'

'Maar hij zet je niet in vuur en vlam, zoals Jonathan vroeger?'

Susan boog haar hoofd en begon de cake te snijden die ze had meegebracht. 'Dat,' zei ze fel, 'gaat je niets aan, Billy Penhalligan.' Ze gaf hem een plak cake en ging op een nuchtere toon verder. 'Ik heb wat geld voor je, niet veel, maar het is alles wat ik bij elkaar heb kunnen krijgen. In dit pakketje zitten medicijnen, rollen verband en kleren.' Ze trok haar neus op toen ze de voddige restanten van zijn smerige kleren bekeek. 'Ik heb er ook wat zeep en lavendelwater bij gedaan.'

Hij kreeg een brok in zijn keel toen hij haar wilde bedanken. Hij had haar tranen gezien toen tot haar was doorgedrongen hoe diep hij was gezonken en nu schaamde hij zich diep.

Ze wuifde zijn dank opzij, gaf hem het pakketje en begon de mand weer in te pakken. De cipier kwam hun richting uit. Hun tijd was bijna om. 'In het verleden heb jij óns geld gegeven en ons meer geholpen dan je ooit hebt beseft. Nu is het onze beurt jou te helpen.'

Ze hield haar blik op de mand gericht, maar Billy kon zien hoeveel moeite het haar kostte niet weer te gaan huilen.

'Ik vind het zo vreselijk dat je wordt gedeporteerd, Billy. Als ik eraan denk dat je de hele reis...' De woorden bleven in de lucht hangen. 'Ik heb inlichtingen ingewonnen. De *Chatham* ligt in Plymouth. Ik kan je dus komen opzoeken.'

'Nee.' Hij stond op en trok een pijnlijk gezicht toen de beweging een pijnscheut in zijn schouder veroorzaakte. 'Dat verbied ik je. Deze gevangenis is al erg genoeg en ik heb de gevangenisschepen gezien. Daar hoort een vrouw niet thuis, vooral mijn eigen zus niet.'

'Je kunt me anders niet tegenhouden,' zei ze.

'Ik kan weigeren tevoorschijn te komen.'

Susan slaakte een sidderende zucht. 'Je was als kind al koppig.' Haar verdriet was op haar gezicht te lezen. 'Ik begrijp waarom je niet wilt dat we je daar komen opzoeken,' zei ze bedrukt, 'maar we móéten weten of alles in orde is met je.'

'Het zal te pijnlijk zijn,' antwoordde hij en hij pakte haar handen. 'Het is al erg genoeg dat je vandaag hierheen bent gekomen. De schande die ik de komende jaren met me mee zal dragen, zal mijn dood worden als jij er ook nog getuige van bent.'

Ze knikte. 'Goed dan,' zei ze. 'Ik zal ervoor zorgen dat iemand anders je eten en kleren brengt wanneer het enigszins mogelijk is.' Ze legde haar koele hand tegen zijn vuile, stoppelige kin. 'Ik moet gaan,' zei ze zachtjes. Tranen parelden op haar wimpers. 'Hou je goed, Billy. Vergeet nooit dat we van je houden en je op alle mogelijke manieren zullen helpen.'

Toen ze hem omhelsde, rook hij de frisse geur van haar haar en van het lavendelwater op haar huid, en voelde hij de pezige kracht in haar slanke lichaam dat de betekenis van het woord 'thuis' in zich leek mee te dragen. Veertien jaar was een lange straftijd, maar hij zwoer dat hij haar alles zou vergoeden, als hij het overleefde.

Mousehole, april 1786

Susan bekeek zichzelf in de handspiegel en vroeg zich af waar de tijd was gebleven. Het was nu al vier jaar geleden dat ze Billy had gezien. Al haar verzoeken om bij hem op bezoek te mogen waren afgewezen, en alhoewel ze hem pakketjes had gestuurd, had ze daarop nooit een reactie ontvangen.

Ze legde de spiegel neer en nam een vastberaden besluit om nu niet aan Billy en diens problemen te denken. Haar dochter werd vandaag veertien en dus was het feest. Ze stond op en streek de kreukels uit haar rok, genietend van het gevoel van het lavendelkleurige katoen onder haar vingers. Het was een nieuwe jurk, speciaal voor deze gelegenheid gemaakt, en ze wist dat hij haar goed stond, dat hij haar blauwe ogen nog blauwer maakte en haar ranke taille liet uitkomen. Toen ze in de bijpassende schoentjes stapte en haar waaier pakte, hoorde ze stemmen in de ommuurde tuin en ze liep naar het raam. De hele familie was al beneden en ze zou zich eigenlijk bij hen moeten voegen, maar ze gaf er de voorkeur aan om nog heel even hier te blijven, alleen met haar gedachten.

Vanaf haar uitkijkpunt zag ze Ezra in een ernstig gesprek verwikkeld met zijn broer Gilbert, die samen met zijn vrouw Ann uit Londen was gekomen. Het was een grote verrassing geweest toen ze drie jaar geleden in het huwelijk waren getreden, vooral voor Ann, die Susan onder vier ogen had verteld dat ze zichzelf altijd een nogal onopvallende vrouw had gevonden en had gedacht dat het lot had beschikt dat ze een oude vrijster zou worden, tot ze op de rijpe leeftijd van eenendertig jaar was opgemerkt door de zwierige generaal Collinson.

Susan glimlachte. Ann en Gilbert waren er door hun huwelijk allebei op vooruitgegaan en ook al was het te laat voor kinderen, Ann had aan Gilbert meer dan genoeg. Susan wist uit haar correspondentie met Ann, dat die het jammer vond dat er geen baby's waren gekomen, maar dat ze niets liever deed dan met Gilbert naar alle delen van het Britse Koninkrijk reizen.

Haar blik gleed naar Maud die, genesteld in een ligstoel op het gazon, bevelen gaf aan de huishoudster. Haar zwakke gestel had eindelijk zijn tol geëist. Ze kon niet meer lopen, maar haar frêle, vogelachtige uiterlijk maskeerde een ijzeren wil waar de kinderen veel ontzag voor hadden. Er werd een partijtje croquet gespeeld en een groepje meisjes zat onder een boom te giechelen terwijl ze flirtende blikken wierpen op de jonge officieren die Gilbert had meegebracht. Een paar jongens holden baldadig rond tot ze van Maud een standje kregen.

Susan slaakte een zucht van verlichting, want hoewel het pas begin april was, hadden ze een prachtige dag getroffen. De gerechten waren uitgestald op hagelwitte tafellakens, die zachtjes bewogen in de bries. De pastorie was niet langer een somber huis, maar een woning vol kleur, geluid, fleurige japonnetjes en rode uniformen.

Terwijl ze stond te kijken naar de bewegende caleidoscoop in de diepte, leek Ezra zich bewust te worden van haar aanwezigheid, want hij keek op naar het raam. Zijn glimlach liet zien hoe gelukkig hij was en dat maakte haar blij. Hun nu vijftienjarige huwelijk had haar een gevoel van tevredenheid geschonken dat door de jaren heen allengs was gegroeid, en ook al had Billy goed doorgehad dat ze haar man nooit kon liefhebben met de hartstocht die ze voor Jonathan had gevoeld, was ze vastbesloten ervoor te zorgen dat Ezra daar nooit achter zou komen.

Ze zag haar oudste dochter tijdens het croquetspel schaamteloos flirten met een jonge luitenant. Emma was veertien jaar geleden ter wereld gekomen: een krijsende baby die verwoed met haar beentjes trappelde en haar gebalde vuistjes zwaaide. Het was een voorproefje geweest van de driftbuien die ze als kleuter zou krijgen en de grenzeloze energie die ze later aan de dag legde op de school die Ezra in het dorp had gesticht.

Haar ogen bleven rusten op Ernest en ze voelde de bekende steek van gemis. Hij en zijn tweelingbroer waren twee maanden te vroeg geboren en Thomas was nog geen week in leven gebleven. Ernest was de bedaardste van al haar kinderen en ze vroeg zich vaak af of hij de tweelingbroer die hij nooit had gekend, miste. Hij was dertien en met zijn knappe, kwajongensachtige trekken en bedeesde glimlach bracht hij nu al hoofden op hol wanneer hij terugkeerde van zijn werk op de boerderij op Land's End. Hij hoopte ooit een eigen boerderij te bezitten en Susan wist dat een dergelijk leven goed voor hem zou zijn, want hij had geen hoofd voor studie en was het liefst buiten met zijn kuddes, ongeacht wat voor weer het was.

Ze bleef naar hem kijken terwijl hij met een paar meisjes stond te praten. Hij was lang voor zijn leeftijd en zou later brede schouders krijgen, dat kon je nu al zien. Zijn blonde haar glansde als goud in de zon toen hij zich vooroverboog om te horen wat een van de meisjes zei.

Het verbaasde Susan dat hij er was, want meestal ging hij zo op in zijn werk dat hij zelfs belangrijke gebeurtenissen straal vergat. Misschien had het vooruitzicht op vrouwelijk gezelschap zijn geest erop toegespitst.

Haar blik gleed verder en bleef rusten op de twaalfjarige Florence die de tafels en stoelen klaarzette. Ze was op de kop af negen maanden na haar bevruchting geboren en bijzonder efficiënt aangelegd. Ze was een bedrijvig meisje dat niet onderdeed voor haar grootmoeder wat haar scherpe tong en oog voor detail aanging, wat op zich nogal verontrustend was, gezien haar jeugdige leeftijd.

Susan glimlachte wrang en schudde haar hoofd toen ze naar haar keek. Het kind mocht dan een jonge versie van Maud zijn, dankzij Ezra's inkomen zou ze nooit in een arbeidershuisje hoeven wonen, nooit honger of kou hoeven lijden. Susan vermoedde dat Florence op een gegeven moment wel een rijke echtgenoot aan de haak zou slaan. Ze had nu al laten merken hoezeer ze gesteld was op de mooie dingen in het leven.

Een bekend, onbehaaglijk gevoel stak de kop op. Florence was een vreemd kind. Zelfs toen ze nog heel klein was, had ze vaak naar haar zitten staren op een manier die Susan huiveringen had bezorgd. Het was alsof Florence haar dan taxeerde en vond dat ze tekortschoot, en uiteindelijk had Susan begrepen dat het kind niets van haar nodig had, ondanks alles wat ze voor haar deed. Ezra was degene die haar tranen wist te drogen. Wanneer ze zich pijn had gedaan of ergens verongelijkt over was, ging ze altijd naar haar vader.

Ze wendde zich af van het raam nadat ze tevergeefs naar George had gezocht. Ze zag hem niet, maar zou hem zo dadelijk wel horen. Ze schudde haar hoofd toen ze de slaapkamer uitliep en snel de trap afdaalde. Haar elfjarige zoon was een wildebras die zich wat meer zou moeten bezighouden met zijn schoolwerk in plaats van buiten rond te zwerven en kattenkwaad uit te halen. De baas van de steengroeve was al eens bij hen gekomen om zich over hem en een paar van zijn vriendjes te beklagen en ze hadden ook klachten ontvangen van de vissers, toen de jongens netten en kreeftenfuiken in een in onbruik geraakte mijnschacht hadden verstopt. Met tegenzin had Ezra George toen slaag gegeven met een aanwijsstok uit de school, maar dat had niets uitgehaald en Susan maakte zich zorgen: zijn gedrag vertoonde veel te veel gelijkenissen met dat van Billy op die leeftijd.

Billy zat nog steeds vast op een gevangenisschip in Plymouth en had nog tien jaar te gaan. De Onafhankelijkheidsoorlog had voorkomen dat hij naar Amerika werd gedeporteerd en in zekere zin was ze daar blij om, want nu bleef hij binnen bereik en was hem de tocht over de oceaan bespaard.

Ezra en zij hadden zijn dringende verzoek om hem niet op te zoeken in de wind geslagen, en alhoewel ze geen toestemming hadden gekregen hem te zien, waren ze hevig geschrokken van de leefomstandigheden aan boord van het schip. Ze had er nachten van wakker gelegen, maar moest zich erbij neerleggen dat Billy de wet had overtreden in het volle besef welke risico's daaraan verbonden waren, en dat hij daar nu voor moest boeten. Ze kon weinig anders doen dan bidden dat hij zijn straftijd zou overleven.

'Dag schat,' zei Ezra teder toen ze naar buiten kwam. Hij begroette haar met een zachte kus op haar blozende wang. 'Je ziet er net zo mooi uit als altijd, al kijk je een tikje bezorgd.'

Susan zette de sombere gedachten aan Billy van zich af en schonk Ezra een vluchtige glimlach. 'Heb je George ergens gezien?'

'Ik heb hem voor een halfuur naar zijn kamer gestuurd,' antwoordde Ezra met een zucht die de geamuseerde trek rond zijn lippen niet kon verdoezelen. 'Hij heeft Florence aan haar vlechten getrokken en toen heeft ze hem een mep gegeven.'

Susan grinnikte. 'Onze dochter kan klappen uitdelen waar een vissersmeisje zich niet voor zou hoeven schamen,' antwoordde ze. 'Het is zijn verdiende loon.'

Jonathan wist dat het niet verstandig was, maar nadat hij al die jaren ver bij Mousehole vandaan was gebleven, móést hij haar zien. Het was een enorme klap voor hem geweest toen hij had gehoord dat ze een paar dagen voordat hij in Engeland was aangekomen, met Ezra

Collinson in het huwelijk was getreden. Zijn moeder was uiteraard in haar nopjes geweest.

Was Susan gelukkig? Niet dat hij daar iets aan zou kunnen doen, gaf hij schoorvoetend toe. Het leven was verdergegaan en ze hadden ieder hun eigen weg bewandeld, maar haar geluk was nog altijd belangrijk voor hem en hij had er nu spijt van dat hij Cornwall zo veel jaar had gemeden. Hij had de moeite moeten nemen ernaartoe te gaan, maar hij had het doodgewoon niet kunnen verdragen dat ze met een ander was getrouwd. Hij had zich in het Londense leven gestort en zijn dorst naar verdere ontdekkingsreizen gelest, waardoor er weinig tijd was overgebleven voor zelfbeschouwing en Cornwall. Bovendien had Braddock nadat zijn moeder twee jaar geleden was overleden, bewezen dat hij heel goed in staat was zonder hem het beheer over het landgoed te voeren.

Hij hielp zijn vrouw in het rijtuig en negeerde de gekwelde uitdrukking op haar gezicht toen hij op de bok ging zitten, de teugels pakte en het paard aanspoorde tot een kalme draf.

Emily zat met een ijzige houding achter hem, haar lippen een smalle streep in haar magere gezicht. Ze hield de stok van haar parasol stijf omklemd. ‘Ik snap echt niet waarom we per se naar de predikant moeten,’ zei ze snibbig.

‘Omdat hij een verre neef van me is,’ antwoordde hij net zo korzelig over zijn schouder. ‘Ik zou het op prijs stellen als je je beschaafd zou gedragen.’ Hij hield zijn ogen op het pad gericht en deed zijn best niet tegen haar uit te vallen. Hij dacht liever aan Susan en vroeg zich af in hoeverre ze was veranderd en hoe hij zich zou voelen als hij haar weer zag, want hij was die laatste dag in de grot nog altijd niet vergeten.

Helaas kon hij de aanwezigheid van zijn vrouw niet vergeten, want ze bleef zeuren en hij had er steeds meer moeite mee zijn ongeduld te beteugelen. Emily was in 1772 aan hem opgedrongen, kort na zijn terugkeer in Engeland. Hij was doodongelukkig geweest, zijn hart was gebroken om wat hij opvatte als ontrouw van Susans kant, en zijn moeder had daar slim gebruik van gemaakt. Voordat hij goed en wel had beseft wat er gebeurde, waren de zaken al in zoverre geregeld dat hij er niet meer onderuit kon.

Het landgoed was nooit meer geworden wat het was geweest nadat de speelschulden van zijn vader waren afbetaald, en een injectie van kapitaal was nodig geweest als de familie haar positie in de maatschappij wilde behouden. Op de prille leeftijd van eenentwintig jaar zat Jonathan opeens onverbrekelijk vastgeklonken aan een helleveeg.

Emily was de onaantrekkelijke dochter van een rijke graaf, die zelfs al toen ze nog jong was een scherpe tong had, wat een verklaring was voor de overdadige bruidsschat die ze in het huwelijk inbracht en voor het feit dat er geen andere aanbidders waren geweest. Seks was voor geen van beiden erg plezierig en toen hun zoon Edward was geboren, vond Emily dat ze haar plicht had gedaan en verbande ze haar man uit haar slaapkamer, tot Jonathans grote opluchting

Al die jaren had hij geleden onder haar onaangename karakter en soms had hij troost gezocht bij andere vrouwen. In het begin had hij zich daarom schuldig gevoeld, omdat Emily net zo goed een pion in het spel van zijn moeder was geweest als hij, maar uiteindelijk had hij begrepen dat ze hem echt haatte en dat het tussen hen dan ook nooit iets zou worden.

Het was een huwelijk dat van het begin af aan gedoemd was te mislukken en hij had de afgelopen veertien jaar zo veel mogelijk over zee gezwalkt om maar niet thuis te hoeven zijn en geen tijd te hoeven verkwisten aan zijn plichten in het Hogerhuis. Als zijn zoon er niet was geweest, was hij zelfs nooit meer teruggekeerd naar Engeland.

Het hooggebeende paard had geen enkele moeite met het ruige pad en de steile heuvel en algauw kwam het huis in zicht. Jonathan hield het paard in en nam de gelegenheid te baat om door het gietijzeren hek heen de feestdrukte te bekijken. Zijn blik gleed over de gezichten en bleef rusten op een lieftallige vrouw in een lila jurk. Zijn hart begon te bonken. Hij zou haar overal hebben herkend.

Haar lange haar was van achteren bijeengebonden met een lintje in de kleur van haar jurk en ze had een slank figuur dat haar leeftijd verloochende. Hij bleef naar haar levendige gezicht kijken terwijl hij het rijtuig voor de voordeur tot stilstand bracht. Susan was altijd mooi geweest, maar nu was ze nog mooier dan vroeger, vond hij. Ze maakte een sprankelende indruk, vol energie, en het was alsof de zon en de wind van Cornwall in haar slanke gestalte belichaamd waren en ze ieder moment kon wegvliegen.

'In plaats van te dagdromen, kun je me misschien helpen uitstappen,' beet Emily hem toe.

Jonathan schrok op en stak zijn vrouw snel zijn hand toe om haar uit het rijtuig te helpen. Hij keek naar haar pinnige gezicht en saaie grijze kleren en trok onwillekeurig een vergelijking met de levendige Susan die zijn hart nog altijd sneller deed kloppen. Hij besefte meteen dat hij niet had moeten komen.

Susan stond met Emma te lachen om de capriolen van Ernest die probeerde een paar snoezige jonge meisjes croquet te leren toen Ezra zijn hand rond haar elleboog legde. 'We hebben bezoek, lieve,' zei hij kalmpjes.

Ze draaide zich om en haar glimlach bevroor. Haar hart begon pijnlijk te bonken toen ze hem naar zich toe zag komen. Hij was bijna niet veranderd. Hij zag er nog net zo uit als de jongen van wie ze zo veel had gehouden en van wie ze al die jaren was blijven dromen. Zijn zwarte haar was aan de slapen slechts licht met grijs doorweven, zijn gezicht was nog altijd even knap en hij had het postuur van een man die buitengewoon fit is, maar het waren zijn ogen die haar betoverden en herinneringen in haar wakker maakten, want ze waren zo blauw als de zee van Cornwall en ze waren op haar gericht.

'Susan?' Ezra klemde zijn hand wat strakker om haar elleboog.

Ze knipperde met haar ogen en herstelde zich snel toen ze zich ervan bewust werd dat er mensen naar haar keken en dat ze zich, ondanks het bonken van haar hart, koel en nuchter diende te gedragen. 'Het is zo'n verrassing hen hier te zien,' mompelde ze. 'Ik wist niet dat ze waren uitgenodigd.'

'Ik hoorde dat ze in de buurt waren en ik heb de uitnodiging op het laatste moment verstuurd. Ik hoop dat je het niet erg vindt?'

Ze kreeg geen tijd om te antwoorden want Jonathan en zijn zuur kijkende vrouw stonden al voor haar. Susan maakte een lichte kniebuiging. 'Wat aardig van u dat u bent gekomen.'

Emily knikte hooghartig, met omlaag getrokken mondhoeken en ogen die als dolken gericht waren op Susan, die een blos voelde opkomen bij de afkeurende blik die meer zei dan woorden. Ze was weer zestien, een vissermansdochter die in de haven werkte, niet de alom gerespecteerde echtgenote van de dominee.

Jonathan gaf Ezra een hand en Susan bloosde nog heviger toen hij haar hand pakte en de lucht boven haar vingers kuste. Hun ogen vonden elkaar en de rest van de wereld verdween in het niet. Susan boog zich iets naar hem toe. 'Jonathan,' zei ze zachtjes.

Gilbert verbrak de magie. 'Ezra,' zei hij met zijn bulderende stem, en hij legde zijn hand op de schouder van zijn broer. 'Het is tijd om de champagne die ik uit Londen heb meegebracht aan te breken en mijn nieuws bekend te maken.'

Susan maakte haar blik los van Jonathan toen ze voelde dat Ann haar arm om haar middel sloeg en haar bij het groepje wegtroonde.

'Je ziet er een beetje verhit uit,' zei ze. 'Ik zal een glaasje limonade voor je inschenken. Daar koel je wel van af.'

Susan liep als in een droom met haar mee. Jonathan was terug en haar gevoelens voor hem waren nog net zo sterk als vroeger. Het bonken van haar hart en het tintelen van haar huid waren daarvan het bewijs – ze kon zich amper herinneren wanneer ze zich voor het laatst zo had gevoeld.

'Een hele verrassing, dat de graaf is gekomen,' zei Ann, terwijl ze limonade uit een kan in een kristallen glas schonk. 'Hij is zo zelden in het land en het moet jaren geleden zijn dat hij in Cornwall was.'

Susan dwong haar gedachten tot enige samenhang. 'Ezra heeft hen uitgenodigd.' Ze kon de verleiding niet weerstaan een blik op Jonathan te werpen, die zijn vrouw naar een plekje in de schaduw begeleidde.

'Wat dom van hem,' antwoordde Ann, terwijl ze haar het glas gaf.

Susan schrok. 'Wat bedoel je daarmee?' stamelde ze.

Ann legde haar hand om haar bovenarm en leidde haar naar twee stoelen die een eindje bij de rest vandaan onder een boom stonden. Toen ze waren gaan zitten en hun rokken om zich heen hadden geschikt, zei ze: 'Ik heb de geruchten gehoord. Dat jij en Jonathan Cadwallader lang geleden iets met elkaar hadden. Naar mijn mening is het nooit verstandig om naar het verleden terug te keren of te hunkeren naar iets wat heel anders had kunnen lopen. Dat leidt maar tot teleurstellingen.'

Susan bloosde. 'We waren kinderen,' zei ze zachtjes. 'Ezra en ik hebben het goed.'

Ann gaf een klopje op haar hand. 'Zolang je dat maar onthoudt, lieve meid,' zei ze.

De omfloerste terechtwijzing ontging Susan niet en ze zag dat Ann haar schouders naar achteren trok en met kaarsrechte rug naar het onderwerp van hun gesprek keek, die had besloten mee te doen aan het croquetspel. Ann straalde grote aversie uit en dat was helemaal niets voor haar, want ze had een erg beminnelijk karakter. Een gevoel van onbehagen bekroop Susan.

Ann nam een slokje limonade voordat ze doorging. 'Jonathan Cadwallader heeft de reputatie van een versierder en in bepaalde kringen beschouwt men hem als een avonturier,' zei ze ronduit. 'Ook al is hij nog zo knap en rijk, en ook al is hij altijd bijzonder discreet, hij heeft al vele harten gebroken. Geen wonder dat zijn vrouw er zo verbitterd uitziet.'

Susan deed dat af als loze roddelpraat. Ze ving Jonathans blik op en bloosde toen hij naar haar glimlachte. Ze wilde met hem praten. Was het feest maar vast voorbij, dan kon ze zich gaan bezinnen op een manier om hem te kunnen ontmoeten.

'Susan,' zei Ann en ze stootte haar zachtjes aan.

Nu pas drong het tot Susan door dat Ann wachtte op een reactie op wat ze had gezegd. Ze wilde net zeggen dat ze niet naar roddelpraatjes moest luisteren toen Gilbert op bulderende toon riep: 'Dames en heren, officieren en burgers!'

Ann sloeg haar waaier open en begon zich koelte toe te wuiven. 'Mijn man denkt dat hij nog steeds op het exercitieterrein is,' fluisterde ze.

Susan giechelde van opluchting dat ze aan Anns goedbedoelde inmenging was ontsnapt.

'Maar hij ziet er nog steeds geweldig uit, vind je ook niet?' ging haar schoonzus door. 'Je zou niet zeggen dat hij achtenveertig is.'

'Jullie huwelijk doet hem blijkbaar goed,' merkte Susan op.

Ann bloosde en liet haar waaier nog harder wapperen.

Gilberts stem klonk boven alles uit: 'Vandaag is het feest. We vieren niet alleen de geboortedag van mijn nichtje Emma, maar ook het nieuws dat ik uit Londen heb meegebracht.'

'Hij hoort zichzelf erg graag praten,' zei Ann goedmoedig, 'maar ik wou dat hij een beetje opschoot.' Toen ze Susans vragende blik zag, legde ze haar hand op haar arm. 'Je komt er gauw genoeg achter,' beloofde ze.

'Als gevolg van de onfortuinlijke resultaten van de Amerikaanse Onafhankelijkheidsoorlog en de daaruit voortvloeiende vijandigheden van Frankrijk en Spanje, is onze minister-president, William Pitt, tot de conclusie gekomen dat alleen onze blijvende aanwezigheid in het Oosten hoop biedt op herstel van de Britse macht.'

'O hemel,' zuchtte Ann, 'hij zit op zijn stokpaardje. Dat gaat uren duren.'

Susan luisterde maar met een half oor naar hen beiden, omdat ze naar Jonathan zat te kijken.

'Er zijn echter nog meer problemen die moeten worden aangepakt als Brittannië haar overmacht op de oceanen terug wil krijgen,' bulderde Gilbert. 'De toevoer van hennep is van vitaal belang voor onze zeevarende natie en de voorraden zijn danig geslonken door toedoen van koningin Catherina van Rusland, die zo slim is geweest alle beschikbare voorraden in het Baltische gebied op te kopen.' Hij pauzeerde om adem te halen en zijn sierlijke snor glad te strijken. 'Het stichten van een kolonie in New South Wales kan een oplossing zijn. Daarmee zullen we niet alleen een bron hebben voor vlas en timmerhout, maar ook zekerheid omtrent onze militaire en strategische doeleinden om te voorkomen dat daar in oorlogstijd een Franse kolonie en marinebasis zullen worden gevestigd.'

Er klonk wat gemompel op onder de aanwezigen, die zich een beetje ongeduldig toonden. Hij ging snel door: 'Dit vermetele avontuur zal ook een oplossing bieden voor het probleem dat we hebben met de honderden gevangenen die op deportatie wachten, nu we ze niet naar Amerika kunnen sturen.'

Bij die woorden spitste Susan haar oren. Ze dacht meteen aan Billy.

'Lord Sydney, de zegelbewaarder van het ministerie van Binnenlandse Zaken, heeft deze week verkondigd dat Zijne Koninklijke Hoogheid ermee heeft ingestemd dat Botany Bay een geschikte plaats is om een strafkolonie te vestigen. Hij heeft de Admiraliteit opdracht gegeven schepen beschikbaar te stellen voor zevenhonderdvijftig gedetineerden plus al het voor landbouw benodigde materiaal en gereedschap dat we in het nieuwe land nodig zullen hebben. De Eerste Vloot zal in het voorjaar van 1787 vertrekken.'

Susan voelde haar hartslag versnellen. Zou Billy nu toch worden gedeporteerd? Zou hij naar de andere kant van de wereld worden gestuurd, naar een volslagen onbekende rimboe waar hij als een gevangene zou leven en sterven zonder dat hij ook maar één lid van zijn familie in de buurt had? Ze keek naar Maud, die onder haar zonnehoed wit was weggetrokken en hun ogen vonden elkaar in stil verdriet.

'Begrijpt u me vooral niet verkeerd, dames en heren. De nieuwe kolonie wordt gesticht *door* de gevangenen, niet *voor* de gevangenen. Ze zijn slechts een middel om een doel te bereiken. Arthur Phillip zal benoemd worden tot kapitein-generaal en gouverneur van New South Wales, van Cape York tot drieënveertig graden en negenendertig minuten zuiderbreedte en honderdvijfendertig graden oosterlengte, inclusief alle voor de kust liggende eilanden in de Stille Oceaan.'

De meeste aanwezigen hadden geen flauw idee waar hij het over had, want het duurde altijd lang voordat nieuws het uiterste westen van het land bereikte, en dingen als zuiderbreedte en oosterlengte konden wat hun betrof net zo goed Grieks zijn.

Susan worstelde met een heleboel verwarrende gedachten.

Gilbert was nog niet klaar: 'Om gouverneur Phillip te helpen over het nieuwe gebied te regeren, zal hij vergezeld worden van een sterke militaire strijdmacht en het doet me veel genoegen u allen te kunnen mededelen dat ik ben bevorderd tot veldmaarschalk en dat ik het ambt van auditeur-militair van het militaire gerechtshof op me zal nemen zodra de Eerste Vloot in New South Wales is gearriveerd.'

Beleefd applaus klonk op. Susan wendde zich tot Ann en vroeg met een stem die trilde van angst om haar broer: 'Wat houdt dit in voor Billy?'

Ann pakte haar hand. 'Dat weet ik niet, Susan, maar Gilbert zal inlichtingen inwinnen en als Billy daarnaartoe wordt gestuurd, zullen we een oogje op hem houden.'

'We? Ga jij dan ook?'

'Natuurlijk,' antwoordde ze. 'Mijn plaats is naast mijn man, zoals iedere goede echtgenote betaamt.'

Susan was dergelijke stekelige opmerkingen niet van Ann gewend. 'Maar wat denk je te gaan doen in dat godverlaten land? En is het daar niet vreselijk gevaarlijk?'

Ann keek naar haar echtgenoot die hoffelijk de felicitaties in ontvangst nam van de mensen die zich nu rond hem verdrongen. 'Het zal geen godverlaten land zijn, Susan,' antwoordde ze. 'Dominee Richard Johnson wordt de hoofdpredikant van de kolonie en er zullen andere echtgenotes komen en veel kinderen en later zullen er met de Tweede en Derde Vloot ook meer predikanten komen.'

Susan bekeek haar vol bewondering. Ze waren even oud, maar verschilden in vele opzichten van elkaar. 'Wat dapper van je, Ann. Ik weet niet of ik de moed zou hebben om naar een volslagen onbekend land te gaan.'

De ogen van Ann straalden van opwinding. 'Ik vind het juist een geweldig avontuur, en op een goede dag, wanneer de kolonie eenmaal is gevestigd, kunnen Ezra en jij ook komen. Er zal veel werk zijn voor een predikant als Ezra.'

Susan rilde. 'Ik ga nooit uit Cornwall weg.' Haar blik dwaalde naar Jonathan en ze merkte dat hij naar haar keek.

'Het enige wat zeker is in het leven, is dat er van alles kan veranderen,' mompelde Ann.

Susan luisterde niet naar haar. Jonathan had zich losgemaakt van de groep rond Gilbert en liep nu naar de ommuurde tuin. Met een blik over zijn schouder keek hij haar in de ogen en verdween toen uit het zicht.

'Ik ga Gilbert een complimentje maken over zijn toespraak,' zei Ann. 'Ga je mee?'

Susan schudde haar hoofd. 'Ik zal George maar eens uit zijn kamer laten. Die heeft lang genoeg straf gehad.'

Ze liep snel naar binnen voordat Ann haar nog meer vragen kon gaan stellen, en nadat ze George naar buiten had gejaagd, liep ze dwars door de moestuin en glipte ze door een zijdeur naar de overwoekerde ommuurde tuin. Ze zouden haar voorlopig niet missen en ze moest hem spreken, hem de vragen stellen die haar al die jaren gekweld hadden. Misschien zou het haar helpen over de schok van zijn plotselinge verschijning heen te komen.

Hij stond op haar te wachten in de schaduw van een oude pruimenboom. 'Susan. God, wat is het lang geleden.'

Ze had zich makkelijk in zijn armen kunnen storten, maar iets in de uitdrukking op zijn gezicht hield haar tegen. 'Te lang,' zei ze zachtjes terwijl ze hem met haar ogen verslond. 'Waarom ben je niet bij me teruggekomen, zoals je had beloofd?'

'Ik bén teruggekomen,' antwoordde hij, 'maar toen was je net met Ezra Collinson getrouwd. Je had nog maar acht dagen hoeven wachten, dan zou ik bij je zijn geweest. Het is blijkbaar mijn fout geweest dat ik heb geloofd dat je je aan je beloften zou houden.'

'Hoe durf je dat te zeggen?' Het verlangen om haar armen om hem heen te slaan werd verdrongen door irritatie. 'Ik heb drie jaar op je gewacht zonder dat ik ook maar één brief van je heb ontvangen waarin je bevestigde dat je alles had gemeend.'

'Ik kon moeilijk midden in de Tasmanzee brieven posten,' was zijn scherpe weerwoord. 'Je had blijkbaar niet genoeg vertrouwen in me.'

'Drie jaar,' herhaalde ze, 'terwijl je had gezegd dat je twee jaar zou wegblijven. Wat had je dan gewild, Jonathan? Dat ik eeuwig zou wachten terwijl jij over de zeven zeeën zwalkte?'

'Natuurlijk niet,' zei hij, 'maar drie jaar is niet veel op een heel leven, het leven dat we samen hadden kunnen hebben.' Hij deed een stap naar haar toe. 'Ik was wel degelijk van plan met je te trouwen, Susan, maar jij kon niet wachten. En waarom ben je juist met Collinson getrouwd?' Hij haalde diep adem en ze kon zien dat hij moeite had zijn zelfbeheersing te bewaren. 'Ik had op je gerekend, maar je hebt mijn hart gebroken.'

'Zo erg vond je het nu ook weer niet,' zei ze vinnig, de pijn in zijn ogen opzettelijk negerend. 'Gezien het feit dat je binnen een jaar met Emily bent getrouwd.'

Hij haalde zijn vingers door zijn haar en Susan zag hoe hij met zijn gevoelens worstelde toen hij haar begon te vertellen over de listige manier waarop zijn moeder het huwelijk voor hem had geregeld. 'Ik had weinig keus,' zei hij. 'Ze was al van plan me uit te huwelijken voordat ik naar Tahiti afreisde en zodra ik terug was, heeft ze me duidelijk te verstaan gegeven dat ze van me verwachtte dat ik met haar plannen zou instemmen. Daarom wilde ik zo snel mogelijk met jou trouwen, voordat ik zou komen vast te zitten aan iemand van wie ik niet hield. Maar door jouw huwelijk met Collinson was onze kans verkeken en zonder jou kon het me niet schelen wat er met me gebeurde.' Zijn gezicht stond nog steeds wrevelig toen hij op haar neerkeek. 'Je zult het vast prettig vinden te horen dat het een allesbehalve geslaagd huwelijk is.'

Ze zag hoe ongelukkig hij was en nu ze Emily had gezien, begreep ze waarom. 'Het spijt me, Jon,' zei ze zachtjes. 'Zo te horen zijn we allebei het slachtoffer geworden van het gekonkel van je moeder.' Ze vertelde hem hoe ze haar vader en broers had verloren en wat de reden was geweest voor haar eigen huwelijk.

Jonathan balde zijn vuisten en trok wit weg. Een kreun gaf uitdrukking aan zijn woede en frustratie. 'O god, wat spijt het me dat ik niet hier was om je te beschermen.'

Ze deed een stap achteruit en dacht aan alle uren dat ze naar de zee had staan staren, aan hoe vurig ze had gebeden dat hij op tijd terug zou komen, en hoe ze uiteindelijk, voor de ingang van de kerk, had moeten accepteren dat hij voor haar verloren was. Ze keek weer naar hem op. Haar woede was verdwenen en nu was ze alleen nog maar diep bedroefd om het feit dat het lot zo wreed was geweest. 'Waarom bén je eigenlijk zo lang weggebleven?'

'We zijn veel verder naar het zuiden gereisd en toen kwamen we in allerlei stormen terecht.' Hij vertelde haar over de lange reis rond Nieuw-Zeeland, de speurtocht naar en de ontdekking van Australië, de miserabele maanden in Batavia en de reis terug naar huis. 'Er waren geen andere schepen die brieven konden meenemen. Ik kon je geen bericht sturen. Maar ik heb voortdurend aan je gedacht, Susan. Ik droeg je mee in mijn hart.'

Ze wilde huilen, maar tranen konden het leed niet goedmaken dat hun was aangedaan. 'O, Jonathan, dat koraalrif heeft van mij net zo goed een gevangene gemaakt als van jou. Nu is het voor ons beiden te laat.'

Ze stribbelde niet tegen toen hij haar handen pakte. 'Toen ik je vandaag zag, wist ik meteen dat ik altijd van je ben blijven houden,' zei hij zachtjes. 'En ik weet dat voor jou hetzelfde geldt.'

De geluiden van het feest vervaagden. Ze wilde hem kussen, zijn armen om zich heen voelen, maar ze wist dat ze daaraan niet mocht toegeven. Ze moest sterk zijn. 'Ja,' gaf ze zachtjes toe, 'maar het mag niet verder gaan dan dit moment.'

'Waarom niet, als we van elkaar houden?' Hij trok haar dichter naar zich toe met een gezicht dat vertrokken was van verdriet.

'Omdat ik mijn plichten heb tegenover Ezra en mijn kinderen. Ik wil hen niet kwetsen. En ook omdat... omdat het te laat is.'

Hij bracht haar handen naar zijn lippen. 'Kunnen we in ieder geval met elkaar bevriend blijven?'

Ze hoorde het verlangen in zijn stem en had hem graag willen troosten, maar ieder teken van zwakte zou korte metten maken met haar goede voornemens. 'Ja, dat wel. Voor altijd,' zei ze zachtjes.

Het schip Dunkirk, *Plymouth, mei 1786*

Billy zag een gedaante weerspiegeld in het stille, donkere water dat bijna tot zijn middel reikte en hij vroeg zich heel even af wie het was. De jongeman die hij zich herinnerde, leek in geen enkel opzicht op de persoon naar wie hij staarde. Perplex streek hij met zijn vereelte handen over zijn ruige baard en lange haar. Billy Penhalligan had er altijd keurig verzorgd uitgezien en de wereld frank en vrij ingekeken, trots op zijn knappe uiterlijk en de mooie kleren die hij zich dankzij de smokkelwaar kon veroorloven. Deze persoon zag er verloederd uit, was gekleed in smerige vodden en had de ogen van iemand die getuige was geweest van het ergste kwaad dat de wereld te bieden had. Als levenloze knikkers stonden ze in het vermoeide gezicht van iemand die veel ouder leek dan zijn negenentwintig jaren.

'Werken, Cornish, anders zul je de gesel weer voelen.'

Billy maakte zich los uit zijn gedachten en pakte de zware hamer. Hij zwaaide hem hoog boven zijn hoofd en toen hij hem liet neerkomen op de heipaal, wou hij dat hij in plaats daarvan het hoofd van de gevangenbewaarder de grond in ramde. De kerel zat hem voortdurend op zijn huid en leek niets liever te doen dan mensen te geselen.

'Nog maar twintig te gaan, dan kun je uitrusten.' Alfred Mullins stootte een humorloze lach uit en liep door.

Billy hief de hamer weer op en keek naar de rug van de gevangenbewaarder. 'Ik zou hem graag eens onderhanden nemen,' zei hij schor tegen Stan die naast hem werkte.

Stanley Irwin kwam uit Norfolk en had aanvankelijk het doodvonnis gekregen, maar dat was omgezet in deportatie. Hij had aan boord van de *Dunkirk* een vrouw en kind die hij beiden had overgehouden aan zijn verblijf in de gevangenis Norwich Castle. Hij had een slechte gezondheid en werd zo vaak gegeseld dat er van zijn ooit zo fiere houding niet veel meer over was. 'Zet dat alsjeblieft uit je hoofd,' zei hij. 'Je kunt je beter gedeisd houden, Bill, en gewoon je tijd uitzitten. Daarna kun je weer doen en laten wat je wilt.'

Billy werkte door maar liet zijn gedachten de vrije loop. Hij had nog tien jaar te gaan en soms wou hij dat hij samen met de anderen was opgeknoopt op het plein voor de gevangenis van Bodmin. Zijn mond vertrok tot een glimlach. Het enige lichtpuntje in zijn leven was Nell, een jonge prostituee uit Londen die een paar weken geleden aan boord was gekomen. Met haar rode haar en daarbij horende temperament had ze hem meteen uitverkoren en ze hadden onmiddellijk beseft dat ze gelijkgestemde zielen waren. Nell was een vechtersbaas die tot haar laatste ademtocht zou knokken, en hij had het aan haar energie en wilskracht te danken dat hij niet krankzinnig werd. Hij had haar nog niet in bed gekregen, maar dat kwam vanzelf wel.

Hij deed een paar stappen achteruit om te zien of de heipaal de juiste hoogte had en waadde door het water naar de volgende paal. Hij keek naar de *Dunkirk* en grijnsde. Het oude marinefregat lag rottend verzonken in de modder van de Plymouth en het ruim waar de gedetineerden verbleven, stonk een uur in de wind. Het schip was de afgelopen twaalf maanden zijn thuis geweest, nadat de *Chatham* uit elkaar was gevallen en gezonken. Als er geen oorlog was geweest in Amerika zou hij hier allang weg zijn geweest en nu als contractarbeider op een van de katoenplantages werken of zoiets. Daarginds zou hij tenminste de mogelijkheid hebben gehad te ontsnappen, of misschien zou zijn straf hem zijn kwijtgescholden. Hier was er niets dan misère. De dagen sleepten zich voort en 's nachts lag hij de helft van de tijd wakker, altijd op zijn hoede voor aanvallen en voor de ratten die over hem heen kropen. Godzijdank was Nell er nu, met haar luidruchtige lach, schuine moppen en grenzeloze energie.

De dag liep ten einde. Zo dadelijk werden ze naar de kleine boten geleid om terug te keren naar het schip. Billy snoof de warme, zilte lucht op en probeerde de spieren van zijn nog altijd krachtige rug en schouders een beetje los te maken. Hij was moe en had spierpijn maar keek evengoed niet uit naar de muffe stank van het ruim en het gekrijs van de hoeren die zich aan de matrozen aanboden in ruil voor extra eten. Het enige wat hij wilde, was terugkeren naar Mousehole, naar huis, waar hij zijn eigen dialect weer kon horen en de geur van gebakken vis en vers brood ruiken. Hij had er verdraaid veel spijt van dat hij zijn vrijheid had verspeeld in zijn jacht op rijkdom.

'Achteruit!' De kreet klonk op langs de rij toen de gevangenbewaarder erlangs liep en de mannen met zijn knuppel achteruit duwde. 'We hebben bezoek. Ik hou je in de gaten, Penhalligan. Eén verkeerde beweging en ik sla je in de boeien.'

Billy stapte achteruit tot hij tegen de heipaal kon leunen die hij zojuist in de modder van de riviermonding had geslagen. Hij was inmiddels gewend aan de dagjesmensen die een boot huurden, naar de gedetineerden roeiden en met een van afschuw vertrokken gezicht naar hen gaapten. De vrouwen waren het ergste: met een nuffig zakdoekje tegen hun neus gedrukt staarden ze wellustig naar de halfnaakte mannen. Ze giechelden en bespraken de mannen die ze bekeken hardop met elkaar, achter hun waaiers, alsof de gevangenen doof of dood waren.

Hij rochelde en spoog een fluim in het water terwijl hij met nijdige ogen naar de boot keek die met grote snelheid op hen afkwam. De inzittenden zouden eens een nacht op het schip moeten doorbrengen; dan zouden ze er snel achterkomen dat de mannen die ze zo schaamteloos bekeken weinig aansporing nodig hadden om in wilden te veranderen.

De boot voer de riviermonding op en was nu dicht bij het einde van de pier die de mannen aan het bouwen waren. De man die de leiding leek te hebben was in gesprek met meneer Cowdry, de hoofdcipier.

'William Penhalligan?'

Billy schrok op uit zijn boze gedachten en keek op. 'Ja?'

'Je hebt bezoek. Kom hier.'

Mullins gaf hem zo'n harde duw dat hij bijna omviel. 'Opschieten!'

Billy sjokte op zijn blote voeten door de modder die aan zijn benen zoog. Zonder een woord te zeggen waadde hij door het ondiepe water naar de oever.

'Voortmaken, Penhalligan. Er is een belangrijke bezoeker voor je gekomen.'

Billy wierp een norse blik op Cowdry, die als een opgefokte kropduif op de pier stond en keek toen naar de bezoeker. Hij fronste zijn wenkbrauwen. De man was gekleed in een officiersuniform, wat alleen maar kon duiden op nieuwe problemen. Hij duwde zijn tenen in de modder en boog zijn hoofd.

'Billy, ik ben hier uit naam van je familie.' In de pauze die daarop volgde, hief Billy zijn hoofd op om hem aan te kijken. 'Ik ben veldmaarschalk Collinson van de Dragoons Guards van Zijne Koninklijke Hoogheid.'

'Wat is er gebeurd?' Billy wilde naar de officier toelopen, maar Mullins stak de knuppel in zijn ribben en beval hem in de houding te gaan staan.

'Dat is echt niet nodig,' baste de veldmaarschalk met boze ogen. Mullins keek dreigend maar zei niets. 'Met je familie is alles in orde. Kom, Billy, aan wal kunnen we onder vier ogen praten.' Zonder op antwoord te wachten gaf Gilbert Collinson de cipier een teken dat hij kon gaan. Hij stapte uit de boot op de pier en liep naar de met gras begroeide oever van de rivier.

Billy hees de zakkerige broek op die van zijn magere heupen dreigde te zakken en trok zijn gerafelde hemd recht. Toen hij achter de veldmaarschalk aan liep, was hij zich scherp bewust van het contrast tussen hen en hij zorgde ervoor aan de lijzijde van de patricische neus te blijven. Schaamte om zijn situatie brandde als vuur in zijn binnenste, maar hij keek de man fier aan. 'Wat hebt u met mijn familie te maken?' vroeg hij zodra ze buiten gehoorsafstand van de cipier waren.

'Ik ben familie van de man van je zus,' zei Collinson. 'Ik heb niet veel tijd, dus luister goed.' Hij wierp een blik op de gevangenbewaarders die naar hen stonden te kijken. 'Ik weet uit betrouwbare bron dat je op de lijst staat om gedeporteerd te worden naar de strafkolonie in New South Wales.'

Billy fronste zijn voorhoofd. Hij had nog nooit van die plaats gehoord, maar hij werd misselijk van angst bij het vooruitzicht van de zeereis.

Gilbert bracht hem snel op de hoogte van wat er ging gebeuren, maar daardoor werd Billy alleen maar nog banger. Hij was echter vastbesloten niet te laten merken welk effect het nieuws op hem had. Hij glimlachte wrang. 'En ik dacht nog wel dat u me kwam vertellen dat mijn straf was kwijtgescholden.'

'Helaas niet. Daarvoor heb je te veel op je kerfstok.' De donkere ogen flonkerden. 'Maar ik kan je beter en schoner werk bieden zodra we in Botany Bay zijn aangekomen. We zullen jouw talent voor aankoop en distributie hard nodig hebben wanneer we onze nieuwe kolonie gaan opbouwen en ik kan een man als jij goed gebruiken om een oogje te houden op mijn zaken.'

Daar moest Billy bijna om glimlachen, ondanks het gevoel van onpasselijkheid dat weigerde te zakken. 'Met dieven vangt men dieven, hè?'

Gilbert knikte. 'Inderdaad,' zei hij. 'En als je je netjes gedraagt, zal ik ervoor zorgen dat je na je vrijlating een geschikt stuk land krijgt.'

'Een stuk land?'

'De gouverneur van Zijne Koninklijke Hoogheid zal percelen toekennen aan de militairen, burgers en ex-gedetineerden die hebben bewezen het waard te zijn. Daarmee krijg je de kans opnieuw te beginnen en je vroegere gedrag goed te maken.'

'Maar niet om naar huis terug te keren,' mompelde Billy, al betwijfelde hij of hij Botany Bay überhaupt zou bereiken, laat staan dat hij de terugreis naar Engeland zou overleven.

'Later zal dat misschien mogelijk worden, al zou ik er niet al te zeer op hopen als ik jou was.' Gilbert slaakte een zucht. 'Je hebt het jezelf aangedaan, Billy, maar nu je onder mijn jurisdictie bent gekomen, heb je in ieder geval nog een kans iets van je leven te maken. Je moeder mist je uiteraard, en Susan ook. Ze wilden vandaag met me meekomen, maar ik wist dat ze alleen maar van streek zouden raken.' Zijn blik ging naar Mullins en toen naar de *Dunkirk*.

'Hoe is het met moeder?' Het was jaren geleden dat hij haar voor het laatst had gezien en Billy moest hard slikken om zijn emoties in bedwang te houden.

'Ze verkeert in goede gezondheid,' zei Gilbert. 'Ze is druk met haar kleinkinderen en bemoeit zich zoals gewoonlijk met alles en iedereen.'

Billy knikte. Hij herinnerde zich het bazige gedrag van zijn moeder en de tomeloze energie die ze zelfs in moeilijke tijden aan de dag had gelegd. Hij was blij dat ze niet was veranderd. Hij begon de man uit te horen over Susan en haar gezin en stond ervan versteld dat het leven zonder hem gewoon verderging. Hij bewaarde de laatste en belangrijkste vraag tot het laatst. 'Wanneer vertrekken we?'

'In de lente van volgend jaar.'

'Nog een jaar in deze hel.' Hij wierp een blik op Mullins. 'Is er een kans op overplaatsing?'

Gilbert schudde zijn hoofd. 'Ik heb er erg op aangedrongen bij de rechter, maar hij wilde er niet van horen.' Hij liep terug in de richting van de pier en Billy sukkelde met hem mee. 'Ik heb wat spullen voor je. Ik hoop dat je erin zult slagen ze te houden.'

Billy zette grote ogen op toen hij het pakketje met etenswaren zag en het bundeltje kleren dat Gilbert hem overhandigde. Tot slot drukte de veldmaarschalk ook nog een handvol zilveren munten in zijn hand.

'Voor een kwart hiervan kun je hier al vermoord worden.'

'Ik heb met William Cowdry over je gesproken. Je kunt het geld aan hem geven, dan zal hij het gebruiken om je extra rantsoenen te geven. Je kunt hem vertrouwen. Hij is een eerlijk mens.'

Billy keek naar de hoofdcipier. Hij vertrouwde Cowdry net zo min als de anderen. 'Ik hou het zelf wel,' zei hij en hij bond de munten in een punt van zijn voddige hemd.

'Ik wou dat ik meer voor je kon doen.'

Billy haalde zijn schouders op en klemde de bundeltjes tegen zijn borst, hoog boven het water. 'Dank u wel, meneer,' zei hij. 'Misschien kunt u de groeten doen aan mijn moeder en zeggen dat ze zich geen zorgen hoeft te maken. Dat is voor mij al genoeg.' Opeens brak er een grijns door op zijn gezicht. 'Tot nu toe heeft niemand Billy Penhalligan klein kunnen krijgen, en dat zal nu ook niet gebeuren.'

Gilbert bekeek hem kalm en taxerend. 'Daar kun je wel eens gelijk in hebben.' Hij stak hem zijn hand toe. 'Tot ziens in Botany Bay. Ik kijk er al naar uit.'

11

Mousehole, mei 1786

De hele maand april was het verrassend warm geweest, maar mei bracht veel storm waardoor de vissersboten gedwongen waren in de kleine haven te blijven terwijl de mannen op het land werkten. Een griepepidemie had flink huisgehouden in de streek en Susan had het druk gehad met haar plichten als domineesvrouw. Ze had veel geleerd sinds ze met Ezra was getrouwd, maar pas toen ze poogde het lijden van de zieken te verlichten, begreep ze waarom hij altijd zo'n stoïcijnse en afstandelijke houding aannam. Hij had haar geleerd dat ze geen medelijden of afkeer mocht tonen, en ook geen boosheid om de omstandigheden waarin de armen moesten zien te overleven: met medelijden was niemand geholpen, maar met praktische adviezen en kalm optreden konden lasten wat lichter worden gemaakt.

Nu lag ze in bed te luisteren naar de regen die tegen de ramen kletterde en de wind die in de schoorstenen loeide. Het was alsof het huis zijn adem inhield terwijl de storm de zee opzwiepte en de golven bulderend tegen de klippen sloegen. Geen avond om buiten te zijn en ze schurkte behaaglijk onder de deken, dankbaar voor de warmte en het comfort. Toch kon ze de slaap niet vatten. Binnenkort zou Jonathan terugkeren naar Cornwall.

Ze sloot haar ogen en dacht aan zijn gezicht, aan de manier waarop hij sprak en zich bewoog. Hun korte gesprek in de ommuurde tuin had tjokvol emoties gezeten en ondanks al haar goede voornemens had ze toen al geweten dat ze hem niet zou kunnen weerstaan als ze elkaar nogmaals zouden ontmoeten.

Ze probeerde de geluiden van de storm en het gesnurk van Ezra buiten te sluiten. Jonathan had niet geschreven, zoals ze vaag had gehoopt, maar dat had haar er niet van weerhouden verlangend te wachten op nieuws over zijn terugkeer. En dat was vanochtend gekomen, toen ze bij de vrouw van de rentmeester op bezoek was gegaan. De arme vrouw had alweer een miskraam gehad, maar wilde ondanks haar verdriet per se naar het grote huis gaan om het in gereedheid te brengen voor de komst van Jonathan en Emily. Nadat ze dat had gehoord, had Susan de grootste moeite gehad haar aandacht bij haar taken te houden en was ze zo snel als de beleefdheid toestond weggegaan.

Ezra mompelde iets in zijn slaap en trok de dekens met zich mee toen hij zich omdraaide. Met een geërgerde ruk trok ze ze terug en zonk weer weg in haar aangename gedachten. De aanwezigheid van Emily kon een probleem zijn, maar ze had besloten evengoed het risico te nemen en hem een briefje te sturen.

Ze trok een bedenkelijk gezicht toen haar gedachten op hol sloegen. Het zou niet passen naar hem toe te gaan wanneer hij alleen thuis was en ze mochten niet samen in het openbaar gezien worden, want niemand zou geloven dat ze slechts goede vrienden waren. Ze glimlachte toen ze aan de geheime ontmoetingsplek van vroeger dacht: de grot in de klip. Die was van boven af niet te zien en in zulk ruig weer ging niemand daar wandelen en zou dus niemand hen in de gaten hebben...

Treleaven House, Cornwall, mei 1786

'Het is duidelijk waarom je zo snel na ons laatste bezoek terug wilde komen,' zei Emily vinnig tegen Jonathan. 'Je bent zo doorzichtig als glas.'

Ze waren nog geen vierentwintig uur in Cornwall en ze werkte hem nu al op zijn zenuwen. Jonathan leunde tegen de marmeren schoorsteenmantel van de bibliotheek en nam een slokje van zijn cognac. Hij was dronken, maar niet dronken genoeg om haar zeurende stem te kunnen negeren. Hij had het gevoel dat hij nu al uren naar haar gezanik luisterde. 'Wie heeft gezegd dat je mee moest? Ik weet zeker dat de verlokkingen van je saaie zitkamer in Londen veel groter zijn dan wat ik je hier te bieden heb.'

'Kom niet aan met sarcasme,' beet ze hem toe. Ze zat met haar handen op haar schoot en haar vingers strak ineengestrengeld. 'En als je denkt dat ik niet weet wat je in je schild voert, ben je een nog grotere dwaas dan ik dacht.'

Hij keek naar haar wazige gedaante. De cognac begon eindelijk invloed op hem te krijgen en verspreidde een aangename warmte door zijn lichaam. 'Het landgoed vereist mijn aandacht,' zei hij een beetje slissend. 'Ik weet niet wat jouw verwrongen geest allemaal heeft verzonnen, maar wat het ook is, het slaat nergens op. Als je je mond eens dicht zou houden en de weinige hersens die je hebt in werking zou stellen, zou het misschien tot je doordringen dat je je alleen dankzij dit landgoed de luxe kunt permitteren waar je je dagelijks in wentelt.'

Haar magere gezicht zag er oud uit in de heldere baan zonlicht die door het raam naar binnen viel en haar grijze ogen waren half gesloten boven haar toegeknepen mond. 'Ik heb gezien hoe je naar de vrouw van de dominee keek,' beet ze hem toe. 'Je bent voor háár teruggekomen, niet voor het landgoed.'

Jonathan zette het tere glas op de schoorsteenmantel alvorens antwoord te geven. Het was waar, hij wilde Susan weer zien, maar het landgoed eiste wel degelijk zijn aandacht en hij betwijfelde of hij tijd zou kunnen vinden voor vertier, al zou hij daar beslist zijn best voor doen. 'Ik weet dat ik je niet van het tegengestelde zal kunnen overtuigen, hoezeer ik ook mijn best zou doen,' zei hij mat. 'Maar als je even logisch zou nadenken, zou je begrijpen dat een landgoed als dit veel werk met zich meebrengt. Als je me niet gelooft, moet je morgen maar met Braddock en mij meegaan wanneer we de ronde doen.'

Haar rokken ritselden als dode herfstbladeren toen ze opstond en naar hem toeliep. 'U moet niet denken dat ik achterlijk ben, meneer.'

'Zoiets zou niet in mijn hoofd opkomen, mevrouw.' Hij pakte de fles en lachte haar verleidelijk toe. 'Vooruit, Emily. Doe niet zo stug. Neem een glaasje. Je moest eens weten wat een verschil een drupje cognac maakt.' Hij grinnikte. 'Misschien krijg je dan wat plezier in het leven.'

Emily verstijfde. 'In heel Engeland is niet voldoende cognac te vinden om mijn mening over de wereld én over jou te veranderen.'

Opeens welden alle teleurstellingen, al het verdriet, in hem op. 'We hebben allebei evenveel schuld aan ons rampzalige huwelijk, Emily. Ik bied je mijn verontschuldigingen aan voor het leed dat ik je door de jaren heen heb aangedaan en ik betreur het dat we in deze impasse zijn geraakt. Maar als je niet altijd zo kil was geweest, zo vol verwijten, was het misschien anders gelopen.'

De klap in zijn gezicht kwam als een volslagen verrassing. Hij staarde haar verbijsterd aan. 'Waar was dat voor?'

'Voor alle vrouwen met wie je aan de haal bent gegaan en alle vernederingen die ik heb moeten doorstaan door alle roddelpraat.' Ze hijgde zwaar, misschien zelf verrast dat ze zo wild had gereageerd. 'Ik haat je, Jonathan, ik haat je met iedere vezel in mijn lichaam.'

Jonathan knipperde met zijn ogen en probeerde zijn nevelige gedachten weer op een rijtje te zetten. 'Dat is dan wederzijds, lieve,' zei hij. 'Ik heb sinds we zijn getrouwd twee maîtresses gehad, discrete dames met lieve karakters, die me ieder op hun beurt een aantal jaren aangenaam gezelschap hebben geboden.' Hij hief zijn hand op toen ze op het punt stond hem in de rede te vallen. 'Ik hou van vrouwen, zoals iedere normale man. En wat moet een man doen als zijn echtelijke sponde zo uitnodigend is als de Noordpool? Ik mag graag flirten, dansen, naar feestjes gaan, maar ik heb altijd geprobeerd jouw reputatie en die van onze zoon te beschermen.'

'Dat is niet wat ik heb gehoord,' zei ze venijnig. 'Ik heb gehoord dat je overal in Londen liefjes hebt. Onze zoon moet zien te leven met het feit dat iedereen weet dat zijn vader een rokkenjager is.'

'Dat is niet waar,' bulderde hij. 'Al die roddeltantes met wie jij omgaat hebben gewoon niets beters te doen dan jouw zelfopgelegde martelaarschap te voeden. Ik ben *geen* rokkenjager. Hoe waag je het zoiets te zeggen?'

'Ik ga,' zei ze kortaf. Ze pakte haar tasje en haar omslagdoek en schreed naar de deur. 'Onze zoon is in zijn eentje in Londen. Een van ons moet daar zijn voor het geval hij ons nodig heeft.'

De sneer ontging Jonathan niet en hij zag de glans van de overwinning in haar ogen. 'Ga maar. Opgeruimd staat netjes,' bulderde hij terwijl hij zijn glas nog eens volschonk. Hij dronk het in één teug leeg en staarde naar de deur die ze achter zich had dichtgetrokken. 'Maar ik zal niet toestaan dat je onze zoon tegen me opstookt!' brulde hij.

Hij pakte de fles, schonk zijn glas weer vol en zakte neer in een fauteuil bij de haard. Hij was van plan zich volkomen lazarus te drinken en alles te vergeten.

Enige tijd later hoorde Jonathan in de hal het geluid van voetstappen, dichtslaande deuren en stemmen. Hij zag door het raam dat twee rijtuigen werden voorgereden en bleef er met een wazige blik naar staren toen zijn vrouw het huis uit kwam lopen en in de namiddagzon korte, vinnige bevelen gaf aan de bedienden over waar haar bagage geplaatst diende te worden. Uiteindelijk leek ze tevreden te zijn en stapten de bedienden in het kleinste rijtuig. Zonder om te kijken stapte ze zelf in de grote koets en gaf de koetsier het bevel op weg te gaan. Met kletterende hoeven en ratelende wielen verdween de kleine stoet over de oprijlaan uit het zicht.

Met een spottend gebaar hief hij zijn glas op. 'Goede reis,' mompelde hij. 'Geniet er maar van, want van nu af aan zal geen enkele man je nog ergens uitnodigen.' Hij lachte bitter, dronk het glas leeg en barstte in tranen uit.

Na een poosje snoot hij zijn neus en verweet hij zichzelf zijn zwakke gedrag. Hij had niet zo gehuild sinds hij een kleine jongen was, en tranen konden eenzaamheid niet verdrijven. Aan zijn huwelijk viel niets te redden en nu zijn laatste maîtresse getrouwd was, kende hij bijzonder weinig genegenheid, maar hij legde zich erbij neer dat het altijd zo zou blijven. Hij kon blijven reizen, zijn dromen verwezenlijken, de nieuwe werelden onderzoeken die ieder jaar werden ontdekt. Toch zou hij veel gelukkiger zijn als hij naast zich iemand had die van hem hield, iemand als Susan, die licht in zijn leven zou brengen.

Toen hij het laatste restje cognac in zijn glas schonk, viel zijn oog op de brief van de advocaat van Josiah. Hij moest hard slikken om nieuwe tranen tegen te houden die in zijn ogen opwelden. De dood van zijn oom had een enorm gat geslagen in zijn leven.

Het was alsof de oude man nieuwe energie had gekregen na zijn terugkeer van Cooks eerste expeditie. In de daaropvolgende jaren had hij zich eerst toegelegd op een uitputtende hoeveelheid lezingen en daarna was hij er rustig voor gaan zitten om zijn ervaringen op te tekenen in een autobiografie. Zijn verzwakte gestel had echter niet voldoende verweer gehad tegen de griepepidemie die door het land joeg en al snel was hij ziek geworden. Twee weken later was hij in zijn slaap overleden en nu zag het ernaar uit dat Jonathan zijn aanzienlijke fortuin zou erven, omdat Josiah nooit was getrouwd.

De kamer werd weer wazig toen hij zich herinnerde hoe zijn oom op het strand had gespeeld met de kinderen van de Aboriginals. Het was de enige keer dat hij Josiah volkomen ontspannen had meegemaakt. Wat had hij er koddig uitgezien in zijn hemdsmouwen en op blote voeten. Een glimlach speelde rond zijn lippen, maar zijn hart deed pijn. Josiah was een tweede vader voor hem geweest, een wijze raadsman en vriend. Hij wou dat hij nog steeds met hem kon praten, herinneringen ophalen aan hun tijd op de *Endeavour*. Afgezien van Sir Joseph Banks waren alle mannen die de dorst naar avontuur in hem hadden opgewekt, nu dood. Cook was vermoord op de eilanden van Hawaï, Sydney was overleden op de terugreis vanuit New Holland, en nu was Josiah er ook niet meer.

Hij verfrommelde de brief en liet hem op de grond vallen toen eenzaamheid en verdriet hem overweldigden. Josiah had het niet prettig gevonden toen hij een maîtresse had genomen, maar er wel begrip voor gehad en hij was altijd bereid geweest naar hem te luisteren en hem advies te geven tijdens de eerste moeilijke jaren van zijn huwelijk, toen hij zijn best had gedaan een goede vader te zijn voor Edward. Nu had hij niemand meer tot wie hij zich kon wenden. Niemand die zich kon inleven in zijn diepgewortelde verlangen om bevrijd te worden van de vrouw voor wie hij niets anders dan verachting voelde, het verlangen om zijn vrijheid terug te krijgen zodat hij zijn dromen kon verwezenlijken en hopelijk vrede met zijn leven zou hebben. 'O, Susan,' fluisterde hij. 'Wat zou ik er niet voor geven als jij me nu kon troosten. Jij wist beter dan wie ook hoeveel Josiah voor me betekende.'

Rusteloos stond hij op en begon te ijsberen. De kamer had rondom boekenkasten, gevuld met boeken die zonder uitzondering waren gebonden in prachtig leer dat glansde in de lentezon die door het raam naar binnen scheen. De indrukwekkende verzameling was aangelegd door zijn vader en grootvader en binnenkort zouden de waardevolle wetenschappelijke dagboeken en studieboeken van Josiah eraan worden toegevoegd.

Hij liep naar het raam en leunde tegen de brede vensterbank. Treleaven House was een vierkant huis met sierlijke proporties. Het stond op de top van een zacht glooiende heuvel te midden van bossen en akkerland. De roomwitte kleur van de bakstenen kreeg in de zon een warme tint en de dubbele rij hoge ramen aan de voorzijde bood uitzicht op de met grind bedekte oprit waar in het water van de fontein regenbogen te zien waren. Perfect gemaaide gazons reikten, groen en glad als biljarttafels, tot aan het bos in het westen en achter het huis waren lage muren gebouwd die de tuinen beschermden tegen de zeewind.

Vanachter het raam van de bibliotheek kon Jonathan de bochtige, met bomen omzoomde oprit volgen tot aan het indrukwekkende hek. De storm van de afgelopen twee dagen was landinwaarts getrokken en de zee flonkerde alsof hij net uit de was kwam.

Hij keek naar de vissersboten die heen en weer voeren met hun sleepnetten, zoals altijd vergezeld door zwermen zeevogels, en zijn gedachten keerden terug naar Susan. Ze was de enige die zou begrijpen wat hij moest doorstaan en tijdens hun haastige gesprek was de liefde in haar ogen hem niet ontgaan, maar mocht hij hun gevoelens aanwakkeren? Mocht hij dat haar en hemzelf aandoen, terwijl ze wisten wat daarvan vermoedelijk het gevolg zou zijn?

Hij wendde zich van het raam af, slaagde er na enige mislukte pogingen in de sleutel in het slot van het drankenkastje te steken en haalde de karaf port eruit. Als hij goed dronken werd, zou de pijn misschien verdoofd worden. Hij pakte de stapel correspondentie die hij sinds zijn aankomst had genegeerd en ging onderuitgezakt in een fauteuil zitten.

De stapel bevatte de verwachte visitekaartjes van de plaatselijke adel, die hij opzij legde zonder ernaar te kijken. Op een gegeven moment zou hij al die mensen moeten ontvangen, maar op dit moment kon hij daarover niet helder denken en interesseerden ze hem bitter weinig. Er waren een paar documenten die betrekking hadden op zijn ambt van regionaal magistraat en hij begreep eruit dat hij minstens een maand op de rechtersstoel zou moeten zitten om de achterstand in te halen.

Het hoofd van de school van Edward had hem een brief geschreven in uiterst beleefde bewoordingen die echter lieten doorschemeren dat zijn dertienjarige zoon een leugenachtige bullebak aan het worden was, en dat het niet lang zou duren voordat hij van school werd gestuurd. Hij zou daar iets aan moeten doen en dat was een taak waar hij niet bepaald naar uitkeek, want Edward was een norse, stugge jongen en Jonathan had geen idee hoe hij hem moest aanpakken.

Hij pakte de volgende brief die van goedkoop papier was met een al even goedkope zegel. Hij was in een bijna onleesbaar handschrift geschreven door de opzichter van een van de mijnen die bij het landgoed hoorden. Er zaten scheuren in de plafonds van de diepste schachten die onder de zee lagen. Jonathan nam zich voor er morgen naartoe te gaan om de schade te bekijken. De man had een ingenieur moeten laten komen; hij werd ervoor betaald dergelijke beslissingen te nemen, maar zo snugger was hij niet en naar de boeken te oordelen, leed de mijn zware verliezen.

Met een zucht van frustratie liet hij de rest van de post voor wat het was en nam hij een stevige slok van zijn port. Iedereen had hem ergens voor nodig, iedereen wilde profiteren van zijn geld, maar niemand deed zijn werk naar behoren tenzij hij hen op de vingers keek. Het was veel makkelijker om aan boord van een schip te stappen en weg te varen. Geen wonder dat hij hier bijna nooit kwam.

Toen de schemering inzette en de drank zijn werk had gedaan, viel Jonathan in slaap. Het was donker toen hij wakker werd en hij zag tot zijn verbazing dat iemand de lampen had aangestoken, zijn avondeten op de tafel bij het raam had klaargezet en de glasscherven opgeveegd. Nu de Londense bedienden waren vertrokken, had hij alleen het uitwonende personeel tot zijn beschikking, plus de kokkin en een of twee dienstmeisjes om het huis schoon te houden. Hij keek naar de koude ham, rollade en kip en wist dat hij er geen hap van zou kunnen eten. Hij hees zich uit de stoel, wachtte wankelend tot hij zijn evenwicht had gevonden en liep toen naar de deur. Hij had behoefte aan frisse lucht.

Hij liep waggelend naar de voordeur en viel buiten bijna van de trap. Alhoewel hij geen idee had waar hij naartoe ging, was hij vaag van plan Susan te zoeken. Zij zou naar hem luisteren zonder over hem te oordelen. Zij zou hem begrijpen.

Millicent Parker was moe en terneergeslagen toen ze het hek opende en aan de lange wandeling door de velden naar het bos begon. Ze had maar één dag in de maand vrij en het grootste deel daarvan ging op aan de wandeling naar huis en de ruzies met haar stiefmoeder. Zoals altijd was het veel te druk geweest in het kleine huis in Newlyn waar haar stiefmoeder zwolg in gin en zelfmedelijden.

Millicent had eerst de kleintjes verzorgd – sinds haar vader was hertrouwd was er ieder jaar een baby bijgekomen – en had daarna het avondeten klaargemaakt, de was en wat verstelwerk gedaan en geprobeerd het huis op orde te krijgen voordat haar vader thuiskwam.

Len Parker was een goed mens, een stille man die zich afbeulde in de steengroeve en een betere vrouw verdiende dan deze zuiplap, die de hele dag op haar luie kont zat en het huishoudgeld uitgaf aan gin. Hij had zijn dochter omhelsd toen ze elkaar op de stoep waren tegengekomen en hun zwijgen had meer gezegd dan ze met woorden hadden kunnen uitdrukken.

Ze was zich ervan bewust geweest dat hij haar nakeek toen ze snel de met kinderhoofdjes geplaveide straat uitliep in de richting van de glooiende heuvels en het pad naar het enige kilometers verderop gelegen Treleaven House. Hij maakte zich altijd zorgen wanneer ze die lange weg in het donker nam, maar de nacht boezemde haar geen angst in en de paden die ze volgde had ze tijdens haar vijftien levensjaren goed leren kennen. Het viel niet mee om hem zo achter te laten, maar het was een lange dag geweest en ze was moe. Toen ze zich omdraaide om naar hem te zwaaien, verlangde ze alleen nog maar naar haar smalle bed.

Haar dag was vóór zonsopgang al begonnen en morgenochtend had ze weer dienst en werd er van haar verwacht dat ze om halfzes al aan de slag ging. Ze was de jongste bediende en had tot taak de as uit de haard te scheppen en het rooster te poetsen voordat meneer beneden kwam. Daarna moest ze de grote kannen met heet water naar boven dragen, de kamerpotten legen en de bedden opmaken.

Meestal was het rustig, maar bij de zeldzame gelegenheden dat de Cadwalladers in het huis verbleven, was er voortdurend werk en soms was ze zo moe dat ze niet eens haar kleren uittrok als ze naar bed ging. Ze kreeg echter een goed loon en meer dan voldoende te eten, en wanneer mevrouw er was, bracht ze altijd andere bedienden mee om te helpen met het werk. Ze vond dan ook dat ze erg had geboft met deze baan.

Er was vanavond geen maan en de sterren zaten verscholen achter het wolkendek, terwijl er vanuit zee een kille wind woei. Ze onderdrukte een geeuw en stapte voort door de duisternis, met haar handen in haar jaszakken om ze te beschermen tegen de kou. Na de lange dag voelde ze haar voeten bijna niet meer van vermoeidheid, maar toch had ze vanbinnen een warm, opgewonden gevoel. Misschien stond John op haar te wachten!

Ze glimlachte toen ze de nog diepere duisternis van het bos betrad. John Pardoe was de leerling-tuinman van het landgoed. Ze hadden elkaar een halfjaar geleden in de moestuin leren kennen. Hij was lang, had brede schouders en een dikke bos donker haar dat voor zijn ogen viel wanneer hij zijn pet niet op had, en een aanstekelijke lach die haar aan het blozen maakte. Zijn flonkerende ogen hadden haar verteld hoe hij over haar dacht toen hij zijn arm om haar middel had geslagen en een zoen van haar had gestolen.

Millicent bloosde in het donker toen ze eraan dacht hoe heerlijk het voelde als hij zijn lippen op de hare drukte en haar dicht tegen zich aan trok. Dan verdween de rest van de wereld als het ware in het niet. Bij hem voelde ze zich veilig.

Ze schrok op uit haar aangename dromerijen toen ze het geluid van knappende twijgen en zware voetstappen in het struikgewas hoorde. Haar hartslag versnelde en ze keek verwachtingsvol om zich heen. 'John?' riep ze zachtjes. 'Ben jij dat?'

Jonathan ging via de voordeur het huis binnen en trok zijn dikke jas uit. Hij gooide hem over een stoel, trok zijn handschoenen uit en keek om zich heen. Waar was het dienstmeisje? Hij had hulp nodig om die verrekte laarzen uit te krijgen. Toen ze niet tevoorschijn kwam, pakte hij de post van de haltafel en liep ermee de bibliotheek in.

In de open haard brandde een laaiend vuur en de kamer baadde in het zonlicht. Hij slaakte een tevreden zucht toen hij in een fauteuil ging zitten en zijn benen strekte. Zonder het gevit van Emily was de stilte goud waard was en hij kon weer helder denken nu hij samen met de rentmeester de ronde over het landgoed had gedaan. Hij masseerde zachtjes zijn slapen en trok een pijnlijk gezicht. Hij kon zich niet veel herinneren van gisteravond, alleen onduidelijke beelden van duisternis, bewegende schaduwen en het vage idee dat een vrouwenstem hem had geroepen.

Hij haalde zijn schouders op, kwam overeind en trok aan het koord van de bel. Hij had vanochtend niet ontbeten en rammelde nu van de honger. Hij ging voor het vuur staan wachten tot het dienstmeisje zou komen, sloeg zijn handen ineen op zijn rug en liet zijn rug warm worden. Het was fijn om terug te zijn in Cornwall en op mooie dagen als deze wist hij de schone lucht en flonkerende zee van zijn geboortestreek goed te waarderen. Londen was een beerput van sloppenwijken en overstromende riolen, van lawaaierige straten en ratelende karrenwielen. Zelfs in het centrum van de stad ontkwam je niet aan de bedelaars en hoeren, noch aan de hopen dampende paardenpoep. Hier aan de uiterste westkust van het land kon je frisse lucht inademen en rook het nooit zo smerig als in de stad, al heerste ook hier armoede en hadden de mensen een zwaar leven.

Hij schrok op uit zijn gedachtegang door een klopje op de deur. 'Binnen,' riep hij.

Het jongste dienstmeisje kwam haastig binnen en maakte een kniebuiging.

'Jij bent Millicent, nietwaar?' vroeg hij vriendelijk. Ze was de laatste aanwinst van het huishouden.

'Ja, meneer.' Ze knikte met neergeslagen ogen.

Jonathan verzocht haar zijn lunch op te dienen, waarna ze zich haastig uit de voeten maakte. Ze scharrelde weg als een nerveuze muis. Dacht ze soms dat hij haar iets zou doen?

Hij vergat haar zodra ze de deur uit was en wijdde zich aan zijn correspondentie. Er waren een paar brieven die hij tot later bewaarde en een pakketje met gerechtelijke documenten die hij vanmiddag zou bekijken. Hij legde ze opzij en wachtte op zijn lunch.

Die arriveerde een paar minuten later, op een zwaar zilveren dienblad dat werd binnengebracht door de kokkin, die zwaar hijgde. Het was ook een hele klim vanuit de keuken naar boven. Het verbaasde Jonathan dat ze zelf was gekomen en hij schrok een beetje van haar hoogrode kleur. 'Dit is uw taak niet,' zei hij. 'Waar is Millicent?'

De kokkin zette het dienblad behoedzaam op de tafel en bette haar rode gezicht met een hoek van de hagelwitte schort die op haar robuuste boezem kraakte als een zeil dat werd uitgerold. 'Ze voelt zich niet lekker, meneer.'

Jonathan stond op het punt te zeggen dat ze er een paar minuten geleden nog volkomen gezond had uitgezien, maar zag ervan af. Hij zou de wereld van de bedienden nooit begrijpen. Hij zette alle gedachten aan het huiselijke drama dat zich blijkbaar beneden had afgespeeld van zich af en begon met smaak te eten van de ragout met groenten. De kokkin had zichzelf weer overtroffen en de appeltaart die ze vanochtend had gebakken, was heerlijk en ging vergezeld van een kom dikke, gele room van het soort dat hij in Londen nooit kon krijgen.

Toen hij verzadigd was ging hij met een kop sterke koffie weer in de stoel bij de haard zitten om verder te gaan met de post. Enige tijd later was hij aan de laatste brief toe. Hij herkende het zegel niet, maar toen hij het verbrak en de brief las, werden zijn ogen groot. Susan wilde dat hij morgenochtend naar de grot zou komen.

Hij staarde naar het vuur, zag de vlammen aan de houtblokken likken. Het was alsof ze zijn gedachten had gelezen, alsof ze had geweten dat hij haar nodig had. Mocht hij het risico nemen en op de uitnodiging ingaan, in de wetenschap waartoe het zou kunnen leiden? Hij wilde haar onder geen voorwaarde verdriet doen.

Hij staarde uit het raam, zo diep in gedachten dat hij de glinstering van de zee niet zag, Toen glimlachte hij. Natuurlijk zou hij naar haar toegaan. Het kon geen kwaad – voor één keer.

Uluru, Australië, mei 1786

De lange tocht naar het zuiden was moeilijker geweest dan anders, omdat de rivieren buiten hun oevers waren getreden en de grond daardoor erg modderig was geworden. Ze hadden steeds hun toevlucht gezocht tot eenvoudige hutten van takken en bladeren, maar Anabarru en haar stam moesten voortdurend waakzaam zijn, dag en nacht, want overal zaten krokodillen.

Nu stond ze achter Watpipa, met haar vier jongste kinderen dicht bij haar en bekeken ze samen het terrein dat de heilige Uluru omgaf. Het was opgehouden met regenen en de rode woestijn was bedekt met een kleed van kleurige bloemen rond bloeiende bomen. Ze bleven er nog een poosje in stille bewondering naar kijken en liepen toen door, naar de kampvuren waaruit rookpluimen opstegen in de stille lucht. Morgen zou de grote *corroboree* beginnen.

Watpipa was nu de hoofdoudste en nadat ze een plek voor hun kamp hadden gekozen, vertrok hij met de andere mannen om eer te bewijzen aan de bewakers van Uluru. Anabarru keek trots naar hun zoon toen die zich bij de groep voegde. Hij was nu een man, volledig geïnitieerd, en op de laatste dag van de bijeenkomst zou hij in het huwelijk treden met de dochter van haar nicht Lowitja. Hij was in alle opzichten een afstammeling van Djanay: hij bezat nu al een wijsheid die zijn zestien jaar ver te boven ging en werd beschouwd als de rechtmatige erfgenaam van de positie die zijn vader binnen de stam bekleedde.

'Welkom, Anabarru.'

Ze glimlachte en omhelsde haar geliefde nicht. 'Lowitja, het is lang geleden.' Ze wisselden geschenken uit, figuurtjes van klei en kettingen van schelpen, terwijl ze tegen elkaar opschepten over hun kinderen en kleinkinderen.

'Het is goed dat de afstammelingen van Djanay en Garnday tijdens zo'n belangrijke *corroboree* bij elkaar komen,' zei Lowitja toen ze op de grond waren gaan zitten. 'De geest van Garnday is altijd bij me en vertelt me via de stenen dat op het huwelijk van mijn dochter met jouw zoon hun zegen rust. Ze zullen blijk geven van grote wijsheid in de moeilijke tijden die ons te wachten staan.'

Haar amberkleurige ogen bekeken de fronsende Anabarru. 'Tijdens de kampvuurbijeenkomst van de vrouwen zullen we spreken over de spookmannen die naar ons heilige land zijn gekomen, want die zullen terugkomen.'

Anabarru werd onrustig van wat haar nicht zei over moeilijke tijden, maar toen ze aan de man dacht die jaren geleden zo veel indruk had gemaakt op Watpipa, glimlachte ze weer. 'Het is goed,' zei ze zachtjes.

Lowitja greep haar arm en keek haar met een ernstig gezicht aan. 'Ze zullen de dood brengen, Anabarru,' waarschuwde ze. 'Garnday heeft het me verteld.'

Anabarru huiverde. Lowitja had bepaalde gaven gekregen van de geesten van haar voorouders en stond bij alle stammen bekend om haar vermogen de toekomst te kunnen voorspellen. 'Maar we hebben hen ontmoet, met hen gepraat, samen gejaagd en vlees gegeten,' stamelde ze. 'Hun huid is bleek en hun manieren zijn vreemd, maar het zijn net zulke mannen als de onze.'

'Ze zullen in groten getale komen en zich over het hele land verspreiden,' zei Lowitja. Ze pakte een handvol van de rode aarde, gooide het op in de lichte bries en keek ernaar toen het uiteengeblazen werd. 'Zoals het stof door de wind wordt verspreid, zo zullen zij doordringen tot alle hoeken van onze heilige gronden en ons vernietigen.'

Anabarru beet op haar lip. De woorden van Lowitja joegen haar angst aan, maar ze kon ze niet in overeenstemming brengen met haar eigen ervaringen met de witte mannen.

Weer keek Lowitja haar nicht indringend aan. 'We moeten de geesten verzoeken ons te helpen ze weg te jagen. Hun komst zal een einde maken aan de spiritualiteit van ons volk en alhoewel deze bijeenkomst niet de laatste zal zijn, zullen we nooit meer met zo velen zijn.'

Anabarru keek naar de krioelende massa die bijna tot aan de horizon reikte. Uit alle hoeken van het land waren stammen gekomen, zoals ze hadden gedaan sinds de vooroudergeesten de aarde hadden bewandeld. Lowitja had het mis; ze moest de stenen verkeerd hebben geïnterpreteerd. Maar toen Anabarru haar nicht weer aankeek, deden onaangename voorgevoelens haar huiveren. In de ogen van Lowitja zag ze de dreigende schimmen van de dingen die gingen komen; dingen die haar eenvoudige verbeeldingskracht ver te boven gingen.

Mousehole, mei 1786

Susan dacht dat ze nooit zouden vertrekken en gedroeg zich van puur ongeduld een beetje kribbig. Ze was blij dat Ernest op de boerderij was en George op school, anders zou het allemaal nog veel moeilijker zijn. Ezra had er een eeuwigheid over gedaan om na het ontbijt zijn boeken bij elkaar te zoeken, Florence kon haar bladmuziek nergens vinden en Emma had per se een brief aan Algernon willen schrijven, zodat die vanochtend nog met de postkoets mee kon naar Londen. Haar romance met de jonge luitenant was begonnen op haar verjaardagsfeest en de brieven die ze van hem ontving, bond ze met een lintje bij elkaar en verstopte ze zorgvuldig voor de nieuwsgierige ogen van haar zus en broers.

De dag was helder en zonnig begonnen, maar toen Susan Ezra en Emma nakeek over het pad naar de school, zag ze dat er vanuit zee dikke wolken kwamen opzetten. 'Zo te zien krijgen we weer regen,' zei ze tegen Florence, die eindelijk haar bladmuziek had gevonden en zich gereedmaakte om te vertrekken. 'Neem een jas mee en schiet een beetje op.'

Florence keek haar aan. 'Wilt u me weg hebben?' vroeg ze.

Susan kreeg de zenuwen van de indringende blik van haar dochter en begon de kruimels van de tafel te vegen en de servetjes bij elkaar te pakken. 'Natuurlijk niet,' antwoordde ze, 'maar als je niet opschiet, kom je te laat.'

'Ik kom nooit te laat,' zei Florence effen. Ze strikte de banden van haar hoed en trok haar jas aan. 'U ziet eruit alsof u haast hebt om ergens naartoe te gaan.'

Susan begreep dat haar emoties haar dreigden te verraden, want aan de scherpe ogen van haar dochter ontging weinig. Ze haalde diep adem en deed haar best een bedaarde indruk te maken. 'Het komt door het weer,' zei ze met een glimlach. 'Ik word altijd nerveus van regen en ik voel weer zo'n nare hoofdpijn opkomen.'

Florence' houding verzachtte meteen. 'Zal ik een poeder voor u halen voordat ik ga?'

Susan werd verteerd door schuldgevoelens en kon haar dochter niet in de ogen kijken. Ze ging zitten. 'Nee, dank je. Ik neem wel een kopje thee en ga een poosje liggen, dan gaat het wel over.' Ze glimlachte nogmaals toen ze naar haar dochter keek, maar haatte zichzelf om haar leugenachtigheid.

Florence schonk de thee voor haar in, pakte haar spullen en verliet het huis. Ze was geen aanhankelijk kind, en dus kuste ze haar moeder niet voordat ze vertrok.

Susans hart ging als een bezetene tekeer toen ze aan tafel bleef zitten en het meisje nakeek. Ze was niet trots op haar plannen, maar de behoefte om hem te zien was allesoverheersend en ze was zo ongeduldig dat ze niets anders voelde dan haar bonkende hart. Jonathan zou komen – dat wist ze net zo zeker als wanneer hij haar brief zou hebben beantwoord – want ze had gehoord dat Emily was teruggekeerd naar Londen.

Toch was haar opwinding doorweven met angst en smeekte haar gezonde verstand om voorzichtigheid. Ze weigerde daaraan toe te geven. Wat haar man en kinderen niet wisten, kon hun niet deren, en ze zou ervoor zorgen dat dit geheim bleef. Ze liep de trap op om zich gereed te maken. De zachte wollen jurk en dikke cape waren perfect.

De zon scheen fel tussen de voortijlende wolken toen ze kordaat over de klippen liep en de schoorstenen van Wheel Dragon passeerde. De zoute wind prikte in haar gezicht en rukte aan haar cape en hoed. Ze voelde zich zo jeugdig en roekeloos dat ze steeds sneller ging lopen en op het laatst haar armen spreidde en met een kreet van blijdschap de steile heuvel af holde. Het was alsof ze weer een meisje was, een jonge vissermansdochter die niets te maken had met de verstikkende wereld van etiquette en goede manieren waarin ze zich nu bevond. Ze was vergeten hoe heerlijk het was om vrij te zijn.

Ze zwoegde de volgende heuvel op en bleef boven staan om op adem te komen. Het dorp lag ver achter haar en ze kon nog net de kustlijn van Newlyn in de verte zien. Het strand in de diepte was verlaten en op het water zag ze maar één vissersboot die met bollende zeilen koers zette naar de haven. Ze was er bijna.

Het pad dat ze hadden gebruikt toen ze kinderen waren, was nauwelijks zichtbaar, en toen ze zich een weg zocht tussen doornstruiken en knoestige, verwrongen bomen die tegen de wand van de klip groeiden, leek het pad steiler dan ze zich herinnerde. Ze gleed steeds uit en één angstaanjagend ogenblik dacht ze dat ze zou vallen, maar met pure wilskracht wist ze zich overeind te houden en even later stond ze op het kiezelstrand. Ze was duidelijk niet meer zo lenig en overmoedig als vroeger. Ooit had ze dat pad genomen met een bijna uitdagend zelfvertrouwen dat haar niets kon overkomen.

Ze wachtte tot haar hartslag was bedaard, zette haar hoed recht, trok haar cape om zich heen, leunde tegen de wind in en begon met knerpende passen over het grind te lopen. Het was laag tij en er was een brede strook nat, geel zand zichtbaar. Waadvogels stapten zoekend door de getijdepoelen, kreeften scharrelden over het strand en het zeewier gaf aan waar de vloedlijn was.

Zeemeeuwen krijsten terwijl ze over het water scheerden, door de lucht cirkelden en met elkaar vochten om een dode vis op het zand. Susan trok de cape nog strakker om zich heen. Het was erg koud voor mei en de windvlagen waren zo sterk dat ze af en toe moeite had overeind te blijven. De donkere klip torende boven haar uit en op de plekken waar hij was verbrokkeld, staken grote rotsblokken boven het grind uit als stapstenen van een reus om de zee te bereiken.

Ze tilde haar rokken op toen ze ertussendoor liep, maar toen ze bij de laatste was, bleef ze opeens aarzelend staan, zich scherp bewust van het risico dat ze op het punt stond te nemen. Ze sloot haar ogen toen kwellende vragen door haar hoofd schoten. Waar was ze in godsnaam mee bezig? Was ze echt bereid alles in de waagschaal te stellen voor een paar ogenblikken met Jonathan? Stel dat iemand haar zag? Stel dat Ezra al vermoedde dat ze iets in haar schild voerde? Hij had haar vanochtend bevreemd aangekeken toen ze hem het huis uit had gejaagd.

En de kinderen? Waren haar leugens goed genoeg geweest om hen om de tuin te leiden? Kon ze op deze voet voortgaan als alles vandaag goed ging? Ze bleef staan, wankelend in de wind, worstelend met haar geweten. Misschien kwam Jonathan helemaal niet opdagen. Ergens zou ze opgelucht zijn als dat zo was, want ze gedroeg zich als een dwaas. Ze kon beter teruggaan voordat het te laat was. Hem achterlaten in het verleden, waar hij thuishoorde.

'Ik dacht niet dat je zou komen.'

Haar ogen vlogen open. Daar stond hij, nog geen twee meter bij haar vandaan. Hij stak haar zijn handen toe om haar met de laatste stappen te helpen. Haar hart ging als een razende tekeer en haar mond werd droog. Zonder verder nog na te denken pakte ze zijn hand en toen hij haar in zijn armen sloot, wist ze dat ze alles op het spel zou zetten om bij hem te zijn.

12

Mousehole, september 1786

De zomer was net zo nat geëindigd als hij was begonnen en nu was het half september. Ezra's knecht Higgins had enige tijd geleden in de buurt van Londen een baan gevonden waar hij zijn diensten beter tot ontplooiing kon brengen, en mevrouw Pascoe had zo'n zware kou dat Susan haar naar huis had gestuurd. In haar eentje dekte Susan de tafel voor het avondmaal.

Het schemerde al en ze had het vuur opgestookt en de fluwelen gordijnen dichtgetrokken om de winderige avond buiten te sluiten. De eetkamer zag er gezellig uit in het kaarslicht en ze neuriede terwijl ze heen en weer liep en aan Jonathan dacht. Nu de winter voor de deur stond, was er een einde gekomen aan hun geheime ontmoetingen. Binnenkort keerde hij terug naar Londen en zou ze moeten wachten tot hij in de lente weer terugkwam.

De zomerregens hadden hun niet gestoord, integendeel, ze waren goed van pas gekomen omdat ze wandelaars hadden weggehouden. Het vrijen met Jonathan had haar een energie gegeven waarvan ze was vergeten dat die bestond en een vreugde die ze niet eerder had gekend. Zijn strelingen hadden haar tot leven gewekt en ze had zich gewillig aan hem gegeven toen zijn kussen een hartstocht in haar opwekten waarvan ze bijna losbandig werd. Ze hunkerde voortdurend naar zijn aanraking, naar hoe het voelde wanneer hun naakte lichamen over elkaar heen gleden als ze de liefde bedreven in de donkere baarmoeder van de grot.

Ze bleef achter een van de beklede stoelen staan, legde haar handen op de gebeeldhouwde rugleuning en voelde haar huid tintelen bij deze herinneringen. De grot was een magische spelonk geworden met kaarsen en dekens die Jonathan na die eerste dag had meegebracht. Ze hadden er genoten van wijn, fruit en cake, terwijl ze onder de dekens lagen en naar de zee keken alvorens nogmaals de liefde te bedrijven. Ze glimlachte wrang toen ze aan het lijfje van haar japon trok. Door al die cake begon haar korset te knellen.

'Wanneer gaan we eten? Ik val om van de honger.'

De vraag van George deed haar opschrikken uit haar dagdromen. Ze woelde door zijn stugge, bruine haar. 'Zodra je vader terug is uit Truro,' zei ze.

George trok een lelijk gezicht, want hij had er een hekel aan als iemand door zijn haar woelde. 'Wat doet hij in Truro?' vroeg hij terwijl hij op een stoel neerplofte en verveeld kop-en-schotelschemerlamp begon te spelen met een draadje wol.

Susan keek naar hem en zuchtte. In zijn knickerbocker zat een winkelhaak, zijn schoenen waren smerig en zijn zakken bolden verdacht. 'Ik heb geen idee,' zei ze. Ze stak haar hand in zijn zak en haalde er met een vies gezicht een stinkend smerige zakdoek, wat schelpen en stukjes bot, kiezelsteentjes en een half afgekloven appel uit. 'George...' zei ze verwijtend, 'kun je niet wat beter op je spullen passen? Dit jasje is pas nieuw!'

George grinnikte en haalde uit zijn andere jaszak een dode kikker. 'Die ga ik opensnijden om te zien hoe hij er vanbinnen uitziet,' zei hij verlekkerd.

Susan rilde en stuurde hem de kamer uit. Een onderzoekende geest was niet slecht, maar George ging soms te ver, ook al leefden ze in een tijd van ontdekkingstochten en uitvindingen. 'Was je handen voordat we aan tafel gaan!' riep ze hem na.

Ze hoorde hem de trap op denderen en toen sloeg een deur dicht. Ze sloot haar ogen. De realiteit was dubbel zo zwaar te verdragen wanneer Jonathan in Londen was en ze vroeg zich af hoe ze de winter zonder hem moest doorkomen.

Ezra kwam thuis toen ze net begon te vrezen dat de hele maaltijd verpieterd was. Ze hielp hem snel uit zijn natte jas en hoed en liep achter hem aan naar de eetkamer, waar zelfs Ernest tekenen van ongeduld begon te vertonen. 'Waarom ben je zo laat thuis?' vroeg ze, nadat ze hadden gebeden en hij de lamsbout aansneed.

'Ik had veel dingen te bespreken,' antwoordde hij vaag. 'Ik heb niet op de tijd gelet.'

Susan schepte de groente op de borden en deelde ze rond. 'Ik wist niet dat de school zo veel van je tijd vergde. Je hebt maar tien leerlingen.'

'Het gaat niet alleen om de school,' antwoordde hij, 'maar ook om andere dingen, plannen die uitgewerkt moeten worden.'

Ze bekeek hem onderzoekend. Hij deed opzettelijk vaag. Wat had hij in Truro uitgevoerd? 'Dat klinkt geheimzinnig,' zei ze, op een luchtige toon die haar ergernis moest maskeren. 'Mag ik weten waar het om gaat of is het zo erg dat je het liever voor je houdt?'

Ezra begon te eten. 'Helemaal niet,' antwoordde hij, met zijn ogen op zijn bord gericht, 'en je zult het allemaal heus wel te horen krijgen. Haal je vooral geen rare dingen in je hoofd, lieve. Dat is niet goed.'

Susan kneep haar lippen op elkaar toen ze hem bekeek. Ezra irriteerde haar, zoals wel vaker de laatste tijd. Toen ze haar blik van hem afwendde, zag ze dat Florence naar haar zat te kijken en voelde ze een steek van onbehagen. Ze begon te eten, maar het voedsel smaakte opeens nergens meer naar. Jonathan en zij waren de afgelopen vier maanden heel voorzichtig geweest en ze was er zeker van dat niemand hun geheim had ontdekt, dat ze goed genoeg had gelogen om de sporen te verdoezelen en mogelijke achterdocht te ontzenuwen, maar er heerste vanavond een vreemde sfeer in huis en dat voorspelde weinig goeds.

De maaltijd sleepte zich voort. De luidruchtige praatjes van George overstemden de zachte stemmen van Emma en Florence. Susan kon geen hap door haar keel krijgen. Ze merkte dat haar man weinig zei en dat de spanning bleef stijgen, ondanks het luchtige gebabbel van haar jongste zoon. Ze verlangde naar het einde van de maaltijd zodat ze naar haar naaikamer kon gaan om daar in alle rust te dromen over de dag dat Jonathan zou terugkomen.

'Ik heb vandaag iets interessants gehoord,' zei Florence toen er een stilte viel. Ze wachtte tot ze er zeker van was dat iedereen naar haar luisterde. 'Ik kwam Katy Webster toevallig tegen in het dorp.' Toen ze zag dat de naam niemand iets zei, gaf ze snel uitleg: 'Katy werkt in de keuken van Treleaven House en is een goudmijn aan roddelpraat over wat daarginds zoal gebeurt.'

Susan hield haar handen op haar schoot en keek uitdrukkingsloos voor zich uit, al dreigden haar gedachten met haar op de loop te gaan.

'Je zou niet naar roddelpraat moeten luisteren,' zei Ezra en hij legde zijn servet op de tafel. 'Roddelpraat is duivelspraat.'

'Het is niet zo duivels als wat Millicent Parker is overkomen,' antwoordde Florence spits. 'Katy zei dat ze op staande voet is ontslagen. Binnen een uur stond ze met haar spullen op straat.'

'Zulke dingen gebeuren,' zei Ezra. 'Ze zal wel op stelen zijn betrapt.'

'Nee, ze is zwanger,' zei Florence triomfantelijk. 'Ze werd hysterisch toen de kokkin haar geheim ontdekte. Ze liep te gillen en schreeuwen en zei dat de graaf het had gedaan.'

Susan voelde het bloed uit haar gezicht wegtrekken. Ze was niet in staat helder te denken. 'Dat liegt ze,' stootte ze uit. 'De graaf zou zich nooit zo verlagen.'

Florence schudde haar hoofd. 'Katy zei dat ze zo'n herrie maakte dat de graaf het hoorde en naar de keuken kwam. Met een gezicht als een donderwolk heeft hij haar toen bij haar arm gepakt en de trap op gesleept naar de bibliotheek.'

Susan was het liefst de kamer uit gevlucht, maar bleef als bevroren op haar stoel zitten. Ze kon niet van haar dochter wegkijken en haar niet tot zwijgen brengen. Haar woorden dreunden in haar hoofd als hamerslagen.

'Katy is stiekem de trap op geslopen en heeft aan de deur geluisterd, maar ze hoorde alleen dat Millie stond te huilen en dat meneer een heel boze stem tegen haar opzette. Een poosje later kwam Millie de keuken in met haar tas, en toen de kokkin niet keek, heeft Millie aan Katy het geld laten zien dat de graaf haar had gegeven.' Ze haalde diep adem. 'Ze had twee guinjes in haar portemonnee. Zeg nou zelf, als hij het niet heeft gedaan, zou hij haar toch niets gegeven hebben?'

Susan zat als een konijn gevangen in de lichtbundel van haar dochters onschuldige ogen. Uiteindelijk slaagde ze erin haar blik los te maken van die van Florence en keek ze naar haar man, maar diens gezicht stond ondoorgrondelijk en hij hield zijn ogen gericht op het glas port dat hij had ingeschonken.

Susan voelde zich onpasselijk worden. Haar hele wereld stortte in, de waas van geluk waarin ze de hele zomer had rondgelopen, was ruw uiteengerukt en onthulde dat haar romance niets anders was geweest dan een ordinaire affaire. Ze had Jonathan onvoorwaardelijk geloofd toen hij zei dat hij van haar hield. Ze had gedacht dat hij aan haar genoeg had nu hij zijn oude liefde terug had. Maar blijkbaar had hij al die tijd ook met een dienstmeisje in bed gelegen. Hoe had ze zo dom kunnen zijn om zo veel op het spel te zetten voor een man?

'En wat dan nog? Daar hebben wij toch niks mee te maken?' zei Emma met een verwarde uitdrukking op haar gezicht. 'Je weet helemaal niet of je Katy kunt geloven en je zou geen roddelpraatjes moeten verspreiden, Florence. Dat leidt alleen maar tot moeilijkheden.'

George zat op zijn stoel te draaien en Ernest keek benepen. Ze waren er niet aan gewend dat tijdens het avondeten dergelijke onderwerpen aan bod kwamen.

'Het arme kind,' zei Ezra en hij zette zijn glas op de tafel. 'Hoe het ook zit, laten we bidden dat haar ouders haar weer in hun midden zullen verwelkomen.' Nu keek hij op en zijn ogen stonden erg bedroefd toen hij naar zijn vrouw keek. 'Er gaat niets boven eendracht in het gezin, vind je ook niet, lieve?'

Susan knikte alleen maar. Haar keel was verkrampt en ze kon amper ademhalen. *Hij weet het.* De woorden dreunden in haar hoofd zonder dat ze ze tot stilte kon brengen.

Ezra liet niet merken of hij zag hoe benauwd ze het had. Hij draaide zijn glas in het rond en keek de kinderen een voor een aan. 'Florence is niet de enige die een nieuwtje heeft,' zei hij. 'Al is mijn nieuws geen roddelpraat, maar een vaststaand feit.' Nu keek hij weer naar Susan. Zijn gezicht was asgrauw en in zijn ogen lag een gekwelde blik. 'Je vroeg wat ik in Truro had gedaan,' begon hij. 'Ik vind dat het tijd is je dat te vertellen.'

Susan slikte en voelde de kille vingers van naderend onheil over haar ruggengraat glijden. Ze wist dat haar ogen groot waren van angst en dat ze net zo bleek zag als haar man. Ze kromp ineen toen in de haard een houtblok wegzakte en een wolk van vonken opsteeg naar de schoorsteen. Haar zenuwen waren tot het uiterste gespannen. Wat zou er vanavond allemaal onthuld worden?

'Ik heb vraaggesprekken gevoerd met sollicitanten die mijn taak van schoolhoofd willen overnemen,' zei hij in de stilte, 'en mijn keus is gevallen op een vriendelijke weduwe.' Hij hief zijn hand op toen Emma iets te berde wilde brengen. 'Verder ben ik met het kerkbestuur overeengekomen mijn ambtstermijn hier te beëindigen en dit huis over te doen aan mijn opvolger.'

De kinderen begonnen te protesteren, maar werden tot zwijgen gebracht door de ongewoon strenge uitdrukking op het gezicht van hun vader. Susan staarde hem aan. 'Waarom?' fluisterde ze.

'Omdat we gaan verhuizen,' antwoordde hij. Hij richtte zich weer tot de kinderen, die in opperste verwarring naar hem keken. 'Ik heb de afgelopen tijd intensief gecorrespondeerd met oom Gilbert en vanochtend is me bekend geworden dat niemand minder dan Arthur Phillip graag wil dat ik hem en dominee Richard Johnson vergezel naar Australië.'

Florence trok wit weg, Emma barstte in tranen uit, Ernest staarde zijn vader met open mond aan en George begon joelend om de tafel heen te rennen. Susan voelde zich als verdoofd. Hij deed dit om haar te straffen; hij strafte het hele gezin voor haar zonden. Opeens werd ze bevangen door woede. Ze stond op, schoof haar stoel naar achteren en sloeg met haar vuist op de tafel. 'Nee!' riep ze. 'Nee, nee, nee!'

Ezra keek haar onverstoorbaar aan. 'Het is te laat,' zei hij bedaard. 'Alles is al geregeld.'

'Het is een idioot plan!' riep ze. 'En ik doe er niet aan mee. Sterker nog, ik zal me er met hand en tand tegen verzetten, want ik weiger de veiligheid van onze kinderen op het spel te zetten in een land vol inboorlingen en veroordeelde gevangenen.' Ze hijgde zwaar en door de druk van haar te strakke korset begon ze een beetje duizelig te worden.

'Je bent mijn echtgenote en je hebt tegenover God beloofd dat je me zult eerbiedigen en gehoorzamen,' bracht hij haar in herinnering. 'Je hebt voor het altaar beloofd dat je me zult bijstaan en me trouw zult blijven tot de dood ons scheidt.' Zijn oogleden trilden en ze voelde een blos van schaamte opstijgen naar haar gezicht, maar zijn stem klonk ferm toen hij doorging: 'Of je het leuk vindt of niet, Susan, we vertrekken eind april aan boord van een van de schepen van de Eerste Vloot.'

'We moeten hierover praten, Ezra,' zei ze terwijl ze haar best deed kalm te blijven.

Hij keek haar een poosje aan en knikte toen. 'Ga naar jullie kamers,' zei hij tegen de kinderen. Zijn strakke toon smoorde hun protesten in de kiem. Vol verwarring en angst om de ontwikkelingen dromden ze de eetkamer uit.

'Waarom doe je dit?' vroeg Susan op een ferme toon. Ze wilde eerst nagaan wat zijn beweegredenen waren en hoeveel hij wist.

'Dat weet je best,' zei hij terwijl hij nog een glas port inschonk. Zijn donkere ogen stonden erg bedroefd.

'Hoe kan ik dat weten als je zulke belangrijke beslissingen niet eens met me bespreekt alvorens ze plompverloren aan te kondigen tijdens het avondeten?' Ze was boos, maar ook bang.

'Hoe kan ik iets met je bespreken als je nooit thuis bent?' zei hij. 'Je brengt zo veel tijd door met Cadwallader dat het me verbaast dat je nog weet dat we bestaan.'

Zijn gezicht was nog bleker dan daarnet en uit zijn donkere ogen sprak zo veel verdriet dat ze niet naar hem kon kijken. 'Je hebt het dus al die tijd geweten?' fluisterde ze.

'Vanaf de dag van Emma's verjaardagsfeest. Ik zag je gezicht toen hij arriveerde. Ik wist toen al dat ik je zou verliezen.'

'Je verbeelding is met je op de loop gegaan.'

'Mijn verbeelding heeft er niets mee te maken, Susan,' zei hij fel en hij balde zijn vuisten op de tafel. 'Ik ben je gevolgd toen je die eerste keer naar de grot ging en zat boven op de klip toen je hem daar ontmoette.' Zijn zucht was het enige geluid in de kamer. 'Daarna ben ik iedere keer dat je het huis verliet, achter je aan gegaan.'

Ze was perplex. 'Waarom heb je er niets aan gedaan, als je er zo over in zat?' Ze haalde moeizaam adem en ze wist niet wat ze ervan moest denken. 'Wat voor echtgenoot ben je, als je je vrouw toestaat zich zo te gedragen zonder er iets van te zeggen?'

'Ik hoopte dat het vanzelf zou overgaan, dat je tot bezinning zou komen.' Hij gromde van walging. 'Ik was bang je kwijt te raken en hoopte tegen beter weten in dat je bij me terug zou komen zodra je over je bevlieging heen was.' Uit zijn ogen sprak nu niets dan minachting. 'Maar je hebt geen moment aan mij gedacht, noch aan de beloften die we elkaar voor het altaar hebben gedaan, toen je de hele zomer lekker je gang ging.'

'Dat is niet waar,' gooide ze eruit. 'Ik heb wel degelijk aan jou gedacht, en aan de kinderen. Ik wist dat het niet goed was, maar ik kon er niets aan doen.'

'Je kon er wél iets aan doen!' Zijn vuist kwam zo hard op de tafel neer dat het serviesgoed ervan rinkelde. 'Je bent mijn vrouw! De moeder van mijn kinderen! Heb je enig idee hoeveel schade je hebt aangericht?'

Ze kromp ineen toen hij zijn stoel met een ruk achteruitschoof en naar de haard liep. Ze had hem nog nooit zijn stem horen verheffen, hem nog nooit zijn zelfbeheersing zien verliezen en werd er een beetje bang van. 'De kinderen weten nergens van,' zei ze. 'Alleen jouw waardigheid heeft eronder te lijden.' Ze wist dat dit een goedkoop excuus was en was er niet trots op. Ze knipperde haar tranen weg, sloeg haar armen over elkaar en keerde hem de rug toe.

'En mijn waardigheid is niet belangrijk?' Hij klonk opeens niet boos meer en toen ze zich weer naar hem omdraaide, zag ze dat hij er met afhangende schouders en gebogen hoofd bij stond.

'Natuurlijk wel, en dat weet je best,' zei ze met pijn in haar hart om zijn verdriet. 'O Ezra, het spijt me zo.' Ze liep naar hem toe en legde troostend haar hand op zijn schouder. 'Ik heb me als een dwaas gedragen. Een blinde, domme dwaas, die dacht dat ze een jeugdliefde zomaar kon herleven. Ik weet nu dat Jonathan Cadwallader niet de man is die ik dacht dat hij was, en dat ik mijn huwelijk, dat veel belangrijker is, nodeloos op het spel heb gezet. Straf me zoals je goeddunkt, maar straf de kinderen niet. Zij hebben niets misdaan.'

Hij schudde haar hand van zich af en keerde haar de rug toe. 'Je begrijpt het niet.' Zijn stem klonk omfloerst van ingehouden tranen. 'Als we naar Australië gaan kunnen we ons gezin intact houden, ver van Cadwallader en alles wat hij vertegenwoordigt.' Hij staarde in het vuur. 'Ik kan je nu niet meer vertrouwen, Susan. Als we hier blijven, zul je steeds weer in verleiding worden gebracht.'

Ze stak haar hand weer naar hem uit, maar een bijna onmerkbare, afwerende beweging maakte haar duidelijk dat dit niet het juiste moment was. 'Ik zal bewijzen dat je me kunt vertrouwen,' zei ze. 'Ik zal je nooit meer bedriegen.'

'Dat kun je makkelijk zeggen, Susan,' zei hij, 'maar vertrouwen moet je verdienen.'

'Dan zal ik het verdienen,' zei ze. 'Maar laat die akelige plannen om met ons naar een strafkolonie te reizen, alsjeblieft varen. We kunnen een nieuw begin maken, hier, in ons eigen huis, waar de kinderen veilig zijn.'

'Alles is al geregeld. We vertrekken in de lente.' Zijn gezicht stond strak van verdriet en vermoeidheid. 'Ik zal van nu af aan in mijn studeerkamer slapen,' zei hij. 'Misschien krijg je daardoor voldoende tijd en ruimte om te beseffen wat je met je bedrog allemaal hebt aangericht.'

Susan liep achter hem aan de trap op maar hij negeerde haar smeekbeden om vergiffenis en deed de deur van zijn studeerkamer achter zich dicht en op slot. Ze bleef nog heel lang voor de deur staan en liep uiteindelijk naar hun slaapkamer. In het donker ging ze ineengedoken op de vensterbank zitten en gaf haar tranen van schaamte en verdriet de vrije loop.

Ze zag de maan tevoorschijn komen vanachter de wolken en rilde om het kille, onpersoonlijke licht dat hij uitstraalde. Ze walgde zo van zichzelf dat gal opsteeg naar haar keel toen ze eraan dacht hoe ze zich de hele zomer had gedragen. Ze had niet één keer de liefde bedreven met Ezra. Ze had gedaan alsof ze al sliep of had gewacht tot ze hem hoorde snurken voordat ze naar bed was gegaan. Jonathan had haar behekst, haar gedachten zodanig beheerst dat ze zich niet eens meer had bekommerd om de behoeften van haar echtgenoot.

Achteraf bezien wist ze dat ze het verdriet in Ezra's ogen, de onuitgesproken vragen op zijn lippen en de diepe droefenis in zijn houding wel had gezien, maar had verkozen die te negeren. Hij had het al die tijd geweten en had in stilte geleden omdat hij niets had kunnen of willen zeggen, uit angst haar te verliezen. In de kilte van de maanverlichte nacht begreep ze pas ten volle hoe diep ze hem had gekwetst.

Ze klemde haar armen om haar knieën en liet haar tranen over haar wangen stromen. Haar affaire was bijna het einde geworden van een man die alleen maar schuldig was aan liefde voor haar. 'O, Ezra,' fluisterde ze. 'Hoe heb ik je dit kunnen aandoen?'

De eenzame nacht sleepte zich voort en langzaam maar zeker drong het tot haar door dat ze hier weg moest. Ze zou de kille houding van Ezra niet kunnen verdragen en de dingen die ze vanavond hadden gezegd, niet kunnen vergeten. Ze hadden allebei tijd nodig om te helen en dat kon alleen als ze Cornwall verliet. Ze beet op haar lip terwijl ze piekerde over waar ze naartoe zou kunnen gaan.

De maan begon te verflauwen en boven de horizon werd de lucht lichter toen ze van de vensterbank afstapte en naar haar schrijfbureau liep. Ann woonde in Bath en Gilbert was elders bezig met de voorbereidingen voor de Eerste Vloot. Een ideaal tijdstip om bij haar te gaan logeren. Het zou volkomen normaal lijken dat ze haar schoonzus wilde zien en zelfs Ezra zou niets op haar redenering kunnen aanmerken. Ze pakte de ganzenveer en schreef een lange brief aan de enige vriendin die ze volledig vertrouwde.

Het gevangenisschip Dunkirk, *maart 1787*

Toen de zon meer kracht kreeg, werd de stank in het ruim van het gevangenisschip onmiddellijk nog erger en vermenigvuldigden de vliegen zich in een razendsnel tempo. Billy wachtte ongeduldig tot het licht werd en hij het bedompte ruim kon verruilen voor de frisse lucht in de haven. Het wilde nogal wat zeggen, peinsde hij, als een man liever twaalf uur slavenarbeid verrichtte dan dat hij de hele dag op een rieten mat lag te niksen, maar buiten had hij tenminste tijdelijk geen last van de luizen en het gekreun van de zieken, bleef zijn lichaam sterk en had hij iets om naar te kijken. Wat had je eraan om over je leven na te denken wanneer deportatie het enige was wat er voor je in het vooruitzicht lag?

Het was nog donker in het diepe ruim van het half vergane schip, maar hij was klaarwakker en wachtte ongeduldig tot het eerste daglicht door de kieren in de wanden naar binnen zou dringen. De pier was klaar en nu moesten de gevangenen die nog gezond genoeg waren een weg aanleggen tussen de tolweg en de haven.

Hij bewoog zijn armen en voelde spieren op plaatsen die tot voor kort vel over been waren geweest. Sinds het bezoek van de veldmaarschalk kreeg hij grotere rantsoenen en af en toe schone kleren en werd hij niet meer door Mullins afgeranseld. Het was fijn om vrienden in hogere kringen te hebben, maar hij schepte er niet over op. Het leven hier bleef evengoed zwaar en als de anderen doorkregen dat hij voorrechten genoot, zou hij wel eens een mes in zijn rug kunnen krijgen.

In de duisternis luisterde hij naar Stans rochelende ademhaling. Hij had een deel van zijn geld gebruikt om beter voedsel voor hem te kopen, maar hij wist dat zijn Norfolkse vriend niet lang meer te leven had. Hij herkende de tekenen want de dood kwam regelmatig op bezoek in het gevangenisschip. Wat er dan van zijn vrouw en het kind moest worden, wist Billy niet. Bess zou zich vermoedelijk snel aan een andere man hechten. Dat had hij al vaker gezien. Relaties tussen gevangenen waren oppervlakkig en hadden weinig te maken met liefde en trouw. Je klampte je aan een ander vast uit behoefte aan warmte en veiligheid, al vond Billy zelf dat hij in zijn eentje beter af was.

Stan bleef reutelen en bewoog zich onrustig onder zijn dunne deken. Toen Billy hoorde dat Bess hem fluisterend probeerde te sussen, draaide hij zich om en kneep zijn ogen dicht in de hoop alle geluiden te kunnen buitensluiten.

Stan was zijn maatje sinds ze in Plymouth waren aangekomen. Hij was een ouwe rot wat het gevangenisleven betrof, en wist ondanks zijn slechte gezondheid veel trucjes toe te passen om in leven te blijven. Als je hem zag, zou je niet zeggen dat hij maar vijf jaar ouder was dan Billy. Ze hadden goede vrienden kunnen worden als Billy niet snel had doorgehad dat je hier beter geen hechte vriendschappen kon sluiten, omdat daaraan vroeg of laat onvermijdelijk een einde kwam wegens dood of overplaatsing.

Toen het eerste daglicht in het ruim doordrong, schrokken Billy en de rest van de gevangenen op van eigenaardige geluiden. In het ruim bleef het doodstil. De gevangenen durfden in angstige afwachting nauwelijks adem te halen terwijl ze hun oren spitsten. Het klonk alsof een kleine vloot boten tegen de zijkant van het schip botste en even later hoorden ze het geklos van vele voeten op het dek.

Billy ging met bonkend hart rechtop zitten. Er gebeurde iets en hij meende te weten wat het was.

'Opstaan!' riep de cipier toen het luik openging en daglicht naar binnen stroomde. 'In de rij en met vier man tegelijk naar buiten.'

Billy greep zijn bundel met kleren en controleerde of de munten nog steeds in de punt van zijn hemd zaten. Misschien zou hij straks geen gelegenheid meer krijgen om ze te halen en hij zou ze onder geen voorwaarde achterlaten voor die vuile dief van een Mullins. Hij sloeg zijn gore deken om zijn schouders en draaide zich om naar Stan.

Stan had de nacht overleefd en werd nu door Bess en Billy overeind gehesen. Bess rolde hun weinige bezittingen tot een bundel, pakte de baby op en drukte hem met angstige ogen tegen zich aan.

'Wat is er aan de hand, Billy?' riep Nell vanaf de andere kant van het ruim.

'Geen flauw idee!' riep hij terug.

Ze schuifelden gezamenlijk naar voren en stelden zich onder aan de ladder op. Billy ving Nells blik op en grinnikte. Nell was een aantrekkelijk meisje, weelderig ook. Hij vermoedde dat ze die weelderige vormen gebruikte om extra rantsoenen te krijgen. 'Zet je schrap, Nell,' riep hij over de hoofden heen.

Ze gooide haar rode krullen naar achteren, zette haar handen in haar zij en stak haar borsten naar voren. 'Waarvoor?' riep ze uitdagend. 'Kom je eindelijk naar mijn bed, Billy?'

Nerveus gelach klonk op uit de menigte. Iedereen wist dat Nell haar vent nog niet had gekregen, al haar verwoede pogingen van de afgelopen maanden ten spijt. 'Ik heb het nu effe te druk!' riep hij terug, toen ze voortschuifelden. 'Maar wacht vooral. Ik ben het waard.'

Ze schaterde het uit. 'Dat is te hopen, anders heb ik mijn tijd zitten verdoen.'

De gesprekken verstomden toen de eerste gevangenen via de ladder naar het dek klommen. Er klonk alleen nog wat ongerust gemompel en sommige vrouwen huilden zachtjes. Het gevangenisschip was bekend terrein geworden, ondanks de vernederende omstandigheden. Ze waren eraan gewend geraakt, waren hier relaties aangegaan, hadden er zelfs baby's ter wereld gebracht, hoewel de meeste daarvan niet in leven waren gebleven. Het onbekende joeg de gevangenen veel meer angst aan.

Billy ving een glimp op van een rood uniform en een blinkende degen. Zijn hart begon te bonken en hij likte aan zijn droge lippen. De veldmaarschalk had gezegd dat het in de lente zou beginnen. In het gras langs de weg die ze aan het aanleggen waren, had hij wilde hyacinten gezien en volgens zijn berekening was het eind februari of begin maart. Hij stootte Stanley aan. 'Rechtop staan, maat,' zei hij zachtjes. 'Anders mag je niet mee.'

'Wat bedoel je?' vroeg Bess angstig en ze legde de baby tegen haar schouder.

'Dat hoor je zo dadelijk,' antwoordde hij. Het was niet eerlijk tegenover haar, maar hij wilde niet dat het gerucht door het hele schip zou gaan. Het was beter dat de gevechten op het dek uitbraken dan hier beneden als ze in de gaten kregen wat er ging gebeuren. Hier in het ruim was het al zo vol en benauwd en hij had gezien hoeveel schade een grote vechtpartij kon aanrichten.

Eindelijk was het hun beurt om de ladder te beklimmen. Billy ondersteunde Stan en toen ze op het dek stonden, bukte hij zich om Bess te helpen, die moeite had om zowel de baby als de bundel kleren te dragen en zich met één hand op te hijsen aan de sporten.

Na haar kwam Nell, die zijn hand greep en hem bijna weer het ruim in trok, zo sterk was ze. 'Dank je wel, liefje,' zei ze opgewekt terwijl ze haar smerige rokken rechttrok, haar boezem schikte onder de zakkerige bloes en probeerde haar weerbarstige krullen in bedwang te krijgen. 'Gossamme, frisse lucht is niet goed voor mijn haar. Moet je zien. Het springt alle kanten op.'

Billy grinnikte naar haar en ze lachte terug, maar hij zag de angst in haar ogen. Ze deed wel stoer, maar ze was net zo bang als de anderen.

Hij keek snel om zich heen om de situatie op te nemen. Marineofficieren in rode jasjes stonden aan weerskanten van het ruim opgesteld op het dek. Bij hoofdcipier Cowdry stonden wat mannen in burger die allen donkere kostuums droegen. De gevangenen moesten zich opstellen in twee rijen aan weerskanten van het dek: jonge, gezonde mannen en vrouwen rechts, oude en zieke gevangenen links.

'Blijf stil staan als de dokter je onderzoekt,' schreeuwde Mullins.

Billy stond er stram bij toen de dokter zijn borst beluisterde en zijn tanden bekeek. Hij voelde zich als een paard op een veiling en kwam in de verleiding in de naar tabak stinkende vingers te bijten, maar hij hield zich in. Dat zou niet verstandig zijn met zo veel roodjassen om hen heen.

'Daarheen,' wees de dokter nors en toen was Stanley aan de beurt.

Met bonkend hart sloot Billy aan in de rij aan de rechterkant. Wilde dit zeggen dat hij gedeporteerd werd of naar een andere gevangenis moest? Het was precies zo gegaan toen de *Chatham* was gezonken. Hij was toen fitter geweest dan nu en hier terechtgekomen, op de *Dunkirk*, maar hij had geen idee waar de zieke en zwakke gevangenen toen naartoe gestuurd waren. Waren al die praatjes over deportatie alleen maar een trucje zodat ze zich konden ontdoen van de mannen en vrouwen die niet meer konden werken?

In angstige onzekerheid zag hij dat de dokter Stan naar de andere rij stuurde. Nu was Bess aan de beurt. Na een oppervlakkig onderzoek werd haar bevolen naast Billy in de rij te gaan staan.

Nell volgde Bess met een uitdagende zwaai van haar rokken. Ze wierp haar hoofd in haar nek, negeerde de soldaten en nam de baby van Bess over. 'Kijk nou eens, schatje,' lachte ze terwijl ze het kind probeerde te sussen. 'Zijn we helemaal netjes aangekleed, kunnen we nergens naartoe. Vind je dat niet jammer?'

'Hou je kop, Nell,' siste hij. 'En geef de kleine terug voordat je hem tussen je borsten smoort.'

Ze gaf het kind terug en grinnikte. 'Daar zou ik jou liever smoren,' fluisterde ze in zijn oor.

De ochtend sleepte zich voort en de rijen gevangenen werden steeds langer. Er zaten meer dan tweehonderd gedetineerden op de *Dunkirk* en het ging langzaam. Billy probeerde zich niets aan te trekken van Bess en de baby die allebei huilden, maar begreep heel goed waarom ze zo bang was. Wat er ook ging gebeuren, Stanley zou niet met hen meegaan.

Halverwege de ochtend waren alle gevangenen aan de beurt geweest en stonden ze in stille afwachting van hun lot in twee rijen opgesteld. Er waren geen gevechten uitgebroken, niemand had zelfs maar tegengestribbeld en afgezien van de baby van Bess was iedereen stil toen de officier langs de rijen liep.

Uiteindelijk bleef hij midden op het dek staan met zijn hand op het rijkelijk versierde gevest van zijn degen. 'De gevangenen in de linkerrij worden overgebracht naar de gevangenis van Exeter. De gevangenen in de rechterrij worden gedeporteerd naar de strafkolonie in New South Wales.'

Dat nieuws lokte bulderende protesten uit en toen de soldaten en gevangenbewaarders naar voren kwamen, braken de gevechten meteen uit. Billy trok Bess in veiligheid. Nell hoefde hij niet te redden; die dook juist midden in de mêlee waar ze lustig om zich heen sloeg en trapte, alsof ze blij was met deze kans om alle cipiers die haar hadden mishandeld er eens goed van langs te geven.

Na een tijdje was de orde hersteld en werden de zwakke en zieke gevangenen door de marineofficieren naar de wachtende boten geleid. Bess gilde toen ze Stanley meenamen. Ze vocht tegen de soldaat die haar in bedwang hield, schopte tegen zijn schenen en smeekte hem hen niet van elkaar te scheiden. Ze was trouwens niet de enige: andere vrouwen bevonden zich in dezelfde situatie en hun kreten waren hartverscheurend.

'Maak je geen zorgen, Bess!' riep Stanley boven het rumoer uit. 'Pas goed op jezelf en de kleine.' Hij keek over zijn schouder toen hij dicht bij de loopplank was en zond Billy met zijn ogen een zwijgende smeekbede.

Met tegenzin trok Billy Bess naar zich toe en knikte. Hij zou zijn best doen om voor haar en het kind te zorgen tot Bess op eigen benen kon staan. Dat was hij Stan wel verschuldigd.

De gevangenen zaten er met gebogen hoofden bij toen ze in de roeiboten werden afgevoerd. Geen van hen keek om, geen van hen zei iets. Ze wisten wat hun te wachten stond in de gevangenis van Exeter.

Een diepe stilte daalde neer over de gevangenen op het dek en Billy hield zijn arm stevig om Bess heen geslagen, die zich met haar baby aan hem vastklampte. Ze had niet veel en zou het met het kind erg moeilijk krijgen.

'Gossamme,' fluisterde Nell. 'Waar brengen ze ons naartoe?'

'Naar de andere kant van de wereld,' antwoordde hij, 'maar jij overleeft dat wel.'

Ze schudde haar krullen. 'Tuurlijk overleef ik dat,' zei ze verbeten. 'Dat zootje ongeregeld hier krijgt míj niet klein!'

De marineofficier liep weer langs de rij en stopte af en toe om een gevangene nader te bekijken. Toen hij bij Bess was, bekeek hij haar onderzoekend en zei toen tegen de matroos naast hem: 'Neem het kind mee en zorg ervoor dat het in een weeshuis wordt ondergebracht.'

'Nee!' krijste Bess en ze drukte de baby zo strak tegen zich aan dat die weer begon te huilen. 'U hebt niet het recht mijn baby af te pakken.'

'Daar heb ik alle recht toe,' antwoordde hij koeltjes. 'Het kind is te jong om een wetsovertreder te kunnen zijn en ik heb geen machtiging om het aan boord van een deportatieschip te laten reizen.' Hij gaf de matroos een teken.

Billy stapte tussen de man en Bess in. 'Het kind is nog niet gespeend,' zei hij, 'en Bess heeft ook al haar man verloren. Als u het kind bij haar weghaalt, bent u verantwoordelijk voor zijn dood.'

'Naam?' blafte de marineofficier hem toe.

'Penhalligan, meneer.' Billy stond kaarsrecht, ervan overtuigd dat zijn argumenten volkomen rechtvaardig waren.

'Wat weet jij van de strafwetten inzake deportatieschepen, Penhalligan?'

'Niets, meneer. Ik weet alleen dat het niet juist is om een baby bij de borst van zijn moeder weg te halen op het moment dat zijn ouders worden gescheiden, meneer.'

Hij hield zijn blik gericht op een punt boven de schouder van de officier.

De officier stootte een cynische lach uit. 'Hoe waag je het over morele kwesties te spreken terwijl de stank van je misdaden overduidelijk is?' Hij trok zijn neus op en wendde zich tot de matroos. 'Sla deze man in de boeien. Hij is een onruststoker.'

'Ik weet zeker dat veldmaarschalk Collinson het met me eens zou zijn, meneer,' zei Billy bedaard, toen de boeien weinig zachtzinnig rond zijn enkels werden geklonken.

De ogen van de officier puilden uit en zijn gezicht liep rood aan. 'Waarom zou het de veldmaarschalk iets kunnen schelen wat *jij* denkt?'

Billy probeerde de zegevierende flonkering uit zijn ogen te houden. 'Hij is aangetrouwde familie van me, meneer.'

De officier liep bij hem weg en er ontspon zich een verhitte discussie tussen hem en Cowdry.

Billy had graag willen horen wat ze zeiden, maar hij kon er eigenlijk wel naar raden. Hij voelde een stootje in zijn ribben en toen hij naar beneden keek, zag hij Nell naar hem grijnzen.

'Wie had dat ooit kunnen denken? Jij? Aangetrouwde familie van een hoge ome?' Ze knipoogde. 'Goed gedaan,' fluisterde ze. 'Je hebt hem laten zien dat we niet met ons laten sollen.' Ze beet op haar lip. 'Jij en ik, schatje, we zijn voor elkaar gemaakt.'

Billy glimlachte naar haar en sloeg zijn arm om Bess, die haar baby nog steeds tegen zich aan geklemd hield alsof haar leven ervan afhing. 'Op het moment heb ik al genoeg aan mijn hoofd,' zei hij luchtig.

Ze keek hem kalmpjes aan. 'Ik wacht wel.'

Billy stond op het punt haar van repliek te dienen toen de marineofficier terugkwam.

'Ze mag het kind houden tot Portsmouth,' zei hij met een minachtende blik op Bess en de baby. 'Jij, Penhalligan, gaat vandaag niet met de *Charlotte* mee, maar je zult in enkelboeien naar Portsmouth lopen. Tegen de tijd dat je daar aankomt, zul je misschien geleerd hebben respect te tonen voor je meerderen.' Hij draaide zich om en marcheerde weg.

Billy keek Bess na toen ze naar de roeiboten werd geleid en vervloekte zijn gevoel voor gerechtigheid. De *Charlotte* en de *Friendship* lagen slechts een paar minuten varen bij hen vandaan voor anker in de grote haven, terwijl de ijzeren boeien nu al loodzwaar aanvoelden en de ketting die ertussenin zat over het dek sleepte toen hij in beweging kwam. Die boeien zouden nog veel zwaarder worden tijdens de lange wandeling naar Portsmouth.

Mousehole, maart 1787

Ann was diep geschokt door de ontboezemingen van Susan, maar had zich een ware vriendin getoond. Ze had haar niet veroordeeld noch de les gelezen, maar haar de vriendschap geboden waar Susan zo'n behoefte aan had.

Susan had haar verblijf in Bath een paar maanden gerekt, tot ze eindelijk de moed kon opbrengen naar huis terug te keren. Daar liep ze rond als een geest. Ze at bijna niets en kon niet slapen vanwege de gewetenswroeging die haar bleef kwellen. Omwille van de kinderen probeerde ze zich opgewekt voor te doen, maar iedere keer dat ze het verdriet in de ogen van Ezra zag, kreeg ze het te kwaad.

Wat ze nog het moeilijkst te accepteren vond, was zijn vergiffenis, omdat ze wist dat die oprecht was, maar dat zijn geloof hem geen instrumenten bood om niet alleen te vergeven maar ook te vergeten. Hij sliep nu permanent in de studeerkamer en zijn verdriet en teleurstelling braken haar hart, want in de afgelopen maanden was haar duidelijk geworden hoeveel ze van hem hield en dat hun huwelijk elke opoffering waard was. Haar huwelijk betekende meer voor haar dan ze zich ooit had kunnen voorstellen.

Maar hoe ellendig ze zich ook voelde, ze moest wel doorgaan. Het leven was een kostbaar geschenk dat je niet mocht verkwisten aan gevoelens van spijt en sombere herinneringen, en ondanks het feit dat ze zich vanbinnen helemaal hol voelde, klampte ze zich vast aan de hoop dat Ezra op een goede dag zijn verdriet van zich af zou kunnen zetten en dan zijn liefde voor haar zou herontdekken. Het nieuwe jaar, 1787, was een jaar waarin ze alles wat ze kende vaarwel moest zeggen en een nieuw begin moest maken. Dat maakte ook een onverwacht afscheid noodzakelijk.

Een maartse wind die sneeuw dreigde te brengen joeg vanuit het noorden over het land toen Susan diep weggedoken in haar bontkraag in Southampton op de kade stond en door haar tranen heen Emma op het dek van het grote zeilschip zag verschijnen aan de zijde van haar echtgenoot. Algernon was onlangs tot kapitein gepromoveerd en had een aanstelling gekregen in Kaapstad.

Ze hadden zich eind februari verloofd, maar er was weinig tijd geweest voor feestelijkheden, omdat Emma had besloten niet met hen mee te gaan naar Australië. De bruiloft was met een bijna onbehoorlijke haast geregeld zodat ze samen met Algernon kon vertrekken. Nu wuifden ze naar het jonge paar dat in Afrika aan een nieuw leven zou beginnen. Susan was ziek van verdriet, want ze vreesde dat ze haar dochter nooit meer zou zien.

'Het is alsof we gisteren pas haar eerste verjaardag vierden,' zei Ezra. Hij snoot zijn neus en droogde zijn ogen.

Susan kon niet eens normaal denken, laat staan antwoord geven, toen ze naar haar lieftallige dochter bleef kijken. Ze vond haar nog veel te jong om haar huis en ouders nu al te verlaten en zo ver weg te gaan wonen, maar Emma deelde haar angst kennelijk niet. Ze lachte vrolijk en de veren op haar hoed dansten in de wind toen ze naar hen zwaaide. De blauwe wollen japon stond haar goed, dacht Susan afwezig, maar de bontstola die ze van haar schoonmoeder had gekregen was veel te chic voor zo'n jong meisje.

Ezra zag blijkbaar hoe verdrietig ze was, want hij maakte Florence, die zich huilend aan hem vastklampte, van zich los en klopte Susan zachtjes op haar schouder. 'Hij zal goed voor haar zorgen,' zei hij zachtjes, 'en het is vast niet voor altijd. Militairen worden voortdurend overgeplaatst.'

'Ik denk niet dat Algernon naar Australië gestuurd zal worden,' antwoordde ze op bittere toon.

Zijn antwoord ging verloren toen de scheepsbel klingelde en de matrozen met luide kreten in het want klommen en de zeilen ontrolden. De meertouwen werden losgegooid, het anker werd gelicht en toen trokken kleine boten het grote schip bij de kade vandaan.

George sprong op en neer en zwaaide met zijn pet toen het schip majestueus koers zette naar de open zee. Hij keek met flonkerende ogen op naar Susan en trok aan haar arm. 'Gaan wij ook op zo'n groot schip?' vroeg hij. 'Met net zo veel zeilen?'

Ze trok hem tegen zich aan en gaf hem een kus op zijn voorhoofd. Hij was nu twaalf en groeide zo hard dat hij binnenkort boven haar zou uittorenen. 'Dat neem ik aan.'

Hij trok zich los en holde over de kade. Toen ze hem nakeek, zag ze dat Ernest naar het einde van de pier was gelopen en daar het schip uitzwaaide.

Susan kreeg een brok in haar keel toen ze zag dat Florence en George zich bij hem voegden. Op een dag zouden ook zij haar verlaten. Het gevoel van eenzaamheid werd haar bijna te veel. Ze voelde zich alsof het vacuüm waarin ze zich nu al maanden bevond, haar helemaal zou opslokken. Ze draaide zich om naar Ezra, verlangend naar zijn troostende armen en de terugkeer van de liefde en het vertrouwen die ze ooit zo vanzelfsprekend had gevonden.

Maar er waren geen troostende armen. Ezra was bij haar vandaan gelopen en dwaalde eenzaam en alleen over de kade in de richting van hun kinderen. Zijn onmacht om haar overspel te vergeten had een diepe kloof tussen hen geschapen en blijkbaar kon hij het niet eens verdragen om bij haar te blijven staan.

Portsmouth, 13 mei 1787

Ze waren met hun vijven aan elkaar geklonken en bij iedere stap was Billy's haat gegroeid. Maar hij was er ook sterker van geworden en nog vastberadener om in leven te blijven, wat er ook in het verschiet lag. Toen ze in Portsmouth aankwamen, ging hij in de houding staan voor dezelfde marineofficier en keek hij hem recht in de ogen toen de boeien van zijn ontvelde enkels werden verwijderd.

De officier wendde zijn blik af, wachtte tot de ketenen waren afgenomen en zei toen tegen de cipier die hen op de lange, martelende weg had vergezeld: 'Breng hen naar de *Charlotte* en een beetje snel, anders lopen we het getijde mis.'

'Waar is het kind van Bess?' wilde Billy weten.

'Ze zijn allebei op de *Lady Penrhyn*.'

Met een heerlijk triomfantelijk gevoel keek Billy de man na. Op de veldmaarschalk kon hij dus bouwen, dacht hij. Misschien kreeg hij nu dan toch écht een kans om opnieuw te beginnen, met een schone lei.

Zijn gedachtegang werd verstoord toen de cipier hem een harde duw in zijn rug gaf. Hij begon in de richting van de *Charlotte* te lopen, maar kreeg een bijzonder onrustig gevoel toen zijn scherpe ogen een eigenaardige tafereel in zich opnamen.

Hoewel de haven van Portsmouth vol schepen lag, leek de stad uitgestorven. Alle luiken zaten dicht en in de smalle straten liepen zelfs geen honden te scharrelen. Het moest een stil protest zijn van de winkeliers en burgers tegen de komst van zo veel gevangenen en hun cipiers. Hij trok een wrang gezicht toen hij aan boord stapte van het schip waarop hij ver bij zijn geboorteland en zijn familie vandaan naar een onzekere toekomst zou varen. De bewoners van Portsmouth liepen een heel bijzonder schouwspel mis.

Een deel van de schepen van de Eerste Vloot was in januari al bevoorraad in Woolwich en Gravesend. De schepen die in Plymouth vracht hadden ingenomen, arriveerden eind maart in Portsmouth. Nu lagen alle schepen voor anker in de haven, gereed voor vertrek.

Susan stond met haar gezin op het dek van de *Golden Grove* te kijken naar alle drukte. Ze had de verrekijker van Gilbert geleend en keek of ze Billy zag tussen de haveloze, ongewassen mannen die men had gedwongen de weg van Plymouth naar Portsmouth te voet af te leggen. Ze vond de wrede straf zo verschrikkelijk dat ze in staat was iemand te lijf te gaan. De gevangenen liepen in vodden en waren zo uitgemergeld dat je de ene man niet van de andere kon onderscheiden.

Opeens zag ze een tweede groepje van vijf aan elkaar geketende mannen. Een ervan had iets over zich dat haar aandacht trok. Ze stelde de verrekijker scherper en begon te snikken toen ze zag dat het Billy was, bij wie net de boeien werden verwijderd. Ze kon hem niets toeroepen, daarvoor was hij te ver bij haar vandaan, maar ze bleef naar hem kijken toen hij naar de *Charlotte* werd gebracht. Wat zal hij bang zijn, dacht ze, en ze nam zich in stilte voor alles te proberen om zijn overtocht wat makkelijker te maken en ervoor te zorgen dat hij gezond en sterk bleef.

Ze sloot haar ogen en probeerde kalm te blijven, al zaten de tranen haar hoog. Het afscheid van haar moeder was tot nu toe het moeilijkste onderdeel van hun ballingschap geweest, want Maud was al oud en alhoewel ze niets tegen Billy gezegd hadden, liet haar gezondheid te wensen over en begreep ze niet waarom Susan moest gaan. Susan had lange tijd met haar armen om haar heen geslagen bij haar gezeten. Toen had ze haar gekust en was ze haastig vertrokken. De weduwe van haar oudste broer had beloofd voor haar te zorgen en de nieuwe dominee zou alle brieven aan haar voorlezen en brieven voor haar terugschrijven, maar Susan wist dat zíj degene was die voor haar bejaarde moeder had moeten zorgen en die wetenschap was nóg een last die op de schuldgevoelens werd gestapeld die ze met zich meedroeg.

Jonathan was niet naar Cornwall teruggekeerd, zoals hij van plan was geweest, en daar was ze blij om. Ze kon hem haten om wat hij had gedaan, maar ze kon ook niet voor zichzelf instaan als ze oog in oog met hem zou staan en de haat op de proef werd gesteld, want heel diep in haar binnenste brandde nog steeds een klein vlammetje van liefde, dat weigerde gedoofd te worden.

Ze deed haar uiterste best er bedaard uit te zien. Het had geen enkele zin uiting te geven aan haar gevoelens, want de rest van het gezin keek nu zowaar uit naar de reis. Ze zou alleen maar nog verder van hen af komen te staan als ze de sfeer verpestte met een zuur gezicht. Het maakte allemaal deel uit van de boete die ze moest doen voor haar zonden.

George was bijna buiten zichzelf van opwinding toen de kanonnen werden afgeschoten en een militaire kapel op de kade vrolijke marsmuziek inzette. Hij wees opgewonden naar de wal waar voor het eerst sinds hun aankomst de luiken van de winkels en deuren van de huizen opengingen en de burgers van de stad naar de kade stroomden om de magnifieke vloot uit te zwaaien.

Ernest had zijn oog laten vallen op de mooie dochter van een van de officieren en was in haar richting verdwenen; Florence stond bij haar vader, met haar arm in de zijne en haar wang op zijn schouder. Ze had altijd een nauwe band gehad met Ezra en nu was ze voortdurend aan zijn zijde te vinden, wat in Susan onwillekeurig wrevel opwekte.

Ze keerde hen de rug toe en keek naar de grote zeilen die werden gehesen en in de wind opbolden. Ze staken schitterend af tegen de blauwe hemel en de uit vele schepen bestaande vloot vormde een adembenemend schouwspel. Ze was haar hele leven jaloers geweest op de vissers en had aan Jonathans lippen gehangen toen hij haar over zijn avonturen op zee had verteld, maar nu ze zelf haar geboorteland verliet kon ze alleen maar denken aan het huis bij de kerk en het kleine vissersdorp aan de voet van de klippen. Ze zou Cornwall nooit meer terugzien, nooit meer met haar moeder praten, nooit meer het zout proeven en de verse haring ruiken. Ze haalde sidderend adem en kreeg tranen in haar ogen. O, wat vond ze dit erg!

'Ik weet hoe moeilijk dit voor je is,' zei Ann die bij haar was komen staan. Ze strengelde haar vingers in die van Susan. 'Maar je bent niet alleen.'

Susan probeerde dapper te glimlachen. 'Ik laat zo veel achter,' zei ze door haar tranen heen.

'We laten allemaal een deel van onszelf achter, Susan,' antwoordde ze zachtjes. 'Vooral die arme stakkers.'

Susan volgde haar blik naar de schepen die al de open zee waren opgevaren. De gedetineerden hadden evenmin een keus gehad. Ze was dus niet alleen in haar angst voor de toekomst. 'Arme Billy,' snikte ze. 'Hij was als kind al bang voor de zee. Zal hij dit overleven?'

'De menselijke geest is verrassend sterk, Susan. Hij zal de kracht vinden om in leven te blijven.' Ze kneep in Susans hand. 'Je moet proberen deze reis op te vatten als een avontuur.' Ze keek Susan aan met een glimlach vol begrip en genegenheid. 'Beschouw het als een kans om iets te doen waartoe weinig anderen de gelegenheid krijgen. We gaan geschiedenis schrijven.'

DEEL DRIE

Contacten en conflicten

13

Botany Bay, 20 januari 1788

Acht maanden hadden ze op zee gezeten en nu land in zicht kwam, stroomden alle passagiers van de *Golden Grove* naar het dek. Ze brandden van nieuwsgierigheid en hun opgewonden stemmen lieten blijken hoe opgelucht ze waren dat de lange reis eindelijk voorbij was.

Naarmate ze de kust beter gingen onderscheiden en het troosteloze land zagen dat hun nieuwe thuis moest worden terwijl de genadeloze zon vanuit de wolkeloze hemel op hen neer scheen, daalde er echter een drukkende stilte neer over het schip. Een terugweg was er niet, en ook geen uitweg. Zelfs de grootste optimisten onder hen zagen hun dromen uiteenspatten toen ze de ongenaakbare woestenij in ogenschouw namen, die hen wachtte.

Susan klemde haar handen om de reling en staarde als gehypnotiseerd naar de ondoordringbare bossen en dampende moerassen. Waar waren de groene velden die men hun had beloofd, het vruchtbare akkerland dat lag te wachten tot de gedetineerden het zouden veranderen in velden met wuivend, goudkleurig graan?

'Dit is niet wat ze ons beloofd hebben,' zei ze. Ze keek op naar Ezra. Haar stem trilde en tranen van ontzetting blonken in haar ogen. 'Hoe moeten we ons in een land als dit in leven houden?'

Ezra schonk haar geen troost. Hij stond stijfjes naast haar en bekeek de omgeving met een strak gezicht en een ondoorgrondelijke blik. 'De Heer zal voorzien,' zei hij, maar ondanks zijn onvoorwaardelijke geloof in God klonk het niet overtuigend.

'Hoe?' vroeg ze, recht op de man af. 'Die bomen daar zijn geen fruitbomen, van de moerassen zullen we koorts krijgen en ik zie geen meter geschikte grond voor veeteelt of landbouw.' Ze ging steeds luider praten toen de angst haar in zijn greep kreeg. 'We zijn maandenlang geteisterd door stormen en zeeziekte, ons meel is bedorven door graanklanders, en wat krijgen we ervoor terug?' schreeuwde ze. 'Een moeras!'

Ezra bleef onverstoorbaar bij haar uitval en toen ze zag hoe de kinderen naar haar keken, zweeg ze. Ze zag haar eigen angst weerspiegeld op hun gezichten en wist dat ze zich moest beheersen. 'De Heer zal het hier druk krijgen, en wij ook,' zei ze, op een geforceerd luchtige toon omwille van de kinderen.

'Hij zal ons de kracht geven deze wildernis te veranderen in een nieuw thuis,' zei Ezra, maar Florence barstte in tranen uit. Met afwezige gebaren streelde hij haar over haar hoofd. 'Zolang ons geloof sterk blijft, zal Hij ons leiden.'

Susan klemde haar lippen op elkaar. Ze wilde niet zeggen wat ze dacht: dat God weinig te maken zou hebben met de problemen die hun wachtten. Ze keek naar de deportatieschepen. Als hun overtocht door al die stormen al zo moeilijk was geweest, hoe zat het dan met Billy en de anderen die in de ruimen opgesloten zaten? En hoe moesten die werken in deze hitte, terwijl de gevaren van tropenkoorts en andere ziekten hen net zo acuut bedreigden als de geselingen? Ze vreesde voor hen allemaal. Hoe kon iemand leven in deze hel?

De schepen lagen vijf dagen voor anker in de baai terwijl Arthur Phillip met een paar officieren in een van de sloepen langs de kust voer om te zien of ze een betere aanlegplaats konden vinden. De gevangenen kregen toestemming het ruim te verlaten en toen ze tevoorschijn kwamen, met hun ogen knipperend tegen het felle zonlicht, waren ze met stomheid geslagen. Niets had hen voorbereid op wat ze zagen.

'Ontsnappen is er hier niet bij,' zei Mullins meesmuilend. 'Voor mijn part mogen jullie overboord springen. Als je niet door de haaien wordt opgevreten, hou je het in die rimboe niet lang vol.'

Billy staarde ongelovig naar het land dat zich voor zijn ogen uitstrekte. Bomen smoorden kurkdroge grond voor zover het oog reikte. Langs de kust lagen gevaarlijk uitziende moerassen waar boomwortels bovenuit staken als heksenvingers, bekleed met sluiers van druipend zeewier. Erboven zwermden grote wolken muggen en de stinkende, slaperige stilte werd doorboord door het krijsende gekakel van een of ander beest dat met hen leek te spotten. Hij draaide zich om naar

Mullins. 'U zit hier net zo gevangen als ik,' zei hij zachtjes. 'Dit is voor ons allemaal het eindpunt.'

Mullins spoog over de reling. 'Niet voor mij,' zei hij vals. 'Ik ga met het eerstvolgende schip weer terug.' Zijn ogen flonkerden van venijn. 'Ik zit straks in Londen, bij het bier en de hoeren, terwijl jullie hier langzaam wegrotten.' Hij liep weg.

Billy balde zijn vuisten. Het liefst was hij de klootzak te lijf te gaan, maar hij wist dat Mullins daar juist op zat te wachten. Het zou een prachtig excuus zijn om hem in de boeien te slaan en de gesel weer eens tevoorschijn te halen. Dus onderdrukte Billy zijn woede en keek naar de andere schepen die voor anker lagen. In ieder geval had hij de tocht overleefd, al waren er tijden geweest dat hij dacht dat hij gek zou worden van angst, vooral toen water het ruim in was gestroomd en ze bijna verdronken waren.

Hij zag de *Golden Grove* en dacht aan Susan en haar kinderen. Ze had er op de een of andere manier voor gezorgd dat hij tijdens de reis extra rantsoenen en kleren kreeg, maar wat bezielde Ezra dat hij met zijn gezin hierheen was gekomen? Hij leek wel gek. Zíj waren er niet toe gedwongen, zíj waren geen gevangenen, en toch had hij zijn vrouw en kinderen hiermee net zo goed ter dood veroordeeld als wanneer hij hun de strop had omgedaan.

'Hé, Billy!'

Hij draaide zich om. Nell hing over de reling van de *Lady Penrhyn* en haar borsten zwabberden heen en weer toen ze uitbundig naar hem zwaaide. Hij zwaaide terug. 'Hoe gaat het?' riep hij. 'Hoe is het met Bess?'

'Met mij is het goed,' riep ze, 'maar de baby is een paar weken geleden gestorven, dus is Bess er niet zo best aan toe.'

Billy voelde een steek van gewetenswroeging. Misschien had hij er niet op moeten aandringen dat de baby mee mocht. Bess zou er het beste van moeten maken, net zoals iedereen. Hij wilde weer iets roepen, maar kreeg een scherpe peut in zijn ribben. 'Het is verboden om met de vrouwen te praten,' beet Mullins hem toe. 'Naar beneden, Penhalligan. Tot morgenochtend blijf je in het ruim.'

Billy keek naar Nell, die zich verzette tegen een matroos, en toen ze elk naar het ruim van hun schip werden geduwd, riep ze hem toe: 'Tot kijk in de rimboe, Billy!'

Arthur Phillip verkondigde bij terugkeer van zijn verkenningstocht langs de kust dat hij 'de mooiste haven ter wereld' had gevonden, 'waar duizend schepen volkomen veilig voor anker kunnen liggen'. Ze zouden bij hoogtij doorvaren naar Port Jackson.

Hij was precies op tijd terug met dit nieuws, want op de kust van Botany Bay waren woest uitziende zwarte mannen gesignaleerd die met speren gooiden, en achter de landtong kwam het eerste schip van de Franse expeditie van La Pérouse in zicht. Ze waren de Fransen de hele weg vóór geweest en nu was het zaak in New South Wales een nederzetting te stichten en het eiland Norfolk te annexeren, opdat de productie van vlas kon beginnen.

Lowitja had geweten dat ze zouden komen, want ze had hen vele manen geleden al gezien in de sprekende stenen. Ze genoot veel aanzien om haar gaven als ziener en medicijnvrouw, maar ze maakte zich grote zorgen om haar recente visioenen, die noodlottige tijden voorspelden met veel bloed, magie en terreur, tijden die veel levens zouden eisen.

Ze was die ochtend heel vroeg wakker geworden, nog bezorgder dan anders om de dromen, en ze had meteen geweten dat ze naar de landtong moest gaan, zo zeker alsof de geesten haar daar persoonlijk naartoe brachten. Toen ze de schepen naar de kleine inham zag koersen die door haar stam Kamay werd genoemd, wist ze dat haar visioenen haar niet hadden bedrogen. Haar hart klopte in haar keel toen ze haar gevlochten tas en speren greep en wegrende om haar ooms – Bennelong, Colebee en Pemuluwuy – te waarschuwen.

De mannen van de stam verzamelden zich op het strand. Ze hieven hun speren op en schreeuwden uitdagend toen de witte mannen in hun grote zeilkano's de kust naderden. Lowitja bleef samen met de andere vrouwen uit het zicht, maar herinnerde zich de vorige keer dat deze witte mannen waren gekomen en ze wist dat dit het begin was van de onheilstijden die ze had voorspeld.

Nadat de zon vijfmaal was opgekomen zag het ernaar uit dat ze erin geslaagd waren de indringers weg te jagen, want ze hesen de witte lappen en koersten verder langs de kust. Haar ooms waren trots, maar Lowitja wist dat het nog niet voorbij was.

Toen de nieuwe dag aanbrak, arriveerde er een ander schip met andere kleuren aan de bladerloze bomen waarlangs de lappen werden gehesen. De mannen holden weer naar het strand om hen uit te jouwen en dreigend met hun speren te zwaaien. Lowitja keek vanachter de bomen angstig toe.

Een grote donderklap vulde de lucht.

Iedereen liet zich plat op de grond vallen.

Een voorwerp vloog over hun hoofden en kwam neer met een klap waar de aarde van beefde. Bomen werden ontworteld en struiken vlogen hoog de lucht in.

Lowitja dook met de rest van haar familie weg onder de takken van een struik. De visioenen werden werkelijkheid en het einde van de wereld was nabij.

Het duurde lang voordat ze hun hoofden durfden op te heffen. Toen ze de twee jonge mannen zagen die uiteengereten waren, sloegen ze op de vlucht. De angst was allesoverheersend en ze vluchtten zo ver als ze konden, naar de donkerste en geheimste plekken in het oerwoud.

Keer op keer wierp Lowitja de stenen. Ze probeerde ze bijna te dwingen hoop te bieden voor hun situatie, maar zelfs toen ze in trance raakte en overleg pleegde met de vooroudergeesten, wist ze dat dit een vijand was voor wie ze geen partij waren: zijn wapens waren gemaakt door boze geesten en hun eigen speren en boemerangs zouden er onmogelijk tegenop kunnen.

Haar oom Bennelong, de stamoudste van de clan, stuurde renners naar de Cadigal, een stam die verderop aan de kust leefde, om hun te vertellen wat er aan de hand was en om uit te zoeken waar de schepen die hun baai hadden verlaten, naartoe waren gegaan. Toen ze terugkeerden, stelde hij voor dat de twee stammen snel naar Warang, het bredere water met de diepe inhammen in het noorden, zouden gaan om ter plekke uit te zoeken wat voor soort vijand op hun kust was geland.

Port Jackson, 26 januari 1788

Susan stond met de rest van de passagiers op het dek toen ze Sydney Cove en Port Jackson binnenvoeren. De wilden op de kust van Botany Bay hadden hun doodsangst aangejaagd, ook al hadden hun speren hen niet geraakt en hadden de inboorlingen zich weer teruggetrokken achter de moerassen. Nu vroegen de passagiers van de *Golden Grove* zich angstig af wat hun in de volgende baai te wachten stond.

Susan fleurde op toen ze het weelderige gras, de groene bomen, het heldere water en de beschutte zandstranden van de gigantische inham zag. In de verte rezen glooiende heuvels op en flonkerende rivieren volgden een bochtige koers door vele hectaren bos en grasland. Misschien valt het mee, dacht ze hoopvol, en ze zette haar wanhoop ferm van zich af.

'Het zal een heel karwei zijn om dat land te ontginnen, voordat we er iets op kunnen verbouwen,' zei Ernest. Hij streek zijn dikke, blonde haar naar achteren en kneep zijn ogen half toe tegen de schittering van de zon op het water. 'Maar het ziet er veelbelovend uit en we hebben voldoende mankracht om ons te helpen met het ploegen.' Hij lachte naar zijn moeder. 'Ik zit te popelen om mijn handen uit de mouwen te steken en weer vaste grond onder mijn voeten te voelen.'

Susan was blij dat in elk geval één van hen goede moed had. Ze keek naar Florence, die zich aan Ezra's arm vastklampte. Ze had haar graag willen sussen, maar zoals gewoonlijk zocht Florence troost bij Ezra. Susan probeerde optimistisch te blijven. Het enige wat ze nu kon doen, was bidden dat ze weer een hecht gezin zouden worden en samen de toekomst hoopvol tegemoet zouden kunnen zien.

Susan was al even ongeduldig als de gezinnen van de officieren toen de militairen naar de kust werden geroeid. Net als haar zoon verlangde ze ernaar weer vaste grond onder haar voeten te voelen, zelfs de grond van een onbekend land waar hun niets anders wachtte dan zware arbeid.

Ze keek toe toen de soldaten een kamp opzetten boven de waterlijn. De slagen van de bijlen en de kreten van de mannen dreven over het water naar hen toe toen de ene na de andere witte tent overeind werd gezet. Het had alle kenmerken van een militair kamp, inclusief de drukte en de geschreeuwde bevelen, en Susan vroeg zich af hoe ze onder een lap canvas zou moeten leven, zonder een plek om te wassen en te koken.

Tegen het einde van de middag mocht ze eindelijk langs een touwladder naar een van de sloepen afdalen. Ezra behield zijn stijve houding toen hij haar hielp erin te stappen. George en Ernest barstten van opwinding, maar Susan zag dat Florence zich aan de zijkant van de boot vastklampte toen ze naar de kust werden geroeid.

Het was verschrikkelijk heet en hoe hard ze ook met haar waaier wapperde, de vliegen bleven in donkere zwermen op haar gezicht afkomen. 'Dank je wel voor je advies om onze petticoats en korsetten uit te laten,' fluisterde ze tegen Ann.

Het gezicht van haar schoonzus zag rood van de hitte en haar lichtbruine krullen plakten aan haar wangen. 'Gilbert wist dat van zijn ervaringen in India,' antwoordde ze. 'In het begin voelt het erg vreemd, maar hij zegt dat we ons uiteindelijk zonder die dingen veel prettiger zullen voelen.' Ze deden er het zwijgen toe toen hun boot het strand op werd getrokken.

Susan stapte uit de boot en voelde de grond onder haar voeten wegzakken.

Ernest drong langs zijn vader heen en greep haar arm om haar overeind te houden. 'We hebben zeebenen,' zei hij met een glimlach. 'Oom Gilbert zegt dat het snel zal overgaan.'

Susan legde haar hand op zijn wang en voelde stoppeltjes. Haar zoon werd groot, hij was al bijna een man en ze vond het lief van hem dat hij zich zo om haar bekommerde. Deed Ezra dat ook maar.

'Inboorlingen! Ze komen ons vermoorden!'

Susan greep George en Ezra greep Florence. Ernest greep zijn geweer.

De soldaten en matrozen stelden zich snel op tussen de migranten en het handjevol woest uitziende inboorlingen dat naar hen schreeuwde en met speren gooide. 'Alleen in de lucht vuren,' riep Arthur Phillip. 'Niemand doodschieten!'

De zwarte mannen trokken zich haastig terug, maar bleven stenen en speren gooien en tegen hen tekeergaan.

'Waar heb je ons naartoe gebracht?' schreeuwde Susan boven het lawaai van de knallen uit. 'We zullen allemaal worden afgeslacht!'

Ezra probeerde de hysterische Florence te kalmeren. 'Er zal ons niets gebeuren!' riep hij. 'Het leger zal ons beschermen.'

Susan zat samen met hen weggedoken achter een boom en klemde George, die met alle geweld naar de soldaten wilde gaan, tegen zich aan. Ze zocht in paniek het strand af naar Ernest en zag hem aan het uiteinde van de brede strook zand. Een snik ontsnapte haar toen ze hem keer op keer zijn geweer zag laden en in de lucht zag schieten. Ondanks zijn jeugdige leeftijd leek hij helemaal niet bang; hij leek juist plezier te hebben en dat joeg haar nog meer angst aan dan al het andere.

'Om 's hemelswil, Ezra!' riep ze. 'We kunnen hier niet blijven! We moeten de kinderen beschermen!'

'Ze zullen beschermd worden,' zei hij vol overtuiging toen de inboorlingen in het bos verdwenen en de mannen weer aan het werk gingen. 'We hebben het leger, de marine en gouverneur Phillip om hier orde op zaken te stellen. We mogen het nu niet opgeven, Susan.'

Ze zag de glans van vervoering in zijn ogen en raakte zo ontmoedigd dat de tranen over haar wangen stroomden. 'Ik begrijp dat jij dit als een kans beschouwt om het werk van God te doen,' zei ze.

Ezra knikte. 'De gevangenen zijn goddeloos, en die arme zwartjes ook. God heeft me hierheen gestuurd om Zijn werk te doen, Susan. Niets en niemand kan me daarvan afhouden.'

'Zelfs niet als het leven van je kinderen daardoor gevaar loopt?' De tranen waren opgedroogd, maar nu had een kille zekerheid haar hart in zijn greep.

'God zal ons beschermen,' zei hij zachtjes. Hij stak zijn hand uit alsof hij de hare wilde pakken, maar trok hem weer terug. 'Vertrouw op Hem en op mij, Susan. We hebben een belangrijke taak en kunnen ons doel alleen bereiken als we ons vastberaden opstellen.'

Ze wilde hem geloven, ze wilde zeggen dat ze van hem hield en hem tot het einde van de wereld zou volgen als hij maar iets van de oude genegenheid zou tonen. Ze was echter niet bereid haar kinderen op te offeren. 'Beloof me dat je de kinderen met het eerstvolgende schip naar huis stuurt,' zei ze. 'Ze kunnen bij mijn familie in Cornwall wonen tot jouw missie hier voltooid is.'

'Het kan nog wel even duren voordat de Tweede Vloot arriveert,' bracht hij haar in herinnering, 'en Ernest is geen kind meer.' Toen verzachtte zijn gezicht en knikte hij. 'Als ze terug willen gaan wanneer de schepen komen, mag het van mij. Erewoord.'

Billy had slappe benen en merkte dat hij moeite had zijn evenwicht te vinden toen hij samen met de andere gevangenen van de *Charlotte* aan wal stapte. Hij zocht naar Nell, maar hoorde algauw dat de vrouwelijke gevangenen pas over een paar dagen aan land zouden worden gebracht. Hij grinnikte. Gouverneur Phillip had blijkbaar besloten dat het kamp helemaal klaar moest zijn voordat de vrouwen kwamen, want zodra die aan wal waren, had je aan de mannen niks meer. Hij hees zijn broek op, probeerde niet aan haar zachte, gewillige vlees en warme borsten te denken en ging op zoek naar zijn zus.

'Billy!' Susan rende naar hem toe en viel hem om zijn hals. 'O, Billy, wat ben ik blij je te zien!'

Ze gooide hem bijna omver en hij lachte toen ze elkaar overeind probeerden te houden. Hij was ook blij om haar te zien, en hij voelde hoe haar pezige kracht nieuwe hoop in hem opwekte. Hij maakte zich van haar los en keek haar aan. Ze was magerder dan hij zich herinnerde en haar oogleden waren gezwollen van het huilen. Hij kuste haar wang en liet haar niet merken hoe kwaad hij was op Ezra, die haar hiernaartoe had meegenomen. 'We hebben de reis overleefd,' zei hij. 'Dan zal de rest ook wel lukken.'

Ze vuurde de ene na de andere vraag op hem af en hij slaagde erin de minder aangename aspecten van zijn reis te verdoezelen. Susan hoefde niets te weten over de ratten in het smerige ruim, waar de mannen hadden gevochten om ranzig voedsel en brak water. Ze hoefde niets te weten over de sadistische Mullins en de gesel die littekens op zijn rug had achtergelaten, noch over de angst toen het water in het ruim tot aan zijn oksels had gestaan en hij had moeten zwemmen om niet steeds tegen de wand gesmakt te worden toen het schip tijdens de stormen rolde en stampte.

'Je bent zo mager,' zei ze. 'Heb je de extra rantsoenen wel gekregen? En waar zijn de kleren die ik je heb gestuurd?'

Opeens werd hij zich ervan bewust hoe hij eruitzag en hoe hij stonk. Hij deed een stap achteruit en kreeg een kleur van schaamte. 'Die heb ik allemaal ontvangen en ik was je erg dankbaar,' zei hij stijfjes, 'maar vanwege de omstandigheden kregen we maar eens per week een emmer zeewater om ons te wassen. En het eten rotte binnen de kortste keren weg.'

Ze legde haar zachte hand op zijn wang. 'O, Billy, ik wou –'

'Ik weet het,' zei hij snel, 'maar zodra ik de veldmaarschalk heb gevonden en te horen krijg wat voor baantje hij voor me heeft, heb je kans dat ik schone kleren en zeep krijg.' Hij pinkte de traan weg die op haar wimpers trilde. 'Ik heb het een stuk beter dan de anderen,' zei hij zachtjes. 'Ik heb tenminste mijn familie nog.'

'Mag je bij ons komen wonen?' vroeg ze.

Billy hoorde de trilling in haar stem en schudde bedroefd zijn hoofd. 'Ik ben nog steeds een gevangene,' zei hij. 'Dus moet ik daarginds slapen, samen met de anderen.'

Tegen het einde van de dag, toen de zon achter de glooiende groene heuvels onderging, stond Billy bij de andere gevangenen toen iedereen bijeenkwam op het strand. Boven Sydney Cove werd de Britse vlag gehesen. Men vuurde saluutschoten af en bracht een toost uit. Het was een gedenkwaardige dag, de dag waarop de blanken voorgoed naar Australië waren gekomen.

6 februari, 1788

Nell was ongeduldig geworden toen ze samen met de andere vrouwen op de *Lady Penrhyn* had moeten blijven. Nu zat ze in een van de vele kleine sloepen en veranderde haar ongeduld in angst. Ze waren ver in de minderheid en de mannen op de kust huilden als kwijlende wolven.

Ze keek naar haar lotgenoten. Bess klampte zich vast aan de matroos die ze aan de haak had geslagen. Zij had tenminste iemand die haar zou beschermen, dacht Nell, al mocht de hemel weten hoe lang dat zou duren. Sally en Peg zaten zich mooi te maken terwijl ze de matrozen en gedetineerden op de kust geïnteresseerd bekeken, maar zij waren dan ook prostituees.

Ze onderdrukte haar angst toen ze die weerspiegeld zag in de ogen van de vrouwen die nooit op straat hadden gewerkt en zich nooit vrijwillig aan een man hadden gegeven. Sommigen waren amper hun tienerjaren ontgroeid en hadden het aan boord erg moeilijk gehad. Nell vreesde dat alles voor hen nog veel erger zou worden zodra ze voet aan wal hadden gezet.

Ze trok haar dunne sjaal strakker om haar schouders want ze beefde als een riet. Ze was nog nooit echt bang geweest, maar toen de boot het strand naderde, voelde ze voor het eerst wat doodsangst was. Ze was nog maar net twintig en als jonge prostituee in het East End van Londen had ze geweten wat haar te wachten stond, maar hier, in dit ruige land, was ze overgeleverd aan een bende wetteloze, uitermate hitsige kerels. Wat zou er van haar worden?

Opeens zag ze Billy die naar haar toe waadde. Hij duwde de anderen opzij en greep de voorsteven van de boot. 'Billy!' riep ze. 'Help me!'

Hij greep haar vast toen ze half uit de boot viel. 'Snel!' zei hij. 'De meute is niet te houden!'

Nell struikelde toen hij haar meetrok over het zand en voordat hij haar weer overeind kon helpen, slaagden drie gedetineerden erin haar vast te grijpen en trokken ze haar bij hem vandaan. 'Billy!' krijste ze. Ze sloeg en schopte om zich heen en klauwde naar de ogen van de mannen die haar hadden gegrepen.

Billy begon erop los te slaan en Nell vocht mee tot de mannen afdropen. Toen gooide Billy haar over zijn schouder en holde met haar naar het bos.

Toen hij haar weer neerzette, beefde ze zo dat ze amper kon blijven staan. Ze barstte in tranen uit. 'God, Billy, ik ben nog nooit zo bang geweest.' Van haar oude bravoure was niets meer over toen ze zich aan hem vastklampte.

Billy drukte haar tegen zich aan en probeerde haar te sussen. 'Gelukkig was ik net op tijd bij je. Dat wordt moord en doodslag,' hijgde hij. 'Te veel mannen, te weinig vrouwen en te veel vaten rum.'

Met hun armen om elkaar heen geslagen stonden ze in de beschutting van de bomen te luisteren naar het gekrijs en gebrul op het strand waar het al een enorme chaos moest zijn. Nell dankte de hemel dat Billy zo sterk was en dat hij zo slim was geweest haar snel te redden. 'Billy,' snikte ze, 'ik weet niet wat er zonder jou van me zou zijn geworden.'

Hij ondersteunde haar toen ze verder het bos in liepen. 'Het zijn beesten,' zei hij. 'De Heer mag weten wat ze hadden gedaan als...'

Ze beefde nog steeds en haalde hijgend adem. 'Als ze maar niet hierheen komen,' fluisterde ze en ze keek angstig tussen de bomen door naar het strand. 'We moeten ons verstoppen.'

Ze bleef zich aan hem vastklampen toen hij haar meenam dieper het bos in. Ze kwamen bij een kleine open plek, ver van de geluiden op de kust. Het bos zag er vreemd en angstaanjagend uit en ze wierp schichtige blikken over haar schouder. 'Zouden er geen inboorlingen in de buurt zijn?' vroeg ze. 'Misschien zitten die hier ook ergens te wachten tot ze ons kunnen vermoorden.'

'Volgens mij zijn die nog banger dan wij,' zei hij en hij ondersteunde haar toen ze ging zitten. 'Ik denk dat ze al mijlenver weg zijn.'

'Dank je wel, Billy. Ik wist dat je me zou beschermen.' Hij was een knappe man, ondanks het vuil en de voddige kleren. 'Ik kan wel een slokje gebruiken,' zei ze klappertandend.

Hij groef de kleine kruik op die hij eerder op de dag had begraven en ze dronken er samen uit. Veel voedsel hadden ze niet, wat brood en gepekeld vlees en een paar appels die lelijk begonnen te worden.

Verzadigd en gerustgesteld trok Nell hem naast zich neer in het gras. Zijn ogen waren erg blauw toen hij zijn arm rond haar taille legde. 'Jij en ik horen bij elkaar,' fluisterde ze.

Toen Billy zich over haar heen boog, blokkeerde zijn lichaam de zon en was het alsof ze in een eigen wereld zaten waaruit Nell nooit meer weg wilde. Ze gaf zich gewillig aan hem, want dit was de man die ze had gewild vanaf het moment dat ze hem voor het eerst had gezien – de man die haar zou beschermen en als geen ander van haar zou houden. Haar dagen als prostituee waren definitief voorbij.

Susan had gezien dat Billy het meisje greep toen ze uit de boot viel. Ze had met open mond toegekeken toen ze werden aangevallen door drie gedetineerden, die het meisje met geweld aan zijn greep probeerden te ontworstelen, en ze had een zucht van verlichting geslaakt toen ze hem met haar in het bos zag verdwijnen. Nu staarde ze vol afgrijzen naar het tafereel dat zich voor haar ogen afspeelde.

De andere vrouwen hadden niet zo veel geluk gehad. Ze werden hardhandig uit de boten gesleurd en ter plekke verkracht. De gevangenen waren door het dolle heen vanwege de rum die ze hadden gedronken en overal braken gevechten uit als meerdere mannen het gelijktijdig op een en dezelfde vrouw hadden voorzien. Sommige hoeren waren gewillig en slokten gulzig van de rum, maar Susan zag dat ook zij moeite hadden met zo veel mannen, want een paar hoeren lagen bewusteloos op het strand terwijl ze door de ene na de andere man misbruikt werden.

'Waarom doen de soldaten niets?' riep ze boven het gekrijs uit.

Ezra beschermde de doodsbange Florence met zijn lichaam. Hij wierp een blik op de soldaten die terugweken. 'De gevangenen zijn met te veel,' riep hij terug. 'De soldaten kunnen hen niet aan.'

'Breng Florence in veiligheid,' riep ze, terwijl ze George vastgreep en terugdeinsde voor een man die uit de krioelende massa tevoorschijn kwam en wankelend op hen afliep. Hij was naakt, besmeurd met bloed en vuil, en het was duidelijk wat hij wilde.

'Als je haar aanraakt, schiet ik je dood!' riep Ernest en hij richtte zijn geweer op de naakte borst.

Het dreigement had het gewenste effect, want de man maakte rechtsomkeert.

Susan was bijna gek van angst toen ze Ezra en Florence bereikte. 'Weg! Weg! We moeten hier weg!' riep ze.

Ze braken door het kordon van soldaten heen die opdracht hadden gekregen de vrouwen en kinderen te beschermen en zochten hun toevlucht tot hun tent, die ver van deze hel op aarde stond.

Ernest ging bij de ingang op wacht zitten met zijn geladen geweer in de aanslag om op eventuele aanvallers te schieten. Ezra begon te bidden terwijl Florence zich huilend aan hem vastklampte. George pakte het geweer van zijn vader en ging naast zijn broer zitten, terwijl Susan tegen Ezra aankroop, wanhopig verlangend naar een beetje troost.

Het was verschrikkelijk warm onder het canvas en algauw transpireerden ze allemaal hevig en kregen ze dorst. Susan rantsoeneerde het water uit de emmer die ze 's ochtends had gevuld en zo wachtten ze samen mistroostig en angstig tot het donker zou worden.

Toen de zon onderging, begon regen op het tentdoek te kletteren. De vochtigheidsgraad steeg tot een bijna ondraaglijke hoogte terwijl het regenwater als ruisende riviertjes over de kurkdroge grond stroomde en alles dreigde mee te sleuren, maar de tentharingen en scheerlijnen hielen het gelukkig en de soldaten bleven onder streng toezicht van Arthur Phillip op hun post.

Bij dageraad kropen ze uit hun tent en zagen ze dat de soldaten verdwenen waren. Ezra voerde een snelle inspectie uit en vertelde bij zijn terugkeer: 'Blijkbaar heeft de regen een abrupt einde gemaakt aan de losbandige orgie. De militairen zijn nu bezig alle gevangenen bij elkaar te brengen in het centrum van het kamp.'

'Laten we dan maar snel aan het werk gaan,' zei Susan en ze begon rollen verband en potten met zalf bij elkaar te zoeken. 'De vrouwen hebben verzorging nodig na wat hun allemaal is aangedaan.'

'Nergens voor nodig,' zei Florence vinnig. 'Het zijn maar hoeren.'

'Het zijn mensen,' antwoordde Susan, een beetje gepikeerd over de scherpe woorden van haar dochter, al begreep ze wel dat angst eraan ten grondslag lag. Ze streelde de wang van het meisje. 'Ze hebben er niet om gevraagd zo behandeld te worden, Florence,' zei ze teder. 'Oordeel niet zo streng.'

De orde in het kamp was min of meer hersteld, maar het zou heel wat tijd kosten om de verwoestingen te herstellen die waren aangericht door de storm en de vechtpartijen. Sommige tenten waren aan flarden gescheurd, veel serviesgoed was gebroken, en een deel van de meubels was tot brandhout versplinterd. Men had de voedselvoorraden geplunderd en overal lagen lege rumvaten. Susan en de andere vrouwen verbonden bloedende wonden en spalkten gebroken botten. Drie vrouwen en vier mannen hadden het niet overleefd. Het was geen veelbelovende start van de nieuwe kolonie.

Na een poosje kwam Arthur Phillip tevoorschijn. Hij werd voorafgegaan door een militaire kapel en ging op een geïmproviseerd podium staan, waar hij officieel werd benoemd tot kapitein-generaal en gouverneur van New South Wales.

Toen Gilbert een lange, saaie machtiging voorlas en de nieuwe gouverneur de Bijbel ter hand nam en trouw zwoer aan de koning, stond Susan bij haar gezin en zocht ze de rijen gedetineerden af naar haar broer. Na lang zoeken zag ze hem; hij zag er verschrikkelijk uit, evenals het meisje naast hem.

Susan nam de massa rood haar, de half-ontblote borsten en de uitdagende houding in zich op en begreep wat voor meisje het was. Met een zucht wendde ze zich af. Billy had niet veel te kiezen en iedereen had iemand nodig, vooral hier.

Het werd steeds warmer en de gehavende, vermoeide gevangenen stonden ongeduldig met hun voeten te schuifelen en zachtjes te kankeren terwijl Arthur Phillip hen een vol uur de les las over de gevaren en schande van seksuele losbandigheid en de deugden van het huwelijk. Hij moedigde iedereen aan onmiddellijk een vrouw te huwen zodat taferelen als die van de avond ervoor niet herhaald zouden worden.

Tot slot waarschuwde hij dat iedere gevangene die na het vallen van de nacht in het vrouwenkamp werd aangetroffen, een schot hagel in zijn achterste kon verwachten.

Susan keek naar haar broer, die haar een knipoogje gaf en grijnsde. Hij was dol op zulke uitdagingen en ze hoopte dat hij zo verstandig was zijn bevoorrechte positie bij Gilbert niet in gevaar te brengen.

Het kamp van de Eora en de Cadigal, februari 1788

De vrouwen en kinderen hadden opdracht gekregen ver bij het strand vandaan te blijven na de angstaanjagende donderdood die vanuit het schip was gekomen. Ze volgden op een afstand toen Bennelong en de andere stamoudsten naar Warang trokken en de vijand op het strand dapper tegemoet traden, al bereikten ze niets met hun uitdagende houding en vertoon van kracht. De schrikbarende donderstokken van de witte mannen hadden gebulderd tot de aarde leek te trillen en uiteindelijk hadden ze een veilig heenkomen moeten zoeken in het bos.

Vanaf haar schuilplaats keek Lowitja naar de witte mannen die zich over het strand verspreidden als termieten die uit hun nest waren gekomen. Algauw hadden ze een kamp van witte lappen gemaakt. De mannen hakten bomen om, rolden heilige stenen weg en vertrapten de heilige grond van de voorouders om eigenaardige beesten samen te brengen op omheinde plaatsen die werden bewaakt door andere mannen met een felrode lichaamsbedekking, die vreemd uitziende speren droegen.

Lowitja keek met machteloze woede toe toen de Droomplaatsen van de Eora en de Cadigal vernietigd werden. Ze was bereid haar leven op te offeren om van de witte indringers af te komen, maar Bennelong en Pemuluwuy hadden dat voorstel afgewezen en uiteindelijk had ze de wijsheid daarvan ingezien. Ze waren in de minderheid en de wapens van de vijand waren veel machtiger dan hun speren en boemerangs.

Ze voegde zich weer bij de andere leden van de Eora en de Cadigal toen die één voor één in het bos verdwenen. Ze zouden een gezamenlijk kamp opzetten en strategieën bespreken, maar eerst moest ze de geesten om raad vragen.

Lowitja genoot veel aanzien bij de leden van beide stammen, niet alleen omdat ze de gave bezat met de geesten te spreken, maar ook omdat ze een rechtstreekse afstammeling was van de grote Garnday, de oermoeder van haar stam die haar volk vanuit het noorden naar de weelderige jachtgronden aan de zuidelijke oevers van Warang had geleid om aan de hongerdood te ontsnappen. Toen ze in het midden van de kring van de stamoudsten ging staan, waren die bereid te luisteren, want ieder woord bevatte de wijsheid van haar oermoeder.

'Ze komen met hun vrouwen en kinderen,' zei ze op een kalme toon. 'Ze brengen dieren, wapens en beschutting met zich mee. Ze zijn geen zwervende stam.' Ze keek naar elk van de opgeheven gezichten en ging door. 'De donderdood is te machtig voor onze wapens, dus moeten we hen in vriendschap tegemoet treden. We moeten hun de gebruiken van ons volk leren, opdat ze respect krijgen voor het land en onze vooroudergeesten.'

'Ik eerbiedig je wijsheid,' zei een van de stamoudsten. 'Maar als de witte mannen niet willen leren?'

'Ze hebben de grote macht van hun wapens getoond, maar hun donderstokken bulderden in de lucht, niet in onze lichamen. De grote geest van Garnday vertelt me dat ze niet de wens koesteren ons te doden.'

'Ze hebben onze heilige Droomplaatsen vernietigd,' riep een van de jongere mannen. 'Hoe heeft Garnday dat kunnen toestaan?'

Lowitja slikte. Ze had de duistere toekomst gezien en wist dat ze snel iets moesten doen om te voorkomen dat het visioen werkelijkheid werd. 'Het toont ons dat ze machtig en onwetend zijn,' zei ze toen het weer stil was. 'Als we bloedvergieten en de verdere vernietiging van onze Droomplaatsen willen voorkomen, moeten we hen laten kennismaken met onze gebruiken en hen alles leren over onze spiritualiteit.'

Pemuluwuy en Bennelong knikten, maar Lowitja zag dat niet alle stamoudsten het ermee eens waren en dat wekte een verlammende angst in haar op. Donkere wolken pakten zich samen en als men haar woorden niet ter harte zou nemen, zou er een storm komen die zo hevig was dat hun oude gebruiken voor altijd zouden worden weggeblazen.

Lowitja besefte dat ze een voorbeeld moest geven. Een paar dagen later ging ze in haar eentje naar het kamp van de witte mannen. Ze hurkte in de schaduw van de bomen rond het kamp en keek naar de vrouw die een maaltijd bereidde. Haar huid was bleek, haar haar glansde in de zon en ze had zich bedekt met vreemde lappen die tot haar enkels reikten. Lowitja keek naar de huiden rond haar voeten en vroeg zich af waar die voor dienden. Het was allemaal erg vreemd, maar de vrouw zag er vriendelijk uit en ze kon hier niet de hele dag blijven zitten.

Lowitja kwam zwijgend uit de schaduwen tevoorschijn en liep langzaam naar haar toe.

Susan had haar in de schaduw zien zitten en ze begreep dat het kind net zo zenuwachtig was als zijzelf. Ze ging door met het bereiden van de maaltijd, terwijl ze stiekem af en toe in de richting van het inboorlingmeisje keek.

'Hallo,' zei ze rustig, toen het meisje tot op een kleine afstand was genaderd. Ze glimlachte uitnodigend en wenkte haar.

Het meisje aarzelde en wierp nerveuze blikken om zich heen, gereed om bij het minste of geringste geluid te vluchten.

Susan bleef staan waar ze stond. Ze namen elkaar zwijgend op. Nu ze haar goed kon zien, zag Susan dat het geen kind was maar een volwassen vrouw. Ze was tenger en kleiner dan Susan en op haar zwarte huid zaten ribbelige littekens, die de kentekenen van haar stam moesten zijn. Ze had een warrige bos roestbruin haar en donkere ogen boven een brede neus en volle lippen. Op een smalle, geweven ceintuur na was ze volkomen naakt en ze had een opmerkelijk statige houding.

De vrouw deed nog een aarzelende stap naar voren. 'Lowitja,' zei ze.

'Susan.' Ze glimlachte bemoedigend en was blij dat ze alleen was, want als er mannen in de buurt waren geweest, had Lowitja vast meteen de benen genomen.

Lowitja deed nog een stap naar voren en stak voorzichtig haar hand uit om Susans rok te betasten. Blijkbaar beviel die haar, want ze lachte en Susan zag dat ze parelwitte tanden had.

Susan pakte de schone zakdoek die ze in haar tailleband had gestoken en hield hem haar voor. 'Voor jou,' zei ze. 'Een cadeau voor Lowitja.'

De vrouw pakte de zakdoek aan, bekeek hem aandachtig en gaf hem toen terug. Susan probeerde haar duidelijk te maken dat ze hem mocht houden, maar Lowitja scheen hem niet te willen. Zo stonden ze daar op de open plek zonder dat ze met elkaar konden praten en Susan begreep nu hoe gefrustreerd Jonathan zich had gevoeld tijdens zijn ervaringen met Watpipa en de inboorlingen in het noorden. Ze wilde Lowitja net overhalen van de stoofschotel te proeven die ze op het vuur had staan, toen de vrouw iets onverstaanbaars brabbelde en weer het bos in rende.

Maanden verstreken en Susan raakte eraan gewend dat Lowitja steeds zwijgend naast haar opdook. Ze leerden elkaar een paar woorden, maar verder konden ze alleen in gebarentaal praten, met knikjes en glimlachjes.

Wanneer Susan brieven schreef aan haar moeder en haar dochter, zei ze niets over de ontberingen, de roofzuchtige krokodillen en de giftige slangen, noch hoe ze bij een temperatuur van meer dan dertig graden in de potten op het vuur moest staan roeren. Ze vulde haar brieven met beschrijvingen van de wonderlijke dingen in de nieuwe kolonie en de kwetsbare vriendschappen die de kolonisten met de inboorlingen sloten.

Ik heb vandaag voor het eerst een kangoeroe gezien. Wat een eigenaardig beest is dat. Hij hopt rond op zijn grote achterpoten en ik heb gehoord dat het vlees erg lekker is. De mannen gaan er vaak op uit om op de dieren te jagen voor de gezamenlijke pot.

De inboorlingen beginnen te begrijpen dat we van plan zijn te blijven en hebben vriendelijke toenaderingen gedaan. We geven hun voedsel, maar ze lijken de voorkeur te geven aan rum, al kunnen ze er niet goed tegen en raken ze binnen de kortste keren buiten westen.

Het zijn primitieve jagers en verzamelaars. Ze hebben geen boerderijen, houden geen dieren en hebben zelfs geen huizen. We wilden hun gereedschap, dekens en kleren geven, maar ze hebben alles van de hand gewezen en Ezra stoort zich erg aan hun naaktheid. Ik vind het helemaal niet afstotelijk, omdat het voor hen heel gewoon is en goed past bij hun manier van leven. Ik wou dat ik net als zij al mijn kleren kon uittrekken en in de zee kon gaan zwemmen, maar daar zou het hele kamp uiteraard hevig door geshockeerd worden, dus ben ik gedwongen onder de hitte te blijven lijden.

Gouverneur Phillip had gehoopt dat de inboorlingen zouden meehelpen met het opbouwen van de kolonie en de extra mankracht zou goed van pas komen, maar alle pogingen om hen te overreden, zijn mislukt. De zwarte mannen weigeren pertinent voor ons te werken, dus zijn het de gevangenen die stenen hakken en een wat meer permanente behuizing voor ons bouwen.

Het stelen van voedsel, rum en dieren is een spel geworden. Onze mannen jagen de inboorlingen wel na, maar die zijn veel te rap en worden vrijwel nooit gepakt. Mijn vriendin Lowitja lacht om de pogingen van onze mannen om door te dringen in de omringende bossen en ik ben het met haar eens dat ze erg onhandig zijn en dat een béétje dief hen al van een kilometer afstand hoort aankomen.

Ikzelf maak het goed en heb het druk met zieken verzorgen en in mijn moestuin werken. Ezra werkt met Florence aan zijn zijde en de school is goed bezet. Ernest werkt al op een overheidsboerderij, in voorbereiding op de dag waarop hij zijn eigen land krijgt toegewezen, en George is een flinke jongeman aan het worden. Hij lijkt voor dit leven in de wieg gelegd. Hij is lang geworden, gebruind door de zon en heeft veel energie. Het valt niet mee om hem aan zijn schoolwerk te houden wanneer hij buiten kan paardrijden, vissen en kattenkwaad uithalen.

Billy's baan als kwartiermeester voor Gilbert lijkt een goede keus te zijn geweest. Hij heeft toestemming gekregen in een tent apart van de andere gevangenen te slapen en Gilbert is vol lof over zijn werk. Hij is verliefd geworden op een meisje genaamd Nell. Ze heeft een grenzeloze energie en ziet eruit alsof niets en niemand haar klein kan krijgen. Haar manier van doen is soms wat ruw, maar ze is precies wat deze nieuwe kolonie nodig heeft.

Het kamp van de Cadigal en de Eora, april 1788

Aan het spel van stelen van de witte mannen kwam een abrupt einde toen drie jonge jongens werden gedood door een vuurstok. Er waren al eerder incidenten geweest, toen vrouwen tegen hun wil waren genomen en mannen op het slechte pad waren gebracht door de zoete, donkere drank die zo begeerlijk was geworden. Hun spiritualiteit en heilige riten werden langzaam maar zeker vernietigd en Moeder Aarde was verkracht. Het was tijd om de waarschuwingen van Lowitja te negeren, de indringers te verjagen en de vroegere rust te herstellen.

Ze gingen in de aanval. Een van de jonge krijgers doorboorde met zijn speren twee mannen die in Kogerah riet sneden aan de rand van het water. Er werd vele dagen op hem gejaagd met behulp van honden en uiteindelijk werd hij gevangen door de mannen in het rood. Ze zagen hem nooit meer terug.

Enige seizoenen later werden Bennelong en Colebee gevangengenomen nadat ze de nieuwe nederzetting in Parramatta hadden aangevallen, maar dat was slechts het begin van hun problemen, want de witte mannen hadden een ziekte met zich meegebracht waar de leden van de Eora en de Cadigal in groten getale aan bezweken. Het was een ziekte die een groot vuur in het lichaam en verwarring van de geest veroorzaakte, en daarna de huid verbrandde. Eén voor één eiste de ziekte de kinderen op, daarna de ouderen en zwakken, en zelfs sommigen van de sterkste, gezondste krijgers raakten hulpeloos van het vuur dat in hen brandde.

Lowitja wist dat het de *galgala* was, de ziekte die haar vriendin Susan pokken noemde. Die ziekte was vele generaties geleden ook al eens voorgekomen. De kolonisten zelf werden niet ziek, maar de stamoudsten hielden toch vol dat de witte mannen de ziekte hadden meegebracht en dat was nóg een goede reden om hen te verdrijven.

Susan had geen magisch medicijn om de zieken te genezen, dus keerde Lowitja terug naar haar stenen en vroeg de vooroudergeesten om hulp. Niettegenstaande haar grote kennis begreep ze al snel dat ze niets kon doen om de verspreiding van de ziekte een halt toe te roepen en de weinige stamleden die het overleefden, bleven zwak en hadden gezwollen ledematen en lelijke littekens op hun huid.

Binnen één seizoen was het aantal stamleden gehalveerd en had Lowitja drie van haar vijf kinderen, haar moeder, haar tante en haar jongste broer verloren. De haat jegens de witte indringers groeide en al Lowitja's kalme adviezen om niet tot geweld over te gaan ten spijt, nam Pemuluwuy het leiderschap van de armetierige restanten van de twintig zuidelijke stammen op zich.

Met zijn zoon Tedbury aan zijn zijde begon hij aan een reeks guerrilla-aanvallen die verscheidene jaren zouden duren en nog veel meer slachtoffers zouden eisen onder de stamleden.

14

Sydney Cove, Port Jackson, 3 juni 1790

Susan stopte even met haar bezigheden om het zweet van haar voorhoofd te vegen met haar hand die vereelt was van het zware werk. Het was vreselijk warm en ze werd gek van de vliegen die rond haar hoofd zoemden toen ze de eenvoudige houten tafel schrobde en probeerde de armoedige woning op orde te brengen. Ezra had onder geen voorwaarde gewild dat er gevangenen aan hen werden toegewezen om te helpen met het zwaarste werk. Hij zei dat slavernij een van de grootste menselijke zonden was en dat zijn gezin zich daaraan niet schuldig zou maken. Alsof het werk nog niet zwaar genoeg was, maakten de omstandigheden waarin ze leefden het nog tien keer zo zwaar. Hadden ze maar een mooi huis zoals Ann en Gilbert, dacht ze mistroostig. Dan zou het leven iets draaglijker zijn.

Ze gooide de borstel in de metalen emmer en liep naar buiten in de hoop verkoeling te vinden, maar het water van Sydney Cove was zo glad als een spiegel, de zon brandde in de wolkeloze hemel en er was geen zuchtje wind te bekennen. Ze ging in de schaduw van een grote boom zitten en stak haar blote voeten onder haar voddige rok uit. Ze was een beetje duizelig en voelde haar maag knorren toen ze haar dikke vlecht optilde om haar nek wat af te laten koelen.

De eerste twee jaren was er van de oogst niets terechtgekomen en nu had gouverneur Phillip de wekelijkse rantsoenen teruggedraaid tot vier pond meel, tweeënhalf pond gepekeld varkensvlees en anderhalf pond rijst. De meeste soldaten en mariniers deden hun werk inmiddels blootsvoets omdat hun schoenen uit elkaar waren gevallen, en alle kleding was aan het verrotten.

Het bevoorradingsschip *Sirius* was in februari vergaan voor de kust van Norfolk en de Tweede Vloot, die ze enige maanden geleden hadden verwacht, was nog altijd niet in zicht. De nieuwe kolonie, die zo hoopvol was gesticht, werd bedreigd met de hongerdood.

Er waren veel sterfgevallen geweest, vooral onder de gevangenen die al in slechte conditie waren geweest toen ze waren aangekomen. Een van de mannen die Susan had verzorgd, had zich nog een paar extra dagen in leven kunnen houden door gras te eten. Er werd veel proviand gestolen, ook al stond daarop de doodstraf door ophanging. Laatst waren twee mannen betrapt en omdat de regering er in al haar wijsheid niet aan had gedacht iemand mee te sturen die de straf kon uitvoeren, had men een van de twee kwijtschelding van straf aangeboden als hij bereid was de taak van beul op zich te nemen. Het alternatief was dat hij doodgeschoten zou worden. De eerste veroordeelde die hij moest ophangen, was zijn handlanger.

Susan sloot haar ogen en probeerde niet aan haar lege maag en de bittere levensomstandigheden te denken. Het ging niet alleen om de honger en het werk in de zon die haar huid verbrandde. Sinds er twee jaar geleden twee gevangenen waren vermoord in Rushcutters Bay liepen alle kolonisten het gevaar slachtoffer te worden van de roofzuchtige inboorlingen. Het waren wilden, met hun speren en schrille oorlogskreten, die niets anders deden dan hun proviandvoorraden plunderen en hun vee doden. Waarom Gilbert er niets aan kon doen, snapte ze niet. Ze opsluiten haalde niets uit en nu leken de zwartjes erop uit te zijn hen allemaal te vermoorden, als ze zich tenminste niet eerst doodzopen.

Ze haatte het leven hier. De vrouwelijke gevangenen waren grof en de mannen wellustig, ze verafschuwde de hitte en de vliegen en het feit dat ze volkomen geïsoleerd zaten van iedere vorm van fatsoen en de grondbeginselen van een beschaafde maatschappij. Maar bovenal haatte ze zichzelf. Als ze Ezra niet ontrouw was geweest, woonden ze nu nog gewoon in Cornwall.

Ze stond op en klopte het stof van haar rok. Hoe vaak ze haar kleren ook verstelde, ze bleven eruitzien als vodden en ook dat was een bron van ergernis, want ze was er haar hele leven prat op gegaan er schoon en netjes uit te zien. Als God haar voor die ijdelheid wilde straffen, naast al haar andere zonden, had hij een goede methode gekozen.

Haar blik ging van de haveloze, half verhongerde gevangenen die bomen aan het kappen waren naar de hoefsmid die in zijn smidse op een stuk ijzer sloeg, en naar een andere groep gevangenen die bakstenen aandroegen. Ze wist dat al die mannen het nog veel moeilijker hadden dan zij, maar ze wist ook dat het werk dat ze deden van bijzonder laag peil was. God, als zíj het voor het zeggen had gehad, had ze ervoor gezorgd dat de gevangenen die hiernaartoe werden gestuurd, iets wisten van landbouw, huizenbouw en timmermanswerk. Maar dáár had de regering in Londen helemaal niet aan gedacht.

De grond in de nederzetting was zo hard dat de bladen van de schoffels erop verbogen, de bomen zo stug dat bijlen braken; je werd doodmoe van de hitte, overal zaten gifslangen en werd je gebeten door reuzenmieren. De inboorlingen hadden ieder aanbod om iets van hen te leren hooghartig afgewezen en weigerden voor de blanken te werken, zelfs niet in ruil voor voedsel en dekens. De kolonie moest het zien te rooien met de luie lapzwansen die thuis alleen maar goed waren geweest in zakkenrollen en eerder bereid waren hun lichaam voor een fles rum te verkopen dan een eerlijke boterham te verdienen. Geen wonder dat de oogst nu al tweemaal was mislukt.

Ze keek naar het houten huisje dat ze kort na hun aankomst hadden gebouwd. Het stond naast de kleine, eveneens houten kerk die dominee Richard Johnson kort daarna had laten bouwen en de eerste maanden had het hun in ieder geval beschutting gegeven tegen de dagelijkse regenbuien. Maar het was en bleef een krot.

Het had een vloer van aangestampte aarde, ramen met luiken maar zonder ruiten en toen in de wintermaanden de wind door alle kieren floot, was de weinige warmte van het gietijzeren fornuis door diezelfde kieren verdwenen. Het mooie linnengoed dat ze hadden meegebracht was door de vochtigheid gaan schimmelen, het meeste serviesgoed was tijdens de reis gebroken en de piano van Florence was zo ontstemd dat er niet op gespeeld kon worden. Hun eigen meubels waren weggerot of opgevreten door termieten en de primitieve tafel en stoelen die ze nu hadden, waren van hout en canvas, in elkaar geflanst door George en Ernest die juist genoten van de uitdagingen van dit ruige land.

Ze zuchtte. Ernest was nu zeventien en had Sydney Cove verlaten. Alle jonge mannen hadden van de overheid een stuk grond gekregen langs de onlangs in kaart gebrachte rivier de Hawkesbury, en Ernest was vorig jaar vol goede moed vertrokken om te gaan ploegen en zaaien. George zou over niet al te lange tijd ook wel vertrekken, dacht ze, want hij was vijftien en had al plannen voor zijn eigen kavel.

'Een schip! Een schip!'

Ze schrok op uit haar gedachten en draaide zich om naar het water. Een groot schip met vele zeilen voer traag langs de vele inhammen de baai in naar Port Jackson. Het voerde de Britse vlag.

Susan tilde haar rok op en begon te rennen. Eindelijk waren ze gered. Eindelijk zouden ze voedsel krijgen en nieuws van thuis. God had het wonder laten gebeuren waar Ezra en zij om hadden gebeden. God had hen niet in de steek gelaten.

Ze holde naar de hospitaaltent om haar man te zoeken. Onder het tentdoek was het vreselijk benauwd en de sluier van de dood hing over iedereen die zich er bevond. Ze zag dat Ezra helemaal achter in de tent voorlas aan een uitgemergeld kind dat roerloos en met doffe ogen op een matras lag.

'Er is een schip gekomen,' zei ze tegen hem. 'We zijn gered!'

Hij keek niet op. 'Dan moet je maar gauw gaan kijken wat ze hebben meegebracht,' antwoordde hij.

'Ga met me mee,' zei ze smekend en ze legde haar hand op zijn schouder.

Hij trok zijn schouder naar beneden, onder haar hand vandaan. 'Ik heb geen tijd.'

Susan beet op haar lip. Ze zou zich niet door zijn kille gedrag laten ontmoedigen en was te moe om te huilen. Ze liet hem achter bij het kind en liep snel naar buiten.

De *Lady Juliana* was een lust voor het oog toen ze met de kop in de wind draaide en het anker uitgooide. Maar toen de kolonisten en gedetineerden de passagiers tevoorschijn zagen komen, steeg een onrustig gemompel op dat allengs luider werd.

'Er zitten alleen maar hoeren op dat schip,' zei Billy, die bij haar was komen staan op de kade. 'Moet je ze zien! Moddervet en klaar om zaken te doen. Wat denken ze wel? Dat we hier voor onze lol zitten?'

De sfeer was om te snijden toen de opzichtig geklede vrouwen uit de roeiboten stapten. Hun verleidelijke glimlachjes versteenden toen de menigte zwijgend uiteenweek om hen door te laten, en ze versnelden ongerust hun pas.

'Waar is het eten?' riep een man.

'Ja. We willen geen vrouwen, we willen eten!'

De menigte drong naar voren. Gilbert greep zijn vrouw, Susan en Florence, en loodste hen bij de massa vandaan. 'Hier komt herrie van,' zei hij. 'Ik heb van de kapitein gehoord dat ze alleen maar genoeg voedsel hebben om de vrouwen te eten te geven. Gouverneur Phillip zal een deel ervan in beslag nemen en de vrouwen weer op het schip zetten en naar Norfolk sturen, want we zitten hier echt niet op rellen te wachten.'

Susan keek naar hem op. 'Waarom sturen ze een schip zonder proviand? Weten ze in Londen niet dat we verhongeren?'

Gilbert streek zijn snor glad en keek boos naar de nieuwkomers. 'De regering heeft in haar oneindige wijsheid besloten dat we meer vrouwen nodig hebben om kalmte en stabiliteit te waarborgen in de kolonie. Waarom ze denken dat dergelijk rapaille ons enig goed zal doen, is me een raadsel.'

Susan staarde naar de hoeren, die door de zwijgende, ziedende menigte liepen, en vroeg zich af of het Londen eigenlijk iets kon schelen wat er van hen zou worden. Het zag ernaar uit dat ze verdoemd waren.

De Surprise, *26 juni 1790*

Jack Quince lag in zijn eigen vuil, geketend aan een lijk. Hij was zwak en broodmager omdat hij al dagen geen water of voedsel had gekregen, maar hij en zijn lotgenoten wisten dat ze niets zouden krijgen, ook al zouden ze erom smeken. De kapitein van de *Surprise* leek zich te hebben voorgenomen hen allemaal te laten creperen.

Hij krabde niet meer aan de luizen en voelde de schrijnende, etterende wonden niet meer van de geselingen die hij gedurende de eindeloze maanden op zee had moeten ondergaan. Hij rook de stank van rottend mensenvlees niet meer noch die van de uitwerpselen die rondom hem in het lenswater dreven, en zelfs de angst van de claustrofobie was verdwenen. Hij wist alleen nog maar dat het zijn dood zou worden als hij nog één dag hier in het ruim moest doorbrengen, en hij was erop voorbereid.

Hij sloot zijn ogen terwijl hij daar te midden van de lijken lag en negeerde de ratten die over hen heen kropen en hun snuit in het ontbindende vlees staken. Hij probeerde zich te herinneren hoe het thuis was geweest. Sussex was een andere wereld, een wereld waar de zon je rug verwarmde als je bezig was het graan te oogsten en de koeien te melken in de dalen van South Downs. In Sussex ging je niet dood van de honger, leed je geen pijn en kon je verwachten kalm en waardig te overlijden wanneer je oud was. De lommerrijke, met heggen omzoomde lanen, de vredige dorpen met hun witgewassen huisjes met rieten daken, het vee in de wei en de kleine boerderij die hij had gehad – dat alles leek nu alleen nog maar een droom.

En Alice. Zijn droge lippen barstten toen hij zijn mond tot een glimlach vertrok. Alice Hobden en hij waren al heel jong op elkaar verliefd geworden. Hij dacht aan haar dikke, bruine haar en donkere ogen, haar romige huid en hese lach. Heerlijke toekomstplannen hadden ze gehad tot het lot zich tussen hen had gewrikt en hij valselijk werd beschuldigd van diefstal.

Een weeklacht welde in hem op, maar hij onderdrukte hem. Hij kende de man die hem had beschuldigd maar al te goed. Een rijke buurman die zijn zinnen had gezet op zijn malse weidegrond en vastbesloten was die in zijn bezit te krijgen, desnoods op een oneerlijke manier. De stier was stiekem bij de koeien van Jack in de wei gezet en voordat hij er iets aan had kunnen doen, was hij afgevoerd naar de gevangenis.

De rechtszaak was snel afgehandeld, want de buurman had vrienden in hoge kringen en geld genoeg om de rechter te kunnen omkopen. Jack was tot vijftien jaar veroordeeld en had daarvan de eerste drie op een gevangenisschip gezeten. Hij had het aan de goedheid van een vriend te danken dat hij de eigendomsakte van de boerderij nog net op naam van Alice had kunnen overschrijven, zodat de boerderij in ieder geval niet in beslag genomen kon worden door de man die hem dit had aangedaan en Alice zich geen zorgen hoefde te maken over de toekomst.

Toch had hij het niet kunnen verdragen haar daarna nog te zien. Hij had haar verboden bij hem op bezoek te komen, zelfs toen hij te horen had gekregen dat hij werd gedeporteerd. Hij had geweten dat hij haar moest loslaten, haar ontslaan van de beloften die ze elkaar hadden gedaan.

De herinneringen schrijnden zo dat hij zijn ogen weer opendeed. Zelfs de plaats waar hij zich nu bevond was beter te verdragen dan de gedachte dat Alice met iemand anders was getrouwd en een gezin grootbracht in het huis van hun toekomstdromen.

Hij luisterde naar de geluiden om hem heen. Het getrippel van het ongedierte en het gekreun van de zieke en stervende mannen kende hij net zo goed als het kraken van het schip zelf. In ieder geval hoefde hij geen moeite meer te doen overeind te komen, want het water reikte niet meer tot aan zijn middel, zoals tijdens de stormen. Tijdens die stormen had de claustrofobie toegeslagen. Het was altijd pikkedonker in het ruim en toen het water begon te stijgen terwijl het schip onophoudelijk rolde en stampte, was hij in de greep geraakt van zo'n afgrijselijke angst dat hij bijna gek was geworden. Maar niemand had zich iets aangetrokken van zijn kreten en die van de anderen. Het was alsof het niemand iets kon schelen als ze verdronken. De reders hadden goed geld gebeurd en het maakte hun niets uit of hun lading crepeerde.

Hij wilde net zijn ogen weer sluiten en zich voorbereiden op de welkome slaap van de dood, toen hem iets opviel. De *Surprise* lag stil. Het schip deinde zachtjes, alsof het in ondiep water lag en hij hoorde roepende stemmen en het kraken van roeiriemen.

Jack hief zich met veel moeite en pijn op één elleboog op en luisterde aandachtig. Diep in zijn binnenste ontvlamde een sprankje hoop.

Port Jackson, 26 juni 1790

De schepen waren een paar weken na de aankomst en het haastige vertrek van de *Lady Juliana* gesignaleerd achter de landtong en toen de mannen en vrouwen van de kolonie nogmaals op het strand bij elkaar kwamen, durfden ze niet te hopen dat dit echt de Tweede Vloot was en dat redding eindelijk nabij was.

Billy had Gilbert gesmeekt om een plaats in een van de sloepen die gouverneur Phillip eropuit stuurde om de *Neptune* te verwelkomen en nu roeide hij samen met nog vijf mannen naar de vloot. Hij watertandde bij de gedachte aan het voedsel dat de schepen hadden meegebracht; het zag ernaar uit dat ze alsnog van de hongerdood gered zouden worden. Misschien bestond de God van Ezra dan tóch.

Ze wilden net de roeispanen binnenboord halen toen het bevel van de gouverneur hun bereikte om terug te keren naar de kust. Hij kwam in de verleiding het te negeren. Ze waren zo dichtbij, ze konden de wand van de *Neptune* bijna aanraken, maar toen hij Gilberts blik opving, begreep hij dat er iets heel erg mis was. Gilbert zag lijkbleek.

Ze keerden terug naar het strand, aan de ene kant doodnieuwsgierig en aan de andere kant teleurgesteld tot in de diepste vezels van hun hongerige lijf. Ongeduldig mopperend wachtten ze bij de provisorische pier die de gedetineerden kort na hun aankomst hadden gebouwd. De pier was eigenlijk te klein, maar de baai was zo diep dat zelfs grote schepen vrij dichtbij konden komen.

'Wat is er aan de hand?' vroeg hij aan Gilbert.

Gilbert veegde zijn mond af met een zakdoek. Billy zag dat hij had overgegeven want een deel van het braaksel zat op zijn schoenen. 'Ik heb in alle delen van het koninkrijk gevochten, maar zoiets verschrikkelijks heb ik nog nooit gezien,' zei hij moeizaam. Met rode ogen keek hij Billy aan. 'Het is een doodsvloot,' zei hij amechtig. 'De ruimen zitten vol dode en stervende mannen, aan elkaar geketend, uitgehongerd, lijdend aan alle ziekten die de mensheid kent.'

Billy's maag kwam onmiddellijk in opstand. Hij was zijn eigen reis in het ruim nog lang niet vergeten en wilde liever horen wanneer de proviand aan wal kon worden gebracht. 'Maar hoe zit het met de voorraden?'

Gilbert stond er verslagen bij. 'Het bevoorradingsschip, de *Guardian*, is vergaan,' zei hij zachtjes. 'De *Scarborough* en *Justinian* hebben wel wat proviand aan boord, maar op geen stukken na genoeg, nu er zo veel mensen bij zijn gekomen.' Hij zuchtte. 'Gouverneur Phillip heeft het bevel uitgevaardigd dat de bevoorradingsschepen buiten de baai moeten blijven liggen tot de drie deportatieschepen zijn uitgeladen. Anders worden ze nog geplunderd.'

'Hoeveel gevangenen kunnen we verwachten?' Billy hield zijn hand boven zijn ogen om ze te beschermen tegen de felle zon toen hij naar de vijf schepen keek die langzaam naar de baai voeren en het anker uitgooiden.

'Zeventienhonderd gevangenen plus de bemanningen.'

Billy vloekte. 'Dat zal mijn werk danig bemoeilijken. We hebben al zo'n moeite om al die vuile dieven bij de voorraden weg te houden zonder dat er nog meer bij komen die willen eten.'

'Deze mensen hebben veel meer nodig dan voedsel,' antwoordde Gilbert. Hij rechtte zijn schouders. 'We moeten hen ergens onderbrengen om hen te kunnen verzorgen. Dat is jouw taak, Billy. Ga maar gauw. De eerste gevangenen worden zo dadelijk aan wal gebracht.'

Billy keek nog even naar Gilbert die wijdbeens, met zijn handen op zijn rug ineengeslagen, op de houten steiger stond. Hij leek zich te hebben voorgenomen niet te laten merken hoe woedend en verontwaardigd hij was, maar Billy zag zijn weldoener verstijven toen de *Surprise* – de ironie van de naam was hem niet ontgaan – het anker uitwierp. Billy kon zelfs van deze afstand zien dat het schip ernstige lekkage had en in de tropische hitte van Port Jackson verspreidde de onbeschrijflijke stank van het stilstaande lenswater, het wegrottende hout en de ontbindende lijken zich door de hele baai.

Hij keek naar de gouverneur en zag schaamte en walging in Phillips ogen toen die Gilbert een teken gaf dat zij als eersten aan boord van de *Surprise* zouden gaan. Billy voelde gal als gif opstijgen naar zijn keel en durfde zich niet eens een voorstelling te maken van wat ze te zien zouden krijgen. Toen het luik werd opengegooid, kotste hij bijna van de walmen. Toen hij zich wilde omdraaien, schalde de stem van de gouverneur over het water.

'Haal deze gevangenen onmiddellijk van boord,' bulderde Phillip tegen de matrozen, die over de reling hingen en wellustig naar de vrouwen op het strand joelden. 'Waar zijn de scheepsarts en de kapitein? Ik zal jullie allemaal laten geselen wegens crimineel plichtsverzuim!'

Billy keek verslagen toe toen de gouverneur woedend de *Surprise* verliet en op weg ging naar de *Neptune*.

'Ik ga ze allemaal op hun lazer geven, te beginnen met de commandant van de vloot,' bulderde Arthur Phillip.

Jack Quince voelde de ketenen wegvallen, maar was te zwak om overeind te komen. Hij probeerde het heel even en liet het toen over aan de sterke armen die hem uit het vuil op de bodem van het ruim tilden en naar boven droegen, de frisse lucht in. Het zonlicht deed pijn aan zijn ogen en hij sloeg zijn handen voor zijn gezicht, maar hij rook de weldadige geur van dingen die groeiden en snoof die gretig op. Hij rook gras en hooi, paarden, honden, schapen en koeien, en heel even vroeg hij zich af of hij soms niet was gered; misschien had de dood hem teruggebracht naar Sussex.

Hij was zich er slechts gedeeltelijk van bewust dat hij aan land werd gedragen en toen zijn ogen aan het licht gewend waren, zag hij primitieve houten gebouwen, een woud van tenten, een kerk en zelfs grazende koeien in een wei. Dit was niet Sussex, begreep hij, want de zon brandde te fel in de bleekblauwe lucht en de grond had de kleur van geronnen bloed.

Hij moest het bewustzijn hebben verloren want nu voelde hij een koele doek op zijn gezicht en zachte zalf waarmee de open wonden werden ingesmeerd waar zijn hele lichaam mee was bedekt. 'Hier,' zei de vrouwenstem. 'Neem hier maar een slokje van, dan voel je je vast een stuk beter.'

Jack Quince dronk gretig van het koele water en toen hij opkeek, zag hij twee helderblauwe ogen. 'Ben ik in de hemel?' vroeg hij, en hij bedoelde het maar half als grap. Na maanden van zwijgen klonk zijn eigen stem hem vreemd in de oren.

'Nee, de hemel is dit beslist niet.' De lippen vertrokken zich tot een flauwe glimlach. 'Maar het is beter dan de hel waar je vandaan komt.'

Jack dronk nogmaals gulzig van het water, maar moest stoppen toen zijn maag in opstand kwam. Hij wist dat het belangrijk was dat het water eerst werd opgenomen en hij voelde nu al hoe het hem nieuwe kracht gaf. Ze wachtte tot hij gereed was en gaf hem toen een kom met brood en melk. Hij kauwde traag, genietend van de smaak en textuur ervan in zijn mond, maar kromp ineen toen de harde korst losse kiezen raakte en over zijn half verrotte tandvlees schraapte.

'Ik heet Jack Quince,' zei hij toen ze opstond. 'En jij?'

'Nell,' antwoordde ze en ze glimlachte hem zo lief toe dat hij tranen in zijn ogen kreeg. 'Tot straks, Jack.'

Susan kon haar ogen niet geloven. Op de *Neptune* en *Scarborough* werden lijken van mannen, vrouwen en kinderen zomaar overboord gegooid. Ze zag hoe gevangenen als levende lijken op hun knieën uit het ruim kropen, zo verzwakt dat ze niet konden lopen, zo vernederd dat ze niets durfden zeggen. Sommigen stierven zodra ze in het zonlicht kwamen, anderen bleven op het dek liggen tot ze naar de wal werden gedragen. De huid die over hun ribben en rugwervels zat gespannen, was permanent gestreept door de gesel en bij velen was het witte bot van de polsen en enkels zichtbaar omdat de boeien diep in het vlees hadden gesneden.

'Goede God,' stamelde ze toen de stank haar bereikte. Ze bedekte haar mond en neus met een doek.

'God zal die arme stakkers niet helpen,' zei een bekende, rauwe stem. 'Vooruit, Susan, er is werk aan de winkel.'

'Je hebt gelijk,' zei Susan, vechtend tegen de misselijkheid toen ze haar mouwen opstroopte. 'Laten we gaan.' Ze volgde Billy's vriendin over het strand naar de hospitaaltent en het haastig ingerichte mortuarium.

De afgrijselijke stank van de doden die op een hoop werden gelegd tot ze begraven konden worden in de diepe kuil die een groep gevangenen aan het graven was, was allesoverheersend, maar ze zag dat gedetineerden en militairen eendrachtig samenwerkten om alle mannen en vrouwen uit de ruimen te bevrijden. Ze snelde naar voren om degenen die niet konden lopen te helpen en degenen die op sterven lagen wat water te geven. Billy deelde bevelen uit als een sergeant-majoor: hij liet tenten neerzetten, stuurde een groep militairen eropuit om op kangoeroes en wallaby's te jagen, liet koeien en geiten melken opdat ze de kinderen melk konden geven.

Susan werkte de hele dag door en hoorde dat de proviand, die vanaf de bevoorradingsschepen aan wal was gebracht, door gewapende militairen werd bewaakt. Er ontstond geen enkele wrijving tussen de kolonisten en de gedetineerden. Een sfeer van stille wanhoop heerste onder de overlevenden van de Eerste Vloot toen ze probeerden zo veel mogelijk opvarenden van de Tweede Vloot te redden.

Ze werkten door tot diep in de nacht en pauzeerden alleen voor een gebed bij het massagraf dat Billy had helpen graven. Susan was bijna aan het einde van haar krachten, verzwakt door de honger en de hitte, onpasselijk van de afschuwelijke dingen die de chirurg haar verzocht te doen, maar ze werkte stug door. Eindelijk had ze het gevoel dat ze iets nuttigs deed.

Ze verzorgde de ene gevangene na de andere, verwijderde maden uit hun wonden, gaf ze voedsel en water. Haar minachting voor degenen die in staat waren zulke afgrijselijke misdaden te plegen tegenover hulpeloze mannen, vrouwen en kinderen, kende geen grenzen. Nog nooit van haar leven was ze getuige geweest van dergelijke wreedheden. Het was alsof God degenen die Zijn hulp het meeste nodig hadden, in de steek had gelaten.

Toen het eerste licht van de dageraad de hemel kleurde, werd ze naar de vrouwentent gestuurd. Wat ze daar zag, was niet minder verschrikkelijk. De vrouwen die op de *Neptune* hadden gezeten, waren net zo slecht behandeld als de mannen. De matrozen hadden blijkbaar geen enkel mededogen gehad met het zwakke geslacht, want de hologige vrouwen waren uitgemergeld, oud voor hun tijd. De meesten, vreesde ze, hadden nog maar een paar uur te leven.

Susan vulde een kom met warm water uit de ketel op het fornuis, pakte de laatste schone handdoek en liep naar het eerste stromatras van de rij. Ze kon onmogelijk zeggen hoe oud de vrouw was, want haar gezicht had de kleur van talk en haar haar was een smerige kluwen vol luizen. Ze begon haar gezicht en nek te wassen en zag bloeduitstortingen op haar armen en ribben. Het leed geen twijfel dat ze zelfs recentelijk nog was mishandeld, want de bloeduitstortingen waren donkerblauw.

De vrouw deed haar ogen niet open toen Susan haar op haar zij rolde om haar rug te wassen. Ze reageerde niet toen Susan warm water over de striemen liet lopen die de gesel had achtergelaten. Susan klemde haar lippen op elkaar. Ze zou niet gaan huilen. Maar wat hadden ze dit arme schepsel aangedaan?

Ze rolde haar weer op haar rug en verwijderde de smerige, van luizen vergeven vodden van het broodmagere lichaam. Ze gooide ze op de stapel kleren die later verbrand zou worden en dekte de vrouw toe met een schoon, koel laken. Ze hoopte dat dit haar enig soelaas zou brengen.

Toen ze overeind wilde komen, sloten de benige vingers zich om haar pols. 'Dank u.' Het was een fluistering, amper hoorbaar te midden van alle andere geluiden.

Susan keek in de bruine ogen waarin een verlangen brandde om in leven te blijven, ondanks alles wat de vrouw was aangedaan. 'Het spijt me dat ik niet méér voor je kan doen,' antwoordde ze. Ze pakte haar hand en hield die vast.

'Het is genoeg.' Een zweem van een glimlach speelde rond de etterende lippen. 'Ik behoor in ieder geval tot de gelukkigen.'

Susan keek op haar neer. 'Hoe oud ben je?' vroeg ze.

'Negentien.' De bleke oogleden trilden en toen viel het meisje in slaap.

Susan bleef nog even naar haar zitten kijken. Het medelijden dat ze voor haar voelde was zo intens dat ze dacht dat haar hart ervan zou breken. Het meisje was jong genoeg om haar dochter te kunnen zijn, twee jaar ouder dan Ernest. Ze trok het schone laken tot boven de naakte schouders en liep weg. Anderen hadden haar hulp nodig, maar ze nam zich voor straks weer bij het meisje te gaan kijken, want haar geestkracht had haar diep geraakt.

Billy had alles gedaan wat Gilbert hem had opgedragen en nog veel meer. Hij had de tenten georganiseerd, rantsoenen vastgesteld, een groep militairen op jacht gestuurd, en was daarna voortdurend in de weer geweest voor de vrouwen en de artsen die de hele nacht hadden doorgewerkt. Nu zat hij met Gilbert en Ezra op de oever van de rivier te kijken naar de zonsopgang, terwijl ze samen een kruikje rum deelden. Het maakte niets meer uit dat zoiets vanuit sociaal oogpunt eigenlijk niet kon; de klassenverschillen waren door de gebeurtenissen van de afgelopen vierentwintig uur helemaal weggevaagd. Ze waren gewoon drie vermoeide mannen die probeerden te verwerken wat ze allemaal hadden gezien.

'Tweehonderdachtenzeventig doden,' zei Gilbert zachtjes, 'en dat aantal zal nog stijgen voordat deze nieuwe dag ten einde is.'

'Iemand moet hiervoor gestraft worden,' zei Ezra. 'Ik dacht dat er voorzorgsmaatregelen waren genomen om dergelijke wantoestanden uit te sluiten.'

Gilbert nam een lange teug van de rum. 'Dat is ook zo wanneer het schepen zijn van de Royal Navy, maar deze vloot was in de handen van kaperkapiteins. Door inefficiëntie en onwetendheid van de officieren en het ontbreken van directe verantwoordelijkheid waren de gedetineerden tijdens de reis overgeleverd aan de bemanning. En aangezien er weinig of geen overleg werd gepleegd tussen degenen die verantwoordelijk waren voor het welzijn van de gevangenen en de bemanningsleden die zelf grotendeels geronseld zijn in herbergen en achterbuurten, was een ramp onvermijdelijk.'

'Ik wil wedden dat er niemand zal worden aangeklaagd,' zei Billy nijdig. 'Gevangenen zijn voor de overheid van weinig belang.'

'Dat heb je mis, William,' zei Gilbert. 'Ik zal er persoonlijk voor zorgen dat er een onderzoek wordt ingesteld naar de behandeling van deze gedetineerden zodra de schepen terug zijn in Engeland. Er zullen aanklachten worden ingediend tegen de kapiteins en de scheepsartsen die zo'n gruwelijke onachtzaamheid aan de dag hebben gelegd tegenover de mensen voor wie ze verantwoordelijk waren.'

Billy staarde over het water van de haven naar de open zee. Hij twijfelde er niet aan dat Gilbert zou doen wat hij zei, want hij hield zich altijd aan zijn woord, maar hij vreesde dat het nooit tot een rechtszaak zou komen en dat de meeste overtreders stilletjes zouden verdwijnen voordat ze veroordeeld konden worden voor hun misdaden.

15

Sydney Cove, november 1790

Ezra probeerde aan zijn preek te werken, maar de woorden wilden niet komen en zijn gedachten stelden hem niet in staat zich goed te concentreren. Ze hadden de ruwhouten tafel en bank buiten neergezet op een hoog punt van het terrein met uitzicht op het water. Een bries speelde met de vellen papier op de tafel en liet de bladzijden van de Bijbel ritselen, alsof de wind hem aan zijn plicht wilde herinneren.

Hij staarde uit over de baai en dacht aan Susan. Hij had zich kil tegenover haar gedragen, bijna hooghartig, ondanks het feit dat ze zich kranig had gehouden in de afgelopen tweeënhalf jaar van ontberingen. Onvermoeibaar had ze zich ingezet voor de zieken en stervenden en ondanks de miserabele leefomstandigheden in deze nieuwe kolonie had ze nooit haar plichten verzaakt. Hij beet op zijn lip toen hij dacht aan de vele keren dat hij haar met die bedroefde, blauwe ogen naar hem had zien kijken. Ze had al het mogelijke gedaan om hem te laten vergeten wat er was gebeurd en nu wilde ze met het eerste beschikbare schip samen met de kinderen terug naar huis.

Hoewel hij nog steeds niet in staat was te vergeten wat ze had gedaan, wist hij dat het met hem afgelopen zou zijn als ze hem verliet. Wat had het voor zin tot de gedetineerden te preken over liefde en vergiffenis, over het heilige verbond van het huwelijk en een godvruchtige levenswandel, als zijn eigen huwelijk een aanfluiting was? Hij was zelf ontrouw aan God en aan de boodschap die hij moest uitdragen, en de kloof die tussen hem en Susan bestond was het resultaat van zijn eigen zwakheden. Hij moest de kracht en moed zien te vinden om opnieuw te beginnen, om weer in zijn vrouw te geloven en haar te vertrouwen.

Hij werd uit zijn gedachten opgeschrikt door de stem van Gilbert. 'Ik heb verrassend nieuws, ouwe reus.' De bank kreunde en trilde toen hij naast Ezra plaatsnam en met een brief wapperde.

De Tweede Vloot en de schepen die erna waren gearriveerd, hadden hun het nieuws gebracht over de Franse Revolutie en de verbeterde gezondheidstoestand van koning George, maar de kolonisten hadden eigenlijk alleen maar belangstelling voor de brieven van thuis die ze zorgvuldig lazen en herlazen en zuinig bewaarden, alsof daarmee een klein stukje Engeland erin was geslaagd hen aan de andere kant van de wereld te bereiken.

Ezra legde de ganzenveer neer en leunde met beide armen op de tafel, blij dat hij even van zijn problemen werd afgeleid. Ofschoon Gilbert sterk was vermagerd, was zijn snor nog altijd even magnifiek en zijn manier van doen nog even bruusk, en de afgelopen jaren had hij zijn broederlijke trouw meer dan eens bewezen. Ze waren erg op elkaar gesteld geraakt. 'Je zit duidelijk te popelen om het me te vertellen,' zei hij.

Gilbert streek zijn snor glad en probeerde er niet al te opgewonden uit te zien. 'Je zit op dit moment naast de graaf van Glamorgan.'

Ezra staarde hem aan. 'Dan is James overleden.'

'Inderdaad,' zei Gilbert. 'Hij heeft midden in een redevoering in het Hogerhuis een hartaanval gekregen en was al dood voordat hij de vloer raakte.'

Echt iets voor Gilbert om het zo cru uit te drukken, dacht Ezra, al had geen van tweeën ooit veel genegenheid gevoeld voor hun oudste broer, die altijd een verwaande kwast was geweest. Meteen verweet hij zichzelf deze onchristelijke gedachten in het licht van zulk nieuws. 'Zijn arme vrouw en dochters,' zei hij. 'Dat moet een enorme schok voor hen zijn geweest.'

'Blijkbaar niet.' Gilbert gaf hem de brief. 'Zijn vrouw zegt dat hij zich al enige tijd niet goed voelde en zich niets aantrok van het advies om zich niet ongans te eten aan het zware voedsel en de wijn waar hij zo dol op was.' Hij slaakte een zucht. 'De meisjes hebben goede huwelijken gesloten en Charlotte zit er warmpjes bij. Maar aangezien de kleinkinderen allemaal van het vrouwelijke geslacht zijn, ben ik zijn opvolger.'

Ezra kon zich niet voorstellen hoe het leven zonder zijn broer zou zijn, na deze jaren waarin ze zo naar elkaar toe waren gegroeid. 'En nu moet je terugkeren naar Engeland?'

'Met het eerstvolgende schip.' Gilbert klemde zijn hand rond Ezra's arm. 'Het spijt me dat ik je in je eentje moet achterlaten, ouwe reus, maar het is nu eenmaal niet anders.' Hij kon echter niet lang zo serieus blijven. Een brede glimlach gaf blijk van het jongensachtige enthousiasme dat hij zelfs op zijn drieënvijftigste nog bezat. 'Ann is door het dolle heen,' gaf hij toe. 'Ze zit al vol plannen om de ouderlijke stulp helemaal opnieuw in te richten zodat ze luisterrijke feesten kan gaan geven. Het is maar goed dat je samen met zo'n titel ook een aardig inkomen krijgt, anders was ik binnen een jaar failliet.'

Ezra glimlachte. 'Ann is een goede vrouw,' zei hij, 'en ze heeft veel bijgedragen tot wie je nu bent, Gilbert.'

Gilbert draaide aan de punten van zijn snor terwijl hij peinzend naar de baai staarde. 'Dat geldt ook voor Susan,' zei hij toen. Hij keek zijn broer aan. 'Vind je niet dat ze van jou wat meer genegenheid heeft verdiend, Ezra?' vroeg hij op een voor hem onverwacht zachte toon.

Nu was het de beurt aan Ezra om naar het water te staren, want de woorden van zijn broer waren een weerklank van zijn eigen gedachten, al was hij nog steeds niet in staat de pijn van haar verraad te vergeten. Die pijn sneed door hem heen, als een dolk die recht in zijn hart was gestoken. 'Ik heb het geprobeerd, maar iedere keer dat ik naar haar kijk, zie ik hém.' Hij knipperde met zijn ogen, vastbesloten niets te laten merken van de holle eenzaamheid die van hem een leeg omhulsel had gemaakt.

'*Die van ulieden zonder zonde is, werpe eerst den steen op haar.* Niemand is perfect, Ezra.'

'*Dwalen is menselijk, vergeven is goddelijk.*' Hij keek op naar zijn broer. 'Het is tijd om mijn leer in praktijk te brengen.'

Gilbert knikte. 'Pas op dat je haar niet kwijtraakt door je trotse houding en je halsstarrigheid. Je huwelijk is te veel waard.' Hij zuchtte. 'Je kinderen worden groot, Ezra. Ernest is allang het huis uit, George is hem nu gevolgd en Florence zal over niet al te lange tijd trouwen. Dan blijven Susan en jij samen over. Laat je oude dag niet bederven door bitterheid.' Hij legde zijn hand op Ezra's schouder, stond op en liep weg.

Ezra keek zijn broer na toen die op weg ging naar de stad, nog altijd met een fiere houding, opgeheven hoofd en kaarsrechte rug. Gilbert zou altijd als een soldaat lopen, ongeacht hoe oud hij werd, en hij was blij voor zijn broer dat hij de gelegenheid kreeg naar huis terug te keren, maar hij zou zijn gezelschap, welgemeende adviezen, onomwonden gedrag en vriendschap missen.

Hij keek weer naar de zee. Gilbert had gelijk. Het was tijd om het verleden af te sluiten en opnieuw te beginnen, althans als Susan dat wilde. Hij pakte de vellen papier bij elkaar, stak de Bijbel onder zijn arm en liep naar de kerk. Voor zo'n belangrijke stap moest hij om leiding bidden.

Susan had al snel gemerkt dat Florence haar ontluikende vriendschap met het meisje van het transportschip radicaal afkeurde en dat ze zich schaamde voor het feit dat Billy Nell als levenspartner had gekozen. Haar dochter maakte zich over veel dingen kwaad, wat begrijpelijk was gezien hun levensomstandigheden, maar dat was nog altijd geen verklaring voor de ronduit vijandige houding die ze ten opzichte van haar moeder aan de dag legde.

Susan probeerde het zich niet al te zeer aan te trekken toen ze de afgedekte mand aan haar arm hing en naar de hospitaaltenten liep. Ze wist dat er onder de officiersvrouwen werd geroddeld over haar werk met de gedetineerden en over het feit dat Billy haar broer was, en ze vroeg zich af of Florence zich soms zorgen maakte dat dit haar kans op een goed huwelijk zou bederven.

Ze liep langs de overheidswinkel en wuifde naar Billy en Nell, die samen even pauze hielden bij de wastobbes. Toen ze weer doorliep zag ze een officiersvrouw die Florence met opzet negeerde. Opeens werd ze woedend om het feit dat haar dochter door dat mens met de nek werd aangekeken. Het was onaanvaardbaar dat Florence werd buitengesloten wegens haar familie en Susans mededogen ten opzichte van de gevangenen. Het was hoog tijd dat ze haar wat richtlijnen gaf over hoe ze boven dergelijke vooroordelen kon uitstijgen.

Susan versnelde haar pas om haar dochter in te halen. 'Let maar niet op haar, Florence,' zei ze, terwijl ze haar arm om de schouders van haar dochter sloeg. 'Het is een domme vrouw die niets beters te doen heeft dan iedereen bekritiseren. Blijf je waardig gedragen en hap niet in het aas.'

'Ik moet met u praten,' zei Florence kortaf.

Susan was pijnlijk getroffen door de minachting die ze in de ogen van haar dochter zag. 'Wat is er, lieverd?' Ze verzette zich tegen de pogingen van Florence om haar bij de hospitaaltent weg te trekken. 'Waar zit je mee?'

'We hebben u thuis nodig,' zei Florence op een afgemeten toon, maar met vlammende ogen. 'Moet ik u er echt aan herinneren dat u voor papa dient te zorgen en niet voor de gevangenen?'

'Hoe waag je het zo'n toon tegen me aan te slaan?' antwoordde Susan fel. 'Als je niets beters hebt te zeggen, laat me dan met rust, zodat ik mijn werk kan doen.'

'Blijkbaar bevalt het gezelschap van gevangenen u beter dan dat van uw eigen gezin.'

'Natuurlijk niet,' zuchtte Susan, 'maar jij en je vader kunnen voor jezelf zorgen en die arme stakkers niet. Die hebben me nodig.' Susan keek naar haar dochter en zag bitterheid in haar ogen en opeengeklemde lippen in een wraakzuchtig gezicht. Ze vond Florence' houding erg onrustbarend. Ze vroeg zich af wat de oorzaak was van haar bitterheid, want die arrogante officiersvrouw kon het niet zijn, noch het feit dat Susan de gedetineerden verpleegde. 'Je moet leren je barmhartig te gedragen, Florence,' zei ze triest. 'Iedereen heeft een kruis te dragen en je levenspad wordt bepaald door de manier waarop je dat doet.'

Florence trok haar wenkbrauwen tot een frons.

'In materieel opzicht hebben we niet veel, maar vergeleken bij anderen zijn we rijk,' ging Susan door. 'Je vader en ik hebben geprobeerd je christelijke naastenliefde bij te brengen, Florence. Probeer die met anderen te delen.'

'Waarom zou ik?' antwoordde ze. 'De gedetineerden hebben het aan zichzelf te wijten dat ze hier zitten. Ze zijn vies, ongemanierd, goddeloos en lui. Waarom zou ik iets anders dan minachting voor hen moeten tonen?'

Susan verloor haar geduld. 'Omdat je de dochter van je vader bent en met ieder woord dat uit je mond komt zijn geloof verloochent.' Ze greep Florence bij haar arm en trok haar, zonder zich iets van haar protesten aan te trekken, de vrouwentent in. Daar duwde ze haar voor zich uit tot het bed in de uiterste hoek. 'Ga zitten,' beval ze, 'en waag het niet op te staan tot ik zeg dat het mag.'

Florence sloeg mokkend haar armen over elkaar, maar was blijkbaar wel onder de indruk van het onverwacht felle gedrag van haar moeder, want ze bleef gehoorzaam zitten.

Susan nam op de rand van het bed plaats en pakte de hand van het zieke meisje. 'Ik heb bezoek voor je meegebracht,' zei ze rustig. 'Dit is mijn dochter, over wie ik je heb verteld. Ik zou graag willen dat je aan haar vertelde hoe je op het transportschip terecht bent gekomen.' Het meisje staarde haar aan en Susan glimlachte bemoedigend.

'Ik wil dat helemaal niet horen,' mompelde Florence. 'Als je zelfs maar een kwart van de verhalen zou geloven, zaten de gevangenisschepen vol onschuldige passagiers.'

Susan keek haar streng aan. 'Toch zul je naar haar luisteren,' zei ze effen, 'en op een fatsoenlijke manier.'

Ze keken elkaar nijdig aan.

Susan wendde zich weer tot het meisje. 'Ik weet dat je niet graag praat over wat er is gebeurd, maar zou je dit voor mij willen doen? Begin bij het begin. Dan zal er geen twijfel over bestaan dat het allemaal waar is.'

Het meisje kneep hard in Susans hand en haar blik ging heen en weer tussen moeder en dochter. 'Ik werkte als dienstmeisje op een landgoed,' begon ze. 'Ik had het daar heel goed tot meneer een keer naar huis kwam zonder zijn vrouw.' Ze zweeg even. 'Op een avond was hij dronken en heeft hij me misbruikt. Ik was erg bang maar kon het aan niemand vertellen omdat hij me dan zou ontslaan en ik nooit een andere baan zou kunnen krijgen.'

Susan bleef de hand van het meisje vasthouden en lette op hoe Florence reageerde. Florence keek neutraal, maar Susan zag een minachtende trek rond haar mond. Haar dochter leek vastbesloten zich niet door het verhaal te laten meeslepen.

'Ik snap echt niet, moeder,' zei Florence, 'hoe u zo'n afgezaagd verhaal nog kunt geloven.'

'Luister nu maar gewoon, Florence. Het wordt je vanzelf wel duidelijk,' antwoordde Susan. Ze kneep zachtjes in de hand van het meisje. 'Ga door, lieve kind. Het is belangrijk dat je de rest ook vertelt.'

Het meisje klampte zich nu vast aan Susans hand. 'Ik ontdekte dat ik zwanger was. Ik wist niet wat ik moest doen. Ik kon nergens naartoe, niemand om hulp vragen. Ik slaagde erin het een paar maanden geheim te houden, maar toen kwam de kokkin erachter en heeft ze me de laan uit gestuurd.'

Haar stem won aan kracht. 'Ik heb haar verteld wat meneer had gedaan. Ik wilde haar duidelijk maken dat het niet mijn schuld was.'

Ze plukte aan het laken. 'Hij heeft me twee guinjes gegeven opdat ik mijn mond zou houden, en toen heeft hij me weggestuurd.'

Susan zag dat Florence nu niet meer naar het tentzeil keek, maar naar het meisje. 'En toen?' vroeg ze.

'Ik ben naar huis gegaan, maar mijn vader was in de steengroeve verongelukt en mijn stiefmoeder weigerde me terug te nemen. Het meeste van het geld werd van me gestolen. Niemand zou me werk geven vanwege mijn zwangerschap, dus moest ik op straat bedelen en in portieken slapen. Ik had mezelf kunnen verkopen, maar ik wilde mijn laatste restje trots zo lang mogelijk bewaren.'

De bruine ogen keken nu standvastig naar Florence. 'Maar met trots kun je je honger niet stillen wanneer je dagenlang niets hebt gegeten en uiteindelijk ging ik voedsel stelen. Ik werd betrapt met een gestolen brood en in de gevangenis gegooid. Mijn baby werd te vroeg geboren en ging dood. Daar was ik blij om. Zij hoefde tenminste niet te lijden.'

Susan zag dat de stugge houding van Florence begon te verzachten en ze voelde dat begrip begon te dagen. Toen er zelfs een zweem van medeleven in haar ogen verscheen, had Susan haar graag omhelsd, maar het meisje was nog niet klaar met haar verhaal.

'Ik werd samen met de andere vrouwen op de *Neptune* gezet. We zijn door de matrozen misbruikt, geslagen en uitgehongerd. Toen we ergens in de tropen aanlegden en de mannen van het slavenschip aan boord van de *Neptune* kwamen, was het nog erger.' Ze sloot haar ogen, maar tranen kropen onder de wimpers vandaan en gleden over haar bleke wangen.

Susan aaide haar sussend over haar hoofd. 'Het is nu allemaal voorbij, lieve kind. Hier ben je veilig. Nu moet je alleen maar proberen weer gezond en sterk te worden.' Ze keek naar Florence en wist welke vraag op haar lippen brandde.

Florence boog zich naar voren. In de geladen stilte vroeg ze met een heel klein stemmetje: 'Hoe heet je?'

Het meisje deed haar ogen weer open. 'Millicent Parker.'

Susan zag dat Florence overdonderd was door de ontboezemingen van het meisje, maar de uitdrukking op haar gezicht maakte duidelijk dat ze er nu niet over wilde praten. Zwijgend liepen ze naar huis. Susan had Florence een harde maar heilzame les geleerd en ze hoopte dat er iets goeds uit voort zou komen.

Ze vroeg zich af of Florence en zij ooit nader tot elkaar zouden komen. Hun relatie was van het begin af aan slecht geweest: toen Florence werd geboren, rouwde Susan nog om de kleine Thomas. Florence gilde wanneer ze haar oppakte, hield zich stijf in haar armen en duwde haar weg. Het was alsof ze had geweten dat Susan niet zo snel nóg een baby had gewild. Misschien kwam het daardoor dat ze zich instinctief aan haar vader had gehecht.

Susan zette deze dolende, kwellende gedachten van zich af. Ze zou het waarschijnlijk nooit ten volle begrijpen. Ze dacht aan Millicent: nóg een meisje dat in de problemen was gekomen zonder dat ze er schuld aan had. Het was een grote schok geweest toen ze erachter was gekomen wie ze was en welke rol Jonathan had gespeeld in haar ondergang. De man van wie ze zo hartstochtelijk had gehouden, had hen beiden bedrogen.

Toen ze thuiskwamen stond Ezra bij de deur te wachten. Het viel Susan op dat hij nauwelijks reageerde toen Florence hem aanhankelijk begroette en ze zag het gezicht van haar dochter betrekken. Arme Florence. Ze was te oud om haar vader zo te aanbidden. Het was tijd dat ze een echtgenoot ging zoeken.

Ezra stapte naar voren en stak zijn hand uit. 'Susan,' zei hij op een zachte maar dringende toon, 'kunnen we een eindje gaan wandelen?'

Susan trok net de strik van haar hoed los en stopte abrupt. Met een koele blik probeerde ze op zijn gezicht af te lezen wat er aan de hand was. Het gebeurde niet vaak dat Ezra om haar gezelschap vroeg en deze onverwachte uitnodiging was dan ook enigszins verontrustend. 'Ik wilde net aan het avondeten beginnen,' zei ze, voor haar doen nogal besluiteloos.

'Dat kan Florence wel doen,' antwoordde hij met de achteloosheid van een man die wist dat zijn dochter alles voor hem zou doen. 'Kom, Susan. Ik moet met je praten.'

Susan bond de strik van haar hoed weer vast en stak haar arm door de zijne. 'Dit klinkt serieus,' zei ze, in een poging haar bezorgdheid te maskeren.

Hij zei niets toen ze de heuvel af liepen naar de rand van het water, waar slanke eucalyptussen groeiden met lichtgroen gebladerte en een zilveren bast. De bomen wierpen gevlekte schaduwen op de oever waar zwarte zwanen nestelden tussen het dichte riet en witte ibissen parmantig rondstapten. 'Ik mag hier graag wandelen aan het einde van de dag.'

'Dat is inderdaad erg prettig,' antwoordde ze. Ze wist niet wat ze ervan moest denken. Had Ezra besloten haar terug te sturen naar Engeland? Was hij eindelijk tot de conclusie gekomen dat hun huwelijk alleen nog maar een leeg omhulsel was? Of was dit een poging tot verzoening? Ze hoopte op het laatste; ze had zo lang gewacht tot alles weer goed zou komen tussen hen.

Ze kwamen bij de bocht in de rivier, waar hun huis niet meer te zien was. Susan had graag een blik over haar schouder geworpen, want ze voelde de ogen van Florence in haar rug, maar weerstond de verleiding en probeerde te doen alsof dit de normale gang van zaken was, dat zij en haar man dagelijks een wandelingetje langs de rivier maakten. Wat zou het fijn zijn als dat waar was, dacht ze bedroefd.

Ze wierp een zijdelingse blik op hem terwijl ze bleef gissen naar de reden voor deze ongebruikelijke toenadering. Hij begon oud te worden, zag ze. Zijn zwarte haar was doorweven met grijs, zijn lange neus leek te zakken en rond zijn ogen en mond waren rimpels verschenen. Hij werkte te hard, gaf te veel om de mensen voor wie hij verantwoordelijk was. Toch liet zijn houding nog altijd zien wat een sterk karakter hij had en hoezeer hij in zijn werk geloofde. Hoe had ze er ooit aan kunnen twijfelen of ze van hem hield?

Ezra bleef staan en pakte haar handen. 'Susan, er zijn veel dingen waarover ik met je wil praten, maar allereerst heb ik nieuws dat van invloed kan zijn op ons allemaal.'

Zijn gezicht stond erg ernstig. Dit voorspelde weinig goeds. 'Wat is er, lieve?' vroeg ze op een rustige toon die de verwarring in haar binnenste maskeerde.

Ezra vertelde haar dat zijn oudste broer was overleden en dat Gilbert daarom binnenkort naar Engeland zou terugkeren. Haar zucht van opluchting was er tevens een van droefenis. Ze zou Ann missen, want de afgelopen jaren was er een sterke, zusterlijke band tussen hen gegroeid.

'Toen we hier aankwamen, heb ik je beloofd dat ik de kinderen naar huis zou sturen als ze dat wilden. Het is tijd om die belofte waar te maken, Susan.'

Het ging dus niet om een verzoening. Ze verborg haar teleurstelling, trok haar handen uit de zijne en sloeg ze ineen. 'De jongens vinden het hier fijn, maar Florence zou beter af zijn in Engeland. Ze heeft hier nooit haar draai kunnen vinden en voor een jong meisje is het leven hier zwaar; het is geen leven dat ik voor haar zou hebben gekozen.'

Ezra knikte bedachtzaam. 'Gilbert en Ann zouden haar veel geschiktere levensomstandigheden kunnen bieden en een betere kans op een goed huwelijk. Ik zal het er straks met haar over hebben.' Weer pakte hij haar handen en hield ze stevig omklemd. 'En jij, Susan? Wil je terug naar Engeland?'

Ze zag opeens Cornwall voor zich: milde regen en groen gras, glooiende heuvels, brede stranden en ruige klippen, dieren die er niet op uit waren je te steken of te bijten of te vergiftigen, schone kleren en zachte bedden, een beschaafde wereld ver van deze strafkolonie waar inboorlingen hun naar het leven stonden. Ze herinnerde zich de granieten kerk, het koor dat zong bij kaarslicht, de vreedzame sfeer van zondagochtenden te midden van haar gezin.

Ze keek hem weer aan, gereed om ja te zeggen, maar ze aarzelde toen ze de uitdrukking op zijn gezicht zag en besefte toen dat ze de woorden die haar van dit abominabele oord zouden bevrijden, niet kon uitspreken, niet zolang er nog hoop was dat haar huwelijk gered kon worden. 'Mijn plaats is aan jouw zijde,' zei ze zachtjes. 'Waar ook ter wereld.'

Zijn donkere ogen hielden de hare vast en hij omklemde haar handen nog strakker. 'Susan,' begon hij, 'ik vraag je om vergiffenis.' Hij schudde zijn hoofd om haar het spreken te beletten. 'Laat me uitspreken, alsjeblieft.' Hij haalde diep adem. 'Vanwege mijn eigen tekortkomingen heb ik je onrecht aangedaan. Ik heb geprobeerd je te straffen door je kil te bejegenen terwijl je dat niet hebt verdiend.' Hij knielde voor haar neer met een brandende smeekbede in zijn ogen. 'Kun je deze zwakke, eenzame man die je nog altijd aanbidt, vergeven? Kun je weer mijn vrouw zijn?'

Ze zag de liefde en hoop op zijn gezicht en zakte eveneens op haar knieën. Ze nam zijn angstige gezicht tussen haar handen, keek diep in zijn donkere ogen en streelde zijn wangen met haar duimen. Toen kuste ze zijn lippen om hem duidelijk te maken dat ze van hem hield, dat er niets te vergeven viel, dat ze altijd zijn vrouw was geweest en bij hem zou blijven tot de dood hen zou scheiden.

Pas een hele tijd later keerden ze gearmd terug naar huis. Florence was bezig in de keuken die doordrongen was van de geur van de kangoeroestoofpot. In de vallende schemering waren de muggen alweer tevoorschijn gekomen. Florence bleef zuur kijken toen Ezra haar opgewekt begroette. 'Je moeder en ik hebben alles goedgemaakt en we willen graag dat jij de eerste bent die dat van ons hoort.'

'Gefeliciteerd,' zei ze stijfjes.

Susan begreep niets van haar gebrek aan geestdrift. Ze had gedacht dat ze blij zou zijn met de verzoening.

Ezra praatte gewoon door. Misschien had hij vanwege zijn eigen euforie geen erg in de stugge houding van zijn dochter. 'We hebben besloten een aantal kamers toe te voegen aan ons kleine huis en een werkster in dienst te nemen.' Hij straalde. 'Maar we hebben nog meer nieuws dat nog veel opwindender is.' Hij sloeg zijn arm om Susans middel en ze keken elkaar glimlachend aan voordat hij Florence het nieuws vertelde over Gilbert. 'Ik heb je moeder beloofd dat ik jullie, de kinderen, in de gelegenheid zou stellen naar huis terug te keren als jullie dat zouden willen. Dat heeft langer geduurd dat we hadden verwacht, omdat de Tweede Vloot zo lang uitbleef en ik weet vrijwel zeker dat de jongens niet terug willen, maar ik ben niettemin van plan me aan mijn belofte te houden.' Hij pauzeerde. 'Florence, lieverd, wil jij samen met Ann en Gilbert terugkeren naar Engeland?'

Susan zag verschillende emoties over het gezicht van haar dochter glijden toen de betekenis van het aanbod langzaam tot haar doordrong. Ongetwijfeld wekten de woorden dezelfde herinneringen en verlangens in haar op als Susan daarstraks had ervaren, maar zou Florence ja zeggen? Susan werd verscheurd tussen haar wens dat Florence een goed leven zou krijgen en de wetenschap dat ze haar dochter waarschijnlijk nooit meer zou zien als ze terugging naar Engeland. Het was een onmogelijke keus.

Florence stond op en liep naar Ezra. 'Mijn plaats is aan uw zijde,' zei ze, onbewust precies dezelfde woorden gebruikend als haar moeder daarstraks.

Susan was verbluft. 'Maar je zult bij Ann en Gilbert een heerlijk leven hebben!' riep ze uit. 'Je zult je in de hoogste kringen van de maatschappij begeven en kunnen kiezen uit de meest begerenswaardige jongemannen.' Ze had moeite zich te beheersen. 'Florence,' zei ze, 'je moet hier eerst goed over nadenken.'

'Ik wens helemaal niet als een koe op de huwelijksmarkt geshowd te worden,' zei ze vinnig.

Susan pakte haar handen en deed een beroep op haar gezonde verstand. 'Florence, je haat het leven hier. Ik dacht dat je deze kans met beide handen zou aangrijpen.'

Florence trok haar handen los en keek weer naar Ezra. 'Een jaar geleden zou ik dat hebben gedaan,' zei ze, 'maar ik geloof nu dat ik mijn tijd hier veel nuttiger kan besteden.' Ze glimlachte. 'Ik heb besloten mijn leven in dienst te stellen van God en ik zou geen betere plek weten om Zijn werk te doen.'

'Doe niet zo raar,' snibte Susan. 'Je bent veel te jong om zo'n ingrijpend besluit te kunnen nemen zonder eerst heel goed na te denken over de consequenties ervan voor de rest van je leven.'

'Helemaal niet,' zei Florence uitdagend. 'God heeft tot me gesproken en me duidelijk gemaakt waar ik nodig ben.'

Susan kon haar oren nauwelijks geloven. Ze stond op het punt weer iets te zeggen, toen haar dochter doorging: 'Zijn boodschap moet worden overgebracht aan de goddeloze, losbandige stakkers die hier leven, en met uw hulp, vader, zal ik hun het licht van Zijn liefde laten zien.'

Susan was sprakeloos. Ze snapte niet waarom Florence de kans op ontsnapping zo rigoureus afwees, terwijl iedereen wist hoezeer ze het leven hier haatte. Waar kwam die zendingsdrang opeens vandaan? Daarvan had ze tot nu toe helemaal geen blijk gegeven.

Ze keek hulpzoekend naar Ezra, hopend dat hij Florence tot andere gedachten zou brengen, maar de verheugde uitdrukking op zijn gezicht maakte haar duidelijk dat ze de strijd bij voorbaat had verloren.

DEEL VIER

Nieuwe kansen

16

De Hawkesbury, februari 1791

De hitte danste boven over het land, deed de horizon trillen en zette de bomen in een zinderend licht. Zwarte zwanen deinden statig op het water van de Hawkesbury en de roep van de felgekleurde papegaaien werd afgewisseld met het schorre gekras van kraaien en het luidruchtige gekakel van de kookaburra's.

Onder de strakblauwe hemel deed de warme wind het graan bewegen als gouden golven. Ernest was samen met zijn zestienjarige broer aan het werk op het veld; eendrachtig zwaaiden ze met hun zeis en bonden ze de gemaaide halmen tot schoven. Zweet prikte in zijn ogen en doorweekte zijn overhemd, zijn handen waren vereelt en het vuil was tot diep onder zijn nagels gedrongen, maar hij had zich nog nooit zo energiek gevoeld en keek steeds met een grote grijns naar zijn broer toen ze hun eerste oogst binnenhaalden. Alle sombere voorspellingen ten spijt begon het ernaar uit te zien dat ze dit harde, starre land hadden getemd, dat ze succes hadden geboekt waar anderen hadden gefaald.

Aan het einde van de akker pauzeerden ze in de schaduw van een paar eucalyptussen die ze hadden laten staan. Ernest masseerde zijn pijnlijke spieren, trok zijn doorweekte overhemd uit zijn broek en liet de slippen fladderen in de wind. Hij zag dat George hetzelfde deed. Ze werkten niet meer met ontbloot bovenlijf nadat ze in het begin zo erg verbrand waren dat ze dagenlang niet hadden kunnen werken. Ze droegen allebei een hoed met een brede rand, een ruime, geweven, linnen broek en stevige, hoge schoenen. Hun haar reikte tot over hun schouders.

Ernest trok een meewarig gezicht. Waar waren de jongens die als dandy's door de stad hadden willen flaneren? Ze leken meer op de gevangenen die in Port Jackson dwangarbeid verrichtten. Hij moest echter toegeven dat deze kledij erg praktisch was en veel koeler dan de kleren die ze uit Engeland hadden meegebracht, en omdat ze aan de zelfkant van de maatschappij leefden, maakte het niet uit hoe slordig ze eruitzagen.

Eerlijk gezegd, dacht hij terwijl hij koel water dronk uit een tinnen beker, vond hij het wel prettig dat hij zich niet hoefde te scheren en ook niet in te snoeren in stijve boorden en strakke jasjes. Het gaf hem een gevoel van vrijheid dat hij in Cornwall nooit had gekend. Wanneer hij terugdacht aan zijn kinderjaren, werd hij hoofdzakelijk herinnerd aan de restricties van de maatschappij daar en de verlammende verveling van het leven in zo'n kleine gemeenschap. Engeland en alles waar het voor stond waren de afgelopen jaren meer op een droom gaan lijken, en nu kon hij zich nauwelijks nog een andere werkelijkheid voorstellen dan de grootse pracht van dit nieuwe land.

Hij liet zijn blik over het terrein gaan dat ze hadden ontgonnen en stond er zelf verbaasd over wat twee jongens van zestien en achttien konden bewerkstelligen. Het was goede, vruchtbare grond met veel potentieel. Je kon hier rijk worden als je bereid was hard te werken, en ondanks het feit dat George nog jong was, bezat hij net zo veel uithoudingsvermogen als hijzelf.

Na een poosje draaide hij het uitzicht de rug toe en plofte naast zijn jongere broer neer in het stugge gras. De slanke bomen boden aangename schaduw en het gras was koel. Hij strekte zich uit met zijn handen achter zijn hoofd en sloeg zijn lange benen over elkaar. 'Ik heb honger als een paard,' zei hij geeuwend.

George keek in de zadeltas. 'We hebben nog wat eend en brood en een kruikje koud bier.' Hij verdeelde het eten en een poosje zaten ze eendrachtig te kauwen terwijl ze naar hun akkers keken die zich bijna tot aan de bergen uitstrekten.

De gouverneur had percelen toegewezen aan iedere vrije man en vrouw, en omdat hun ouders noch hun zuster hun land wilden bewerken, hadden de jongens het erbij genomen. En voor iedere honderd acre die ze ontgonnen, kregen ze er nog honderd bij. Ze moesten nog drie akkers met graan maaien, maar Ernest liet zich daardoor allerminst ontmoedigen en was al bezig met plannen voor het volgende zaaiseizoen.

‘Ik moest maar eens gaan trouwen,’ zei hij, terwijl hij een vies gezicht trok om het te zure bier. ‘Dan krijg ik tenminste behoorlijk voedsel.’

George lachte. ‘Welk meisje zou jou willen?’ zei hij vrolijk. ‘En,’ ging hij door, ‘welk meisje zou bereid zijn hier te wonen?’

Ze keken naar de primitieve hut aan de overkant van het veld die Ernest had gebouwd toen hij hier was gekomen om zijn land te ontginnen. In tegenstelling tot het mooie huis van de gouverneur, dat compleet met glazen ruiten en eikenhouten deuren aan boord van het schip was meegebracht en binnen een paar weken na aankomst in elkaar gezet, was hun huisje opgetrokken uit het hout van bomen die ze hier hadden gekapt en de schoorsteen was gebouwd van de stenen die tijdens het ploegen uit de grond waren gekomen. Een stuk zeildoek diende als dak en de vloer bestond uit aangestampte aarde. De hut had maar één kamer, geen ramen en een stuk jute als deur. Het meubilair bestond uit twee bedden van hout en zeildoek, twee stoelen en een krakkemikkige tafel met poten van ongelijke lengte.

‘Je hebt gelijk,’ zei Ernest. ‘We kunnen de boel beter wat opknappen en moeder vragen ons te leren koken. Het kan nog jaren duren voordat een vrouw bereid zal zijn hier te wonen.’ Hij stond op en sloeg het stof van zijn kleren. ‘Laten we dit veld even afmaken en dan het terrein verderop gaan bekijken, zodat we daar een planning voor kunnen maken.’

Ze werkten zwijgend en geconcentreerd door tot al het graan gemaaid was en bleven toen vergenoegd staan kijken naar de keurige schoven die leken te gloeien in het gouden licht van de laagstaande zon. Ernest duwde zijn hoed naar achteren en droogde zijn voorhoofd; zijn blonde haar was donker van het zweet en plakte aan zijn hoofd. ‘We hebben heel wat werk verzet vandaag,’ zei hij.

‘Ja, niet gek,’ zei George. ‘En het is beter dan croquet spelen met giebelende meiden.’

‘Dat weet ik nog zo net niet,’ zei Ernest peinzend. ‘Ik was erg goed in croquet.’

George stompte hem speels in zijn ribben. ‘Goed in flirten met de meisjes en malle dingen in hun oor fluisteren zul je bedoelen,’ zei hij plagend. ‘Wedstrijdje naar het water?’

Ernest sprintte achter hem aan en samen sprongen ze in de koele, snelstromende rivier. Ze joelden en spetterden, en van pure blijdschap dat ze met hun noeste arbeid zo veel hadden bereikt, vergaten ze hun vermoeidheid. Hun gespierde rug en sterke armen glommen toen ze het zweet en vuil van zich af wasten. In een ondiep deel van de rivier bleven ze nog een poosje dobberen, maar uiteindelijk kwamen ze het water weer uit en wandelden stroomafwaarts om het terrein te bekijken dat ze van Gilbert en Ann hadden gekregen.

Het was goede, vruchtbare grond, zoals al het land langs deze magnifieke rivier. Het meeste was bebost en zou ontgonnen moeten worden, maar het vooruitzicht op vruchtbare akkers en mals gras voor het vee was voldoende om iedere man vol goede zin in zijn handen te laten spugen.

'We hebben nog steeds geen naam voor onze boerderij,' zei Ernest.

'Nee.' George had zijn handen diep in zijn zakken gestoken. 'En dat moet eigenlijk wel,' zei hij. 'Heb jij al iets bedacht?'

'Ik had gedacht aan Mousehole, maar zo weinig mensen weten die naam op z'n Cornish uit te spreken – Muzzle – dat het eigenlijk geen zin heeft zoiets te kiezen.' Hij liep een poosje zwijgend door. 'Wat zou je denken van Hawks Head Farm?'

George knikte. Zijn donkere haar had in de ondergaande zon een bijna blauwe glans. 'Klinkt goed. Maar niet Cornish.'

'Dat weet ik, maar Cornwall behoort nu tot het verleden. We moeten van dit land ons nieuwe thuis maken en omdat het aan de rivier de Hawkesbury ligt, lijkt zo'n naam me wel passend.'

'Goed, dan noemen we onze boerderij Hawks Head Farm. Ik zal morgen een bord maken.'

Ze liepen verder langs de rivier en maten het terrein af dat binnenkort van hen zou zijn. 'Het is jammer dat de gevangenen niet voor ons mogen werken,' zei George. 'Anders konden we alles twee keer zo snel doen.'

'Ja, we zouden ze goed kunnen gebruiken en ik weet zeker dat we niet de enigen zijn die bereid zijn hun ervoor te betalen.'

'Er moet iets aan gedaan worden,' zei George instemmend, toen hij het met struiken en bomen begroeide terrein bekeek dat ze binnenkort moesten ontginnen. 'De kolonie wordt almaar groter en er is niet genoeg voedsel.'

Het was een dilemma waar veel over te doen was, maar zonder

radicale verandering in de wetten van de kolonie was er weinig kans dat er binnen afzienbare tijd een oplossing gevonden zou worden. Ze gingen over op hun plannen voor de volgende dag.

Opeens zwegen ze allebei geschrokken.

'Wat was dat?'

Ernest spitste zijn oren, meteen op gevaar bedacht. De Cadigal en Eora hadden hun tot nu toe geen problemen bezorgd, maar ze wisten dat de inboorlingen hen in de gaten hielden. Ze hadden verhalen gehoord over boeren die met speren doorboord waren nu de kolonisten steeds verder landinwaarts en langs de kust trokken. Het was waarschijnlijk slechts een kwestie van tijd tot hun hetzelfde lot beschoren zou zijn en hij was kwaad op zichzelf dat hij zo dom was geweest hun geweren in de hut achter te laten.

George knikte naar het primitieve vistuig en de kano's en zag verderop langs de rivier iets bewegen in het gras. Hij wees ernaar en zei geluidloos: 'Daar.'

Ze liepen langzaam door tot ze konden zien wie of wat zich in het hoge gras verborgen hield.

Het meisje was zo zwart als de nacht en zo naakt als Eva. Ernest schatte dat ze een jaar of zestien was. Ze probeerde zich zo ver mogelijk terug te trekken in haar armzalige schuilplaats en tranen stroomden over haar wangen toen ze naar hen opkeek. Een naargeestige weeklacht kwam uit haar ranke keel toen haar ogen hen smeekten haar geen kwaad te doen.

'Zo te zien heeft ze pokken gehad,' zei Ernest zachtjes toen hij haar gezwollen knieën en ellebogen en pokdalige huid zag en merkte dat ze moeite had zich te bewegen. 'Nu snap ik waarom ze niet is gevlucht toen ze ons hoorde. Het arme kind is doodsbang.'

'Maar ze was niet alleen,' antwoordde George. 'Er liggen daar twee kano's met vistuig.' Hij keek achterdochtig om zich heen. 'Laten we voorzichtig zijn.'

'We kunnen haar hier niet achterlaten,' zei Ernest onmiddellijk. 'Ze lijdt pijn en kan zich niet verweren. Degenen die samen met haar aan het vissen waren, zijn vast al mijlenver weg.' Hij hurkte naast haar en zag dat ze ineenkromp toen hij zijn hand ophief om haar te sussen. Ze was tenger en door de gezwollen gewrichten leken haar ledematen nog fragieler. 'Je hoeft niet bang te zijn,' zei hij zachtjes, alsof hij het tegen een klein kind had. 'We zullen je niets doen.'

Haar lichtbruine ogen glinsterden van de tranen toen ze zich tot een bal oprolde als een in de val gelopen dier.

Ernest trok zijn overhemd uit. Het was alweer opgedroogd en het was het enige wat hij beschikbaar had om haar wat warmte te bieden nu de zon bijna achter de heuvels was verdwenen. 'We zouden haar mee naar huis moeten nemen,' zei hij bezorgd, 'maar dan wordt ze natuurlijk helemáál bang.'

'*Baa-do*,' jammerde ze. '*Baa-do*.'

'Wat zegt ze?'

'Ik weet het niet,' antwoordde Ernest, 'maar laten we een vuurtje maken om de vis te roosteren die ze heeft gevangen. Dan blijft ze meteen warm.'

George holde naar hun hut en kwam even later terug met hun geweren, een bos brandhout en een tondeldoos. Ernest had inmiddels een ondiepe kuil gegraven voor het kampvuur en er stenen omheen gelegd die hij aan de rand van het water had verzameld. Hij tikte met de vuursteen tegen het metaal en blies zachtjes op de eerste vlammetjes tot het droge aanmaakhout vlam vatte. Vervolgens spietste hij de drie forse vissen aan een stok en hing die boven het vuur.

George draaide de vis af en toe om en Ernest bleef tegen het meisje praten in een poging haar angst weg te nemen. Langzaam maar zeker begon ze zich iets te ontspannen. '*Baa-do*,' fluisterde ze nogmaals. '*Baa-do*.' Toen hij vragend zijn wenkbrauwen fronste, stak ze haar tong uit en likte aan haar gebarsten lippen.

Eindelijk begreep hij het en sprong meteen overeind. Snel liep hij naar de rivier waar hij zijn hoed vulde met water. Hij keerde ermee terug naar het meisje, hielp haar te gaan zitten en zag hoe gulzig ze dronk. 'Water,' zei hij.

De schaduw van een glimlach gleed over haar gezicht. '*Baa-do*,' zei ze. 'Watta.'

Tegen de tijd dat ze de vis op hadden, was de zon onder. De broers sprokkelden nog wat brandhout en legden het dicht bij haar neer, zodat ze 's nachts het vuur brandende kon houden. Ook vulden ze een pot met water zodat ze geen dorst hoefde te lijden. Toen tikten ze ter afscheid aan hun hoed en keerden terug naar huis.

Lowitja kwam uit het omliggende struikgewas tevoorschijn. Ze had de jonge mannen vanachter de bomen bespied toen ze naar haar dochter liepen, gereed om hen met haar speer te doorboren als ze haar iets zouden doen. Ze was blijven kijken toen ze haar te eten en te drinken gaven en had begrepen dat ze net zo aardig waren als de vrouw in het grote kamp en dat ze van hen niets te vrezen had.

Ze wachtte tot de maan hoog aan de hemel stond en hielp haar dochter toen in de kano die op de oever van de rivier lag. Toen ze er veilig en wel in zat, sloop ze naar de eigenaardige schuilplaats waar de jongens sliepen. Ze legde het overhemd op de grond met wat vistuig en een grote tas van gevlochten riet met daarin nog drie mooie vissen. Ze zouden deze gaven vinden bij het ontwaken en begrijpen dat hun vriendschappelijke gedrag tegenover haar dochter was aanvaard als een teken van vriendschap.

Port Jackson, april 1791

Billy vond het prachtig dat zijn aartsvijand, Arthur Mullins, geen toestemming had gekregen naar Engeland terug te keren. Mullins was nog steeds een sadist en zijn gewelddadige gedrag werd aangewakkerd door de grote hoeveelheden rum die hij tot zich nam, maar hij zat hier net zo goed vast als zij allemaal en Billy genoot van het feit dat Mullins iedere minuut van zijn verblijf in de kolonie haatte. Door zijn wrede gedrag en het perverse genot dat hij beleefde aan de geselingen was hij een gehate figuur geworden onder alle gevangenen en het verbaasde Billy uitermate dat hij niet allang door een van hen was vermoord.

Het was een uur na zonsopkomst en toen Billy over het stoffige pad naar het pakhuis liep, zag hij dat Mullins al een groep gevangenen bijeenbracht voor de te verrichten dwangarbeid. Hij ontsloot het pakhuis maar draaide zich op de drempel om voordat hij naar binnen ging. Mullins stond naar hem te kijken met haat in zijn bloeddoorlopen ogen. Billy glimlachte en tikte aan zijn hoed. Hij wist dat Mullins zich groen en geel ergerde aan zijn positie binnen de kolonie en aan het feit dat hij hem niets meer kon doen omdat hij nu onder direct bevel van de gouverneur stond.

De nachtwaker kroop haastig uit het stro toen hij binnenkwam en

Billy nam zich meteen voor iemand anders te zoeken voor de nachtdienst. Hij had niets aan een nachtwaker die zijn ogen niet kon openhouden en hij was echt niet van plan de genoegens van Nells warme armen op te geven om hier zelf de hele nacht te gaan zitten.

Hij keek om zich heen en snoof de heerlijke, stoffige geur van thee en graan op. Het pakhuis was goed gevuld nu de boeren eindelijk een oogst hadden binnengehaald, en dankzij de komst van de walvisvaarders en kooplieden hadden ze de voorraden broodnodige olie en paraffine, vlas, zeep, rum en schoenleer kunnen aanvullen.

Billy keek trots naar de zakken, kratten en vaten en naar de stevige wanden en het tinnen dak. Hij had erop gestaan dat het oude pakhuis werd afgebroken toen het zo in verval was geraakt dat iedereen er met gemak binnen kon komen, en hij had strikte instructies uitgevaardigd voor de bouw van dit pakhuis. Hij was tevreden over het resultaat, maar voelde zich niettemin gedwongen iedere ochtend de ronde te doen.

Ongedierte, zowel dierlijk als menselijk, had allerlei manieren om de voorraden aan te tasten en alhoewel hij vallen had neergezet voor de opossums en bosratten, moest hij ook controleren of er soms pogingen waren gedaan door de houten muren heen te breken of er onderdoor te graven. Hij kende alle trucjes en checkte alle voorraden aan de hand van zijn inventarislijst toen hij langzaam door zijn koninkrijk liep. Nachtwakers konden makkelijk worden omgekocht; nachtwakers konden zelf ook lange vingers hebben, rum vervangen door water en meel door zand. Billy vertrouwde niemand.

Toen hij alles had gecontroleerd, zette hij een pot thee, at de koekjes die Nell de avond ervoor had gebakken en bereidde zich voor op de ochtenddrukte. De nieuwe manager van de overheidsboerderijen zou vanochtend komen en Billy keek daar al naar uit. Jack Quince was net als hij een gedetineerde en had de verschrikkingen van de *Surprise* overleefd. Thuis had hij een boerderij gehad en hij wist meer over landbouw en veeteelt dan de meeste mensen hier, hoewel Ernest en George het heel aardig deden daar aan de Hawkesbury; ondanks hun jeugdige leeftijd hadden die jongens nu al een modelboerderij.

Hij nam plaats achter het brede bureau, waar hij vrij zicht had op wat er buiten gebeurde en sloeg het grote, rode boek open. De koks zouden om meel komen, de wasvrouwen om zeep en de wevers om vlas. Daarna zou de schoenmaker leer en spijkers komen halen, de opzichters van de werkploegen gereedschap en de officiersvrouwen garen en naalden. Ieder artikel werd in het boek genoteerd en er moest voor getekend worden. Billy had zichzelf leren lezen en schrijven en ook al was zijn handschrift nog steeds een beetje bibberig, hij schepte er oneindig veel genoegen in dat dat niets uitmaakte zolang het leesbaar was en alles klopte.

Hij had net zorgvuldig opgetekend hoeveel schorten waren afgehaald voor de vrouwen in de weverij toen hij de stem van Mullins hoorde. Hij stond op en slenterde naar de deur.

Vandaag had Mullins het voorzien op een magere man met bruin haar waarin boven het voorhoofd een spierwitte lok zat. Gekleed in de gevangeniskledij – een slobberige linnen broek en overhemd waarin hij nog magerder leek dan hij was – stond hij voor Mullins, leunend op een wandelstok. Hij gaf geen krimp toen Mullins pal in zijn gezicht stond te schreeuwen, maar bleef zo geduldig als een muilezel staan tot de opzichter was uitgeraasd.

Billy wist niet wie de man was maar had bewondering voor hem, want er waren niet veel mensen die de stinkende adem van Mullins konden weerstaan zonder hun hoofd af te wenden of flauw te vallen. Hij ging met zijn handen in zijn zakken tegen de deurpost geleund staan genieten van het schouwspel.

Er had zich al een kleine menigte rond het tweetal gevormd en er waren zelfs wat zwartjes uit de schaduwen tevoorschijn geslopen om te kijken. Ook zij haatten Mullins, omdat hij een keer een van hun meisjes had ontvoerd en dagenlang gevangen had gehouden, vastgebonden aan zijn bed, tot het de autoriteiten ter ore was gekomen en het meisje was gered.

Billy's geamuseerde genoegen verdween toen Mullins de man een harde duw tegen zijn borst gaf. De gevangene was blijkbaar sterker dan hij eruitzag, want hij vond zijn evenwicht snel terug. Mullins gaf hem nog een duw, harder ditmaal, en nu viel de man bijna.

Billy deed een stap naar buiten en haalde zijn handen uit zijn zakken.

Mullins wachtte tot de man zijn evenwicht had hervonden en schopte toen de wandelstok uit zijn hand.

Billy liep het plein op met gebalde vuisten die jeukten om het van rum doordrenkte gezicht tot moes te slaan.

De man wankelde toen hij probeerde op zijn goede been rechtop te blijven staan. Mullins gaf hem met zijn harde schoen een schop tegen zijn scheenbeen. Zijn slachtoffer slaakte een kreet van pijn en viel op de grond.

Toen Mullins drie stappen achteruit deed, zijn doelwit schattend bekeek en zijn voet weer naar achteren bracht, kwam Billy in actie. Zijn vuist raakte de kin van Mullins met een prachtige rechtse. Mullins bleef met een verbijsterd gezicht eventjes wankelend staan en stortte toen ter aarde als een omgekapte boom.

Goedkeurend gejuich steeg op onder de omstanders en Billy kwam bijna in de verleiding een buiging te maken. Hij keerde Mullins de rug toe en hielp de gevallen man die met een pijnlijk gezicht overeind probeerde te komen. Tot zijn verbazing zag hij dat hij veel jonger was dan hij had gedacht. Hij reikte hem de wandelstok aan. 'Ben je gewond?'

De man schudde zijn hoofd. 'Ik moet even op adem komen, maar verder is alles in orde.' Hij glimlachte flauwtjes naar Billy toen hij hem zijn hand toestak. 'Jack Quince. Dank je wel.'

'Billy Penhalligan. Ik zat al op je te wachten.' Ze gaven elkaar een hand en Jack wierp een bezorgde blik op de bewusteloze Mullins, die nu geduwd, gestompt en uitgejouwd werd door de omstanders. 'Maak je over hem geen zorgen,' zei Billy, zijn pijnlijke knokkels wrijvend. 'Ik heb jaren op deze kans gewacht en je zult hier geen enkele man vinden die hier niet blij om is.'

Ze barstten in lachen uit. 'Kom, Jack Quince, ik heb in het pakhuis nog een flesje rum staan en het zou jammer zijn als we dat niet opdronken.'

Gedurende die ochtend leerden ze elkaar kennen en Billy merkte algauw dat hij en de man uit Sussex veel met elkaar gemeen hadden. Ze waren allebei vierendertig, hadden hetzelfde gevoel voor humor en waren allebei intelligent. Ze bezaten ook beiden een hardnekkige vastberadenheid om het beste van het leven te maken tot ze gratie kregen en weer vrij zouden zijn. Hun banden met Engeland waren onherroepelijk verbroken, maar ze wisten dat dit land grote mogelijkheden bood voor mensen met een avontuurlijke inslag die bereid waren hard te werken. Met Billy's organisatorische vaardigheden en

Jacks kennis van het boerenbedrijf konden ze de beste boerderij in de hele kolonie opbouwen, als ze daartoe in de gelegenheid werden gesteld.

Tegen het einde van de ochtend wisten ze dat ze vrienden voor het leven waren.

17

Port Jackson, september 1791

Gilbert had Billy en Jack bij zich ontboden en omdat ze al wisten dat hij binnenkort zou vertrekken, vroegen ze zich af wat ze te horen zouden krijgen.

'Wie zou de nieuwe auditeur-militair worden?' vroeg Jack. Hij hinkte met Billy mee over de brede, stoffige weg, oppassend voor de ossenwagens, paardenpoep en dronken Aboriginals, die bleven liggen waar ze neervielen. Hij was nog steeds erg mager en kon niet buiten zijn wandelstok.

Billy stak zijn handen in zijn broekzakken en paste zijn tempo aan dat van Jack aan. Zijn vriend was nog steeds niet helemaal hersteld van wat hem op de *Surprise* was aangedaan en had nog niet erg veel uithoudingsvermogen. 'Ik weet het niet, maar ik vrees dat we het privilege van extra rantsoenen zullen moeten opgeven, en ook niet meer apart van de andere gevangenen zullen mogen slapen.' Hij lachte. 'Maar aangezien wij de enigen zijn die de overheidswinkels en -boerderijen kunnen beheren, zullen we er wel iets op weten te vinden.'

'Ik zal hem missen,' zei Jack en hij haalde zijn vingers door de witte lok in zijn haar.

Billy antwoordde filosofisch: 'Ik ook, maar we zullen er het beste van moeten maken.'

Een jonge officier liet hen binnen in Gilberts kantoor en ze schrokken een beetje toen ze zagen dat Gilbert hen vanachter zijn enorme bureau met strenge ogen over de rand van zijn bril aankeek. De twee vrienden keken elkaar snel aan. Ze hadden geen idee waarom hij kwaad op hen was.

'Ik neem aan dat jullie de geruchten hebben gehoord, want hier blijft niets erg lang geheim.' Gilbert leunde achterover in zijn stoel, zette zijn bril af en begon met een zakdoek de glazen op te poetsen. Hij wachtte niet op antwoord. 'Ik zou maanden geleden al vertrokken zijn als mijn vervanger op tijd was gearriveerd, maar wegens de omstandigheden blijf ik hier nog tot het einde van de maand,' bromde hij. 'Voordat ik vertrek, moet ik een paar belangrijke beslissingen nemen.' Vanonder zijn borstelige wenkbrauwen keek hij hen beiden aan.

Billy voelde hoe gespannen Jack was en hoorde zijn schoenen over de houten vloer schrapen toen hij anders ging staan om zijn slechte heup te ontzien. 'Ik vind het jammer dat u ons gaat verlaten, meneer,' zei hij snel, 'en dat geldt ook voor Jack. U hebt ons altijd goed behandeld.'

'Hmm. Dat zij zo.' De indringende ogen vestigden zich op Jack, die zwaar op zijn wandelstok leunde. 'Jack Quince, jij bent berecht wegens onbevoegd gebruik van een stier en veroordeeld tot vijftien jaar dwangarbeid.'

Jacks adem stokte hoorbaar en Billy zag dat zijn vriend nog bleker werd dan anders. Ze zouden hun bevoorrechte positie toch niet kwijtraken?

Gilbert ging door: 'Ik heb de gerechtelijke bescheiden met de nodige verontrusting gelezen en ik weet hoe hard je je voor de kolonie hebt ingezet sinds je hier bent aangekomen. Je vakkennis is van onschatbare waarde en je gedrag voorbeeldig.' Hij pauzeerde alsof hij de rol die hij zichzelf had aangemeten zo goed mogelijk willen uitbuiten. 'Daarom verleen ik je voorwaardelijke vrijheid en stel ik je dertig acres grond in Parramatta ter beschikking.'

Jack wankelde en viel bijna flauw van de schok. De wandelstok gleed uit zijn hand en viel kletterend op de grond. 'Wil dat zeggen dat ik een vrij man ben?' stamelde hij.

'Niet helemaal,' legde Gilbert uit. 'Je moet in de kolonie blijven tot de tijdsduur van je vonnis is verstreken, maar je mag je eigen land bewerken en anderen in dienst nemen om je te helpen, met dien verstande dat je alle opbrengst die je niet voor eigen gebruik nodig hebt, zult verkopen aan de overheidswinkels.'

Jack zakte op een stoel neer en sloeg zijn handen voor zijn gezicht. Zijn woorden van dank waren nauwelijks verstaanbaar toen hij zich van de schok probeerde te herstellen.

Billy kreeg meteen nieuwe moed. Hij kon amper stil blijven staan terwijl hij wachtte op wat Gilbert voor hem in petto had.

'William Penhalligan,' baste de rechtschapen oude soldaat, 'jij bent een onverbeterlijke schavuit.' Hij begon te grijnzen toen hij Billy's verschrikte gezicht zag en ging op een hartelijke toon verder: 'Maar je hebt bewezen een betrouwbare en hardwerkende magazijnmeester te zijn. Ik heb er goed aan gedaan dieven door een dief te laten vangen, zoals je het vijf jaar geleden zo spits hebt uitgedrukt, en ik verleen ook jou voorwaardelijke vrijheid en dertig acres in Parramatta.'

Billy lachte van oor tot oor toen hij hem bedankte, helemaal beduusd dat hij eindelijk de kans kreeg om te bewijzen wat hij waard was. Hij greep Jack, hees hem overeind en sloeg zijn armen om hem heen. 'We hebben het voor elkaar, Jack. Nu kunnen we al onze plannen ten uitvoer gaan brengen.'

Jacks lijkbleke gezicht kreeg weer kleur. 'Het wordt de beste boerderij van heel Australië,' voorspelde hij. 'En nu kan ik Alice schrijven.'

De lach op Billy's gezicht bevroor toen deze woorden hem eraan herinnerden dat hij iets belangrijks was vergeten. Hij wendde zich weer tot Gilbert. 'Ik heb een meisje, meneer,' hakkelde hij, 'en binnenkort krijgen we een baby. Zou zij misschien ook voorwaardelijke vrijheid kunnen krijgen?'

Gilbert tuitte zijn lippen en draaide aan de punten van zijn snor. 'Hmm,' bromde hij, 'de lieftallige Nell Appleby.' Hij rommelde in zijn paperassen en fronste zijn wenkbrauwen toen hij zwijgend de documenten las die op Nell betrekking hadden.

Billy werd verteerd door onzekerheid toen hij probeerde op Gilberts gezicht af te lezen wat er in zijn hoofd omging, maar de oude soldaat bleef kalmpjes in zijn paperassen rommelen. Billy barstte bijna van ongeduld toen Gilbert eindelijk weer sprak.

'Het kind zal uiteraard een vrij burger zijn, maar Nell heeft nog twee jaar straftijd te gaan. Aangezien ze niet van je afhankelijk is, kan ik haar geen gratie verlenen. Ik zal alle gevangenen over me heen krijgen als ze horen dat ik jullie heb voorgetrokken, en Nell is niet iemand die een geheim weet te bewaren, of wel?'

Billy's blijdschap verdween als sneeuw voor de zon toen hij zich zijn nieuwe leven voorstelde zonder Nell. Haar warmte en sensualiteit hadden zijn eenzaamheid verjaagd, haar humor in tijden van tegenspoed en haar tomeloze energie hadden zijn eigen levenslust aangewakkerd. Hij staarde Gilbert in stomme wanhoop aan.

Er lag een plagende blik in Gilberts ogen. 'Maar als je met haar zou trouwen...'

Het duurde even tot Billy die woorden had verwerkt. Hij en Nell konden het goed met elkaar vinden en misschien hield hij ook wel van haar, op zijn eigen nonchalante manier. Maar aan trouwen had hij nooit gedacht, laat staan erover gesproken, zelfs niet toen ze hem had verteld dat ze in verwachting was.

Toen Gilbert kuchte, besefte Billy dat hij op antwoord wachtte. Hij schraapte zijn keel en veegde zijn zwetende handpalmen af aan zijn broek. Er moest een besluit worden genomen en aangezien hij Nell en het kind niet wilde kwijtraken... 'Ik zal graag met haar trouwen, meneer,' zei hij met meer verve dan hij voelde.

Gilbert leunde achterover op zijn stoel. De rimpeltjes rond zijn ogen trokken samen toen hij grijnsde. 'Mijn broer wil het huwelijk vast wel inzegenen en zodra dat is gebeurd, zal ik de documenten laten klaarmaken voor Nells voorwaardelijke invrijheidstelling.'

Hij stond op en liep om het bureau heen om beide mannen de hand te schudden en de kostbare documenten te overhandigen. 'Van harte gefeliciteerd,' zei hij hartelijk. 'Australië zal een geweldige kolonie worden en het zijn mannen als jullie die de weg zullen plaveien voor de toekomstige generaties. Veel succes!'

Nell zat vlas te spinnen toen Billy de grote schuur binnenstormde en boven het lawaai van de weefgetouwen uit haar naam brulde. Ze streek het haar uit haar ogen en lachte opgelucht. Het gesprek waar hij zo bang voor was geweest, moest goed zijn verlopen. Zonder zich iets aan te trekken van de opzichtster, een vrouw met een zuur gezicht en een scherpe tong, liet ze de vlaskam vallen en holde ze naar hem toe. 'Wat is er, Billy?'

Hij legde zijn handen rond haar middel, zwaaide haar in het rond tot haar rok ervan bolde en kuste haar tot ze buiten adem was. 'Wil je met me trouwen, Nell?' riep hij luidkeels.

Iedereen stopte onmiddellijk met werken en er hing een doodse stilte in de schuur toen alle vrouwen op haar antwoord wachtten. Dit waren de woorden waarvan Nell had gedacht dat ze ze nooit te horen zou krijgen, en van puur geluk sprongen er voor haar zeer onkarakteristieke tranen in haar ogen. 'Ja!' gilde ze. 'Ja, Billy! Ja!' Ze sloeg haar armen om zijn hals en kuste hem zo wild dat ze bijna samen omvielen.

'Mannen mogen hier niet komen,' zei een ijzige stem achter haar. 'Dit gedrag is ontoelaatbaar. Ik zal jullie allebei rapporteren.'

Nell wilde meteen fel protesteren, maar Billy was haar voor. 'Mij is zojuist voorwaardelijke invrijheidstelling verleend; ik hoef dan ook niet meer aan uw regels te gehoorzamen,' zei hij rustig. 'En zodra we getrouwd zijn, geldt hetzelfde voor Nell. Gaat u dus maar weer gewoon aan het werk en laat ons met rust.'

De andere vrouwen applaudisseerden en juichten toen de opzichtster de twee gedetineerden achterdochtig bekeek. Uiteindelijk richtte ze zich in haar volle lengte op, draaide zich met opgeheven hoofd om en marcheerde terug naar haar tafel waar ze vergeefs probeerde de orde te herstellen.

'Lekker puh!' zei Nell en ze schudde haar krullen naar achteren. Toen keek ze weer naar Billy, omdat ze nauwelijks durfde geloven dat het allemaal waar was. 'Vertel het me nog eens,' zei ze, terwijl de weefgetouwen weer begonnen te klakken en een koor van vrouwenstemmen het grote nieuws bespraken.

Billy trok haar mee naar buiten en vertelde haar wat Gilbert had gezegd. Toen ze eindelijk durfde geloven dat het geen droom was, nestelde ze zich in zijn armen en wist ze dat ze voor altijd geborgen was.

Susan en Ezra waren dolblij met het nieuws en weigerden de voorbereidingen voor het huwelijk te laten bederven door de minachtende opmerkingen van Florence over de lage afkomst en de zwangerschap van de bruid.

Billy leende van Ezra een oud kostuum dat hem iets te strak zat en Jack slaagde erin wat kleren bij elkaar te scharrelen die gepast waren voor een bruidsjonker. Ze wilden onder geen voorwaarden in hun gevangeniskledij voor het altaar staan.

Susan had maar één dag de tijd om haar beste japon uit te leggen voor de weelderige Nell, maar ze werkte de hele nacht door en vond zelfs tijd om haar zondagse hoed te versieren met wat bijpassende linten. Millicent Parker, die nu bij hen woonde in een van de aangebouwde kamers, bakte een grote taart.

De plechtigheid vond 's ochtends vroeg plaats. Gekleed in een geleende japon, met in haar hand een boeketje felgele mimosa, stond Nell trots naast Billy toen ze elkaar eeuwige trouw beloofden en het huwelijk door Ezra werd ingezegend.

Susan en Millicent huilden, Ezra en Jack keken gelukkig en Florence mokte. Gilbert hield een speech, stralend van genoegen over de rol die hij had gespeeld in deze vreugdevolle gebeurtenis. Hij zei dat ze een knap stel waren en dat hij er alle vertrouwen in had dat ze er samen iets moois van zouden maken.

Na een feestelijke maaltijd stond Susan tegen Ezra aangeleund toen ze allemaal op het gazon voor het huis bijeen waren om het jonge paar uit te wuiven. Haar jongste broer was toch nog goed terechtgekomen en begon nu aan het grootste avontuur van zijn leven. Ze besloot haar moeder meteen een lange brief te schrijven, opdat ze in deze vreugde kon delen en zou weten dat haar zoon zijn oude streken vaarwel had gezegd.

Met het bewijs van hun voorwaardelijke invrijheidstelling zorgvuldig ingepakt tussen hun karige bezittingen klommen Nell, Billy en Jack op de volgeladen wagen. Aangezien Nell ook een perceel had gekregen, hadden ze samen negentig acres en de gouverneur had hun ook nog een paar geiten, een koe, een varken dat op het punt stond te werpen, wat kippen en een voorraad etenswaren voor de eerste maanden meegegeven. Zakken zaad lagen achter in de wagen naast de vaten rum waarmee ze de gedetineerden zouden betalen die ze in dienst zouden nemen, en het benodigde gereedschap om een huis te bouwen, het land te ontginnen en hun eerste gewassen te zaaien.

Billy sloeg zijn arm om Nell heen. 'Ben je hier klaar voor, meisje?'

'Nou en of!' zei ze en ze kuste zijn nek.

Hij knipoogde naar Jack en liet de zweep knallen boven de oren van de paarden. Het was tijd om westwaarts te trekken en een nieuw leven te beginnen.

'Wat een prachtige dag,' zei Susan toen de stofwolk neerdaalde en de wagen uit het zicht verdween. Ze legde haar arm rond Millicents middel en drukte haar even tegen zich aan. 'De taart was verrukkelijk,' zei ze. 'Dat heb je goed gedaan.'

Millicent bloosde. 'Het stelde niets voor,' zei ze.

'Je hoeft echt niet zo bescheiden te doen, Millie. Je kunt goed koken en dat weet je best.'

'Het was een mooie bruiloft en ik ben heel blij voor hen.'

Susan keek vol genegenheid op haar neer. Millicent was nog steeds te mager en haar haar was nog niet uitgegroeid nadat ze het had moeten kortwieken om van de luis af te komen, maar haar wangen hadden kleur en haar huid begon er weer gezond uit te zien. 'Je hoort nu bij ons gezin,' zei ze zachtjes, 'en we zullen je betrekken bij alles wat we doen.'

'Wat aandoenlijk,' schamperde Florence. 'Wanneer kunnen we de volgende gevangene verwachten? We hebben er al drie, dus nog een erbij maakt niet uit.'

Susan draaide zich om naar haar dochter, woedend om haar onbeschofte gedrag. 'Billy is mijn broer,' zei ze. 'Hij heeft zijn straf gehad en zijn vrijheid verdiend, net zoals Nell. Bied je verontschuldigingen aan, Florence.'

'Ik peins er niet over. En ik vind dat we dergelijke dingen niet moeten bespreken waar de dienstmeid bij is.' Ze wierp een giftige blik op Millicent.

Susan belette Millicent ervandoor te gaan door haar hand te grijpen. 'Er is hier geen dienstmeid, Florence, alleen Millie.' Ze glimlachte in een poging haar uit haar boze humeur te halen. 'Vooruit,' vleide ze. 'Bederf deze dag nu niet. Wees blij voor ons allemaal.'

Florence weigerde erin mee te gaan. 'Hoe kan ik blij zijn als u allemaal gevangenen in huis haalt?'

Susan van niet van plan de discussie voort te zetten. 'Millie is bij ons komen wonen als lid van ons gezin, niet als een dienstmeid, en het feit dat ze een gedetineerde is, kan mij en je vader helemaal niets schelen.' Ze trok Millicent met zich mee over het grasveld naar de schragentafel die vol lag met de overblijfselen van het bruiloftsmaal.

'Het spijt me, Susan. Ik wil geen wrijving veroorzaken tussen jou en Florence.'

'Het ligt niet aan jou. Tussen Florence en mij bestaat al heel lang wrijving en tot mijn spijt moet ik bekennen dat ze me vaak mateloos irriteert.'

Ze keek naar de tafels en besloot dat die nog wel even konden wachten. Ze zakte op een bank neer, opende haar waaier en trok Millicent naast zich neer. 'Het is te warm om iets te doen.'

Millicent kwam met een bedrukt gezicht naast haar zitten. Susan bekeek haar tere profiel met het kuiltje in de wang en het kleine neusje, het ongelijke bruine haar dat nu bijna tot op haar kraag hing. Millicent moest een knappe meid zijn geweest voordat ze aan de gruwelen van de deportatie werd onderworpen. Geen wonder dat Jonathan de verleiding niet had kunnen weerstaan.

Ze rilde bij die gedachte en draaide zich om naar het water. Ze moest niet aan hem denken en ook niet aan wat hij hen beiden had aangedaan. Ze moest alleen aan Millicent denken en proberen een onrecht te herstellen. Ze keek naar de zwarte zwanen die bedaard op de golven dreven en wilde dat haar leven net zo ongecompliceerd was als het hunne.

'Ik meende wat ik zei,' zei ze een poosje later. 'Ezra en ik vinden het fijn dat je bij ons woont. Voor ons ben je geen bediende en ook geen gedetineerde.'

'Dank je,' antwoordde Millicent. Ze keek Susan aan met haar grote, donkere ogen. 'Zijn we dan vriendinnen?' vroeg ze.

'Ik ben te oud om je zus te kunnen zijn en ik kan niet van je verwachten dat je me als een moeder beschouwt, maar vriendinnen zijn we. Dat is zeker. Goede vriendinnen.'

Het kuiltje in Millicents wang werd dieper. 'Ik heb nog nooit een vriendin gehad,' zei ze.

Susan stond op en trok Millicent overeind. 'Dan heb je er nu een. Zullen we gaan kijken of Gilbert iets van de wijn heeft overgelaten?'

18

Sydney Cove, oktober 1792

Millicent woonde nu al een jaar bij Susan en Ezra. Haar kamer lag aan de zijkant van het recentelijk opgeknapte en uitgebouwde huis en had uitzicht op de snelgroeiende stad Sydney Town. Het meubilair bestond uit een metalen bed met een quilt die Susan en zij tijdens het regenseizoen samen hadden gemaakt, een nachtkastje, een stoel en mooie gordijnen voor het raam. Een enorm verschil met de kale dienstmeidenkamer in Cornwall en het benauwde, overvolle huisje in Newlyn. Ze voelde zich er thuis en was gelukkig.

Ze bekeek zichzelf in de handspiegel die Susan haar had geleend en zag dat ze weer bijna de oude was. Ze was vandaag jarig, eenentwintig werd ze, en haar bruine haar glansde zoals de kastanjes die ze als kind op herfstochtenden in Engeland had verzameld en in haar ogen waren geen schaduwen meer te zien van de ellende die ze had doorstaan. Ze vond zichzelf bijna mooi en dat verbaasde haar, want zo had ze nooit eerder over zichzelf gedacht, vooral niet na...

Ze beet op haar lip en vroeg zich af of ze mooi genoeg was om vandaag de aandacht van een bepaalde jongeman te trekken. Hij was uitgenodigd, maar dat was geen garantie, want hij kwam nog maar zelden naar Sydney Town. Prompt werd ze nerveus bij de gedachte dat ze hem misschien weer zou zien. Ze legde de spiegel neer en keek uit het raam waarin onlangs echte ruiten waren aangebracht. 'Hij is waarschijnlijk allang vergeten dat ik besta,' zei ze hardop.

Ze draaide zich om en kleedde zich verder aan. Haar vingers trilden toen ze de veters van het keurslijfje vastbond en de rok gladstreek waaraan ze gisteravond de laatste hand had gelegd. Op de schepen met de officieren en militairen van het onlangs in het leven geroepen

New South Wales Corps waren balen stof aangevoerd en Susan had voor hen beiden wat gekocht.

Na een laatste blik in de spiegel verliet ze haar kamer en ging snel naar de keuken waar een paar naakte Aboriginalkinderen in de deuropening rondhingen. 'Brutale rakkers,' zei ze met een glimlach. 'Maar het valt niet mee om nee te zeggen tegen die grote, bruine ogen. Mag ik hun wat van die broodjes geven?' vroeg ze aan Susan.

'Daar staan ze op te wachten,' antwoordde Susan. 'Ze lopen me de hele dag al voor de voeten. Ik zou willen dat Lowitja ze hier vandaan hield, maar ze schijnt te denken dat ik het niet vervelend vind om op haar kroost te passen wanneer zij op *walkabout* is.'

Millicent gaf ieder van de kinderen twee broodjes en joeg ze weg. 'We kunnen beter nog niets op de tafel zetten,' zei ze. 'Voor je het weet, schrokken ze alles op.'

'Ezra moedigt hen aan.' Susan haalde nog een blad met broodjes uit de oven en liet ze op een rooster glijden om ze te laten afkoelen. 'En eigenlijk doe ik dat zelf ook.' Ze glimlachte toen ze Millicents nieuwe jurk zag en er bleef een veeg bloem op haar voorhoofd achter toen ze een lok uit haar bezwete gezicht streek. 'Wat zie je er mooi uit. Die kleur groen staat je goed, Millie. Daar moeten we nog wat meer van kopen.'

Millicent sloeg haar armen om Susan heen. 'Je hebt al meer dan genoeg voor me gedaan,' zei ze. 'Dank je wel voor al je goedheid.'

'Goedheid heeft er niets mee te maken,' zei Susan. Ze omhelsde het meisje en begon nog een bol deeg uit te rollen. 'Aangezien ik je vriendin ben, mag ik je best af en toe een cadeautje geven.'

Millicent deed een schort voor om haar mooie jurk te beschermen en begon de broodjes te glaceren. Toen ze daarmee klaar was, liep ze naar buiten, waar de tafel was neergezet op een plek waar ze konden profiteren van de koele bries die over de rivier kwam aanwaaien. Ze glimlachte toen ze zag dat de kinderen zich nu onder het tafellaken verstopt hadden en joeg ze zogenaamd boos na toen ze gillend van het lachen wegholden.

Ze bleef staan aan de rand van het omliggende bos en dankte de Heer dat ze zo geboft had. De herinneringen aan Engeland waren vervaagd en na de donkere dagen was zonneschijn gekomen; ze leefde nu in de heerlijke wetenschap dat er mensen waren die van haar hielden. Ze wist dat haar toekomst hier bij Susan en Ezra verzekerd was.

Ze hoorde de hakken van Susan tikken op de nieuwe houten vloer van de keuken. Ondanks hun leeftijdsverschil waren ze elkaar erg na komen te staan door hun werk in het ziekenhuis en thuis. Tijdens de lange avonden dat ze samen zaten te naaien en verstellen terwijl Ezra hen voorlas of de dingen van de dag besprak, was hun hechte vriendschap bezegeld, al wist Millicent dat haar vriendin met problemen kampte die ze met niemand kon delen. Het was haar algauw duidelijk geworden dat er veel wrijving bestond tussen Susan en haar dochter, maar de reden daarvoor bleef geheim en dat intrigeerde haar.

Millicent vouwde de linnen servetten die eveneens door de schepen waren aangevoerd en legde ze bij de borden. Florence was er fel op tegen dat ze hier was komen wonen. Het was een onaangenaam meisje met een superieure houding en een scherpe tong dat op iedereen iets aan te merken had, en het was voor Millicent een hele opluchting geweest toen ze het huis uit was gegaan. Ze wist echter dat Susan eronder leed en dolgraag een betere verstandhouding wilde met haar dochter.

Florence leek zich echter te hebben voorgenomen haar moeder geheel buiten te sluiten en deed nooit aardig tegen haar, zelfs niet toen hen het nieuws had bereikt dat Maud was overleden. Ze was eerst bij de familie Johnson ingetrokken en daarna verhuisd naar een piepklein huisje dicht bij de grondvesten van de nieuwe kerk waar dominee Richard Johnson al zo lang naar verlangde. Ze besteedde al haar tijd aan haar werk voor de kerk en kwam zelden thuis, en als ze al kwam, sprak ze nadrukkelijk alleen met haar vader.

Millicent slaakte een diepe zucht, legde de laatste messen en vorken op de tafel en deed een stap achteruit om te kijken of ze niets was vergeten. De arme Ezra had geprobeerd vrede te stichten tussen de twee vrouwen van wie hij hield, maar dat was niet gelukt. Florence haatte haar moeder en niets kon daar verandering in brengen. Ze keek naar de baai die er prachtig bij lag in het zonlicht en vroeg zich af wat de oorzaak kon zijn van een dergelijke breuk. Toen haalde ze haar schouders op. Het ging haar niets aan en iedereen had geheimen, zelfs zij.

Ezra zag er moe en afgetobd uit toen hij thuiskwam van zijn parochiale verplichtingen, maar hij glimlachte vriendelijk toen hij Susan kuste en Millicent vaderlijk omhelsde. Ze hadden een verjaardagscadeau voor haar: een prachtige omslagdoek die was versierd met borduurwerk van zijdedraad, en lange, zachte franjes had die golfden wanneer ze zich bewoog. Millicent was zo overdonderd dat ze geen woord kon uitbrengen.

George arriveerde in volle galop en liet zijn paard pal voor het houten tuinhek in een wolk van stof tot stilstand komen. Hij was nu bijna zeventien, een lange, breed gebouwde jongeman met een onuitputtelijke energie. Hij sprong van het paard en omhelsde Millicent zo stevig dat hij bijna een paar van haar ribben brak. Ze bloosde en probeerde hem te bedanken voor het bosje veldbloemen dat hij voor haar had meegebracht, maar hij liep al weg om stoelen te verslepen en zijn moeder in de weg te lopen, dus ging ze maar naar binnen om de bloemen in een vaas te zetten.

'Hallo! Is er iemand thuis? Ik heb post voor Ezra meegebracht. Er is weer een schip in aantocht.' Nell banjerde via de voordeur naar binnen met de zeven maanden oude Amy op haar heup en een grote reistas aan haar arm. De baby was net als haar moeder uitgedost in een vuurrode jurk vol tierelantijntjes. Haar ragfijne rode haar was tot een kuifje geborsteld en haar levendige blauwe ogen verdwenen bijna uit het zicht door haar dikke wangetjes toen ze haar tandeloze lach liet zien.

'Is het geen dotje?' zei Nell luidruchtig terwijl ze de post op de tafel legde en de baby aan Susan gaf. 'Ik heb een lap stof voor je gekocht. Moest ervoor knokken, hoor. Iedereen wil nieuwe jurken. Ik hoop dat je het mooi vindt.'

Millicent pakte de lap stof van haar aan. 'Prachtig,' loog ze, want ze had geen flauw idee wat ze moest beginnen met zo'n opzichtige kleur rood, maar ze mocht Nell graag, ondanks haar smaak wat kleren betrof, en ze had bewondering voor haar opgewekte, robuuste karakter. 'Waar is Billy?'

'Ik heb de mannen thuisgelaten. Ik ben hier al een paar dagen om al mijn vriendinnen op te zoeken,' zei ze. 'Theekransjes zijn niks voor mannen en ze hebben thuis massa's werk. Al die bomen die ze nog moeten omhakken.'

'Wat dapper van je dat je helemaal in je eentje bent gekomen,' zei Millicent, die doodsbang was voor de bossen en de eindeloze leegte buiten de stad.

Nell schokschouderde. 'Wie in de straten van Londen heeft gewerkt, weet van wanten en ik wilde mijn vriendinnen zien en wat zaken regelen.' Ze stak haar hand in de reistas. 'Bovendien denk ik niet dat een man snel iets zal proberen als hij dit ziet.' Ze haalde een geweer tevoorschijn.

Millicent keek naar het wapen en slikte. 'Kun je daar dan mee omgaan?' vroeg ze timide.

'Tuurlijk, en dat wil ik wel bewijzen ook!'

George voegde zich bij hen toen ze de tuin in liepen en aan de tafel gingen zitten. Terwijl ze theedronken, las Ezra interessante gedeelten voor uit de brieven die waren gekomen.

Eindelijk, na bijna een jaar, was er nieuws van Emma die nu de trotse moeder van drie kinderen was en midden in 'het veld' woonde, zoals zij het noemde. Algernon was bevorderd tot een hogere rang en had nu de leiding over een hele compagnie. Ze hadden hun pioniersleven ten volle uitgebuit door een mooi, ruim huis te bouwen te midden van vele hectaren goede weidegrond. Ze hadden een aantal bedienden. De meeste buren waren Boeren van Nederlandse afkomst. Er waren wel wat problemen met plunderende zwartjes, maar dat was hoofdzakelijk verderop in de wildernis.

'Ze klinkt tevreden,' zei Susan, 'maar ik maak me toch zorgen over haar.'

'Als ze net zo is als haar moeder, hoef je je echt niet druk te maken,' zei Ezra met een glimlach. Hij pakte een andere brief en keek hem door. 'Asjemenou!' riep hij uit. 'Ann is in verwachting!'

'Laten we hopen dat het een jongetje is,' zei Susan, 'anders moet jij Gilbert op een gegeven moment opvolgen.'

Ezra liet de brief zakken. 'Daar heb ik nooit bij stilgestaan.' Hij grijnsde. 'Maar Gilbert heeft een sterk gestel en zal mij vermoedelijk overleven. Ik denk eerder dat de titel zal overgaan op Ernest.'

'God verhoede!' proestte George, die zich in zijn thee verslikte.

'Je mag de naam van de Heer niet ijdel gebruiken, George,' vermaande Ezra hem op een milde toon.

'We dwalen af,' zei Susan die de kopjes nog eens volschonk en George een servet gaf om zijn kin af te vegen. 'Ann krijgt vast een zoon. Ze zou het niet wagen om Gilbert een dochter te schenken.'

Iedereen barstte in lachen uit en even later was het gesprek overgegaan op de vier compagnies van het New South Wales Corps die onlangs waren gearriveerd.

De commandant van de mariniers die samen met gouverneur Phillip naar Australië was gekomen om de kolonisten tegen de inboorlingen te beschermen en orde te houden, had pertinent geweigerd zijn mannen in te zetten als opzichters of bewakers. Aangezien het niet haalbaar was om die functies te laten vervullen door gedetineerden, had Phillip zich genoodzaakt gezien de Britse regering met klem te verzoeken een speciaal regiment te sturen.

De eerste compagnie was een paar maanden geleden gearriveerd om aan die taak te beginnen en al snel was duidelijk geworden dat de regering de grootste moeite had gehad rekruten te vinden. De meeste soldaten waren uit militaire gevangenissen gehaald en het kaliber van de officieren was op z'n minst twijfelachtig. Er waren al verscheidene incidenten geweest wegens hun wrede gedrag tegenover de inboorlingen, dronkenschap, diefstal en hoerenloperij, wat niet veel goeds beloofde voor de toekomst van de kolonie.

Millicent luisterde naar het kabbelende gesprek maar kon zich er niet op concentreren omdat haar blik voortdurend naar het hek dwaalde.

'Zit je op iemand te wachten?' fluisterde Nell die zich naar Millicent boog en daarbij nog meer decolleté liet zien. Ze stompte haar in haar zij en knipoogde. 'Heb je soms een oogje op een bepaalde jongeman?'

Millicent kreeg een kleur. 'Doe niet zo mal.' Ze giechelde.

Nell trok één wenkbrauw op en haar ogen flonkerden. 'Ik ben niet achterlijk. Je kunt een ei koken op die hete wangen van je.'

Millicent hoefde daar gelukkig geen antwoord op te verzinnen omdat er precies op dat moment een kreet klonk, maar ze bloosde nog heviger toen ze zich samen met de anderen omdraaide om de nieuwkomer te begroeten. Ernest kwam over het gazon naar hen toe. Op zijn negentiende was hij al danig verweerd door de zon en zijn schouders en armen waren gespierd door het werk op het land. Zijn blonde haar was eigenlijk te lang, maar hij had duidelijk zijn best gedaan vandaag netjes voor de dag te komen, al zag Millicent meteen dat zijn kleren tot op de draad versleten waren. Haar hart bonkte zo dat het pijn deed toen ze opstond om hem te begroeten.

'Van harte gefeliciteerd met je verjaardag,' zei hij verlegen en hij bloosde hevig toen hij zich bukte om haar een kus op haar wang te geven.

Millicent kon amper ademhalen toen zijn lippen haar wang beroerden. Het was alsof ze door de bliksem was geraakt.

Hij leek het ook te voelen, want hij schoot overeind alsof hij was gestoken. In een poging zijn gêne te verdoezelen, duwde hij haar iets in haar handen. 'Ik wist niet waar je van houdt, dus heb ik dit voor je gekocht.'

Millicent keek naar de lap rode stof en moest onwillekeurig glimlachen toen ze hem bedankte. Ze had nu voldoende van deze stof om een hele garderobe te maken en zou de komende tien jaar in het rood rondlopen, of ze er nu van hield of niet.

De maaltijd verliep gemoedelijk. Amy mocht bij de een na de ander op schoot en Millicent en Ernest gluurden verlegen naar elkaar, zich er pijnlijk van bewust dat Nells scherpe ogen alles zagen.

Toen de zon achter de bomen zakte en de muggen zich begonnen te roeren, wikkelde Nell de slapende Amy in een omslagdoek en legde haar in een speciaal aangepaste zadeltas, samen met de post voor Billy en Jack. 'De hemel mag weten wat die kerels allemaal hebben uitgespookt in de vier dagen dat ik nu weg ben. Het is hoog tijd dat ik naar huis ga.' Met een luidruchtige groet steeg ze op haar paard en reed in een grote stofwolk weg.

'Billy boft met haar,' zei Susan.

'Wij moesten ook maar eens gaan,' zei George. Hij sloeg met zijn hoed tegen zijn been en veroorzaakte daarmee een miniatuurzandstorm. 'Het is nog een heel eind naar Hawks Head.'

Ernest keek naar de lucht en toen naar Millicent. 'Ga jij maar vast,' zei hij toen. 'Ik kom straks.'

George grijnsde van oor tot oor en stootte zijn vader aan. 'Ernie is verliefd,' zei hij op een luide fluistertoon.

Ernest gaf zijn broer een mep. 'Ga naar huis, klier. Ga iets nuttigs doen in plaats van in de haven rond te hangen. Ik weet dat je walvisvaarders oneindig veel interessanter vindt dan het boerenwerk, maar we moeten nog wel een akker ontginnen en een schuur bouwen.'

Millicent hoorde dat allemaal aan en hoopte vurig dat Ernest voor háár achterbleef. Toen George weggaloppeerde, merkte ze dat Susan en Ezra naar binnen waren gegaan en zij en Ernest samen waren overgebleven.

'Heb je zin om een eindje te wandelen?' vroeg Ernest met zijn hoed in zijn hand en zijn ogen op de neuzen van zijn schoenen gericht.

Millicent knikte. Haar hart bonkte zo dat ze niets kon zeggen. Ze legde haar hand op de arm die hij haar bood en voelde de warmte van zijn huid onder zijn overhemd. Ze vroeg zich af hoe hevig je kon blozen voordat je uit elkaar spatte.

'Laten we de heuvel af lopen naar de stad. Ik kom er niet vaak en heb gezien dat er veel is veranderd. Zou je dat leuk vinden, Millie?'

Millicent was teleurgesteld maar wilde hem niet ontmoedigen. Ze knikte weer. Ze ging niet graag naar de stad. De soldaten en mariniers waren ruige kerels die te veel dronken en om de haverklap met elkaar op de vuist gingen in de smalle, met keien geplaveide straten. Ze haalde diep adem en vermande zich. De verschrikkingen van het gevangenisschip lagen ver achter haar en Ernest zou ervoor zorgen dat niemand haar iets deed. Met haar hand in de kromming van zijn elleboog wandelden ze bij het huis vandaan.

Nu ze haar angst in toom wist te houden, merkte ze dat haar zintuigen nog nooit zo scherp waren geweest. Ze rook de warmte van de dag die nog in de grond zat en de geur van de eucalyptusbomen, vermengd met de rook uit de vele schoorstenen. Ze voelde de warme avondlucht en de pezige kracht in de arm van Ernest. Boven haar hoofd zag ze de sterren flonkeren in het zachte fluweel van de nachtelijke hemel, hoorde het gesjirp van de krekels en het gekakel van de papegaaien die terugkeerden naar hun nest. Ze was nog nooit zo gelukkig geweest.

Ze waren bijna bij de brede, ongeplaveide weg die naar het centrum van de stad voerde, toen Ernest bleef staan. 'Millicent,' zei hij op een jachtige toon, 'ik wil helemaal niet naar de stad. Ik wil eigenlijk ook helemaal niet wandelen.'

Ze deed haar best niet teleurgesteld te kijken. 'Dan kunnen we beter teruggaan,' zei ze bedroefd. 'Het is al laat en je moeder vraagt zich vast af waar ik ben.'

'Ze weet precies waar je bent,' zei hij op een afwezige toon, terwijl zijn blik aldoor nét langs haar heen gleed. 'Ik heb met haar gesproken voordat we zijn vertrokken.'

'O.'

Hij maakte een erg warrige indruk. Opeens haalde hij diep adem en keek haar aan. 'Millicent,' zei hij ferm, 'ik zou graag verkering met je willen. Zou je daar iets op tegen hebben?' Zijn adamsappel ging op en neer toen hij slikte.

Millicent werd helemaal duizelig en kon amper ademhalen. 'Nee, daar zou ik niets op tegen hebben,' zei ze, al had ze moeite niet te gaan giechelen om de formele manier waarop dit allemaal ging.

Zijn ogen leken erg donker toen hij op haar neerkeek. 'Meen je dat echt?'

Ze bloosde hevig toen ze het waagde hem zachtjes in zijn ribben te porren. 'Natuurlijk.'

'Dus je zou er niets op tegen hebben als ik je kuste?'

Ze zag dat hij ook bloosde en dat vond ze vreselijk lief. 'Nee, ook daar zou ik niets op tegen hebben,' zei ze zachtjes en ze hief haar gezicht naar hem op.

Hij trok haar tegen zich aan en drukte zijn lippen op de hare. Millicent werd meegesleurd door een maalstroom van emoties toen ze hem kuste. De droom die ze voor onmogelijk had gehouden, was werkelijkheid geworden. Ernest was niét vergeten dat ze bestond.

Nell wist dat ze net zo lang bij Susan had kunnen logeren als ze wilde, maar ze had Billy de afgelopen vier dagen erg gemist en nu ze al haar zaken had geregeld en al haar vriendinnen gesproken, wilde ze graag naar huis.

Buiten de stad verwisselde ze haar nieuwe kleren voor de ruime, verschoten jurk en breedgerande hoed die ze thuis altijd droeg. Ze stopte de japon en de mooie schoenen die ze voor het feest had aangedaan in de andere zadeltas, trok haar oude laarzen aan, controleerde of het geweer geladen was en steeg weer op. De reistas met het geweer hing ze aan de zadelknop, binnen bereik voor als ze onderweg op problemen mocht stuiten.

Ze reed de hele nacht door en stopte alleen om Amy te voeden en haar pijnlijke rug rust te gunnen. Voordat ze met Billy was getrouwd, had ze nog nooit op een paard gezeten. In het begin had ze er achterdochtig tegenover gestaan, maar algauw had ze gemerkt dat het helemaal niet moeilijk was.

De hemel begon net licht te worden toen ze de laatste heuvel opreed. Toen ze boven was, hield ze het paard in, steeg af en haalde het slaperige kind uit haar zadeltascocon. Met Amy op haar arm keek ze uit over het land dat ze een jaar geleden hadden gekregen en voelde ze een enorme tevredenheid over zich neerdalen. Het zag er prachtig uit in de zachtgrijze morgenstond. Uitgestrekte bossen verrezen uit de nevelen die de nacht nog niet hadden losgelaten, en de Parramatta lag glanzend, als een grijs zijden lint, tussen de reeds ontgonnen akkers en glooiende, groene weiden.

Ook al moesten ze hier nog zo hard werken en woonden ze ver van de bewoonde wereld, omringd door allerlei gevaren, ze wilde nooit meer terug naar de stad of naar Engeland. Ze was opgegroeid in een werkhuis en had haar ouders niet gekend; al heel vroeg had ze geleerd keihard en zelfstandig te zijn. Ze keek uit over wat haar eerste echte thuis was, en ze wist dat de vele jaren van zware arbeid die hen nog wachtten de moeite dubbel en dwars waard zouden zijn.

Ze keek naar het houten huis dat de plaats van de tent had ingenomen. Ze hadden de bouw ervan een maand geleden pas voltooid. Er kringelde rook uit de schoorsteen en de nieuwe verf op de luiken glansde in het nog vage ochtendlicht. Wat zag het huis er knus en veilig uit, met het schuine dak en de brede overdekte veranda. Het had twee kamers en de stevige palen van de fundering stonden diep in de rijke, zwarte aarde die goede oogsten beloofde en mals gras voor de dieren.

Haar blik gleed verder, langs de rivier, en ze zag dat er ook uit de schoorsteen van Jack rook opsteeg. Zijn huis was nog kleiner dan het hunne. Een stukje bij de rivier vandaan, bijna verborgen tussen de bomen, stond een grote schuur waar de gedetineerden woonden die ze nu in dienst mochten hebben. De vijf mannen kregen hun kleding en voedsel uit de overheidswinkels en hun loon werd uitbetaald in rum; een gevaarlijk goedje dat Billy en Jack rantsoeneerden tot één avond per week, zodat ze op zondag konden uitslapen en er geen werkdagen verloren gingen. De mankracht was van onschatbare waarde geweest bij het kappen van de bomen, het omploegen van de velden, en de bouw van de huizen en omheiningen, en ze wist dat ze zonder hun hulp lang niet zo veel hadden kunnen bereiken.

Nog verder weg zag ze tussen de bomen rook opstijgen uit het kamp van de inboorlingen. Ze waren best vriendelijk en hielpen soms op het land in ruil voor tabak en rum, al moest dat laatste, net als voor de gedetineerden, zorgvuldig gerantsoeneerd worden. Ze grinnikte toen ze aan de vrouwen dacht die naar het huis kwamen en dan alleen maar een beetje om zich heen stonden te kijken of een zwabber over de vloer haalden. Omdat ze hun namen onmogelijk kon uitspreken, noemde ze hen Daisy, Pearl en Gladys. Wat het huishoudelijke werk betrof had ze niks aan de vrouwen; ze kwamen eigenlijk alleen maar met Amy spelen of kijken wat ze uit haar kasten konden halen, maar het was het enige vrouwelijke gezelschap dat ze had en in een poging ze wat beschaving bij te brengen had ze de vrouwen alle scheldwoorden geleerd die ze kende. Arme Billy, wat was hij geschrokken toen Daisy hem een 'secreet' had genoemd toen hij haar beschuldigde van het stelen van meel.

Nell ontwaakte uit haar dagdroom en hield haar adem in toen de vleugels van een zwerm kaketoes roze werden gekleurd door de opkomende zon. Ze werd iedere dag opnieuw ontroerd door de schoonheid, de stilte, de ruimte en de grootse pracht van dit land. Wat een ommekeer had er in haar leven plaatsgevonden. Wat een geluk had ze gehad dat haar de kans was gegund opnieuw te beginnen met de man van wie ze hield. 'Kijk eens, Amy,' fluisterde ze en ze hief het kind op zodat ze de pracht van de dageraad kon zien, 'dit is Moonrakers, en op een dag is dit allemaal van jou.'

Amy stak haar mollige armpjes uit en kraaide toen een zwerm kwetterende grasparkieten over het land scheerde.

Nell glimlachte en drukte zielsgelukkig een kus op het rode haar van haar dochter. Toen Amy met een ernstig gezichtje naar haar opkeek, herinnerde Nell zich dat het bijna tijd was voor haar voeding. 'Kom, dan gaan we naar huis,' fluisterde ze in haar oortje.

Billy gooide de hordeur open en bleef op de veranda op haar staan wachten. Toen ze het erf op reed, sprong hij het trapje af en tilde haar met een zwaai uit het zadel. Haar hoed viel van haar hoofd en haar lange haar tuimelde over haar schouders toen hij haar kuste.

'Ik heb je gemist,' zei hij. Hij nam Amy van haar over. 'Heb je de hele nacht gereden, dat je er nu al bent?'

Nell grinnikte. Haar Billy was een knappe man, gebruind door de zon, met een brede borst en sterke armen waar ze zich wel de hele dag in zou willen nestelen. 'Je zei dat je een verrassing voor me zou hebben,' bracht ze hem in herinnering toen ze zich van hem losmaakte en om zich heen keek. 'Waar is die?'

'Dat vertel ik je zo wel,' zei hij geheimzinnig en hij grijnsde breeduit. 'Ga jij maar met Amy naar binnen, dan verzorg ik het paard,' zei hij terwijl hij haar het kind weer teruggaf.

'Dan bewaar ik mijn verrassingen ook tot straks,' zei ze meteen. Ze had moeite haar ongeduld te bedwingen toen ze hem de post gaf. Hij keek haar vragend aan, maar ze grijnsde alleen. Dit spelletje kon zij ook spelen. Billy plaagde haar graag maar dat vond ze juist leuk, en het uitstel zou de verrassing nog fijner maken. Als het tenminste iets fijns was. Maar daar twijfelde ze niet aan, want Billy keek erg opgewonden.

Ze ging naar binnen. Haar laarzen bonkten op de houten vloer toen ze de huiskamer doorliep om te zien wat er stond te pruttelen in de pot op het fornuis die tegen de schoorsteenmantel stond en het middelpunt van de kamer vormde. Het huisje was spaarzaam gemeubileerd met alleen een zelfgemaakte tafel en stoelen, maar deze kamer was de plek waar plannen werden gemaakt, ideeën uitgewisseld en een kaartje gelegd na een dag hard werken. Ze hadden geen gordijnen, geen vloerkleed, geen snuisterijtjes, geen sierkussentjes om Nells liefde voor felle kleuren en zachte spulletjes te bevredigen, en toch had ze geen enkele behoefte er iets aan te veranderen.

Ze zag dat Billy iets eetbaars had gekookt. Ze weerstond de verleiding de pap te proeven en liep snel weer naar buiten om Amy te wassen en verschonen en zelf gebruik te maken van de onwelriekende latrine. Daarna ging ze weer naar binnen en liep door naar de slaapkamer, waar ze de baby de borst gaf en toen tussen de kussens legde op het grote, koperen bed dat Billy in Sydney Town had gekocht voor een vaatje rum. Na een futiele poging een borstel door haar warrige krullen te halen, gaf ze het op. Het zou veel makkelijker zijn als ze het kort knipte, en ze kwam vaak in de verleiding, maar Billy was dol op haar haar en zou woedend zijn als ze er ook maar een centimeter van afknipte. Met een zucht legde ze de borstel neer en ze liep de huiskamer weer in.

Zoals gewoonlijk was Jack gekomen om samen met hen te ontbijten. Hij zat aan de tafel met een lege kom voor zich zijn brieven te lezen. Billy zat naast hem en Nell zag de blik van verstandhouding die ze wisselden toen ze binnenkwam. Ze besloot hen te negeren. Ze hielden dat spelletje toch niet lang vol en ze had honger.

Afgezien van de klonten, was de pap erg lekker. De geitenmelk maakte de pap lekker zoet en Nell at met smaak. Het duurde een poosje voordat ze eraan toe was de mannen het verbluffende nieuws over het aanstaande ouderschap van Ann en Gilbert te vertellen.

Billy en Jack staarden haar met open mond aan, begonnen toen bulderend te lachen en sloegen elkaar op de schouders. Toen schonken ze een glaasje rum in om op Gilbert te toosten.

Nell bekeek hen meesmuilend. Alsof de man iets geweldigs had gepresteerd, dacht ze, terwijl ze doorat. Een baby verwekken was niet moeilijk en haar hart ging uit naar Ann: het zwaarste werk was immers de bevalling.

Toen het weer stil was, zei Billy als terloops: 'Ik heb gisteren een goede deal gesloten voor nog negentig acres.'

Nell liet haar lepel kletterend op haar bord vallen. 'Hoe kan dat? We hebben geen geld.'

'Ik had drie vaten rum en dat is voldoende als een man meer dorst heeft dan zin om zijn land te bewerken.'

Nu was het duidelijk. 'Je hebt het land gekocht dat Alfie Dawson heeft toegewezen gekregen,' zei ze. 'Hoe moet het nu met zijn vrouw en dochter?'

'De dochter is al teruggekeerd naar de stad en zijn vrouw houdt net zo veel van rum als Alfie zelf.' Hij keek haar gespannen aan. 'Ik heb ook de weinige koeien gekocht die hij nog niet van de hand had gedaan,' vertelde hij verder. 'Het was een koopje.'

Nell wist dat hij aan haar gezicht kon zien dat ze het met deze gang van zaken niet eens was.

'Ik laat hen heus niet in de steek,' voegde hij er haastig aan toe, zich bewust van de gevaren van Nells temperament. 'Hij kan op het land werken en de koeien voor me hoeden wanneer hij daartoe in staat is, en ik zal hem in rum uitbetalen, net als de gedetineerden.'

'Een dronkenlap in rum betalen? Goed idee.' Ze sloeg haar armen over elkaar onder haar borsten en keek hem verwijtend aan.

Billy lachte haar verleidelijk toe. 'Nell, je weet best dat het een goede deal is. En wanneer heb ik je ooit teleurgesteld?'

Ze had hem graag een opsomming gegeven, maar aangezien ze niet één incident kon bedenken, hield ze haar mond. Ze dacht aan het prachtige land verderop langs de rivier. Het was goede weidegrond en Jack had er vaak verlangend over gepraat. Nu was het dus van hen. Dom van Alfie dat hij de enige kans om iets van zijn leven te maken, had verkwanseld voor een paar vaatjes rum.

Nell zuchtte en voelde haar boosheid wegebben. Ze begreep Alfie eigenlijk best. Hij kwam uit de achterbuurten van Londen. Zijn idee van werken was zakkenrollen en van winkeliers stelen. Het land dat hij bij zijn voorwaardelijke invrijheidstelling toegewezen had gekregen, moest voor hem en die slet van een vrouw van hem alleen maar een last zijn geweest.

'Nell? Ben je er niet blij mee?'

Billy keek ongerust en met recht. Ze hadden al zo veel land en te weinig arbeidskrachten en te weinig tijd om het naar behoren te bewerken. Ze was niet van plan zomaar met hem in te stemmen. 'Wat moeten we met al die weidegrond? Voor die paar koeien van ons zeker!'

'Dat is de tweede verrassing,' zei Jack. Hij schoof zijn brieven opzij. 'We gaan een schapenfokkerij beginnen.'

'We hebben geen geld om schapen te kopen en er zijn er niet eens genoeg in de kolonie, vooral omdat de zwartjes ze stelen om ze boven hun kampvuren te roosteren.'

'Ik heb het niet over schapen uit de kolonie,' legde Jack uit. 'Ik heb het over schapen uit Zuid-Afrika.'

Nell merkte dat haar mond openhing en deed hem snel weer dicht. Haar blik ging heen en weer tussen Jack en Billy. Ze zag de opwinding in hun ogen. Ze deden haar denken aan een stel ondeugende kinderen. 'Wat hebben jullie uitgespookt?' vroeg ze, maar ze had moeite streng te blijven kijken.

Billy leunde achterover op zijn stoel en begon zijn pijp te stoppen, terwijl Jack het woord nam: 'Ik ben met John Macarthur gaan praten.' Hij zag dat de naam haar niets zei en legde uit: 'Een officier van het New South Wales Corps. Hij heeft een eind verderop aan de Parramatta tweehonderdvijftig acres gekocht. Hij is een intelligente vent, al vinden sommige mensen hem nogal onbehouwen. Volgens hem is dit land geschikt om de beste wol ter wereld te produceren.'

'Wat weet een soldaat daar nou van?' Nell was nog lang niet overtuigd.

'Genoeg om in te zien dat de bodemsoort van dit land een natuurlijke bron van rijkdom is. Volgens hem zijn merinosschapen ideaal voor het soort gras dat we hier hebben en kunnen we wol produceren die in kwaliteit en prijs kan concurreren met wol uit Spanje en Duitsland, mits er voldoende gedetineerden kunnen worden gemist bij de projecten van de overheid om ons te helpen.'

'Dat zal niet gebeuren,' zei ze. 'De overheid moet nog altijd het gros van de mensen hier kleden en voeden, omdat slechts weinigen zichzelf kunnen bedruipen. De overheid kan het zich niet veroorloven nog meer werkkrachten af te staan.'

'Dat zou ook niet hoeven, als gewone kolonisten werden aangemoedigd hierheen te komen,' zei hij bedaard.

Nell was met stomheid geslagen. Wat een belachelijk idee. Dit was een strafkolonie die werd beheerd door de overheid en het leger. Waarom zou een rechtschapen, vrije boer hierheen willen komen? Ze keek van Jack naar Billy, zag de opwinding op hun gezichten en begreep dat het idee misschien toch niet zo belachelijk was. Ze begon over de mogelijkheden na te denken terwijl ze Billy's lemen pijp pakte en een trekje nam.

'Dus,' zei ze even later, 'jullie denken dat als we het advies van Macarthur opvolgen en merinosschapen gaan fokken, dat we dan kunnen concurreren met de beste wolproducenten ter wereld?'

De mannen knikten.

'En met onze winst kopen we meer land en meer schapen en worden we steenrijk, en dat zal vrije kolonisten aanmoedigen hierheen te komen en hetzelfde te doen?'

'Dat niet alleen. We kunnen schapenvlees en lanoline verkopen aan de overheidswinkels. De overheid hoeft ons dan niet langer te steunen en geen geld uit te trekken voor het werk van de gedetineerden, wat de economische situatie in de kolonie alleen maar ten goede zal komen. Iedereen wordt er beter van.' Jack kon zijn geestdrift nauwelijks bedwingen en wiegde van voren naar achteren op de achterpoten van zijn stoel die vervaarlijk kraakte.

Nell gaf de pijp terug aan Billy. 'Slim bedacht,' zei ze, 'maar Macarthur zal met ons concurreren. Hij heeft nu al meer land en kan het zich veroorloven meer schapen te kopen.'

'Er is meer dan genoeg land voor dergelijke concurrentie,' zei Jack, 'en ook al kunnen we nog niet zo veel schapen houden als Macarthur, we kunnen er wel voldoende krijgen om een begin te maken.'

'Hoe?' vroeg ze botweg. 'Een paar vaten rum is niet genoeg om rijk van te worden.'

Jack pakte het stapeltje brieven en Nell meende een zweem van spijt in zijn ogen te zien toen hij haar weer aankeek. 'Alice gaat de boerderij verkopen,' zei hij. 'De opbrengst gaat ze gebruiken om merinosschapen te kopen, drie rammen en dertig ooien, die ze dan van Zuid-Afrika naar Port Jackson zal laten vervoeren.'

Nell staarde hem sprakeloos aan. Ze hadden het plan al helemaal uitgewerkt en het drong nu tot haar door dat ze er al maanden mee bezig moesten zijn. Hierbij vergeleken was haar eigen nieuws erg saai, en ze voelde zich gepasseerd omdat ze haar er niet bij betrokken hadden. 'Wanneer komt ze?' vroeg ze.

'Waarschijnlijk midden volgend jaar, of iets later. Het hangt ervan af hoe snel ze de boerderij kan verkopen en de overtocht naar Zuid-Afrika maken.' Zijn stem beefde en ze meende wat tranen in zijn ogen te zien. 'Ik kan nauwelijks geloven dat ik haar na al die tijd zal terugzien, Nell. Het is een godswonder dat ze me nog steeds wil hebben.'

'Ze zou gek zijn als ze je níét wilde,' zei Nell onmiddellijk. 'Je bent een goeie vent, Jack. Geen vrouw die je niet zou willen.' Ze keek naar Billy en besloot dat het tijd was hun haar eigen nieuws te vertellen. 'Gezien de omstandigheden zal het fijn zijn om Alice in de buurt te hebben,' zei ze luchtig. 'Ik hoop dat ze zo snel mogelijk komt.'

Billy keek op. 'Hoezo?'

Nell lachte blij. 'Ann is niet de enige die in gezegende omstandigheden verkeert. In maart krijgt Amy een broertje of zusje.'

Billy sprong overeind en trok Nell van haar stoel voordat ze wist wat er gebeurde. Hij kuste haar en bleef haar kussen.

Ze gingen zo in elkaar op dat ze niet merkten dat Jack zijn kostbare brieven in zijn zak stak en stilletjes het huis verliet.

Lowitja dekte de jongste kinderen toe met dierenhuiden en zong hen in slaap. Ze liet de kinderen achter onder het toeziende oog van hun grootmoeder, verliet het kamp en begon, met haar speer als verdedigingswapen, aan de lange trek door het bos naar de speciale grot. Ze voelde zich tegenwoordig niet veilig meer wanneer ze 's nachts op pad ging, omdat veel vrouwen waren meegenomen door de witte mannen die het land hadden gestolen.

Ze werd door zorgen gekweld toen ze de opening van de grot bereikte die hoog boven de watergrens lag en uitzicht bood op de snelstromende rivier. Hoewel ze op vriendelijke voet stond met Susan en haar familie en wist dat sommigen van de andere witte mensen te vertrouwen waren, kon ze het beklemmende gevoel van dreigend gevaar niet van zich afzetten. Haar volk was langzaam aan het veranderen; het liet oude gebruiken in de steek voor de zoete, donkere drank die de mensen ertoe aanzette zich als dwazen te gedragen en hun het bewustzijn deed verliezen. De spiritualiteit van de reeds sterk geslonken stammen ging eraan ten onder, de eenheid die altijd had bestaan was al vernietigd nu meningsverschillen hen uiteendreven. Sommige vrouwen gingen zelfs uit vrije wil naar de hutten van de witte mannen om daar samen met hen te leven, en andere vrouwen gaven hun lichaam in ruil voor rum en mooie kleren.

Ze bleef in de opening van de grot staan en keek naar de maangodin, hoog in de lucht, terwijl ze aan Anabarru dacht. Die had zich zorgvuldig aan de oude gebruiken gehouden, zich gezuiverd opdat ze kon terugkeren naar haar man en haar clan, maar die oude wet werd nu met voeten getreden. De vrouwen die bij de witte mannen waren gaan wonen, hielden hun kinderen en zouden nooit meer welkom zijn bij het kampvuur. En die kinderen, die een lichtere huidskleur hadden waardoor ze zwart noch wit waren, zouden niet worden geïnitieerd volgens de oeroude gebruiken noch worden geaccepteerd in de wereld van de witte mensen, en waren daardoor gedoemd hun hele leven een eenzaam pad te bewandelen.

Met een diepe zucht ging ze zitten en haalde de kostbare stenen uit haar tas. Ze nam ze in haar hand, bad de speciale gebeden tot haar voorouder Garnday en wachtte tot ze antwoord kreeg alvorens de stenen te werpen. Wat ze zag, deed haar huiveren.

Er zou een grote duisternis komen, in de vorm van een witte man in een rode jas. Deze duivel zou haar volk afslachten en hen op de rand van uitroeiing brengen in een poging de oude, spirituele levenswijze te vernietigen. Ze sloot haar ogen en begon te bidden. Nog nooit eerder had ze de wijsheid van Garnday zo hard nodig gehad.

19

Sydney Cove, februari 1793

'Zou je even de stad in kunnen gaan om Ezra dit briefje te geven?' vroeg Susan. Ze reikte Millicent het briefje aan en vulde een mand met spullen die ze nodig had voor haar werk in het hospitaal. 'Hij is waarschijnlijk bij Florence. Daar kun je het beste eerst even langsgaan.'

Met grote tegenzin stopte Millicent het briefje in haar zak. Een paar maanden geleden waren elf schepen in Port Jackson gearriveerd en nu zat Sydney Town vol soldaten en matrozen die net zo ruig waren en net zo veel dronken als de Ierse gevangenen die ze hierheen hadden gebracht. Het was geen stad voor een timide meisje. 'Is het echt belangrijk?' vroeg ze.

Susan stopte met wat ze aan het doen was en legde haar hand op Millicents schouder. 'Als het niet belangrijk was, zou ik het niet vragen,' zei ze zachtjes. 'Ezra moet mevrouw O'Neil het heilig oliesel toedienen. Ze heeft om een priester gevraagd en ik vrees dat ze de ochtend niet zal halen.'

'Maar ze is Iers en katholiek,' stamelde Millicent. 'Ze mag Ezra en alles wat hij vertegenwoordigt niet eens.'

'Dat weet ik,' antwoordde Susan en ze droogde haar voorhoofd. Het was bloedheet in huis nu de zomerse hitte maar niet wilde minderen. 'Waarom de Britse regering Ieren naar onze protestantse kust stuurt, is me een raadsel.' Ze glimlachte, maar uit haar houding sprak een voor haar onkarakteristiek ongeduld. 'Maar het is nu eenmaal niet anders en met elk schip komen er nog meer en ze hebben geen priester die verstand heeft van hun bijgelovige opvattingen en die hun kan bedienen. Mevrouw O'Neil ligt op sterven en wil het laatste oliesel toegediend krijgen. Richard Johnson is op de zendingspost, dus zal Ezra het moeten doen.'

'Goed dan,' zei Millicent kleintjes, 'maar zo dadelijk wordt het al donker,' voegde ze eraan toe met een blik uit het raam. De duisternis viel hier altijd plotsklaps, als een kaars die werd uitgeblazen.

Susans geduld was blijkbaar op, want ze antwoordde op een ongewoon scherpe toon: 'Hoe eerder je het briefje hebt afgeleverd, hoe sneller je weer thuis bent.' Meteen kreeg haar gezicht een zachtere trek en sloeg ze haar arm om Millicent heen. 'Je moet echt proberen sterk te zijn. Ik kan je niet altijd vergezellen.'

Millicent wist dat Susan gelijk had, maar daar werd ze niet dapperder van. Ze kromp nog steeds ineen bij harde geluiden en bevond zich niet graag te midden van een grote groep mensen, tenzij het om familie ging. Wanneer ze een aantal mannen bij elkaar zag, zelfs keurige mannen die niets hadden gedronken, beefde ze als een riet. 'Ik zal het proberen.'

'Goed zo,' zei Susan kordaat. 'En dan gaan we straks de laatste hand leggen aan je trouwjurk.' Ze gaf haar een kus op haar wang en vertrok haastig.

Toen Millicent aan Ernest dacht, vatte ze iets meer moed en ze werd helemaal warm vanbinnen toen ze terugdacht aan de manier waarop hij haar ten huwelijk had gevraagd. Hij was de afgelopen vijf maanden regelmatig bij hen gekomen en had vlak voor de kerst zijn aanzoek gedaan, op de dag dat ze haar invrijheidstelling had gekregen. In het maanlicht was hij voor haar op één knie gezakt toen ze samen alleen waren.

Ze keek glimlachend naar de ring, die hij van een marinier had gekocht. De gouden ring met het kleine diamantje was haar ontzettend dierbaar en hield de belofte in van een heerlijke toekomst. Haar blik ging naar de trouwjurk die onder een lap van mousseline wachtte op het laatste borduurwerk. De bruiloft was over een maand en daarna gingen Ernest en zij rechtstreeks naar Hawks Head Farm om hun nieuwe leven te beginnen in het huis dat hij voor haar liet bouwen.

Opeens drong tot Millicent door dat ze haar tijd stond te verdoen en deed ze snel haar schort af. Eronder droeg ze de verschoten grijze jurk die ze altijd aantrok wanneer ze aan het werk was. Ze hield van grijs. Het maakte haar onzichtbaar wanneer ze over straat moest.

Vanaf de drempel keek ze Susan na tot ze haar niet meer kon zien. Met trillende vingers strikte ze de linten van haar eenvoudigste kapje, sloeg een dunne cape om en verliet het huis. De zon stond laag, maar de verstikkende hitte lag als een waas over het landschap. Februari was hier volslagen anders dan in Cornwall, waar de hemel dan loodgrijs was, de golven tegen de kust sloegen en een hoog oplaaiend haardvuur de kilte uit het huis verdreef. Ze haalde diep adem en ging op weg.

Het rumoer van de stad bereikte haar al van ver en toen ze dichterbij kwam, verbaasde ze zich erover hoe druk iedereen het leek te hebben. De weefgetouwen in de vrouwenfabriek klakten en ratelden, de hamerslagen van de smid weergalmden in de smidse, een ploeg geketende gevangenen was stenen aan het kloven terwijl een opzichter tegen hen schreeuwde en zijn zweep liet knallen.

Vrouwelijke gevangenen in gele jurken werkten in de openluchtwasserij, waar ze te midden van wolken stoom zware dekens en uniformen schrobden en uitwrongen. Hun schaterend gelach vormde een schril contrast met hun omstandigheden. De haven was gevuld met geluiden van de onderhoudswerkzaamheden aan de elf schepen die drie maanden geleden waren gearriveerd en de drukkende hitte was daar doordrongen van de giftige rook die uit de borrelende teerpotten opsteeg.

Millicent liep gejaagd voort in de schaduw van de veranda's van de winkels. Ondanks het feit dat ze haar ogen op de grond gericht hield, was ze zich scherp bewust van de mariniers die bulderend van de lach een dronken Aboriginal rum voerden en lieten dansen, de soldaten die voor de drankwinkels zaten te niksen en de verwaande officieren die met een gevaarlijke onverschilligheid op hun prachtige paarden over de pas aangelegde weg reden. Ze transpireerde, maar ze zou voor geen geld haar cape afdoen. Ze was er nu bijna, al leken de hoge muren van de in aanbouw zijnde kerk nog steeds ver weg.

Eindelijk was ze bij het relatief rustige kerkterrein en kon ze de hoofdweg verlaten. Een groep gevangenen werkte hoog boven de grond op houten steigers, een andere groep was onder het waakzame oog van de opzichters aan het werk met hamers, spijkers en beitels. Ze waren allemaal gekleed in de ruimvallende gevangeniskleding waarop met zwarte pijlen hun status stond aangegeven, maar ze hoefden niet in ketenen te werken, zag ze.

Millicent was op van de zenuwen toen ze langs hun wellustige blikken naar het brede terrein achter de kerk snelde. Susan had haar verzocht een boodschap af te geven; dat had ze moeilijk kunnen weigeren.

Het terrein achter de kerk was lang geleden al ontgonnen en in plaats van de bomen en struiken stond er nu een groot, eenvoudig huis omgeven door een mooie tuin vol bloemen. Dit was het huis van dominee Richard Johnson en zijn vrouw en in een hoek van de weelderige tuin, ervan gescheiden door een laag hek, stond het veel kleinere huisje waar Florence woonde.

Millicent duwde het hek open en liep over het kaarsrechte pad dat het kleine grasveld doorsneed. Ze zag dat Florence in tegenstelling tot Mary Johnson geen liefhebster was van bloemperken en potten met bloeiende struiken op de veranda. Ze liep het keurig geschrobde trapje op, keek naar de kraakheldere gordijnen voor de ramen en klopte op de deur.

Florence deed open. 'Wat kom jij hier doen?'

Millicent snakte naar een glas water en was graag even gaan zitten om bij te komen van de angstige tocht, maar ze wist dat ze daar niet om hoefde te vragen. 'Ik moet je vader spreken,' zei ze en ze keek langs Florence heen het donkere huis in, hopend dat hij er was.

Florence sloeg haar handen ineen en bleef in de deuropening staan. Het was duidelijk dat ze Millicent niet zou uitnodigen binnen te komen. 'Hij is hier niet.'

'Weet je waar hij dan wél is?' Millicent was prikkelbaar. De zon zakte snel en ze wilde terug naar huis.

'Ik ben niet mijn vaders hoeder,' antwoordde Florence met zo'n zelfvoldane hooghartigheid dat iemand die minder nerveus was dan Millicent moeite zou hebben gehad haar geen klap in haar gezicht te geven.

'Het is dringend,' zei Millicent wanhopig. 'Je moeder heeft hem nodig in het hospitaal.' Ze gaf Florence het briefje.

Florence keek ernaar en zette meteen haar stekels op. 'Mijn vader heeft wel iets beters te doen dan heidense katholieken te bedienen,' zei ze op een kille toon. Ze pakte de deurknop en deed een stap achteruit.

Millicent reageerde instinctief. Ze kwam naar voren, legde haar hand tegen de deur en duwde. 'Maar ze wil dat hij mevrouw O'Neill het laatste oliesel toedient,' zei ze gejaagd. 'Het arme mens heeft niet lang meer te leven en ze zal minder bang voor de dood zijn als de juiste gebeden voor haar zijn gezegd.'

'Mijn vader is geen katholieke priester,' zei Florence ijzig, 'en mijn moeder kent dat criminele volk zo goed dat ze het ook zonder zijn hulp wel zal redden.'

'Waarom haat je haar zo?'

'Dat gaat je niets aan,' beet Florence haar toe en ze probeerde de deur dicht te doen.

Millicent weigerde zich te laten afschepen. 'Het gaat me wel aan, omdat ze voor mij zo veel heeft gedaan,' zei ze. 'Je vader en moeder behandelen me als een dochter en ik kan er niet tegen wanneer ze verdriet hebben.'

Er veranderde iets in de ogen van Florence. 'Je bent hun dochter niet en dat zul je ook nooit worden,' snauwde ze.

'Ik ben voor jou geen bedreiging,' zei Millicent, pijnlijk getroffen door de wetenschap dat wat Florence zei, volkomen waar was. 'Waarom doe je altijd zo lelijk?'

'Omdat je een doodgewone bajesklant bent en omdat je zo brutaal bent te denken dat je mijn plaats kunt innemen bij mijn ouders.' Er lag een blos op haar wangen en haar ogen schitterden onnatuurlijk. 'Je denkt misschien dat je reuze hebt geboft nu je een plaatsje hebt weten te veroveren binnen onze familie, maar ik weet wat de ware reden is waarom ze je hebben binnengehaald en die heeft niets te maken met christelijke plicht en zelfs niet met medelijden.'

Millicent kon de afgunst die van het andere meisje afstraalde bijna voelen en werd er bang van. 'Wat bedoel je?' stamelde ze.

Florence kwam naar voren. Haar ogen flonkerden van venijn. 'Jij en mijn moeder hebben meer gemeen dan je weet,' siste ze. 'Ze probeert alleen maar haar geweten te sussen door zich om jou te bekommeren.'

Millicent had geen idee waar Florence het over had en ze vroeg zich af of ze soms niet goed bij haar hoofd was. 'Ik begrijp er niets van,' zei ze.

'Waarom zou je ook?' zei Florence smalend. 'Je bent alleen maar een dienstmeid. Familiegeheimen gaan jou niets aan.' Ze deed een stap naar voren. Millicent deinsde geschrokken achteruit. 'Maar als je per se je neus in de zaken van mijn familie wilt steken, zal ik het je vertellen,' zei ze.

Millicent wilde opeens niets meer horen, maar was verlamd door de wreedheid van het andere meisje en kon niets anders doen dan verbijsterd naar haar woedende gezicht staren.

'Mijn moeder had een verhouding met Jonathan Cadwallader in dezelfde periode dat hij jou heeft genomen.'

'Dat lieg je,' fluisterde Millicent.

'Mijn vader wist ervan. Ik heb met mijn eigen oren gehoord dat hij mijn moeder ervan beschuldigde en dat ze toegaf dat het waar was. Daarom leven we nu in dit godverlaten land. Omdat we bij Cadwallader vandaan moesten komen.'

Millicent staarde haar met grote ogen aan en wist niet wat ze ervan moest denken.

'Nu weet je het. Ze heeft je alleen maar in huis genomen om haar schuldgevoelens te sussen. Het had niets te maken met liefde en vriendschap,' zei Florence nogmaals.

Millicent haalde hijgend adem en de tranen stroomden over haar wangen. Ze wilde Florence niet meer zien, ze kon het niet eens verdragen zo dicht bij haar te staan. Ze draaide zich om, vloog het trapje af, gooide het hek open en holde weg zonder om te kijken.

Moonrakers, februari 1793

Pas nadat Nell de twee koeien en de drie geiten had gemolken, drong het tot haar door dat de zeurende pijn in haar rug erger was geworden. Ze stond op van het krukje en tilde de zware emmers op, vastbesloten niet in paniek te raken. Als de baby eraan kwam, zat er niets anders op dan naar huis te gaan en voorbereidingen te treffen. Dat het te vroeg was, was zorgwekkend, maar Amy's geboorte was probleemloos verlopen en ze verwachtte ook nu geen moeilijkheden.

Ze trok een pijnlijk gezicht toen ze de emmers naar het huis sjouwde en de pijn van haar rug naar haar kruis voelde trekken. Geen twijfel mogelijk. Dit kind wilde geboren worden, dus kon ze beter voortmaken. Met haar elleboog duwde ze de hordeur open, zette de emmers bij de gootsteen en bedekte ze met een lap mousseline om de vliegen bij de melk vandaan te houden.

Ze bleef staan tot de pijn wegtrok en keek naar Amy die lag te slapen in het primitieve houten bedje dat Billy had gemaakt van het hout van de gekapte bomen. Ze was dol op haar dochtertje, maar nu was ze blij dat ze sliep, want ze kon niet haar tweede kind baren als Amy nieuwsgierig en hongerig haar aandacht opeiste.

'Waar zit je, Billy?' mompelde ze terwijl ze een ketel water opzette, schone linnen doeken, een stapeltje handdoeken en een scherp mes bij elkaar pakte. 'Waarom verdwijnen mannen altijd wanneer je ze nodig hebt?' Ze waggelde naar de slaapkamer terwijl ze ondertussen haar kleren uittrok en achteloos op de grond liet vallen.

Ze rustte weer, steunend op het hoofdeinde van het koperen bed en zweet brak uit op haar voorhoofd toen de pijn haar greep als een bankschroef. Billy was de afgelopen maanden voortdurend in de buurt van het huis gebleven en had haar zo in de weg gelopen dat ze uiteindelijk had gezegd dat hij moest ophoepelen. Blijkbaar had hij dat serieus opgevat want toen ze uit het raam keek, zag ze hem nergens.

Ze zag ook Daisy, Gladys en Pearl niet. Nell knipperde tegen haar tranen en verweet zichzelf dat ze niet zo'n slapjanus moest zijn. Ze kon nu niet gaan zitten treuren om het feit dat er geen enkele vrouw in de buurt woonde. En ze mocht ook geen medelijden met zichzelf hebben. Ze moest een kind baren. Dat had ze al eens gedaan en dat zou ze nu ook doen. De zwartjes deden het in hun eentje in het bos en verdomd als het haar niet zou lukken!

Ze haalde de lakens van het bed en legde in plaats ervan een oud maar schoon laken op het matras. Toen ging ze het hete water halen. Toen ze alles in gereedheid had gebracht, ging ze op het bed liggen en probeerde ze de stilte van de weidse leegte aan de andere kant van het raam te negeren. De weeën kwamen nu sneller en haar vliezen waren gebroken. Het zou spoedig tijd zijn om te gaan persen.

Sydney Town, februari 1793

Millicent rende blindelings over het kerkterrein naar de donkere straat. De woorden van Florence echoden in haar hoofd en de beelden die erdoor werden opgeroepen flitsten glashelder voor haar ogen, terwijl haar rennende voeten haar steeds verder van de kerk verwijderden. Ze zag haar baby in haar armen sterven, zag hoe het kleine lichaampje werd begraven binnen de grenzen van de grijze gevangenismuren op een plek waar de zon nooit scheen en bloemen niet groeiden. Ze zag Jonathan Cadwallader, zag de woede op die laatste dag dat ze voor hem had gestaan, en ze had moeite te geloven dat Susan Ezra had bedrogen door van hem te houden. Het was een web, een kleverig web, en zij zat er middenin.

Ze was zo van streek dat ze geen enkel gevoel voor richting meer had en niet wist dat ze ver van haar bestemming was afgedwaald. Verblind door tranen rende ze door, terwijl ze haar wanhopige snikken probeerde in te houden. Susan had haar uit medelijden in huis genomen, als zoenoffer voor haar schuldgevoelens om het feit dat ze Ezra had bedrogen. Haar vriendschap was niet oprecht.

Millicent dacht dat haar hoofd uiteen zou spatten. Ze rukte aan de linten van haar kapje, gooide het van zich af en liet haar haren wapperen. Ze had moeite met ademhalen omdat ze zo'n brok in haar keel had en toen ze een hoek omsloeg, werd ze abrupt vastgegrepen door een paar handen.

Moonrakers, februari 1793

Billy was rusteloos. Hij was al sinds zonsopgang op de been om toezicht te houden op het bouwen van de schaapskooien en drenkbakken en had steeds minder geduld voor de trage manier van werken van de gedetineerden die geacht werden hem te helpen. Op dagen als deze vroeg hij zich af of hij er wel goed aan had gedaan dat hij zich samen met Jack in dit avontuur had gestort. Het terrein was een harde leermeester, het gereedschap en de gehuurde krachten waren zo goed als nutteloos en het was frustrerend dat alles zo veel tijd in beslag nam.

Hij nam zijn breedgerande hoed af en droogde zijn voorhoofd. Hoewel de zon al bijna onderging, zinderde de hitte nog boven de horizon, waardoor de steekvliegen bleven zoemen terwijl het gesis van miljoenen andere insecten op gang kwam. Het land strekte zich uit zover het oog reikte, ongerept sinds het begin der tijden. Het was het tegenovergestelde van Engeland en in zijn rusteloze gemoedstoestand wenste hij opeens dat hij daar weer was, zag hij zichzelf weer over de heide galopperen om aan de belastinginspecteurs te ontsnappen en in de taveernes naar hartenlust drinken terwijl hij deals sloot met de smokkelaars.

Gekweld door herinneringen blikte hij terug op het verleden. Hij had altijd geld op zak gehad, mooie kleren gedragen, genoten van de opwinding en de gevaren van dat leven en van het aanzien dat hij ermee had verworven. Nu was hij een straatarme boer met een zwangere vrouw en een kind. Hij liep rond in haveloze kleren en woonde in een krot ver van de bewoonde wereld. En hij had niet eens boer willen worden.

Vertwijfeld keek hij naar zijn handen, die donkerbruin waren verbrand door de zon; zijn nagels waren brokkelig en hadden zwarte randjes, en zijn handpalmen waren hard en ruw van het eelt. Opeens drong het tot hem door dat hij zulke handen had gekregen door eerlijk werk. Hij bezat dan wel geen rooie cent, hij kon trots zijn op de acres die ze hadden ontgonnen en op zijn kleine, maar kerngezonde gezin. Er lagen betere tijden in het verschiet. Dit land was ruig en weerbarstig, maar het kon worden getemd. Een eerlijk man kon hier veel bereiken als hij bereid was hard te werken. Hij kon een pionier zijn voor de volgende generaties en aan de hele wereld laten zien dat deze strafkolonie werd bevolkt door mannen en vrouwen die het aandurfden om het beste te maken van wat ze hadden gekregen.

Hij voelde zich meteen een stuk beter en floot zijn paard. Het leven was goed en zou nog beter worden. Hij besloot naar huis te gaan, naar Nell, om haar te vertellen dat hij van haar hield.

Het was stil in het huis toen hij de hordeur opengooide en achter zich weer liet dichtvallen. Amy lag in haar bedje te slapen onder het vliegenscherm met haar duim in haar rozerode mondje. 'Nell?' riep hij zachtjes.

'Ik ben hier.'

Billy grinnikte en gooide zijn hoed op een stoel. Als Nell in de slaapkamer was, had ze misschien wel zin in een pretje. Hij deed de deur open en bleef stokstijf staan.

Nell zat tegen de kussens geleund met haar vurige haar in wilde krullen langs haar gezicht en over haar weelderige borsten. Ze lachte toen ze zijn verblufte gezicht zag. 'Blijf daar niet zo sullig staan, Bill,' zei ze met flonkerende ogen. 'Ik ben hard toe aan een glaasje rum.'

Billy liep als in trance naar haar toe, starend naar het gezicht van zijn vrouw tot hij zijn blik langzaam liet zakken naar de bundeltjes in haar armen. 'Het zijn er twee,' fluisterde hij.

Nell lachte weer. 'Ik weet het. De kleine donderstenen hadden haast. De ene was er nog niet uit, of de andere kwam al kijken.' Ze hief de baby's op. Billy zag dat het haar van de ene de kleur had van herfstbladeren en dat van de andere goudblond was, als de Australische zon. 'Dit is William en dat is Sarah.'

Billy nam de baby's van haar over en bekeek ze in stille verwondering. Ze waren perfect en de liefde die hij voelde was zo overweldigend dat hij er bijna van moest huilen.

Nell stapte uit bed, gaf Billy een zoen en liep, nog altijd naakt, de slaapkamer uit.

'Waar ga je naartoe?' vroeg hij.

'Een glaasje rum halen en iets te eten klaarmaken,' antwoordde ze. 'Ik heb een keel als schuurpapier en honger als een paard.'

Billy keek haar bewonderend na toen ze door de deur verdween. Alle mooie kleren en al het geld ter wereld konden niet op tegen een vrouw als Nell. Hij bofte toch maar.

The Rocks, Sydney Town, februari 1793

'Kijk eens aan, wat hebben we hier?' De stem had het bekende, lijzige accent van de aristocratie.

Millicent bevroor. Haar gezicht zat tegen de ruwe stof van een uniformjasje van een legerofficier gedrukt en ze kon amper ademhalen in zijn harde greep. 'Alstublieft, meneer,' snikte ze, 'laat me erdoor. Ik moet naar huis.'

'Wat vinden jullie, mannen? Zullen we haar erdoor laten of hebben jullie zin in een lolletje?'

'Een lolletje. Ze lijkt me kittig genoeg, ook al is ze wat aan de magere kant.'

Millicents hart bonkte als een bezetene en haar mond was gortdroog toen de mannen in een intimiderende kring om haar heen kwamen staan. Ze waren met z'n zessen, voor zover ze kon zien in de donkere steeg die stonk naar urine en rottend afval, en ze rook aan hun adem dat ze hadden gedronken. Ze zocht in paniek naar andere voetgangers, een drankzaak, de verlichte ramen van een huis – iemand die haar kon redden. Toen haar ogen aan de duisternis gewend waren, zag ze in de schaduw iemand staan die naar hen keek. 'Help me alstublieft,' riep ze. 'Alstublieft. Laat ze niet...'

De gedaante bewoog zich. Ze zag soldatenschoenen en de flits van zijn glimlach, maar hij bleef alleen maar staan kijken. Toen wist ze dat ze voor haar leven zou moeten vechten.

Ze schopte van zich af en probeerde zich los te rukken, maar de man die haar vasthield klemde zijn armen nog strakker om haar heen en bulderde van het lachen. 'We hebben een wilde kat gevangen, mannen,' proestte hij. 'Als ik niet oppas, krabt ze mijn ogen uit.'

'Alstublieft, meneer,' smeekte ze. Ze keek op naar het rode gezicht met de bloeddoorlopen ogen. 'Ik ben niet zo'n meisje. Laat me alstublieft naar huis gaan.'

'Zo dadelijk. Eerst willen we een poosje met je spelen,' zei een andere lijzige stem.

Millicent bleef proberen zich weer los te rukken en nu kwam de officier die in de nog donkerder schaduw tegen de muur geleund had gestaan, naar voren. Haar hart bonkte en ze dacht dat ze in katzwijm zou vallen toen ze hem herkende.

'Ik ben de hoogste in rang. Ik mag dus eerst,' zei hij. 'Geef hier, Baines.'

Ze was verlamd van angst toen ze in zijn armen werd geduwd. Dit kon niet waar zijn. Het was niet mogelijk. Maar de greep op de kraag van haar jurk bevestigde dat het maar al te waar was en toen de verschoten, katoenen jurk van haar hals tot haar middel uiteen werd gereten, begon ze te smeken. 'Alstublieft niet,' gilde ze. 'Alstublieft niet.'

De officier hield haar armen stevig vast toen hij haar omdraaide naar de anderen zodat ze haar blote borsten konden zien. Ze schopte hem tegen zijn schenen maar hij negeerde dat volkomen, alsof het niets te betekenen had.

Millicent werd door ruwe, grijpende handen doorgegeven van de ene man naar de andere, die lachten en haar in de kring lieten rondtollen. Ieder van hen rukte aan haar kleren tot ze helemaal naakt was, op haar schoenen na. Haar gekrijs werd overstemd door hun bulderende lach en schunnige opmerkingen.

'Laat haar niet zo gillen,' gromde de officier met de hoogste rang, 'anders krijgen we de militaire politie op onze nek.'

Iemand sloeg zijn hand voor Millicents mond en ze werd meegesleept naar het donkerste deel van de smalle steeg. Ze bleef schoppen en probeerde zich los te rukken en naar hun gezichten te klauwen, maar ze waren te sterk en zo dronken en opgewonden dat ze niet eens merkten dat ze met haar nagels hun huid openreet en hun rake trappen gaf. Uiteindelijk smeten ze haar op de grond. Ze hapte naar adem toen ze met haar gezicht op de harde grond terechtkwam.

'Hou haar in bedwang,' hijgde de hoogste officier terwijl hij tussen haar benen knielde en zijn gulp openknoopte. 'En laat haar in godsnaam niet weer gaan krijsen.'

'Daar weet ik wel wat op,' giechelde een van de anderen.

Millicent lag op haar buik met haar benen gespreid. Zware knieën en harde handen hielden haar tegen de grond gedrukt terwijl de man haar haren greep en haar hoofd zo ver achterover boog dat ze dacht dat haar nek zou breken.

Ze kon geen lucht krijgen toen de giechelende jonge officier op zijn knieën ging zitten en zijn gulp openknoopte. Zijn ogen schitterden van opwinding. De hand in haar haar trok nog harder en toen ze haar mond opendeed om te gillen, ramde hij dik, kloppend vlees in haar keel.

Millicent kokhalsde en stikte zowat. Ze moest van dat *ding* in haar mond af zien te komen om te kunnen ademen. Ze zette haar tanden eromheen.

De scherpe punt van een mes werd in haar hals gezet. 'Als je bijt, snij ik je keel door.'

Ze kon geen lucht krijgen toen ze vocht tegen de kotsneigingen en de pijn, maar nu begon de marteling pas goed. Toen de hoogste officier haar verkrachtte, was de pijn zo intens dat ze dacht dat ze eraan dood zou gaan, en ze hoopte dat ze het bewustzijn zou verliezen. Maar terwijl de opgewonden mannen elkaar ophitsten en ze het kille mes in haar hals voelde, wist ze dat die genadige verlossing haar niet was gegund.

Ze kon zich niet bewegen, kon niet ontkomen aan de tweeledige verkrachting en toen de hoogste officier klaar was en de giechelende jonge officier zich terugtrok, namen anderen hun plaatsen in.

Millicent vluchtte in zichzelf, zo diep dat ze de pijn en vernedering niet langer voelde en het haar niets meer kon schelen wat ze met haar deden. Alle emoties stierven en het was alsof ze buiten haar stoffelijke lichaam zweefde, als een toeschouwer. Maar toch behield ze een heel klein stukje van haar bewustzijn en etste ze hun gezichten in haar geheugen. Ze zou hen hiervoor laten boeten.

20

Sydney Town, februari 1793

Susan was langer in het hospitaal opgehouden dan ze had verwacht en toen ze in het donker naar huis snelde, vroeg ze zich af waar Ezra was. Hij was niet komen opdagen en mevrouw O'Neil was gestorven met grote angst voor het vagevuur, wat dat ook mocht zijn. Erg zielig voor haar, dacht ze een beetje boos. Ezra kon zijn katholieke parochianen niet negeren omdat ze een ander geloof aanhingen dan hij, al was het niets voor hem om niet te komen wanneer ze hem liet roepen.

Toen ze de heuvel af liep, zag ze lamplicht door de open deuren en ramen naar buiten schijnen en rook uit de schoorsteen opstijgen. In ieder geval was Millicent veilig thuisgekomen, dacht ze. Het meisje was nog steeds veel te nerveus en Susan voelde zich een beetje bezwaard dat ze haar eropuit had gestuurd, ook al had ze geen keus gehad. Ze duwde het hek open en watertandde toen ze de etensgeuren rook. Ze had al uren niets gegeten en was doodmoe.

'Waar heb jij gezeten?' vroeg Ezra, die juist het vlees uit de oven haalde en zich nu naar haar omdraaide. 'Ik wilde je net gaan zoeken.'

Susan zette haar mand op de tafel. 'Je weet heel goed waar ik heb gezeten,' zei ze vinnig, 'en de arme Eily O'Neil is gestorven met het idee dat ze voor eeuwig verdoemd is omdat jij niet de moeite hebt genomen haar te komen bedienen.'

Hij keek haar onthutst aan. 'Ik heb geen idee waar je het over hebt,' stamelde hij. 'Leg eens uit.'

Susan vertelde dat ze Millicent met een briefje naar hem toe had gestuurd en toen hij ontkende het te hebben ontvangen en ze al op het punt stond daar tegenin te gaan, drong het tot haar door dat het veel te stil was in huis, dat er iets niet in orde was. 'Waar is Millie eigenlijk?' vroeg ze.

'Ik dacht dat ze bij jou was.'

'Ze had allang thuis moeten zijn. Ik heb haar uren geleden naar Florence gestuurd.' Ze doorzocht snel het huis terwijl ze steeds Millicents naam riep en toen ze haar in geen van de kamers aantrof, sloeg de angst haar om het hart. 'Millie.' Ze bleef in de gang staan en drukte haar trillende vingers tegen haar mond. 'Lieve God, wat heb ik gedaan? Ik had je niet de stad in moeten sturen. O, als je maar niets is overkomen!'

'Susan?' Ezra kwam de keuken uit met een diepe frons van bezorgdheid op zijn voorhoofd.

Ze greep zijn arm. 'We moeten haar gaan zoeken! Ze is bang in het donker en ze is helemaal alleen. Er moet haar iets overkomen zijn. Ze wilde niet gaan! Het is mijn schuld!'

Ezra pakte haar handen en sprak haar sussend toe. 'Ze heeft waarschijnlijk besloten bij Florence te overnachten,' zei hij.

Susan had hem graag willen geloven, maar ze wisten allebei dat het idee alleen al belachelijk was. Ze trok haar handen los, greep een omslagdoek en liep de keuken in om een lantaarn te pakken. Toen ze de lont had aangestoken en het glas terugzette, hoorde ze iets. Ze bleef doodstil staan.

'Wat is er?' vroeg Ezra.

Susan legde haar vinger op haar lippen. Daar had je het weer, en nu herkende ze het.

Ze holde naar de deur en viel bijna van de trap in haar haast om bij het ineengedoken figuurtje te komen dat zich in de schaduw verborgen hield. 'Millie?' fluisterde ze met een stem die beefde van angst. 'Millie, ben jij dat?'

Het snikkende figuurtje dook nog verder in elkaar, als een zielig hoopje ellende.

Susan gaf Ezra een teken dat hij niet naar buiten moest komen. Millie was duidelijk erg overstuur en Susan begreep intuïtief dat ze de situatie het beste kon aanpakken zonder dat er een man bij was, ook al was Millie nog zo op Ezra gesteld. Ze liep naar het ineengedoken meisje, niet goed wetend wat ze moest doen en vol angst over wat ze zou ontdekken.

'Millie? Wat is er?'

Het jammerende meisje probeerde nog dieper weg te kruipen in de duisternis toen Susan haar hand op haar schouder legde. 'Kijk niet naar me,' snikte ze. 'Je mag me niet zien. En Ezra ook niet.'

Susan keek achterom en zag dat Ezra in de deuropening was blijven staan. Ze wuifde hem weg. 'Hij is binnen. Kom, je kunt hier niet blijven zitten. Ik weet niet waar je zo bang voor bent, maar het is nu voorbij. Je bent veilig thuis.' Ze trok het meisje naar zich toe.

Millicent klampte zich aan haar vast en haar lichaam schokte van het huilen toen ze onsamenhangend begon te brabbelen.

Susan probeerde haar te kalmeren, maar toen haar handen over de tengere schouders van het meisje gleden, besefte ze tot haar afgrijzen dat die naakt waren. Ze kon in het donker niet veel zien, maar haar tastende vingers ontdekten dat de katoenen jurk in flarden om haar heen hing en dat haar petticoat en cape verdwenen waren. Ze nam het meisje in haar armen en wiegde haar tot het snikken ophield.

Toen ze daar zo zaten in de stille, warme nacht, voelde Susan haar hartslag versnellen naarmate haar verdenkingen groeiden en de angst terugkeerde. Toen de maan achter de wolken vandaan kwam, bestond er geen enkele twijfel over wat er met Millicent was gebeurd.

Ze keek naar het gezicht dat besmeurd was met bloed en tranen, zag de schrammen en bloeduitstortingen op haar armen en in haar hals. Haar benen en de flarden van haar jurk zaten vol bloedvlekken en vuil, en op haar schedel waren kale plekken te zien omdat iemand er hele plukken haar had uitgetrokken.

Haar hart voelde aan als een blok ijs. Wie dit had gedaan, zou gestraft worden. Daar zou ze voor zorgen. En wanneer ze aan de galg hingen, zou ze in hun gezichten spugen.

'Waarom hebben ze het gedaan, Susan?' fluisterde Millicent. 'Waarom ik? Ben ik zo slecht?'

Een diepe droefenis nam bezit van haar. Kon ze deze last, dit verdriet en deze pijn maar van Millicent overnemen, kon ze het leed maar wegnemen door haar liefde voor het arme kind. 'Die mannen zijn slecht, niet jij,' antwoordde ze.

'Maar waarom, Susan?' Ze begon weer te huilen en sprak met een dikke keel terwijl ze met haar gebroken nagels aan haar armen klauwde. 'Ik moedig ze niet aan, ik moedig ze *nooit* aan, maar ze moeten altijd mij hebben omdat ik smerig en vuil en onwaardig ben.'

Susan pakte snel haar handen en hield ze vast voordat Millicent zichzelf nog meer kon verwonden. Haar geloof in een goede, barmhartige God werd door het leed van het meisje op slag tenietgedaan. Millicent was sinds haar vijftiende ten prooi gevallen aan mannen, zonder dat ze er schuld aan had. Hoe *waagde* God het dit arme kind hoop op geluk en veiligheid te bieden, om het alleen maar op deze wrede manier weer van haar af te nemen?

Ezra had geen oog dichtgedaan en zodra de dageraad gloorde, verliet hij het huis. Hij was net zo boos als Susan om wat Millicent was aangedaan en zijn onwrikbare geloof stond op zijn grondvesten te wankelen.

Zijn woede en verdriet moesten op zijn gezicht te lezen zijn, want toen Florence de deur opendeed en hij langs haar heen naar binnen liep, zakte haar verwelkomende glimlach meteen weg. Hij wachtte tot ze zich in de zitkamer bij hem had gevoegd.

'Florence,' zei hij, en haar naam vulde de kleine kamer, 'heb je enig idee wat je met je giftige tong hebt aangericht?' Hij wachtte niet op antwoord, maar vertelde haar wat er was gebeurd. Hij wond er geen doekjes om en liet geen enkel detail weg, sprekend op een toonloze manier waar zelfs het kilste hart door zou worden getroffen.

Florence staarde hem vol afgrijzen aan, tastte naar een stoel en ging zitten. 'Ik kan nauwelijks bevatten wat u allemaal zegt,' fluisterde ze. 'Arme Millicent.'

Ezra hoorde echter dat ze er niets van meende. 'Arme Millicent, ja,' zei hij fel. 'Ze is in normale omstandigheden al bang in het donker. Hoe ze dit heeft overleefd, is me een raadsel.'

'Ik snap niet waarom u zo boos bent op míj, papa,' zei ze zachtjes, met tranen in haar ogen. 'Het is mijn schuld toch niet dat ze in de Rocks terecht is gekomen?'

Hij was zo kwaad dat hij zich nauwelijks kon beheersen. 'Voor de dag ermee, Florence. Wat heb je tegen Millicent gezegd? Waarom was ze zo overstuur dat ze de weg naar huis niet eens meer kon vinden?'

'Ik heb haar gisteren helemaal niet gezien,' zei ze, 'en ik vind het verschrikkelijk dat u míj ervan verdenkt een rol te hebben gespeeld in deze tragedie.'

'Is ze niet bij je gekomen met een briefje van je moeder?' Ezra torende boven haar uit, ziek van verdriet om haar onverschillige leugens.

'Als dat zo was, had ik het u wel gegeven,' antwoordde ze, maar ze meed zijn blik en klemde haar handen ineen op haar schoot.

'O ja?' zei hij op een kille toon. 'Hoe verklaar je dit dan?' Hij zag haar verbleken toen ze naar het briefje keek dat hij had gevonden zodra hij de kamer binnen was gekomen. Het papier was verkreukeld en zat vol vlekken, maar was nog leesbaar.

'Dan is ze hier zeker geweest toen ik niet thuis was,' blufte ze.

'Dat lijkt me niet,' antwoordde hij. Hij streek het papier glad, vouwde het zorgvuldig op en stak het in zijn zak. 'Want dan had ze het briefje niet in de haard gegooid.' Hij bekeek haar bedroefd. 'Bovendien,' ging hij door, 'zat Mary Johnson gisteravond voor het raam van haar zitkamer te naaien en heeft ze haar zien aankomen.'

De stilte in de kamer werd alleen verbroken door het tikken van de klok toen ze elkaar aankeken. Hij werd allerminst vermurwd door haar gekwelde blik en vond het vreselijk dat zijn dochter in staat was zo schaamteloos te liegen.

'Mary heeft gezien dat je de deur opendeed en maakte zich zorgen omdat ze de indruk kreeg dat je tegen haar uitviel. Ze wilde net tussenbeide komen toen Millicent zichtbaar overstuur wegrende, maar tegen de tijd dat ze naar buiten kwam om achter haar aan te gaan, was ze nergens meer te bekennen.' Het was allemaal zo triest dat het hem bijna te veel werd. 'Wat heb je tegen haar gezegd, Florence?'

Ze staarde hem aan. Ezra kon zien dat ze zocht naar een manier om zich hier uit te redden. Uiteindelijk besloot ze te gaan huilen.

'Daarvoor is het te laat,' zei hij. 'Droog je tranen, Florence, en wees zo goed je aandeel in deze afschuwelijke zaak te bekennen.'

Het was alsof Florence verschrompelde. 'Het spijt me, papa,' fluisterde ze. 'Het was een domme ruzie om niets.' Ze keek hem smekend aan met haar betraande ogen. 'Ik zou niemand zoiets afgrijselijks toewensen, vooral die arme Millicent niet.'

Haar valse vertoon van berouw liet hem koud. 'Een ruzie om niets zou niet hebben geresulteerd in de verkrachting,' wierp hij haar voor de voeten. 'Maar je bent klaarblijkelijk niet van zins me de waarheid te vertellen.' Hij hief zijn hand op om haar ontkenning in de kiem te smoren. 'De autoriteiten zijn op de hoogte gebracht en de daders zullen berecht worden. Je zult worden opgeroepen om te getuigen inzake de gebeurtenissen die aan Millicents verkrachting zijn voorafgegaan. Dat zul je onder ede moeten doen. Dan zul je geen andere keus hebben dan de waarheid te spreken, Florence, en dat zul je *doen* ook!'

Florence bette haar ogen. 'Goed, papa.'

Hij walgde van haar schijnheilige onderdanigheid. Toen hij op zachte toon verder sprak, was zijn stem schor van de emoties: 'Ik heb een zeer bezwaard hart, Florence. Er zit blijkbaar een fout in mijn karakter, waardoor ik als vader ben mislukt.'

'Nietwaar!' onderbrak ze hem.

Hij negeerde haar. 'Ik zal bidden om leiding en wanneer God zo goed zal zijn me de weg te wijzen, zal ik weer met je praten.' Hij pakte zijn hoed. 'Tot die dag ben je niet welkom in mijn huis noch in mijn gezelschap.'

Florence vloog op hem af en sloeg haar armen om zijn middel. 'Papa,' zei ze verstikt, terwijl tranen over haar wangen stroomden en vochtige plekken achterlieten op zijn overhemd. 'Dat kunt u me niet aandoen. Ik hou van u.'

Hij bleef stram en ontoegeeflijk staan terwijl ze zich huilend en smekend aan hem vastklampte. Opeens had hij er genoeg van. Hij pakte haar armen en hield haar een stukje van zich af. Zijn stem klonk rauw toen hij op haar neerkeek en zei: 'Je zegt dat je van me houdt, dat je bent uitverkoren om me in mijn parochie te helpen, maar echte liefde komt voort uit nederigheid en mededogen voor je medemens. Echte liefde is onbaatzuchtig en allesomvattend en schenkt vreugde aan wie het geeft en wie het ontvangt.'

Florence keek verward. 'Papa?'

'Je hebt dat woord en alles wat het inhoudt met voeten getreden,' zei hij triest. 'Ik verzoek je het niet meer te bezigen.' Hij draaide zich op zijn hakken om, verliet het huis en sloeg de deur achter zich dicht.

Nadat de dokter was geweest, zat Millicent voor haar gevoel urenlang in het bad dat voor de haard was neergezet. Ze verzocht Susan vele malen heet water toe te voegen om te proberen van de stank af te komen van de schoften die haar hadden aangevallen. Maar hoe hard ze ook boende, ze bleef hun huid op de hare voelen, hoorde hun stemmen in haar hoofd, bleef hun opgewonden ogen zien en kon de dingen die ze hadden gedaan, niet uitwissen.

De arts was zo verstandig geweest zijn onderzoek snel en onpersoonlijk uit te voeren. Uiteindelijk kreeg Susan haar zover dat ze uit het bad kwam en een schone nachtpon aantrok en nu lag ze op haar eigen kamer in bed. De luiken zaten dicht om de zon van deze nieuwe dag buiten te sluiten en ze had een stoel onder de deurkruk geklemd zodat niemand binnen kon komen zonder haar toestemming. Ze lag ineengedoken in bed te luisteren naar de geluiden achter de deur die van heel ver leken te komen, als uit een andere tijd en een andere wereld. Ze voelde niet langer een band met de mensen die hier woonden.

Als ze haar ogen sloot, werd ze gekweld door herinneringen aan wat er was gebeurd; als ze ze weer opendeed, werd ze geconfronteerd met de resultaten ervan: de blauwe plekken en rode schrammen op haar hele lichaam. Ze kon er niet aan ontkomen, zich nergens verschuilen. Ze was van haar haarwortels tot haar teennagels bedekt met de littekens van de verkrachting. Ze trok haar knieën op naar haar borst, maakte zich zo klein mogelijk en wenste dat ze in rook zou opgaan.

Haar gedachten dwaalden naar Ernest. Ze wist absoluut zeker dat zijn liefhebbende armen haar nooit meer zouden omhelzen, dat zijn lieve glimlach voortaan voor een ander zou zijn. Ze dacht dat haar hart zou breken. Hun mooie plannen waren in één klap vernietigd en het leven zou nooit meer hetzelfde zijn. Nu wilde hij haar natuurlijk niet meer en waarom zou hij ook? Ze was bezoedeld, ze kon onmogelijk zijn vrouw worden, noch de vrouw van een ander.

Ze hoorde een zacht klopje op de deur en schrok op uit haar zwartgallige gedachten toen ze de stem van Susan hoorde zeggen: 'Millie? Mag ik binnenkomen?'

Aanvankelijk bleef ze roerloos liggen, want ze wilde zich niet bewegen en was bang voor wat zich misschien aan de andere kant van de deur bevond. Ze wilde niemand zien, met niemand praten, niets te maken hebben met het volgende hoofdstuk uit dit boek van verschrikkingen, maar omdat Susan zich niet liet afschepen, stapte ze uit bed, nam de stoel weg en kroop snel weer onder het laken.

De matras bewoog toen Susan naast haar kwam zitten. 'Het hoofd van de politie is er,' zei ze. 'Het is noodzakelijk dat je hem vertelt wat er is gebeurd, opdat hij een aanklacht kan indienen.'

Tranen stroomden over Millicents gezicht. Zou er dan nooit een einde komen aan deze marteling? Hoe lang kon ze dit volhouden voordat ze haar zwakke greep op de werkelijkheid verloor? Waar moest ze de kracht vandaan halen om dit te doen?

Susan streelde haar arm en sprak op een sussende, bemoedigende toon. 'Ik kan onmogelijk voelen wat jij nu voelt, Millie, maar je moet nog een poosje sterk blijven.' Ze drukte haar tegen zich aan. 'Je bent mijn beste vriendin,' ging ze zachtjes door, 'en als ik je plaats kon innemen, zou ik het doen.'

Millicent keek haar aan toen ze zich uit haar omhelzing losmaakte, zag mededogen en ook het leed dat haar vriendin kwelde. Florence had gelogen, begreep ze in haar waas van verdriet. Susan hield écht van haar en had haar niet uit medelijden in huis genomen. 'Blijf je dan wel bij me?'

'Natuurlijk. En zodra het voorbij is, mag je gaan slapen en zal ik ervoor zorgen dat niemand je nog komt storen.'

Millicent schraapte al haar moed bijeen voor het vraaggesprek en knikte. Ze wist dat ze nog veel meer moed nodig zou hebben als ze de ware strijd, die nog moest komen, wilde winnen.

Tahiti, februari 1793

De vrouw van Tahamma stond op het strand en keek hem na toen hij en de andere mannen vertrokken voor hun visexpeditie. Ze zouden minstens drie maanden wegblijven, want de zwarte parels die ze wilden hebben, waren alleen te vinden aan de buitenrand van het rif. Ze bleef staan tot ze alleen nog maar stipjes aan de horizon waren. Ze zou eenzaam zijn zonder hem, want Tahamma was een grote man en ze miste zijn forse, blijmoedige aanwezigheid nu al.

Met een glimlach keek ze naar haar kinderen, die bij haar moeder in het zand speelden. Haar zoon en dochter hadden de lichte huid van hun vader en het jongetje had op zijn schouder de druppelvormige rode vlekjes die haar zo fascineerden. Hij kon nog maar net lopen en waggelde naar haar toe met een schelp in zijn handje. Ze tilde hem op en kuste hem, maar hij hield niet van knuffelen en wurmde net zo lang tot ze hem weer neerzette.

Ze keek om toen ze verderop op het strand kreten hoorde. Er werd een schip uitgeladen en de andere vrouwen haastten zich ernaartoe om te zien wat de matrozen te bieden hadden. Ze liet haar kinderen bij haar moeder achter en rende achter de anderen aan.

Het schip was in de aangrenzende baai voor anker gegaan en de matrozen hadden tafels met prachtige spullen neergezet die ze wilden verhandelen voor parels en geparfumeerde oliën, sandelhout en exotische vogels. Ze keek naar de spiegeltjes en zag hoe het licht veelvoudig werd weerkaatst door de flonkerende steentjes in de omlijsting. Ze betastte de linten en lappen tere stof, de kralen, armbanden en kammetjes. Ze wilde alles wel hebben, maar had niets om te ruilen tot Tahamma terugkwam, en de missionarissen hadden tegen de vrouwen gezegd dat ze zichzelf niet meer mochten aanbieden.

Ze stond op het punt weg te gaan toen haar blik werd getrokken door een voorwerp dat flonkerde in het zonlicht. Ze liep ernaartoe, tilde het uit de doos met kralen en wist meteen dat ze het hebben moest. De dolk was in een prachtig bewerkte zilveren schacht gestoken. Het heft was bezet met stenen waarin het zonlicht bloedrood, hemelsblauw en hardgroen weerkaatst werd. Het had een breed, taps toelopend en erg scherp lemmet – ideaal om oesterschalen mee te openen. Ze hief het op in de zon en draaide het heen en weer om de schoonheid ervan te bewonderen.

'Een dolk die een maharadja niet zou misstaan,' zei de man die vanachter de tafel naar haar keek. 'Vervaardigd in de paleizen van India door de beste ambachtslieden. Je mag hem meenemen voor slechts een handjevol zwarte parels.'

Ze begreep het meeste van wat hij zei, want de matrozen en handelaren kwamen hier vaak. 'Geen parels,' antwoordde ze triest terwijl ze met verlangende ogen naar het prachtige voorwerp in haar hand bleef kijken.

Hij nam het van haar over en legde het weer op het tafeltje. 'Geen parels, geen dolk.'

Ze kwam in de verleiding zichzelf aan te bieden, maar de lessen van de missionarissen weerhielden haar ervan. Vroeger zou ze zich onmiddellijk hebben gegeven voor zo'n prachtig voorwerp, maar de dreigementen over het vagevuur en de woede van de God van de missionarissen waren een geducht afschrikmiddel. Opeens schoot haar iets te binnen en besefte ze dat ze misschien tóch iets had wat hij zou accepteren in ruil voor de dolk. 'Jij even houden? Ik kom terug. Heb mooi ding.'

Toen hij knikte, rende ze zo hard als ze kon naar haar hut. Ze moest snel zijn, want ze wilde niet dat hij de dolk aan iemand anders zou geven. Hij was zo mooi, zo begerenswaardig dat hij ieder moment door iemand anders meegenomen kon worden. Ze was buiten adem toen ze de hut binnenstormde en de slaapmatten opzij gooide. Ze groef in het zand dat ze daarstraks nog had aangestampt, vond de tinnen doos en haalde hem eruit. Haar handen trilden van opwinding toen ze het deksel opendeed.

Het zakhorloge glom dof toen ze de beschermende doek opensloeg. Ze hield het omhoog en vroeg zich af of de man het goed genoeg zou vinden in ruil voor de dolk. In de zijkant zat een deukje waardoor het vast niet zo veel waard was, en het glansde en flonkerde niet. Het had maar één edelsteen en diende nergens voor.

Het had jaren begraven gelegen en ze was het bijna vergeten, want Tahamma had het haar maar één keer laten zien, vlak voor hun huwelijksceremonie. Ze herinnerde zich dat hij het had opengemaakt en haar de prentjes en het piepkleine sleuteltje had laten zien die erin zaten. Hij had haar een verhaal verteld over de man, maar ze had amper geluisterd omdat ze zo vol was geweest van de ophanden zijnde bruiloft. Nu kon ze zich niet eens herinneren hoe je het open kon krijgen.

Ze draaide het om in haar hand en wist dat ze een snel besluit moest nemen als ze niet wilde dat de dolk aan iemand anders werd verkocht. Dat en het vooruitzicht op hoe het gezicht van Tahamma zou oplichten van blijdschap, gaven de doorslag. Ze wikkelde het horloge weer in de doek en holde ermee naar het strand.

De dolk lag er nog en ze slaakte een zucht van verlichting toen ze de man het bundeltje voorhield.

'Wat heb je daar?' vroeg de handelaar toen hij de doek opensloeg.

Ze schuifelde opzij en stak haar hand uit naar de dolk. Ze wilde hem in haar handen houden. Ze wilde het lemmet uit de schacht trekken, de zon zien schitteren op het met juwelen bezette heft nu het bijna van haar was.

'Niet gek,' mompelde hij terwijl hij het zakhorloge nader bekeek. Hij haalde iets uit zijn zak, klemde het in zijn oogkas en tuurde erdoor. Met trillende vingers nam hij het voorwerp weer uit zijn oog en draaide het horloge om in zijn hand.

'Mooi?' vroeg ze. Hij leek tevreden over wat ze had meegebracht, maar zou het genoeg zijn?

Hij trok een grimas toen hij aan een palletje aan de zijkant van de kast draaide, waardoor die opensprong. 'Hij is een beetje beschadigd, maar...' Hij keek zogenaamd onverschillig naar de twee prentjes.

Ze drukte de dolk tegen haar borst. 'Van mij?'

Hij keek haar na toen ze wegrende, blies de adem uit die hij had ingehouden en merkte dat hij op zijn benen stond te trillen. De dolk was niets waard, een opzichtig tinnen ding met gekleurd glas dat in de achterbuurten van India was gemaakt, maar voor dit horloge kon hij een fortuin krijgen. Het was van goud, de diamant was perfect, en het was het beste staaltje Brits vakmanschap dat hij ooit had gezien.

Met bevende vingers maakte hij het open en bekeek nogmaals de gesigneerde miniaturen, die het horloge nog meer waarde gaven. Zijn hemd raakte doorweekt van zijn zweet toen de opwinding hem in haar greep kreeg. Hij zou in één keer steenrijk worden. Hij wist precies aan wie hij het zou verkopen, en er vertrok vandaag een schip naar Amerika.

21

Sydney Cove, maart 1793

Ernest stond voor de deur van Millicents kamer en smeekte haar hem binnen te laten. Hij had het bericht van zijn moeder gisteren ontvangen en de hele nacht gereden. 'Millie, zeg iets. Laat me binnen. Ik wil je alleen maar even zien. Ik wil met mijn eigen ogen zien dat je in orde bent.'

'Ze heeft haar kamer niet verlaten sinds het is gebeurd,' zei Susan zachtjes, 'en ze wil met niemand praten, alleen met mij, en zelfs dat gaat erg moeizaam.' Ze legde haar hand op zijn arm. 'Het spijt me, lieverd.'

Hij had tranen in zijn ogen en was zo boos en gefrustreerd dat hij nauwelijks normaal kon denken. 'Ik wil haar zien,' zei hij met een dikke keel. 'Ik wil haar duidelijk maken dat dit voor ons helemaal geen verschil maakt.' Hij bracht zijn mond vlak bij de deur. 'Millie, ik hou van je,' zei hij, 'en ik wil met je trouwen. Kom alsjeblieft tevoorschijn.'

De deur bleef op slot en hij hoorde geen enkel geluid. Hij draaide zich om, sloeg wanhopig zijn armen om Susans middel en barstte in tranen uit. 'Wat kan ik doen, moeder?'

Susan omarmde hem zoals ze had gedaan toen hij nog klein was. Ze streelde zijn haar en kuste zijn voorhoofd, maar haar stem verried haar eigen verdriet. 'Ik weet het niet,' zei ze, 'maar je kunt altijd nog een briefje onder de deur door schuiven.'

Hij haastte zich naar de keuken. 'Waar is uw briefpapier?' Hij ging aan de tafel zitten en begon te schrijven. Hij vertelde haar hoeveel hij van haar hield, herinnerde haar aan hun toekomstplannen en beloofde dat hij haar op alle mogelijke manieren zou helpen, als ze hem alsjeblieft toestond haar te zien. Toen hij klaar was, vouwde hij het papier op en schoof het onder de deur door.

Hij bleef voor de deur staan kijken naar het papier, maar het bleef liggen waar het lag, onaangeroerd en ongelezen. Toen de avond viel, ging hij naast de deur op de vloer zitten, vastbesloten daar te blijven zitten tot ze naar buiten kwam.

'Ernest, word eens wakker. Je moet iets eten.'

Hij deed zijn ogen open en merkte dat hij op de grond lag en dat zijn moeder met een bordje met gebakken eieren naast hem stond. Hij keek naar de deur, boos op zichzelf dat hij in slaap was gevallen. De brief lag nog op dezelfde plek.

Hij kwam wankelend overeind en pakte het bord aan. 'Millie,' riep hij door het sleutelgat, 'ik heb hier iets te eten voor je. Je zult wel honger hebben, lieve schat. Je moet eten, hoor.'

Toen hij een ritselend geluid hoorde, keek hij naar beneden. Er was een stukje papier onder de deur geschoven. Hij liet het bord bijna vallen in zijn haast het op te rapen.

'Ernest, ga alsjeblieft weg. Ik wil niet met je praten en ook niet met iemand anders. Hou op met op de deur te kloppen en tegen me te praten. Daar word ik nerveus van.'

Ernest staarde naar het briefje en gaf het toen aan zijn moeder. 'Ik zou niet weten wat ik verder nog kan doen,' zei hij, weer met tranen in zijn ogen.

Susan sloeg haar arm om hem heen en nam hem mee naar de keuken. 'Laat het maar aan mij over,' zei ze zachtjes. 'Eet iets en ga dan terug naar Hawks Head. Ze zal uiteindelijk wel bijtrekken en wanneer het zover is, stuur ik je bericht.'

Ernest at met lange tanden en na een laatste poging om met Millicent te praten, keerde hij terug naar zijn boerderij aan de Hawkesbury.

Port Jackson, april 1793

Jack Quince was naar de stad gegaan om voorraden in te slaan en te informeren of er met de vele schepen die nu de haven aandeden, post voor hen was gekomen. Nell had hem een enorme boodschappenlijst meegegeven en hij deed er lang over om alles in te slaan, maar omdat hij toch al van plan was om zeker nog een week in de stad te blijven, maakte dat niets uit.

Nu de tweeling er was, liep Billy zo trots als een pauw rond en was hij voortdurend in de weer voor Nell en de kinderen. Jack was er inmiddels aan gewend dat Billy lang voor zonsondergang al op huis aan ging. Hij was jaloers op hun huiselijk geluk en had de kans om er een poosje aan te ontsnappen met beide handen aangegrepen. Hun geluk maakte het wachten op Alice alleen maar moeilijker.

Nadat hij al zijn zelfopgelegde taken er voor die dag op had zitten en zijn wagen was volgeladen, reed hij nogmaals naar de drukke haven om te zien of er nieuws was. Hij had deze korte rit iedere ochtend gemaakt sinds hij in de stad was aangekomen, want Alice had hem een paar maanden geleden vanaf de Kaap een brief gestuurd. Daarin had ze geschreven dat het niet makkelijk was om een plaats op een schip te krijgen, maar dat ze hoopte met de *Lady Elizabeth* te kunnen meereizen. In zijn ongeduldige verlangen om haar weer bij zich te hebben, begon hij zich zorgen te maken dat haar iets was overkomen.

Toen hij zijn paard stapvoets door de straten leidde, wierp hij een blik op het huis op de heuvel waar Ezra en Susan Collinson woonden. Hij wist wat er met Millicent was gebeurd en was diep geschokt, maar hij vond dat het niet aan hem was bij hen op bezoek te gaan. Hij was geen familie en had zelf zo veel wreedheden aan den lijve ondervonden dat hij het leed van een ander er niet ook nog eens bij kon hebben. Aan het beknopte verslag dat Billy na zijn bezoek had uitgebracht, had hij meer dan genoeg gehad.

Om te voorkomen dat zijn lading ten prooi zou vallen aan dieven, kocht hij bij een straatverkoper een vleespasteitje, dat hij zittend op de bok verorberde terwijl hij naar de drukte op de lager gelegen kade keek. In de haven lagen Amerikaanse walvisvaarders en een paar koopvaardijschepen voor anker. Sydney Town was een populaire tussenhaven geworden waar druk werd gehandeld. De jaren van hongersnood lagen definitief achter hen en alles wees erop dat dit een permanente kolonie zou worden.

Zijn blik bleef rusten op een groep jongens die tot taak hadden de stenen die de gevangenen uit de grond hadden opgegraven in kruiwagens naar een plek te brengen waar de grond werd opgehoogd om een nieuwe kade te bouwen. Terwijl hij naar hen zat te kijken, besefte hij dat ongeacht hoeveel hier werd bereikt, deze kolonie nooit boven de status van strafkolonie zou uitstijgen zolang kinderen werden geketend en tot slavernij gedwongen.

'Kijk uit je doppen, slome Ier!' hoorde hij de opzichter roepen.

Jacks gezicht vertrok toen de zweep van Benson meedogenloos op de magere schouders van de jongen in kwestie neerkwam. Hij balde zijn vuisten en het liefst had hij de zweep uit de handen van de opzichter gegrist om hemzelf ermee van langs te geven. Mullins had zich het graf in gedronken, maar zijn wreedheid leefde voort in de onbarmhartige Benson, een voorwaardelijk vrijgelaten gevangene die nooit een vak had geleerd, maar wel de sadistische inslag had die alle opzichters eigen leek te zijn.

Hij huiverde bij de herinneringen die naar boven kwamen. Wie zich tegen de regels verzette, werd zwaar gestraft, en jeugdige gevangenen werden niet gespaard. Deze jongens werden voor de minste of geringste overtreding berecht en een straf van vijftig zweepslagen was niet ongewoon. Als de opzichter erg sadistisch was, konden ze zelfs veroordeeld worden tot duizend zweepslagen en eenzame opsluiting in een hok waar ze de dikke, verstikkende kap moesten dragen, waar ze allemaal doodsbang voor waren.

De jongen had zijn lesje geleerd en reageerde niet, want de ongegeselden konden blijven geloven in de toekomst, maar de gegeselden, die na de straf niet meer rechtop konden staan, verzonken in een zo diepe wanhoop dat ze alleen nog maar naar de dood verlangden.

Opeens kon Jack het niet langer aanzien. Hij trok aan de teugels en zette het paard aan tot een stapvoetse gang. De jongens hadden geleerd met dagelijkse afstraffingen te leven, net als hijzelf gedurende de afgrijselijke overtocht op de *Surprise*. Straf was bedoeld als afschrikmiddel, maar werkte vernederend en gooide olie op het vuur van de rebellie. De gouverneur was een dwaas als hij de sluimerende weerzin van de Ierse gevangenen bleef negeren: ze haatten de Engelsen en vroeg of laat zouden ze wraak nemen op degenen die hen nu als slaven behandelden.

Jack had geen trek meer in het pasteitje, maar hij nam wel een paar stevige slokken van het lichtgele bier dat door de Amerikanen werd aangevoerd. Het was niet zo lekker als het donkere, bittere bier van Sussex, maar het nam in ieder geval de zurige smaak in zijn mond weg en leste in deze verlammende hitte zijn dorst zonder dat het naar zijn hoofd steeg. Hij ging verzitten op het harde hout van de bok en strekte zijn been, terwijl hij het paard op de kade tot stilstand bracht. Zijn heup deed nog steeds pijn, zelfs na al die jaren, maar hij had zich erbij neergelegd dat het de prijs was die hij moest betalen voor zijn vrijheid.

Hij bleef zitten in de zon, zijn gezicht beschaduwd door zijn breedgerande hoed, en kneep zijn ogen tot spleetjes tegen het schelle licht dat op het water danste. De zee joeg hem nog steeds angst aan en hij had regelmatig nachtmerries waarin hij weer vastgeketend in het water in het ruim van het deportatieschip lag, tot hij hijgend en badend in het zweet wakker werd. Vandaag zag de zee er kalm uit en moest zelfs hij toegeven dat ze een wrede schoonheid bezat, maar de herinneringen lieten hem nooit los.

'Schip in zicht!'

Jack keek naar de landtong en zag dat op de kust de vlag werd gehesen, al waren er nog geen zeilen te zien. Hij klom van de bok en leidde het paard over de met kinderhoofdjes bestrate kade naar een beter uitkijkpunt. Zijn hartslag versnelde, maar hij probeerde zijn kalmte te bewaren. Hij had de afgelopen dagen al zo veel bittere teleurstellingen moeten verwerken dat hij niet durfde hopen dat Alice eindelijk was aangekomen.

Hij bespeurde een oude marinier die op een kaapstander zat en zag dat hij een mooie verrekijker had. 'Kunt u het schip al zien?' vroeg hij toen hij wat dichterbij was gekomen.

'Het is een mooie schuit,' zei de gekromde oude zeeman. 'Breed in de heupen, diep in het water. Het moet veel vracht aan boord hebben.'

Jack ging nog wat dichter bij hem staan. Hij zag nu de zeilen, maar kon niet zien wat voor soort schip het was, hoe scherp hij ook tuurde in het verblindende licht. 'Kunt u zien hoe het heet?'

Eén ogenblik werden de fletse blauwe ogen op hem gericht en toen keek de man weer door zijn verrekijker. 'Het draagt de Britse vlag,' zei hij. Hij draaide aan de lens van de verrekijker. 'Zo te zien is het geen walvisvaarder en geen koopvaardijschip, en het wordt vergezeld door twee andere schepen.'

Jack kon zijn ongeduld bijna niet bedwingen. Hij had het liefst de verrekijker gegrepen om zelf te kijken, maar zijn aangeboren gevoel voor fatsoen weerhield hem daarvan. 'Kunt u nog niet zien hoe het heet?'

Het duurde een eeuwigheid voordat de man antwoord gaf. 'Ze brengen het naar de andere kade,' mompelde hij. 'Dan is het een belangrijk schip.'

Jack klemde gefrustreerd zijn lippen op elkaar. Die ouwe leek het leuk te vinden om hem in spanning te laten zitten.

Nu liet de man de verrekijker zakken en toen hij lachte, verdwenen zijn fletse ogen bijna tussen de rimpels van zijn verweerde gezicht. 'Het is de *Elizabeth*,' zei hij. 'De *Lady Elizabeth*.'

Zo snel als zijn slechte heup het toeliet hobbelde Jack terug over de kinderhoofdjes en greep de teugels. 'Ik kom eraan, Alice!' riep hij terwijl hij moeizaam op de bok klom. Het geschrokken paard ging meteen over in draf.

Het was druk op de kade, maar hij manoeuvreerde door de menigte zonder zich iets aan te trekken van de verwensingen die opklonken. Hij ging op de voetenplank van de bok staan en zocht hoopvol het schip af naar Alice.

De passagiers zwermden over de dekken en zwaaiden naar de mensen op de kade, maar nergens zag hij het kleine figuurtje en lieftallige gezicht van zijn Alice. Gefrustreerd liet hij zijn paard en wagen staan zodra de loopplank werd neergelaten en klom dwars tegen de stroom in aan boord van het schip.

'Alice!' riep hij ongerust terwijl hij zijn blik van de ene naar de andere passagier liet gaan, in de hoop een glimp op te vangen van haar blonde haar en blauwe ogen. 'Alice, waar ben je? Ik ben het. Jack.'

Hij kreeg geen antwoord, alleen geamuseerde lachjes en een koor aan raadgevingen van de passagiers en zeelui. Hij rukte zijn hoed van zijn hoofd en worstelde zich tussen de mensen door tot hij de *Lady Elizabeth* van boeg tot achtersteven had doorzocht. 'Alice!' riep hij. 'Waar ben je?'

'Bent u Jack Quince?' vroeg een stem achter hem.

Jack draaide zich om naar de man. 'Ja,' zei hij, 'en ik ben op zoek naar Alice Hobden.'

De kapitein streek over zijn korte baard. 'Ja, dat weet de hele kolonie inmiddels.' Hij lachte. 'Maar ze is helaas niet aan boord.'

Jack keek hem verbijsterd aan. 'Maar ze zei...'

De oudere man knikte. 'Juffrouw Hobden had inderdaad het plan met ons mee te gaan,' zei hij, 'maar ze is opgehouden.'

Jack kreeg een angstig voorgevoel. 'Waarom? Wat is er aan de hand? Ze is toch niet van gedachten veranderd?' Van wanhoop kreeg zijn stem een scherpe klank.

'Integendeel,' zei de kapitein, die nu zijn hand in zijn binnenzak stak en er een brief uit haalde. 'Ze heeft me verzocht u deze brief te geven. Voordat u die leest, kan ik u verzekeren dat ze naar verwachting geheel zal herstellen en van plan is zich zo snel mogelijk bij u te voegen.'

'Te herstellen?' Jack keek hem verward aan.

De kapitein gaf hem een schouderklopje. 'Leest u nu eerst uw brief maar en kom daarna bij me. Uw schapen bevinden zich in het ruim.'

Jack hoorde amper wat hij zei toen hij het zegel verbrak en de brief van Alice openvouwde.

Lieve Jack,

Probeer je alsjeblieft geen zorgen te maken. De dokter zegt dat het geen tyfus is maar malaria en dat ik over enige maanden sterk genoeg zal zijn om te reizen. Ik moet de ziekte hebben opgelopen toen ik, ondanks de sluierhoed die ik heb gekocht, ben gestoken door muggen. Kaapstad is een hete, drukke stad, maar gelukkig heb ik genoeg geld voor een kamer en medische behandeling, zodat ik beslist zal genezen.

Het spijt me dat ik je angst heb aangejaagd, lieve, en ik hoop dat je bezorgdheid een beetje zal worden vergoed door de veilige aankomst van onze schapen. Het was niet mogelijk ze hier te houden en de kapitein heeft veel begrip getoond en me beloofd dat hij ze goed in de gaten zal houden. Het is een sterk ras en het heeft me veel moeite gekost een goede prijs te bedingen, maar ik denk dat je het met me eens zult zijn dat het uitstekende fokschapen zijn.

Ik zal iedere dag aan je denken tot ik bij je ben en probeer me Moonrakers en het leven daar voor te stellen zoals je het hebt beschreven. Het zal nu niet lang meer duren voordat we weer bij elkaar zijn. Houd goede moed, lieveling. We hebben al zo lang gewacht dat deze laatste maanden voorbij zullen vliegen. Pas goed op jezelf en onze schapen. Ik stuur bericht zodra ik mijn overtocht heb geregeld.

Voor altijd de jouwe,
Alice

Jack had tranen in zijn ogen toen hij de brief weer opvouwde en in zijn zak stak. De brief was veel te kort en gaf hem te weinig informatie over haar ziekte, maar Alice was nooit iemand van veel woorden geweest. Hij staarde in de verte terwijl allerlei gedachten door zijn hoofd speelden. Was er maar een manier om naar haar toe te gaan. Kaapstad was echter ver weg en de brief was alweer maanden oud. Misschien was ze al op weg hiernaartoe.

Hij bleef besluiteloos staan. Hij kon de kolonie niet verlaten en had geen geld om de reis te betalen. En dan had je de schapen nog. Die kon hij niet in het ruim van het schip laten en ook niet in Sydney Town. 'O, Alice,' verzuchtte hij, 'wat moet ik nu?'

'Ik denk dat u het beste uw schapen kunt gaan hoeden,' zei de kapitein toen Jack hem weer had opgezocht. 'Juffrouw Hobden wist dat u naar haar toe zou willen gaan en heeft me verzocht u te overreden dat niet te doen.' Hij lachte vriendelijk. 'Ze heeft gelijk, meneer Quince. Er wordt goed voor haar gezorgd. Ze bevindt zich op de best mogelijke plek om van de ziekte te genezen en heeft een Engelse verpleegster. Ze wil alleen maar dat u zich over de schapen ontfermt en op haar wacht. En dat is ook mijn advies.'

Jack wist dat hij geen andere keuze had en slaakte een verdrietige zucht. 'Waar zijn ze?'

De kapitein ging hem voor naar het ruim en toen Jack de schapen uit de hokken haalde en over de loopplank naar de kade leidde, zag hij dat het inderdaad dieren van hoge kwaliteit waren. Alice had zich goed geweerd. Hij zwaaide nog even naar de kapitein en begon toen aan de lange tocht terug naar Moonrakers.

Het zou lang duren voordat hij thuis was, omdat hij zich moest aanpassen aan het tempo van het traagste dier, maar toen hij weer op de bok van de wagen zat en de schapen voor zich uit dreef, kreeg hij nieuwe moed. Alice en hij waren van plan de grootste en beste kudde merinosschapen van Australië te fokken. Van hun wol zouden ze rijk worden en terwijl Alice herstelde in Kaapstad, zou hij de dieren verzorgen alsof het hun kinderen waren.

Hawks Head Farm, mei 1793

De mannen sliepen toen de strijders naar de hut slopen. Ze hadden geen erg in de donkere gedaanten die buiten bezig waren, zagen de gloed van de vuurstokken niet die ze bij zich droegen. Ze sliepen gewoon door toen de vuurstokken langs het broze gras streken en vlammen aan de kurkdroge houten muren en het dak likten.

Lowitja's oom Pemuluwuy en zijn zoon Tedbury verdwenen geruisloos in de duisternis en voegden zich bij de anderen die het vee en de paarden wegleidden tussen de bomen. Ze waren slechts met zeven man, want de grote stammen die ooit over dit zuidelijke kwart van het continent hadden gezworven, bestonden niet meer. Het gros van de stamleden was dood of bezweken voor de rum van de witte mensen; anderen durfden hier niet meer te blijven nu de Droomplaatsen vernietigd waren.

Pemuluwuy werd gedreven door zijn haat voor de indringers. Hij begreep niet goed waarom zo veel van zijn stamgenoten zich bij de situatie hadden neergelegd en wist dat íemand moest vechten voor het recht om op het land te blijven wonen dat de Grote Geest hen had gegeven.

Terwijl ze snel en stil door de duisternis liepen, was Pemuluwuy in gedachten al bezig met de volgende overval. Hun hele land werd in beslag genomen, de dieren werden uit hun natuurlijke omgeving verjaagd. De weinige overgebleven leden van de vele stammen die hier hadden geleefd, waren al verdrongen naar slechte jachtgebieden met onzuiver water.

Hij had beter moeten opletten toen Lowitja de stenen had gelezen en met de Grote Geest sprak, want zij had de exodus van hun volk naar het onherbergzame binnenland zien aankomen. Nu bevonden ze zich op de rand van volledige uitroeiing en hoeveel boerderijen hij ook in brand stak en hoeveel vee en paarden hij ook stal, het zag er niet naar uit dat hij het witte gevaar dat zijn volk en hun manier van leven vernietigde, kon tegenhouden.

Ernest bewoog zijn hoofd onrustig op het bobbelige kussen. In zijn dromen werd hij geteisterd door beelden van wat Millicent was overkomen en overdag werd hij gekweld door het feit dat ze bleef weigeren hem te zien of met hem te praten. Nu was zijn droom doordrongen van de geur van rook en het kraken van brandend hout. Toen hij zijn ogen opendeed, besefte hij dat het geen droom was. 'George!' riep hij. 'Brand!'

De broers sprongen uit bed, grepen hun geweren en holden in hun ondergoed naar buiten. Daar zagen ze dat de gevangenen die voor hen werkten apathisch naar de vuurzee stonden te kijken.

Hun mooie, nieuwe huis brandde als een fakkel en de tenten van de gedetineerden – die er godzijdank ongedeerd aan hadden kunnen ontsnappen – werden door de vlammen verteerd, maar de brandstichters waren nergens te bekennen. 'O nee!' riep George. 'Ze hebben de schuur ook in brand gestoken.'

'Snel! We moeten de oogst redden.' Ernest gooide zijn broer een emmer toe, graaide nog meer emmers en bakken bij elkaar en gooide ze de gevangenen toe. 'Opschieten!' bulderde hij.

De gevangenen schrokken op uit hun verdoving, holden naar de rivier, vulden de emmers en renden ermee naar de schuur. Het huis was niet belangrijk meer – in de schuur zat hun toekomst.

De rook brandde in hun longen en prikte in hun ogen, maar het vuur moest gedoofd worden, ze moesten de oogst in veiligheid stellen, anders was al het werk van het afgelopen jaar voor niets geweest. De gedetineerden werkten net zo hard als de broers, want ze wisten donders goed dat hun eigen toekomst er ook van afhing. Ze wilden geen van allen terug naar Sydney Town en de slagen van de gesel.

Het vuur deed zich te goed aan het uitgedroogde hout en klom naar het met teer bestreken dak. De broers en hun gevangenen bleven water aanslepen tot ze dachten dat hun longen zouden barsten en hun benen zo zwaar als lood waren. Het werd een race tegen de klok en tegen het hongerige vuur dat alles verslond wat ze bezaten. Ze negeerden de pijn en de vermoeidheid en bleven aan één stuk door de emmers doorgeven tussen de rivier en de schuur.

'We redden het niet,' hijgde George toen hij de zoveelste emmer water in de vuurzee leegde. 'We zijn met te weinig en het kost te veel tijd om het water van de rivier hierheen te krijgen.'

'Het *moet*!' schreeuwde Ernest boven het gebulder van de vlammen uit. 'We redden het wel.'

De vlammen stegen nog hoger toen het hongerige beest het dak begon te verslinden en door de verkoolde planken heen het graan wist te bereiken. Een plotselinge windvlaag joeg vonken hoog de lucht in en opeens kroop een slang van vuur vanaf het huis door het gras. De slang splitste zich en bleef zich splitsen, tot het vuur als riviertjes door het gras joeg en er een delta van vlammen ontstond.

'Kijk uit!' George duwde Ernest opzij toen een vuurbal uit een gomboom vloog en hem bijna raakte.

Half verblind door de rook, geschroeid door de hitte en uitgeput van het bluswerk, voelde Ernest hoe hij zijn enkel pijnlijk verdraaide toen hij op de grond viel. Hij kwam echter snel weer overeind en verbeet de pijn toen hij vluchtte voor de vlammen van de brandende boom.

De menselijke keten viel uiteen toen de vuurzee oprukte en er blikken met petroleum ontploften. Ernest wist dat de strijd verloren was. 'De rivier in!' riep hij terwijl hij naar het water hinkte. 'Anders verbranden we levend!'

Het water was lauw, alsof het was verwarmd door de hitte van het vuur. Ernest en George waadden de rivier in tot ze tot aan hun nek in het water stonden, lieten het vuil en de vermoeidheid wegspoelen en voelden hoe hun trillende spieren zich begonnen te ontspannen. De gevangenen voegden zich bij hen, hun bezwete gezichten zwart van de rook. Machteloos keken ze naar de schuur waarvan de krakende wanden nu begonnen te wankelen.

Ze luisterden naar het knappen van de planken, het kreunen van de zware balken, het gebulder en geraas van het vuur. Ze werden verstikt door de dikke rookwolken die rondtolden en vonken verspreidden waardoor er steeds meer vuurhaarden ontstonden.

De wanden van de schuur bleven nog even dapper staan, maar toen het dak instortte, nam het de wanden met zich mee en schoten er fonteinen van vonken op naar de sterren.

Vogels vlogen geschrokken op uit de bomen terwijl kangoeroes, wallaby's en logge wombats de veiligheid van de rivieroever en het land aan gene zijde van het water opzochten. Hagedissen schoten weg en opossums droegen hun jongen op hun rug toen ze van de brandende takken sprongen en stroomopwaarts hun toevlucht zochten.

En de vlammen trokken verder en verder. Dansend verspreidden ze zich over het land terwijl ze alles verteerden wat ze op hun pad tegenkwamen.

Toen de zon opkwam en door de sluier van rook heen drong die boven het land hing, kropen Ernest en zijn broer uit hun nachtelijke schuilplaats en waadden samen met de gevangenen terug door de rivier. Sprakeloos staarden ze naar de verwoesting.

Het nieuwe huis was een verkoolde ruïne, van de schuur en de tenten was niets over. De grond was geblakerd en rookpluimpjes stegen op in de lichte bries. De drie koeien en de stier waren verdwenen en ook de twee paarden waren nergens te bekennen, en al het gereedschap was samen met de schuur verbrand.

'In ieder geval hoeven we die akkers niet te ontginnen,' zei Ernest, toen ze naar de verkoolde stompen van de bomen keken. 'En er ligt genoeg as om de grond vruchtbaar te maken.'

George was erg bleek en balde zijn vuisten zo strak dat het wit van zijn knokkels zichtbaar was onder zijn gebruinde huid. 'Ik ga ze vermoorden, de schoften die dit hebben gedaan,' zei hij.

'Daar schiet je niks mee op,' zei Ernest zachtjes. 'Bovendien zijn ze allang weg.'

'Maar we zijn alles kwijt, Ernie, en we zitten hier volkomen geïsoleerd. Hoe weet je dat de zwartjes niet zullen terugkomen om ons te vermoorden, nu we geen enkele bescherming meer hebben?'

'Als ze dat hadden gewild, hadden ze ons gisteravond al aan hun speren geregen,' zei Ernest, terwijl de ernst van de situatie langzaam tot hem doordrong. Over drie dagen begon Millicents rechtszaak en hij had gezworen dat hij erbij zou zijn. Dat kon nu niet meer, want te paard duurde de reis naar Sydney Town twee dagen, en te voet vele dagen méér.

22

De rechtbank van Sydney Town, 1 mei 1793

Het militair gerechtshof was in zitting en de nieuwe opperrechter zag er voornaam uit in zijn uniform, met epauletten die glansden in het zonlicht dat door de ramen naar binnen viel.

Susan bekeek hem bedachtzaam. Hij was een forse kerel, net als Gilbert, met een zwierige snor en borstelige wenkbrauwen. Maar daar hield de gelijkenis op, want Susan wist dat majoor Hawkins bekendstond om zijn vooroordelen inzake de gevangenen. In Sydney Town was algemeen bekend dat hij vond dat de meesten niet te redden waren. Opknoping en zweepslagen waren zijn antwoord op de meeste overtredingen, of hij verbande het schoelje naar de strafkolonie op het eiland Norfolk, waar ze de rest van hun leven doorbrachten in een hel waaruit geen ontsnapping mogelijk was.

Susan keek om zich heen en was blij dat hij had besloten de zitting achter gesloten deuren te houden. Men had beslist dat deze zaak een militaire aangelegenheid was en dus onder de jurisdictie van de militaire rechtbank viel, omdat de aanklacht was gericht tegen zes officieren van het New South Wales Corps. Susan dankte God dat Millicent niet ten prooi zou vallen aan de nieuwsgierige blikken van de horden toeschouwers die het leuk vonden om dergelijke processen bij te wonen.

Een huivering trok door haar heen toen ze naar de mannen in de beklaagdenbank keek. Sommigen keken uitdagend, anderen leken doodsbang, maar een van hen viel extra op, niet alleen omdat zijn gezicht haar zo bekend voorkwam, maar omdat hij geen enkele blijk gaf van schaamte om zijn misdaad. Hij stond nonchalant tegen de houten balustrade geleund, alsof hij op de postkoets wachtte.

Zijn gebrek aan respect viel ook de rechter op. 'In de houding!' bulderde hij. 'Of u maakt zich schuldig aan minachting van de rechtbank.'

Susan zag dat de officier met een zucht gehoor gaf aan het bevel, maar ze wist dat de arrogante manier waarop hij salueerde niet in goede aarde zou vallen bij de rechter. Nerveus keek ze over haar schouder naar de zaal achter haar. De man die ze beslist niet wilde zien was gelukkig nergens te bekennen, zodat ze zich enigszins kon ontspannen.

In de stille zaal waren alleen het geritsel van paperassen te horen en het gemompel van de officieren die de beklaagden en de eiseres vertegenwoordigden. Susan kon Millicents gezicht niet zien omdat het schuilging achter de zwarte sluier die ze aan de rand van haar hoed had bevestigd, maar ze voelde hoe gespannen ze was en sloeg bemoedigend haar arm om haar heen.

Ze zag dat Hawkins de documenten op zijn tafel uitspreidde en zijn hand uitstak naar de hamer. Hij wilde natuurlijk snel beginnen, want de nieuwe, onlangs aangestelde gouverneur, majoor Grose, hield die middag een feestje en Hawkins deed niets liever dan zijn oude rivaal provoceren. Ze hadden een bittere strijd gevoerd om de gerenommeerde positie en Hawkins zou het Arthur Phillip nooit vergeven dat hij in plaats van hemzelf een man had gekozen die in zijn ogen helemaal niets bijzonders was.

Hawkins gaf een klap met de hamer en riep om stilte in de zaal.

Millicent had geweten dat deze dag uiteindelijk zou aanbreken. De rechter had geen gehoor gegeven aan het dringende verzoek haar verstek te verlenen dat Susan en zij hadden ingediend, maar in ieder geval had de rest van de familie geen toegang tot de rechtszaal gekregen. Het was allemaal al erg genoeg en ze wilde niet dat de anderen getuige zouden zijn van de omvang van haar schaamte.

Ze drukte zich tegen Susan aan en hield haar arm omklemd toen de aantijgingen en haar verklaring werden voorgelezen. Het was alsof alles iemand anders was overkomen, alsof ze nogmaals uit haar lichaam trad en van veraf toekeek.

De dokter legde de eed af en beantwoordde de vragen in heldere termen, waarbij hij de aard van haar verwondingen in lekentermen uitlegde, zodat het alle aanwezigen duidelijk was wat haar was overkomen.

Ze had het benauwd onder de sluier. Zweet parelde op haar gezicht en drupte op haar jurk toen de temperatuur in de rechtszaal steeg en intieme details bekend werden gemaakt. Ze had geen tranen meer over en was nu vervuld van de kille, bijna onpersoonlijke wetenschap dat haar lot was bezegeld en ze alles had gedaan wat ze kon om het recht te laten zegevieren.

'De openbare aanklager verzoekt Florence Collinson plaats te nemen in de getuigenbank.'

Millicent zette zich schrap. Ze vertrouwde Florence niet. Zou ze de waarheid vertellen en ten overstaan van de hele zaal Susans geheim onthullen of zou ze weer haar toevlucht nemen tot leugens? Het was moeilijk te zeggen, maar ze hoopte voor Susan dat ze zou liegen en ze nam aan dat Florence het makkelijker zou vinden de waarheid geweld aan te doen. Ze was bij haar vader al uit de gunst geraakt en als ze Susans romance aan de grote klok zou hangen, zou de breuk tussen hen nog groter worden en het hele gezin uiteenvallen.

'De getuige is niet aanwezig, edelachtbare,' zei de gerechtsdienaar toen hij in zijn eentje terugkwam uit de zijkamer. 'Ze wil kennelijk niet getuigen.' Hij legde een briefje op de tafel van de rechter.

Hawkins las het, gromde iets en legde het opzij. 'Hiermee maakt ze zich schuldig aan minachting van het hof.'

Millicent slaakte een zucht van opluchting.

Susan verstijfde. 'Dat kind is onverbeterlijk,' siste ze. 'Hoe waagt ze het om het gerechtshof zo te beledigen?'

Millicent greep haar hand. In ieder geval zou Susan nu een grote vernedering bespaard blijven. Eigenlijk hadden ze kunnen weten dat Florence niet zou komen. Ze was er niet het meisje naar om openlijk uit te komen voor haar rol in de gebeurtenissen van die afschuwelijke avond; Florence eiste van anderen grote morele kracht, maar bij haarzelf ontbrak die ten enen male.

Mary Johnson, de vrouw van de dominee, legde op een heldere, bondige wijze haar getuigenverklaring af. Ze vertelde dat ze Millicent en Florence die avond met elkaar had zien praten en dat Millicent daarna halsoverkop was weggerend. Toen de advocaat van de eiseres geen vragen had, mocht ze daarna meteen weer gaan.

Een voor een legden de beklaagden de eed af en deden hun verhaal. Millicent luisterde met stijgend ongeloof toen ieder van hen een getuige bleek te hebben die op de Bijbel zwoer dat de betreffende beklaagde op de bewuste avond niet eens in de búúrt van de steeg was geweest.

Hun saamhorigheid wankelde geen moment. Zelfs de indringende vragen van de advocaten van de eiseres konden geen bres slaan in hun verklaringen. Ze hadden allen meegedaan aan een kaartavond die tot diep in de nacht had geduurd, wat werd bevestigd door de eigenaar van de taveerne.

De moed zonk Millicent in de schoenen. Ze hadden zich aan alle kanten ingedekt. Zou de rechter haar nu nog geloven? De zaak die ze zo dapper aanhangig had gemaakt, werd volledig de grond ingestampt.

'Juffrouw Millicent Parker.'

'Hou je haaks,' fluisterde Susan toen ze haar overeind hielp. 'De waarheid zal aan het licht komen en het recht zal zegevieren.'

Millicent keek door haar sluier naar de rechter. Haar benen trilden zo dat ze amper kon blijven staan. Dit was het moment van de waarheid en ze was doodsbang.

'Je mag daar wel blijven staan, lieve kind,' zei Hawkins op een onverwacht vriendelijke toon. 'Kun je de mannen aanwijzen die je beschuldigt van deze afgrijselijke daden? Zijn ze aanwezig in deze rechtszaal?'

Millicent hield zich vast aan het hekje voor haar en richtte met moeite haar ogen op de beklaagden. Ze haalde diep adem en herinnerde zichzelf eraan dat haar hier niets kon overkomen en dat ze hen na vandaag nooit meer hoefde te zien. 'Ja, edelachtbare,' fluisterde ze. 'Het zijn die mannen daar.' Ze wees naar de zes beklaagden.

'Je moet iets harder praten,' zei de rechter, die over zijn bril heen naar haar keek. 'Het hof moet je getuigenis kunnen horen.'

Ze haalde diep adem en sprak zichzelf moed in. 'Zij zijn het,' zei ze met duidelijke stem en ze wees weer. 'Die zes mannen daar.'

'Dank je, lieve kind. En zou je nu zo goed willen zijn aan te geven wie van deze mannen de aanstichter was van het hele geval?'

Millicent wees naar de zelfgenoegzaam grijnzende jonge officier die de hele zaak alleen maar amusant leek te vinden. 'Die daar,' zei ze kordaat. 'De laatste in de rij.'

'Om je verder ongemak te besparen zal ik je niet verzoeken in de getuigenbank plaats te nemen, maar ik eis wel dat je op de Bijbel zweert dat ieder woord van je getuigenverklaring de waarheid is.'

Millicent was zo opgelucht dat ze bijna door haar benen zakte, maar het ergste was nu voorbij en met een bovenmenselijke wilskracht wist ze rechtop te blijven staan. De gerechtsdienaar gaf haar een Bijbel, die ze met vaste hand aanpakte. 'Ik zweer op deze Bijbel, met God als getuige, dat alles wat ik zeg de waarheid is,' verklaarde ze in de doodstille rechtszaal.

'Ik teken hiertegen bezwaar aan!'

De stem kwam van achter uit de zaal en iedereen keek om, verbaasd over de interruptie. Zware hakken bonkten op de stenen vloer toen de man door de zaal naar voren liep. 'Deze rechtszaak is een aanfluiting van de gerechtigheid en uw voornaamste getuige is een leugenares.'

Millicent stond er als bevroren bij. Ze was zich ervan bewust dat Susans adem stokte en er een siddering door haar lichaam ging, terwijl ze hard in haar hand kneep, en ze kon zelf niet meer coherent denken; ze kon alleen maar met sprakeloos afgrijzen naar hem staren.

'Ik sta in mijn rechtszaal geen onderbrekingen toe!' zei Hawkins op scherpe toon en hij sloeg woest met zijn hamer. 'Wie bent u, meneer? En wat doet u hier?'

'Ik ben Jonathan Cadwallader, graaf van Kernow, en ik ben hier om de goede naam van mijn familie en mijn zoon Edward te verdedigen.' Hij wees naar de hoofdverdachte.

'Mijn excuses voor mijn onbeleefde reactie van daarnet, edele heer,' zei Hawkins, op slag nederig tegenover de Engelsman van wie iedereen wist dat hij een machtig en welgesteld lid van de aristocratie was. 'Als u zo goed wilt zijn plaats te nemen in de getuigenbank, zal de gerechtsdienaar u de eed afnemen.'

Susan zat met open mond en grote ogen naar Jonathan te staren toen die begon te spreken. Ze kon het nauwelijks bevatten. Hoe was hij erin geslaagd zo stiekem te komen, en met zo'n vernietigende timing?

Ze keek naar zijn laffe zoon, zag dat die zo mogelijk nog smalender keek en vroeg zich af of hij had geweten dat zijn vader hem te hulp zou komen. Jonathan Cadwallader was echter niet in Australië geweest ten tijde van de verkrachting. Als dat zo was geweest, zou ze het geweten hebben, want hij was niet iemand die onopgemerkt bleef.

'Vertelt u het hof alstublieft waarom u zich gedwongen voelt hier vandaag te verschijnen,' zei Hawkins. 'Ik was me er niet van bewust dat u in het land was.'

'Ik ben op de *Lady Elizabeth* aangekomen vanuit Kaapstad,' antwoordde hij. 'De afgelopen dagen ben ik te gast geweest bij de gouverneur.'

Hij liet zijn blik door de zaal gaan en Susan zag de verrassing in zijn ogen toen hij haar zag, maar zijn bijna onmerkbare aarzeling bood haar geen enkele voldoening: Jonathan was zo zelfverzekerd dat hij zich snel zou herstellen.

Jonathan richtte zijn blik op de rechter. 'Niet alleen ben ik erg geschrokken toen ik vernam in welke situatie mijn zoon zich bevond, maar dat werd nog eens verergerd door de identiteit van degene die hem aanklaagt, edelachtbare. Ik besefte meteen dat het recht gediend moest worden – en snel.'

Susan vocht om haar zelfbeheersing te bewaren terwijl ze naar hem keek en tegelijkertijd probeerde ze de volkomen uit het veld geslagen Millicent steun te bieden. Ze wist dat hij onbeschaamd zou liegen om dat jong van hem te redden, en dat Millicent dus nog harder zou moeten vechten.

Jonathan stond er kaarsrecht bij toen hij aan zijn getuigenis begon en uit zijn stem klonk de hoogmoed van iemand die eraan gewend is in het openbaar te spreken. 'Het meisje dat mijn zoon en zijn medeofficieren beschuldigt van deze weerzinwekkende misdaad, heeft ooit als dienstmeid gewerkt op mijn landgoed in Cornwall. Ze had verkering met een van mijn tuinlieden en raakte al snel in verwachting.' Zijn kille blik gleed langs Susan en bleef rusten op Millicent.

Susan voelde het meisje ineenkrimpen en trok haar naar zich toe.

'Toen haar situatie aan het licht kwam, probeerde ze mij te beschuldigen. Een man van mijn stand zou een dergelijke liaison natuurlijk nooit overwegen, en ik heb haar onmiddellijk ontslagen,' vervolgde hij in de doodse stilte. 'Daarna ontdekte ik dat ze twee guinjes had gestolen.'

Susan schrok van Millicents reactie. Het meisje sprong overeind. 'Dat is niet waar!' riep ze. 'U hebt me dat geld gegeven omdat u me hebt verkracht.'

Hij leek zich allerminst te storen aan haar uitbarsting en keek met opgetrokken wenkbrauwen weer naar de rechter. 'U ziet, edelachtbare,' zei hij op een verveelde toon, 'het meisje is eraan gewend mannen van verkrachting te beschuldigen. Waarom zouden we zo'n leugenaarster, die ook nog veroordeeld is wegens diefstal, geloven?'

'Ik ben geen dievegge!' riep ze.

Susan zag de tranen van frustratie en probeerde haar over te halen weer te gaan zitten, maar Millicent schudde haar van zich af.

Jonathan haalde een bundeltje paperassen uit de leren tas die hij bij zich had. 'Je bent door het gerechtshof van Truro veroordeeld wegens diefstal en op transport gezet.'

Susan zag aan de verslagen houding waarmee Millicent op de harde, houten bank neerzakte dat ze geestelijk en lichamelijk geen kracht meer had om nog langer terug te vechten. Maar haar eigen woede om het onrecht was allesverterend. Ze stond op. Millicent had de strijd opgegeven, maar verdomd als zíj dat ook zou doen.

'Ze had brood gestolen om niet te verhongeren,' zei ze op luide toon, terwijl ze met grote stappen naar voren liep en uitdagend voor de rechter bleef staan. 'Geen misdaad die deportatie verdient, laat staan de verkrachtingen en onmenselijke behandeling op het transportschip. Millicent heeft volledige gratie ontvangen. Daarom kon ze deze zaak aanhangig maken. U kunt en mag niet toestaan dat haar onfortuinlijke verleden de misdaad overschaduwt die hier vandaag berecht wordt.'

Ze was zich er ten volle van bewust dat de hele zaal ademloos toeluisterde en haar woede gaf haar de kracht om Jonathan in de ogen te kijken. 'Edward Cadwallader en zijn vrienden hebben Millicent meedogenloos verkracht zonder zich druk te maken over de consequenties. Ze heeft ieder van de mannen geïdentificeerd en u hebt de verklaring van de arts als bewijs van wat ze haar hebben aangedaan. Ze heeft haar schaamte en verlegenheid overwonnen om vandaag hier te verschijnen. Niet *Millicent* staat hier terecht, maar *die mannen*.'

'Stilte in mijn gerechtshof!' bulderde Hawkins, die rood aanliep en zijn hamer met een klap op zijn tafel liet neerkomen.

'Ik weiger te zwijgen tot het recht is geschied!' riep Susan. 'Deze mannen hebben een gruwelijke misdaad gepleegd en ik wil niet hebben dat u zich door *hem* laat intimideren.' Ze wees met een beschuldigende vinger naar Jonathan. 'Ook al is hij honderd keer een graaf, dat wil nog niet zeggen dat hij niet tot liegen in staat is.'

'Als u niet gaat zitten, maakt u zich schuldig aan belediging van het hof,' bulderde Hawkins.

'Ik ga pas zitten als recht is geschied,' zei Susan nogmaals. Ze hijgde, maar haar roekeloze gedrag maakte haar sterk. Alle jaren van beleefde manieren en strak ingesnoerde emoties waren op slag verdwenen en hadden ruimte gemaakt voor de koppige vissermansdochter die ze in haar hart nog steeds was. Een vrouw die bereid was om te knokken, bereid om een zwakkere vriendin te verdedigen, wat de gevolgen ook mochten zijn.

In de daaropvolgende stilte staarden ze elkaar woedend aan. De zaal hield zijn adem in. Susan was niet van plan zich te laten koeioneren door de rechter, ook al wist ze dat haar uitbarsting voor Millicent negatief kon uitpakken. Als Jonathan vuil spel wilde spelen, had hij aan haar een kwaaie!

Jonathan was degene die de stilte verbrak. 'Edelachtbare,' zei hij beleefd, 'staat u mij toe het hof duidelijk te maken wat de reden is waarom deze vrouw mij en mijn zoon zo heftig aanvalt.'

Susan bleef hem woedend aankijken, in afwachting van wat hij in zijn schild voerde.

Jonathan meed haar ogen. Zijn blik dwaalde naar een punt achter haar en zijn gezicht stond ondoorgrondelijk. 'Geen groter toorn dan die van een versmade vrouw,' zei hij in de doodse stilte. 'En Susan Collinson heeft een perfecte gelegenheid gevonden om wraak te nemen.'

Een gevoel van onbehagen bekroop haar toen hij volkomen kalm en kaarsrecht in de getuigenbank bleef staan. 'Wraak?' beet ze hem toe. 'Waarom zou ik op wraak uit zijn?'

Hij negeerde haar. 'Mevrouw Collinson en ik woonden in Engeland dicht bij elkaar, edelachtbare, en op het gevaar af dat ik me nu niet als een gentleman gedraag, kan ik u verklappen dat haar toenaderingen nogal gênant waren.'

'Hoe waag je het mij te bezoedelen!' Een blos brandde op haar wangen en ze balde haar vuisten.

Hij negeerde haar en glimlachte naar de rechter als mannen van de wereld onder elkaar. 'Ze heeft zich op een schaamteloze wijze aan me opgedrongen, edelachtbare, en toen ik haar afwees, heeft ze wraak gezworen.' Hij keek naar zijn geboeide publiek. 'Deze rechtszaak is daarvan het bewijs.'

'Je liegt.' Susan liep op de getuigenbank af met de bedoeling hem in zijn gezicht te spugen en op zijn aristocratische neus te slaan.

'Nog één stap in de richting van de getuige en ik laat u opsluiten,' beet Hawkins haar toe.

'Hij pleegt meineed!' riep ze. 'Hij verzint dit om de reputatie van zijn zoon te redden. Luister niet naar hem!'

'De cel staat voor u klaar, mevrouw Collinson,' waarschuwde de rechter met vlammende ogen. 'Ik raad u aan uw mond te houden.'

Susan deed haar mond dicht en sloeg haar armen over elkaar. Ze wist niet waar ze het zoeken moest van woede en frustratie.

Hawkins zette zijn pruik recht en wendde zich tot Jonathan. 'Dit is een ernstige beschuldiging, weledele heer, en ik wil u er eerbiedig aan herinneren dat u onder ede staat.' Hij keek naar Susan die nog tegenover hem stond. 'Mevrouw Collinson is een gerespecteerd ingezetene van onze stad, de echtgenote van de dominee, en het werk dat ze voor de gedetineerden doet, getuigt van haar goede karakter.' Hij richtte zijn strenge blik weer op Jonathan. 'Hebt u bewijzen van het tegengestelde?'

Jonathan bleef haar priemende blikken mijden toen hij een vel papier uit de leren tas haalde en aan de rechter gaf. 'Dit is een van haar brieven, edelachtbare. Zoals u ziet, is het een uitnodiging voor een clandestien rendez-vous.'

Susan onderdrukte een kreun en greep zich aan de dichtstbijzijnde tafel vast. Zijn verraad trof haar tot in het diepste van haar ziel. Ze hapte naar adem alsof hij haar in haar maag had gestompt. 'Waarom doe je dit?' vroeg ze schor. 'Waarom verdraai je de feiten in je eigen voordeel?'

Hij reageerde niet.

'Kijk me aan, vuile schoft.' De woede laaide weer op. 'Kijk me in de ogen wanneer je je leugens verkondigt.'

Hij kreeg een kleur, maar bleef kaarsrecht staan.

'Ik weet waarom je dit doet,' siste ze, terwijl ze weer op de getuigenbank af liep. 'Je wilt per se je zoon en de reputatie van je familie redden, maar ik had nooit gedacht dat je zo laag kon zinken, dat je in staat was zulk verachtelijk verraad te plegen.'

'Zitten!' Hawkins liet de hamer neerkomen. Zijn gezicht was paars van woede.

Susan zag aan de tic in Jonathans wang dat haar beschuldiging doel had getroffen, maar ze wist dat ze verloren had. Met opgeheven hoofd liep ze terug naar Millicent die vol bewondering haar handen greep. Ze ging met een bons zitten, vechtend tegen haar woede.

Hawkins las de brief en gaf hem terug. 'U hebt bewezen dat beide getuigen onbetrouwbaar zijn en dat hun verklaringen gekleurd zijn door hun voormalige relaties met uzelf en uw familie.'

Susan balde haar vuisten. Haar zenuwen waren tot het uiterste gespannen en ze had de grootste moeite te blijven zitten toen de rechter zich tot de zaal richtte.

'De medische bevindingen zijn het bewijs dat Millicent Parker op een gruwelijke wijze is verkracht, maar aangezien de beklaagden die avond ergens anders verbleven, is niet bewezen dat zij de daders zijn.'

Daarop volgde een langdurige stilte. Susan en Millicent zetten zich schrap voor het vonnis.

Hawkins keek op zijn zakhorloge en schoof de documenten bij elkaar. 'Ik verklaar hierbij dat de beschuldiging ongegrond is. Einde van de zitting.'

Jonathan zag dat Susan haar arm om de schouders van het meisje sloeg en haar bijna moest dragen toen ze haar meenam naar de achterdeur, waar een koetsje stond te wachten. Hij voelde zich ellendig. Hij was niet van plan geweest Susan door het slijk te halen en had de brief alleen meegebracht als laatste redmiddel. Het bewijsmateriaal tegen Millicent had voldoende moeten zijn, maar Susan had haar karaktermoord zelf in de hand gewerkt toen ze woedend naar voren was gekomen en de procedure had verstoord.

Het was een schok geweest haar te zien. Hij had echter inlichtingen ingewonnen en hij had geweten dat ze erbij zou zijn om de dienstmeid te helpen. Ze had zich fantastisch geweerd, dat gaf hij onmiddellijk toe, en een minder sterke man zou bezweken zijn voor haar vurige temperament. Susan had niets van haar vechtlust verloren, ondanks alle jaren in haar rol van keurige, getrouwde vrouw. Ze bezat nog steeds de hartstochtelijke energie van de vissermansdochter op wie hij ooit verliefd was geworden.

Zijn hoofd bonkte en hij walgde van zijn eigen daden toen hij de documenten weer in de leren tas deed. Hij had de zaak van het meisje niet zo ongenadig aan stukken hoeven rijten. Nu was de enige vrouw van wie hij ooit had gehouden zijn vijand geworden. Hij wou dat ze zich erbuiten had gehouden, maar het had natuurlijk geen zin te wensen dat iets ongedaan werd. De haatgevoelens konden nu nooit meer weggenomen worden.

Hij keek naar de brief en stopte hem bij de rest van de documenten in de tas. Het was een gok geweest en hij bofte dat Susan niet had geëist hem zelf te lezen, want hij had het origineel lang geleden al vernietigd en deze kopie gisteravond zelf geschreven.

Het had gewerkt. Zijn daad bezorgde hem veel gewetenswroeging, maar Susan had hem ertoe gedwongen. De naam en reputatie van de familie moesten beschermd worden en als hij daarvoor meineed moest plegen, dan was dat jammer. Dat hij Susan nu definitief kwijt was als minnares en vriendin was veel moeilijker te verteren, en een te hoge prijs voor wat er vandaag was bereikt.

'Dank u, vader,' zei Edward stijfjes. 'Ik wist dat ik op u kon rekenen.'

Jonathan pakte de rest van zijn spullen bij elkaar en draaide zich met tegenzin om naar zijn zoon. Hij keek naar de kille blauwe ogen in het verwaande gezicht en voelde niets dan walging. 'We moeten praten,' zei hij zachtjes, terwijl de anderen om hen heen dromden om hem te bedanken, voordat ze samen met hun leugenachtige getuigen hun vrijlating zouden gaan vieren. 'Maar niet hier.' Hij keek naar de klok aan de muur. 'Kom over een uur bij me.'

Edward verloor iets van zijn verwaandheid toen hij antwoordde: 'Ik heb andere plannen.'

'Dan zeg je die af.'

'Tot uw orders.' Hij salueerde met een spottend gebrek aan respect en draaide zich om naar zijn vrienden.

Jonathans gezicht stond somber toen hij de onaangename waarheid onder ogen zag. De jongen was door zijn moeder zo verwend dat hij dacht dat hij zich ongestraft alles kon veroorloven. Maar nu wachtte hem een bijzonder koude douche. Hij zag hoe ze een fles cognac aan elkaar doorgaven toen ze vertrokken om hun overwinning in de stad te gaan vieren. Hij had hen het liefst met de zweep afgeranseld tot ze niet meer op hun benen konden staan.

Hij wachtte tot ze weg waren en hij hen ook niet meer kon horen voordat hij het gerechtsgebouw verliet. De zon scheen in zijn ogen en de hitte kwam hem tegemoet toen hij op de trap bleef staan en de straat afkeek. Afgezien van een jongen die op de hoek stond te lanterfanten en een dronken Aboriginal die in de goot lag te slapen, was er niemand te bekennen.

Hij slaakte een zucht van verlichting. Hij had vandaag al genoeg emoties te verwerken gekregen en zijn gewetenswroeging om het feit dat hij Susan en het meisje had bedrogen, was te sterk om hen nu onder ogen te kunnen komen. Maar dat zou hij doen, beloofde hij zichzelf plechtig, want er was geen gerechtigheid geschied; bovendien wilde hij zijn eigen verdriet enigszins verzachten door zowel Susan als Millicent te laten weten dat hij een geheel eigen vorm van gerechtigheid gepland had.

De tocht vanaf de Hawkesbury, 1 mei 1793

Ernest was nu al drie dagen onderweg. Hij liep op zijn blote voeten door het bos en wist dat hij er belachelijk uitzag in zijn lange ondergoed. Hij had geen idee hoe hij bij het huis van zijn ouders moest komen zonder gezien te worden, maar hij werd voortgedreven door zijn gedachten aan Millicent en aan wat zij allemaal moest doorstaan. Hij had zichzelf beloofd dat hij er zou zijn wanneer ze tot de ontdekking kwam dat ze hem nodig had en was vastbesloten zich aan die belofte te houden. Millicent was zijn grote liefde en zodra dit voorbij was, zou hij haar meenemen naar Hawks Head en ervoor zorgen dat niemand haar ooit nog kwaad deed.

Zijn gezicht versomberde toen hij aan de verkoolde ruïne van hun nieuwe huis dacht en aan de oogst die door de brand volledig vernietigd was. Een heel jaar werk was verloren gegaan. Ze moesten weer helemaal opnieuw beginnen, maar in de overheidswinkels konden ze nieuw gereedschap en zaden krijgen en een huis was snel gebouwd en ingericht. In het begin zou het leven erg zwaar zijn en er waren ongetwijfeld mensen die dachten dat ze het zouden opgeven, maar George en hij waren uit het goede hout gesneden en ook al kregen ze het de komende jaren nog zo moeilijk, het zou allemaal de moeite waard zijn zolang hij Millicent aan zijn zijde had.

In het bos, waar de bomen het licht filterden, insecten zoemden en de lucht was gevuld met vogelzang, was de moordende hitte iets beter te dragen. Ernest liep onverdroten door en stopte alleen bij de rivier om te drinken, het zweet van zich af te spoelen en zijn gezwollen enkel te laten afkoelen. Tegen de avond zou hij de lichtjes van Sydney Town moeten zien.

Het gerechtshof van Sydney Town, 1 mei 1793

Ezra zat op de bok van de koets te wachten in een steeg achter het gerechtshof. Met trillende handen hield hij de teugels vast en verwarde gedachten gingen door zijn hoofd terwijl hij zich afvroeg hoe het er binnen aan toeging. Zijn geloof was de afgelopen weken zwaar op de proef gesteld en hij had moeite zich erbij neer te leggen dat een barmhartige God een dergelijke wandaad tegenover een onschuldige jonge vrouw kon toestaan.

En hoe moest het met Florence? Zijn gebogen schouders en vele rimpels getuigden van zijn diepe wanhoop. Hij was een oude man wiens geloof tegelijk met de hele structuur van zijn gezin was vernietigd. Hij was tekortgeschoten tegenover zijn dochter, zijn vrouw, Millicent... en de kans dat hij nog iets kon goedmaken leek bijzonder klein. Het enige wat hij ooit had verlangd, was een hecht, liefhebbend gezin en de zekerheid dat Gods zegen op hen rustte, maar zijn dromen waren op wrede wijze verbrijzeld.

Hij schrok op uit zijn sombere gedachten toen de deur openging. Eén blik op Susans gezicht was voldoende en toen hij van de bok klom om zijn vrouw te helpen met Millicent, zond hij een zwijgende smeekbede tot God om medelijden met hen allen.

Government House, 1 mei 1793

Jonathan liep de straat uit naar de kleine woning die hij had gehuurd op het terrein van het Government House. Het was een keurig, comfortabel huis met aan de voorzijde een brede veranda, waar het midden op de dag aangenaam koel was. Een nog veel belangrijker voordeel was dat het hem in staat had gesteld de afgelopen dagen uit zicht te blijven, waardoor zijn verschijning in de rechtszaal het beoogde verrassingseffect had bereikt.

Hij gooide zijn hoed, wandelstok en tas op de slaapbank in de zitkamer en verzocht zijn bediende thee te zetten. Nadat hij zijn nette pak had verruild voor gemakkelijker kledij, ging hij op de veranda in een tuinstoel zitten.

Gouverneur Grose had hem voor het feest van vanmiddag uitgenodigd opdat hij kennis kon maken met de zogeheten belangrijke personages van de kolonie, maar hij had geen zin om oppervlakkige gesprekjes te voeren met mensen die hij niet kende en die hem niet interesseerden. Bovendien had hij dringender zaken aan zijn hoofd. Hij had de lange reis niet alleen maar gemaakt om die ellendige zoon van hem uit de nesten te halen. Zodra zijn gesprek met Edward achter de rug was, zou hij zijn plannen ten uitvoer brengen.

Hij dronk een kopje thee en keek zonder veel interesse naar de mensen die zich op het gazon aan de westzijde van het terrein hadden verzameld. Hij zag fleurige japonnen en parasols, rode uniformen, de weerkaatsing van het zonlicht op koperen knopen en gouden epauletten. Bedienden liepen bedrijvig af en aan met dienbladen en enkele opgewonden honden liepen iedereen voor de voeten. Voor het eerst die dag glimlachte hij. Ze deden hem denken aan de windhonden van Banks die ook altijd iedereen in de weg liepen.

De herinnering aan die reis bracht hem terug bij Susan. Nooit zou hij de uitdrukking op haar gezicht vergeten toen hij de vervalste brief tevoorschijn haalde, en hij zou het zichzelf nooit vergeven dat hij haar zo veel verdriet had gedaan. Dat had ze niet verdiend na alles wat ze voor elkaar betekend hadden en hij was vast van plan het goed te maken.

Hij staarde naar de kaleidoscoop van kleur in de verte. Wat Millicent aanging, hij had gedacht dat ze dood was. Dat kreng van een stiefmoeder van haar had hem nota bene een bericht gestuurd dat ze was overleden. Het was een enorme schok geweest toen hij had vernomen door wie zijn zoon werd aangeklaagd en onder welke omstandigheden het meisje hier terecht was gekomen.

'Vader?'

Hij schrok op. 'Je bent vroeg.'

'Om vier uur moet ik bij mijn meerdere komen,' zei Edward. Hij viel op een stoel neer en strekte zijn benen.

Jonathan bekeek hem. Zijn twintigjarige zoon was een knappe verschijning in zijn uniform, maar had een norse trek om zijn mond, net als zijn moeder, keek verwaand uit zijn ogen en had een arrogante houding. 'Het spijt me dat ik geen goede vader voor je ben geweest, Edward,' zei hij en hij zette het theekopje op de tafel tussen hen in. 'Als me de gelegenheid was geboden meer invloed uit te oefenen op je opvoeding, waren we misschien goede vrienden geworden en hadden de nare gebeurtenissen van vandaag vermeden kunnen worden.'

'U was nooit lang genoeg thuis om een vader te kunnen zijn,' zei Edward, die weer overeind kwam. 'En als u van plan bent een preek te gaan houden, ga ik liever terug naar mijn vrienden in de taveerne.'

'Je gaat zitten en blijft zitten tot ik zeg dat je mag gaan,' zei Jonathan streng. Hij stond eveneens op en hield de blik van zijn zoon vast.

'Ik ben geen kind meer. Ik ben luitenant in het Britse leger.' Edwards ogen schoten vuur en hij hield zijn vuisten gebald langs zijn lichaam terwijl een ader in zijn kaak zichtbaar klopte.

'Je bent een leugenaar, een dief en een verkrachter,' zei Jonathan botweg. 'Als ik niet verplicht was onze naam te beschermen, liet ik je geselen en in de gevangenis wegrotten.'

'Wat je noemt een liefhebbende vader,' schamperde Edward.

Jonathan wist dat de jongen probeerde hem op stang te jagen, maar hij was niet van plan daarop in te gaan, ook al jeukten zijn handen om hem een klap in zijn hooghartige smoel te geven. 'Het is je moeder die je ondergang in de hand heeft gewerkt,' zei hij. 'Ze heeft mij met haar giftige tong verdreven en het me daarmee onmogelijk gemaakt je te leren kennen. Ze heeft je verwend, aan al je eisen toegegeven en een onaangename, immorele nietsnut van je gemaakt.'

'Mijn moeder was een engel,' beet zijn zoon hem toe, terwijl hij rood aanliep van woede. 'Niet alleen rustten alle zorgen voor het landgoed en mijn opvoeding op haar schouders terwijl u over de wereld zwierf, ze moest zich ook al uw romances en de daaruit voortvloeiende roddelpraat laten welgevallen. Vanwege uw reputatie werd ze door iedereen met de nek aangekeken en leefde ze in ongenade. Geen wonder dat ze aan een gebroken hart is gestorven.'

'Een gebroken hart?' Hij snoof. 'Ze had helemaal geen hart.'

'Ik ga,' zei Edward op kille toon. 'We hebben elkaar toch niets te zeggen.'

Jonathan greep zijn arm vast. 'Je gaat wanneer ik het zeg,' baste hij. De geschrokken houding en het lijkbleke gezicht van zijn zoon lieten hem koud. 'Ik heb met je meerdere gesproken. We zijn het erover eens dat je vrienden en jij een schande zijn voor het regiment en dat het niet juist zou zijn als jullie in Sydney Town zouden blijven, ongeacht hoe de beslissing van de rechter zou luiden.'

Edward kneep zijn ogen tot spleetjes. 'Wat hebt u gedaan?'

Jonathan haalde zijn schouders op. '*Ik* heb niet veel gedaan,' zei hij. 'Maar jij hebt met je wangedrag een degradatie in de hand gewerkt en zult voor een periode van vijf jaar worden overgeplaatst naar de rivier de Brisbane, waar je niet meer zult zijn blootgesteld aan de vleespotten.'

'De Brisbane? Daar heb je alleen plunderende zwartjes en de jungle.' Hij likte aan zijn lippen en streek nerveus over zijn donkere haar. 'We zullen weigeren te gaan,' zei hij. 'Wij zijn vrijgesproken. We hebben geen misdaad gepleegd.'

'Dat hebben jullie wél, en dat weet je net zo goed als ik,' zei Jonathan bitter. 'Ik heb een schriftelijke verklaring bij een advocaat gedeponeerd. Als je naar Sydney Town terugkeert voordat de vijf jaar om zijn of als je ooit contact zoekt met een van beide vrouwen, zal die verklaring aan de rechtbank worden overhandigd.'

'Dat kunt u niet maken.' Edward keek hem met felle ogen aan. 'Dan wordt u zelf vervolgd wegens meineed.'

Jonathan ontspande zich, maar zijn glimlach had geen weerslag in zijn ogen. 'Ik hou wel van een gokje, Edward, en in dit geval heb ik alle troeven in handen. Ook al ben je nog zo'n etterbuil, in je hart ben je een lafaard. Daarom durf ik het risico wel te nemen.'

Aan de manier waarop Edward zijn vuisten balde en aan het kloppen van de ader onder de druppelvormige moedervlek op zijn slaap was te zien hoe gefrustreerd hij was. Nadat hij zijn vader lange tijd had aangestaard, draaide hij zich om en stormde de veranda af.

Jonathan keek hem na met een hart loodzwaar van spijt om het verlies van zijn zoon en om de jaren die ze samen hadden kunnen doorbrengen. In andere omstandigheden had Edward een heel prettige jongeman kunnen worden.

Diep in gedachten staarde hij voor zich uit. Hij was naar Australië gekomen met de bedoeling zich met zijn zoon te verzoenen, een streep onder het verleden te zetten en elkaar te leren kennen nu Emily dood was, maar dat was vóórdat hij deze kust had bereikt en te weten was gekomen dat Edward in snel tempo zijn ondergang tegemoet ging.

Jonathan maakte zich zorgen om de toekomst van zijn zoon. Edward had iemand met een sterk karakter nodig om hem op het rechte pad te houden, maar Jonathan wist dat híj die persoon niet kon zijn, niet na vandaag. Het was duidelijk dat Edward ingetoomd moest worden voor hij nog meer wandaden zou plegen en hopelijk zouden de jaren in de wildernis van Brisbane daaraan een steentje bijdragen. Maar Jonathan concludeerde met bezwaard gemoed dat de enige afdoende oplossing was een vrouw voor zijn zoon te zoeken.

Sydney Cove, 1 mei 1793

Millicent zocht naar Ernest toen de koets de hoek omsloeg. Ze had spijt gekregen van de manier waarop ze hem had behandeld en wist nu dat ze zich onrechtvaardig had gedragen en hem had gekwetst. Nu wilde ze hem weer zien, zich nogmaals net zo voelen als voorheen, ze wilde een bewijs dat hij had gemeend wat hij zei. Maar hij was nergens te bekennen, dus moest Millicent zich erbij neerleggen dat ze het enige goede in haar leven had vernietigd. Niet dat het iets uitmaakte: de Millicent die zo veel van hem had gehouden bestond niet meer.

Ze zat naast Susan toen Ezra het paard tot draf aanzette. Ze hoorde de zachte stem van haar vriendin, maar de woorden zeiden haar niets. Ze was zich bewust van kleuren, geluiden en bewegende voorwerpen buiten de beperkingen van de overdekte koets, maar ze zag niets. Het was alsof ze zich in een ruimte bevond waar niets bestond: ze had geen emoties meer over en de Millicent die ze ooit was geweest, was nu slechts een lege huls.

Susan en Ezra hielpen haar uitstappen en ze ging met hen mee naar binnen. Ze liet hun begaan toen ze haar gesluierde hoed afnamen en een beker warme melk voor haar neerzetten. Hun zachte stemmen gleden langs haar heen en ergens heel diep in haar bewustzijn wist ze dat ze haar op haar gemak probeerden te stellen, maar ze verlangde alleen maar naar stilte en eenzaamheid.

Toen het avond was geworden en ze eindelijk alleen op haar kamer was, ging ze aan het bureautje zitten om een brief aan Susan te schrijven. Ze schreef met hanenpoten en de grammatica en spelling waren die van een kind, want ze had niet erg lang op school gezeten, maar ze moest dit doen als ze ooit vrede hoopte te vinden en ze liet niets weg.

Toen ze klaar was, zette ze de brief rechtop tegen de lamp en legde haar dierbare verlovingsring ernaast. In haar nachtpon ging ze voor het raam staan en keek naar de lager gelegen stad. Ze waren daar ergens. Ze kon hun aanwezigheid bijna voelen in de donkere schaduwen, kon hun stemmen bijna horen. Ze beefde toen ze naar de bewegende lichtjes keek. Ze zouden haar weer vinden, haar opzoeken om wraak te nemen. Voor hen geen gevangenis van herinneringen, maar de vrijheid om te doen wat ze wilden in de wetenschap dat ze altijd beschermd zouden worden door leugens en onrecht.

Millicent pakte de onafgemaakte trouwjurk en trok hem aan. De stof gleed fluisterend over haar schouders en reikte tot op de grond, teer roomwit, met kleine roosjes van lint die op het lijfje gestikt waren en in de taille bijeenkwamen als een ruikertje. Ze kon niet bij de veters op haar rug, maar dat gaf niets.

Lange tijd staarde ze naar zichzelf in de spiegel, toen liep ze zachtjes het huis door. Het krukje stond op de veranda. Ze pakte het en dwaalde de tuin in.

Een eigenaardige kalmte nam bezit van haar toen ze naar de met sterren bezaaide lucht keek, naar de weerspiegeling van het maanlicht op het water en de zacht bewegende blaadjes aan de bomen. Haar voeten werden nat van de dauw en de zoom van haar prachtige jurk raakte doorweekt, maar daar lette ze niet op toen ze een stuk touw uit de schuur haalde en op het krukje klom dat ze onder de sterkste boom had neergezet.

Toen alles klaar was, keek ze nog één keer hunkerend naar het huis dat ze haar thuis had genoemd en stapte toen de eeuwigheid in.

Sydney Town, 3 mei 1793

Twee dagen na de rechtszaak bereikte Ernest de rand van de stad. Hij had gehoopt mee te kunnen liften op een wagen, maar er was helemaal niemand voorbijgekomen op de eenzame weg en te voet had hij er vijf dagen over gedaan. Via een omweg, teneinde niet in zijn smerige ondergoed gezien te worden, bereikte hij vlak na de dageraad het huis op de heuvel bij de rivier.

Het was er onheilspellend stil, de deuren en ramen zaten dicht en ook de luiken waren gesloten tegen de zon die zwakjes scheen in de half met donkere wolken bedekte hemel. Hij liep de twee treden op naar de nieuwe veranda. Aangezien de voordeur nooit op slot zat, kon hij zo naar binnen.

In het huis heerste een doodse stilte en er hing een vreemde, bijna zoete geur die hij niet herkende. In de keuken staarde hij naar de vuile borden op de tafel, de pannen in de gootsteen. Zijn moeder zou het huis nooit zo achterlaten. Er was iets mis. Hij kreeg een droge mond van angst en zijn hart ging sneller kloppen toen hij zich allerlei rampen inbeeldde. Hij liep van de ene naar de andere kamer, op zoek naar iemand die hem kon geruststellen, maar de stilte spotte met hem en toen duidelijk was dat er niemand thuis was, greep hij een paar schoenen, een overhemd en een broek die zijn moeder in haar naaikamer had laten liggen. Hij moest Millicent gaan zoeken.

Hij waste zich snel, pakte wat brood en kaas en liep met nat haar weer naar buiten. Daar bleef hij aarzelend staan, niet wetende waar hij moest beginnen. Millicent moest samen met zijn ouders ergens naartoe zijn gegaan, maar waar konden ze zijn op de vroege zaterdagochtend? Hij dacht na en holde toen de heuvel af naar de stad. Alle kans dat zijn vader in de kerk was om de dienst van morgen voor te bereiden.

De zon kroop weg achter de dikke wolkenlaag en uit zee waaide een kille wind. Toen Ernest zich een weg zocht over de drukke kade en door de smalle straten, voelde hij de eerste regendruppels. Steeds sneller en harder vielen de druppels tot hij helemaal doorweekt was, zijn overhemd als een tweede huid aan hem plakte en zijn broek om zijn benen slobberde, maar hij had er amper erg in hoe onaangenaam dat was toen hij op de kerk af liep. Hij wilde zijn meisje zien en zich ervan verzekeren dat alles in orde was met haar.

De muren van de kerk rezen voor hem op, de donkerrode bakstenen glanzend van de regen. Hij wilde net de zware eikenhouten deur openduwen toen hij vanuit zijn ooghoek iets zag. Hij tuurde door het regengordijn en zag een groepje mensen, weggedoken onder paraplu's, aan de andere kant van de omheining van het kerkhof, op het terrein waar geëxecuteerde gevangenen en zelfmoordenaars werden begraven, voor eeuwig verdoemd tot een plek buiten de gewijde grond.

Hij huiverde en wilde zich alweer afwenden toen het tot hem doordrong dat de rouwenden hem bekend voorkwamen. Zijn hart begon zo te bonken dat hij nauwelijks kon ademhalen toen hij door de plassen waadde. Zijn handen waren verdoofd van de kou toen hij moeizaam de klink van het hek lichtte, maar hij hield zijn ogen gericht op de vrouw.

'Moeder?' Het was een fluistering, verloren in de regen, overstemd door de donderslag boven hun hoofden.

Susan liep naar hem toe en pakte zijn handen. Haar gezicht was wit van verdriet, haar ogen donker van innerlijke kwellingen. 'Ernest,' zei ze zachtjes, 'mijn lieve jongen. Het spijt me. Het spijt me verschrikkelijk. We hebben een boodschapper naar je toe gestuurd, maar jullie zijn elkaar blijkbaar misgelopen.'

Ernest keek over haar hoofd heen, zoekend naar Millicent. Zijn blik bleef rusten op zijn vader en toen hij de rimpels van verdriet zag, wist hij dat hij haar niet zou vinden. Hij liet zijn moeder staan en liep naar het graf.

Het gat leek erg diep en er stond al een laagje water in. De doodskist lag erin met alleen wat verregende rozen als gezelschap. Hij viel op zijn knieën neer in de modder en zijn tranen mengden zich met de regendruppels toen hij probeerde te bevatten wat er was gebeurd. 'Millicent?' snikte hij. 'Waarom, Millie? Ik hou van je, ik zal altijd van je houden – laat me niet alleen. Laat me alsjeblieft niet alleen.'

'Ze is er niet meer, lieverd,' zei Susan, die naast hem knielde en haar arm om zijn schouders sloeg. 'Ze kon niet langer blijven.'

Dominee Johnson schraapte zijn keel en vervolgde de dienst terwijl zijn vrouw een paraplu boven moeder en zoon hield. Ezra stond met een grauw gezicht en doffe ogen bij het graf, zijn geloof kapot, zijn verdriet zo ondraaglijk dat hij niets meer in zich had om zijn vrouw en zoon te troosten.

23

Sydney Town, augustus 1793

In de drie maanden na de begrafenis van Millicent werd de sfeer in huis er niet beter op. Ernest was nog steeds woedend op de Cadwalladers en om het onrecht dat zijn onschuldige bruid noodlottig was geworden. Ezra liep rond als een schaduw van zichzelf, en zijn zwijgende, innerlijke strijd tegen het verlies van zijn geloof in God was duidelijk op zijn gekwelde gezicht te lezen. George was op de dag van de begrafenis een paar uur na zijn aankomst alweer teruggekeerd naar Hawks Head, omdat hij de sombere stemming en de stilte niet kon verdragen.

Susan keek uit over het water dat als een groene glasplaat in de baai lag. Ze was nog steeds van streek nu ze gedwongen was geweest een aantal onverteerbare waarheden onder ogen te zien. Ze vroeg zich af of haar gezin zich ooit zou kunnen herstellen van de leugens en het bedrog waaronder het al die jaren had geleden en die bijna hun ondergang waren geworden.

Met een diepe zucht dacht ze eraan terug hoe Ernest ieder detail had willen horen over de rechtszaak die tot Millicents zelfmoord had geleid. Ezra wist het al, want ze had het hem verteld zodra ze op die afschuwelijke avond alleen waren, maar toen ze al haar moed bijeen raapte en haar zoon over het *billet-doux* vertelde dat ze Jonathan al die jaren geleden had gestuurd, zag ze in de ogen van haar man opnieuw hoeveel verdriet hij had.

Ze had het verschrikkelijk gevonden, maar het onderwerp kon niet worden gemeden: de brief aan haar minnaar was het keerpunt geweest in de rechtszaak en zou ongetwijfeld vele roddeltongen in werking zetten. Het was beter dat hij het van haar hoorde, ook als de onthulling haar gezin, of wat ervan over was, helemaal kapot zou maken. Het verwijt in de ogen van Ernest was een bittere straf en ze wist dat hij haar niet snel zou vergeven.

Nu had ze geen tranen meer. Haar echtgenoot was net zo uitgeput en moedeloos als zij en haar zoon meed haar. Ze zou lang en hard moeten vechten om haar gezin uit deze impasse te halen, daar maakte ze zich geen illusies over, maar ze zóu ervoor vechten, want ze hadden haar nu harder nodig dan ooit, ook al voelden ze dat zelf niet.

Met droge ogen staarde ze naar de overkant van het water terwijl haar vingers in de zak van haar schort naar het velletje papier tastten. De laatste brief van Millicent had de last die op haar drukte nog zwaarder gemaakt en haar vastberadenheid aan het wankelen gebracht. Het meisje bleek niet het onschuldige slachtoffer te zijn geweest waarin Ernest geloofde, maar ze was niet van plan hem zijn illusies te ontnemen. Ze dankte God dat zíj degene was die het briefje had gevonden, want ze kon zich wel voorstellen hoeveel schade het zou hebben aangericht als het Ezra of Ernest onder ogen was gekomen.

Ze trok de brief uit haar zak. Ze zou hem nog één keer lezen en hem dan vernietigen. Het handschrift was moeilijk te ontcijferen en de grammatica rammelde, maar de inhoud was zonneklaar en wekte nog steeds bittere gevoelens in haar op. Haar hand trilde toen ze het papier gladstreek. Na een snelle blik om zich heen of er niemand keek, begon ze te lezen.

Mag ik je nog steeds vriendin noemen, Susan?

Of heb je me in huis genomen wegens een verwrongen verantwoordelijkheidsgevoel toen je wist wie ik was? Florence heeft me verteld over je verhouding met de graaf. Ik wilde niet geloven dat je Ezra kon bedriegen, maar het verklaart waarom Florence zo bitter is en waarom je me in huis hebt genomen.

Maar ik moet iets bekennen. Ik heb gelogen tegen jou en anderen.

Ik en John Pardoe waren geliefden. We hebben de graaf stomdronken onder een boom gevonden en John heeft hem naar huis gedragen. Toen ik erachter kwam dat ik in verwachting was, wilde John Pardoe er niets mee te maken hebben. Hij heeft snel een andere baan genomen op een landgoed in Devon. Ik wist dat ik ontslagen zou worden wanneer bekend werd dat ik zwanger was en dat mijn stiefmoeder me nooit terug zou nemen. Ik heb iets vreselijks gedaan, Susan. Ik heb de graaf ervan beschuldigd, op de gok dat hij zich niets zou herinneren van de avond dat we hem hebben gevonden. Ik wist niet hoeveel eergevoel hij had en ben niet trots op wat ik heb gedaan. Maar ik moest geld hebben om in leven te kunnen blijven. De graaf is zo goed geweest me twee guinjes te geven en ik begrijp niet waarom hij in de rechtszaal heeft gezegd dat ik ze had gestolen. Ik wilde het verhaal van Florence over jou en hem niet geloven, omdat zij iemand is die de waarheid verdraait. Maar ik ben bang dat ze dat ditmaal niet heeft gedaan. Ik wou dat je het eerlijk had gezegd, Susan, want ik voelde me heel prettig en gelukkig bij jou en Ezra. Je hebt me een thuis gegeven, met liefde en warmte, en daarvoor dank ik je.

Vergeef me alsjeblieft dat ik heb gelogen, net zoals ik jou vergeef.

Wanneer je dit leest, ben ik er niet meer. Zeg tegen Ernest dat ik van hem hou en dat het me spijt, maar ik kan het leven niet meer aan.

Millicent

Ondanks het feit dat het een warme dag was, huiverde Susan. Ze begon de brief te verscheuren. Ze waren allen verstrikt geraakt in een web van leugens en haar beoordelingsvermogen was erdoor uit balans geraakt. Ze haalde diep adem en kneep de snippers fijn in haar vuist. Florence was naar het noorden getrokken met een groep missionarissen. Ze wou dat ze met haar kon praten, alles kon uitleggen. Alleen dan kon ze proberen de breuk tussen hen te herstellen. Ze wou dat ze Jonathan kon vertellen dat ze er spijt van had dat ze aan hem had getwijfeld; dat ze de roddelpraat van Florence en de leugens van Millicent had geloofd en hem klakkeloos had veroordeeld.

Ze beschermde haar ogen tegen de schittering van het water, vastberaden niet te gaan huilen. Dit alles was evengoed geen excuus voor het feit dat hij haar goede naam te grabbel had gegooid en de liefde die ze ooit hadden gedeeld met opzet had vernietigd, met alle gevolgen van dien voor haar man en zonen. Dat zou ze hem nooit vergeven.

Het was haar droef te moede. Vanwege één enkele leugen was Millicent naar Australië gestuurd en in hun leven terechtgekomen. 'Geheimen en leugens,' mompelde ze. 'Hoe sterk zijn ze verbonden – hoe geniepig is hun kwaad.'

In de daaropvolgende dagen verrichtte ze haar taken als een slaapwandelaar. Het huis was zo stil, zo gevuld met droefenis en herinneringen dat het bijna ondraaglijk was. Er kwam niemand op bezoek, zelfs dominee Johnson niet, en zelf waagden ze zich nog steeds niet ver van huis, alhoewel de roddelpraat nu onderhand wel gezakt moest zijn. Aan het einde van de zoveelste lange dag wist ze dat het zo niet kon doorgaan.

Ernest was buiten hout aan het hakken met een energie die de woede die nog steeds fel in hem brandde, helaas nog altijd niet kon blussen. Ezra zat op de veranda met de Bijbel op zijn schoot, zijn nietsziende blik gericht op een punt in de verte.

'Dit kan zo niet doorgaan,' zei ze toen ze de hordeur achter zich had dichtgedaan. 'We moeten orde op zaken stellen en gaan nadenken over veranderingen.'

Ernest ramde het blad van de bijl diep in een blok hout en veegde met zijn mouw het zweet van zijn gezicht. 'Er is hier anders al genoeg veranderd,' mompelde hij, terwijl hij zoals gewoonlijk haar blik meed.

Susan keek steun zoekend naar haar man, maar die was verzonken in zijn eigen wereld. 'Ernest, je moet je boerderij opnieuw opbouwen en je bent het niet alleen je broer maar ook jezelf verschuldigd om daar nu eens mee te beginnen.'

Ernest dronk een paar grote slokken water en trok de bijl uit het hout. 'George kan dat zonder mij ook wel.'

Susans geduld was op. 'Nietwaar.' Ze daalde het trapje van de veranda af en bleef vlak bij haar zoon staan zonder zich iets aan te trekken van de rondvliegende splinters en de gevaarlijke bijl. 'Jij bent niet de enige die in de rouw is, Ernest, en het wordt tijd dat je beseft hoezeer je vader hieronder te lijden heeft.'

Ernest wierp een blik op Ezra en ging door met hakken. 'U bent wel een beetje laat met uw zorgen om hem,' snauwde hij.

'Je vader heeft me allang vergeven, Ernest,' zei ze, 'en ik sta niet toe dat je je woede op mij botviert. Hij heeft ons nodig, ons allebei. Niemand is ermee geholpen als we ruziemaken.'

Zijn schouders zakten en hij liet zijn hoofd hangen. Toen sloeg hij de bijl weer in het hout en richtte zich op. 'Dat weet ik,' zei hij. 'Maar wat kan ik eraan doen?'

Susan vroeg zich af waarom het zo veel pijn deed om van iemand te houden. Het was een pijn die haar nooit losliet, maar een last die ze bereid was te dragen als ze daarmee zijn lijden kon verlichten. 'Hij moet hier weg,' zei ze zachtjes. 'We moeten hier allemaal weg.'

Ernest hief zijn hoofd op. In zijn ogen blonken onvergoten tranen. 'Maar waar naartoe?'

'Naar Hawks Head Farm,' zei ze.

'Daar hebben we niets.'

'Hier hebben we ook niets.'

Lange tijd bleef het stil terwijl Ernest haar aanstaarde. 'Vader is te oud om een nieuw begin te maken en het binnenland is zo ruig dat het niet geschikt is voor een vrouw.'

'Ik heb hier tot nu toe alles overleefd,' antwoordde ze. 'De eerste jaren hadden we alleen maar een tent en strozakken. Daar ben ik ook niet aan doodgegaan.' Ze zag de vonk van begrip in zijn ogen, deed een stap naar hem toe en legde haar hand op zijn gespierde arm. 'Voor je vader is het leven hier voorbij,' zei ze op een bedaarde toon. 'De kerk biedt hem niet langer de troost die hij nodig heeft, en het gebed evenmin. Zijn geloof in God is kapot, Ernest, en hij dwaalt rond in een wildernis waartoe ik geen toegang heb.' Ze keek over haar schouder naar haar zwijgende, starende echtgenoot. 'Ik ben bang dat hij krankzinnig zal worden, Ernest. Hij moet hier weg.'

'Maar Hawks Head Farm is geen geschikte plek voor u,' bracht hij ertegenin. 'De zwartjes zullen ongetwijfeld nogmaals toeslaan en de brand heeft alles verwoest. Ook het huis.'

'Je weet net zo goed als ik dat we in de overheidswinkels alles kunnen krijgen wat we nodig hebben,' zei ze fel. 'Waarom wil je niet terug?'

Zijn ogen gaven het antwoord.

'We moeten leren iedere dag te nemen zoals hij komt,' zei ze zachtjes. Verdrietig keek ze haar zoon aan. 'De plannen die je had gemaakt, moet je vergeten, maar dat wil niet zeggen dat Millicent niet in je herinnering kan blijven leven.' Ze slikte het brok in haar keel weg, vastbesloten haar zoon nieuwe hoop te geven, ook al wekten haar woorden in haarzelf niets dan bitterheid op. 'Ze zal altijd bij ons horen,' wist ze uit te brengen.

'Maar...'

'Geen gemaar,' zei ze ferm, om de golf van emoties die haar dreigde te overweldigen op een veilige afstand te houden. 'We gaan vandaag nog naar de overheidswinkels om alles te bestellen wat we de komende zes maanden nodig hebben. Maak maar een lijst.'

Ze liet hem staan en keerde terug naar Ezra. Hij zat nog steeds in zijn stoel, starend in het niets. Ze kuste zijn gegroefde voorhoofd en streek het dun wordende grijze haar naar achteren. 'Ik zal voor je zorgen,' fluisterde ze.

Zijn donkere ogen bleven gericht op een punt in de verte en ze had geen idee of hij zich van haar aanwezigheid bewust was. Met een zucht ging ze weer naar binnen. Er was werk aan de winkel en werken was de enige manier om aan haar gedachten te ontvluchten.

In de weken na hun besluit te vertrekken, was er in Ernest een subtiele verandering merkbaar. Hij liep met lichtere tred en zijn ogen waren niet meer zo dof toen hij gereedschap, vee en zaden ging bestellen. Ze wou dat ze hetzelfde kon zeggen van Ezra, dacht Susan bedroefd, toen ze een ogenblik uitrustte om op adem te komen. Hij bleef een stille, eenzame gedaante in de stoel op de veranda, verzonken in zijn gedachten, zich onbewust van de drukte om hem heen. Ze bad tot God dat de verhuizing naar Hawks Head Farm hem in staat zou stellen te genezen, het leven op een andere wijze te benaderen en het geloof, dat zo belangrijk voor hem was, opnieuw te ontdekken.

'Moeder!'

Susan draaide zich met een ruk om en lachte, voor het eerst in maanden, toen ze de knappe jongeman zag die van zijn steigerende paard sprong. 'George!' Ze snelde het trapje af, stortte zich in zijn sterke armen en werd in de rondte gezwaaid tot ze buiten adem was van het lachen. George had nog niets van zijn jeugdige uitbundigheid verloren, ook al was hij bijna negentien. 'Zet me neer,' hijgde ze. 'Het geeft geen pas om je moeder zo te behandelen.'

George zette haar neer maar hield haar handen vast. 'Hoe is het met iedereen?' vroeg hij, voor zijn doen heel ernstig.

Ze deed hem in het kort verslag en omhelsde hem toen. Hij was lang geworden, zag ze, lang, robuust en sterk van al het werk op de boerderij. En wat was hij knap, met zijn dikke, bruine haar, zijn snor en zijn pretogen. Geen wonder dat alle meisjes van Sydney Town achter hem aan liepen wanneer hij uit de jungle tevoorschijn kwam. 'Ik ben zo blij dat je er bent,' zei ze. 'Wat zal je vader dat fijn vinden.'

'Waar is Ernie?'

'Naar de stad voor nog wat laatste inkopen.' Susan keek lachend naar hem op. 'We komen allemaal naar Hawks Head,' legde ze uit. 'We gaan helemaal opnieuw beginnen en je broer kan nieuwe uitdagingen goed gebruiken.'

George streek over zijn snor en lachte. 'We hebben de afgelopen drie maanden keihard gewerkt,' vertelde hij, 'en het huis is bijna klaar. Maar ik ben blij dat er eindelijk iemand komt die kan koken. Ik ben zo mager als een lat geworden!'

Glimlachend keek ze naar zijn brede borst en schouders.

George lachte en vertelde haar toen wat de reden van zijn bezoek was. 'Ik heb nieuws waar vader misschien van zal opvrolijken,' zei hij en hij stak zijn hand in de binnenzak van zijn jas. 'Dominee Johnson heeft me verzocht hem dit te geven.'

Susan las de brief. Het was een uitnodiging voor een gesprek met gouverneur Grose, bij Johnson thuis, inzake de oprichting van een missiepost aan de rivier de Hawkesbury. Richard Johnson moest helderziend zijn, dacht ze. Hoe wist hij anders dat ze van plan waren daar te gaan wonen?

Ze keek naar haar man, die zich niet bewust leek te zijn van wat er rondom hem gebeurde. Misschien was dit de oplossing, deze kans om opnieuw te beginnen, deze nieuwe uitdaging. Maar zou hij het doen? 'Je ziet zelf hoe hij eraan toe is,' zei ze verslagen tegen George. 'Ik weet niet of hij het kan opbrengen en of hij er nog wel in gelooft.'

George kuste haar wang. 'Laat dat maar aan mij over, moeder,' zei hij. 'Voor u het weet staat hij te popelen om de handen uit de mouwen te steken.'

Susan keek hem na toen hij het grasveld overstak met de slingerende pas van iemand die het grootste deel van zijn tijd in het zadel doorbrengt en onwillekeurig vergeleek ze de vader en zoon toen ze bij elkaar op de veranda zaten. George was net zo lang als zijn vader, maar dat was ook alles, want in tegenstelling tot de uitgebluste, verslagen Ezra, barstte George van de energie en straalde hij een levenslust uit die doordrong tot in haar eigen ziel.

Wat fijn dat hij er is, dacht ze glimlachend. Zijn aanwezigheid gaf haar nieuwe moed en zou ongetwijfeld ook zijn vader weer tot leven wekken. De stemming was nu al luchtiger en ze had eindelijk weer zin in de toekomst.

Lowitja was een vaste bezoekster geworden en bracht altijd haar jongste kinderen en kleinkinderen mee om op het gras te spelen en het heerlijke voedsel te eten dat hun steevast werd aangeboden. Ze wist dat ze niets te vrezen hadden van deze witte vrouw. Ze vond het nog steeds moeilijk om met haar te praten, maar ze had voldoende woorden van de vreemde taal geleerd om zich te kunnen redden.

Nu stond ze in haar eentje tussen de bomen te kijken naar de drukte in de tuin. Ze herkende de tekenen en wist dat Susan en haar gezin binnenkort zouden vertrekken. Lowitja zag haar vriendin bedrijvig in- en uitlopen en was blij dat ze nieuwe geestkracht had gevonden, want ze had gezien hoe verdrietig ze was geweest en hoe haar pas was vertraagd nadat het meisje aan de boom had gehangen.

Lowitja hurkte in de koele schaduw en dacht terug aan de nacht, vele manen geleden, toen ze na de jacht hierheen was gekomen. Ze had voetstappen gehoord en het ruisen van gras alsof iemand in de duisternis kwam aangelopen, en ze was angstig blijven staan. Toen ze zag wie er over het gras schreed, zoals de maangodin die de westenwind tegemoet ging, had ze zich dieper in de schaduw teruggetrokken en nieuwsgierig afgewacht wat het witte meisje ging doen.

Lowitja herinnerde zich het krakende geluid van de dikke liaan om de tak en de eigenaardige stilte nadat de liaan rond de bleke hals was strakgetrokken. Ze had geprobeerd te doorgronden wat voor eigenaardig spel het was alvorens uit de duisternis tevoorschijn te komen. Uiteindelijk was ze tegenover het levenloze figuurtje gaan staan en had ze haar best gedaan het te begrijpen, maar het was haar bevattingsvermogen te boven gegaan. Ze had zich omgedraaid en was verward teruggekeerd naar het kamp.

Nu keek ze naar de drukte in de tuin en zag ze Susan naar haar man en zonen zwaaien toen die de heuvel af liepen naar de stad. Ze wachtte tot ze uit het zicht verdwenen waren voordat ze uit haar schuilplaats kwam, want ze was nog steeds een beetje bang voor de witte mannen, ook al hadden die haar nooit kwaad gedaan.

'Susan,' zei ze zachtjes toen ze bij haar kwam staan.

Susans gezicht klaarde op toen ze haar zag.

'Susan mannen mee,' begon ze. 'Susan ver weg.'

Susan knikte. 'Ja,' antwoordde ze. 'We vertrekken morgen naar Hawkesbury. Ezra heeft ermee ingestemd een missiepost te stichten aan de rivier en we gaan bij onze zonen wonen op hun boerderij.'

Lowitja begreep hier niet veel van, alleen dat ze gelijk had wat hun vertrek betrof, maar ze had zelf ook nieuws en dat was de reden waarom ze was gekomen. 'Lowitja naar Meeaan-jin.' Ze wees naar het noorden. 'Naar Meeaan-jin,' zei ze nogmaals om het te benadrukken. 'Geen witte mannen in Meeaan-jin – goed voor volk Lowitja.'

Susan fronste haar wenkbrauwen en probeerde het onbekende woord na te zeggen. 'Meeaan-jin? Daar heb ik nog nooit van gehoord. Waar is dat?'

Weer wees Lowitja naar het noorden en prikte met haar magere vinger in de lucht om duidelijk te maken wat ze bedoelde. 'Turrbalstam. Meeaan-jin. Groot rivie. Goed jagen.'

'Ik denk dat je Brisbane bedoelt,' zei Susan.

Lowitja stampvoette. Ze wist niet dat Brisbane de naam was die de blanken gebruikten voor Meeaan-jin. 'Meeaan-jin!' riep ze.

Susan lachte. 'Het maakt niet uit,' zei ze. 'We gaan allebei weg en zullen elkaar waarschijnlijk nooit meer zien. Het is elders vast en zeker veiliger voor jou en je familie, dus ben ik blij dat je gaat.'

Ze pakte Lowitja's hand. 'Ik zal jou en je kinderen missen. Het ga je goed, Lowitja.'

Lowitja begreep wat ze bedoelde, ook al verstond ze de woorden niet. Ze greep de hand van de witte vrouw en lachte naar haar. 'Mogen de oergeesten je beschermen.' Ze sprak de oude zegening uit in haar eigen taal, maar twijfelde er niet aan dat Susan begreep wat ze bedoelde.

Nog een ogenblik keken ze elkaar aan, toen liet Lowitja haar handen los en liep zonder om te kijken terug naar haar kamp in het bos. De stam zou morgenochtend vroeg vertrekken en ze had nog veel te doen. De oergeesten leken tot rust te zijn gekomen en Garnday had haar gezegend om haar grote wijsheid in deze moeilijke tijden, want zij was degene die in een droom aan Lowitja was verschenen en had gezegd dat ze hun heilige Droomplaats moesten verlaten om te vertrekken naar het land van de Turrbal en de Honingbijdroom.

Tahiti, augustus 1793

Tahamma staarde zijn vrouw lange tijd aan en keek toen naar de dolk die ze hem had gegeven. Hij was vijf maanden van huis geweest en hoewel het parelduiken zeer geslaagd was geweest, was hij blij dat hij weer thuis was. Haar welkomstgeschenk was aardig om te zien, al was het lemmet gevlekt en raakte het gekleurde glas hier en daar al los van het heft. 'Wat heb je hiervoor in ruil gegeven?' vroeg hij.

Solanni's gezicht betrok. 'Vind je het niet mooi?'

Tahamma stak de dolk weer in de schacht en woog hem op zijn hand. 'Als ik probeer hiermee vis schoon te maken of oesters te openen, valt hij zo uit elkaar,' antwoordde hij. Hij bleef naar haar kijken en zag dat ze zijn ogen meed, en dat baarde hem zorgen. 'Hoe kom je eraan?'

'Van de handelaars op het strand,' mompelde ze. Ze tilde hun jongste kind op en begon met zijn haar te spelen.

Tahamma bekeek haar scherp en voelde zijn achterdocht groeien. Met twee stappen liep hij naar de hoek van de hut en begon in het zand te graven. Tot zijn opluchting zag hij dat de tinnen doos er nog begraven lag. Maar toen hij hem opendeed, zag hij dat hij leeg was. Hij draaide zich om naar Solanni. 'Waar is het horloge?' Zijn stem klonk angstaanjagend kalm.

Solanni likte aan haar lippen. 'Ik... ik...' Ze zweeg.

Hij pakte haar kin en dwong haar hem aan te kijken. 'Je hebt het geruild voor het mes.' Hij sprak op een afgemeten toon, met ingehouden woede.

Ze knikte en een traan rolde over haar wang. 'Aan het mes heb je tenminste iets,' riep ze wanhopig. 'Dat oude ding lag alleen maar in dat doosje en je deed er nooit iets mee. Ik dacht dat je het niet erg zou vinden.'

'Natuurlijk vind ik het erg!' bulderde hij. Hij smeet het lege doosje door de hut. 'Je had niet het recht het weg te geven.' Opeens besefte hij dat hij de kinderen aan het huilen maakte met zijn woedende gedrag en hij liet zijn stem dalen. 'De laatste wens van mijn moeder, op haar sterfbed, was dat ik het zuinig zou bewaren,' zei hij op een ingehouden, woedende toon. 'Mijn tante is erom vermoord – en nu heb jij het geruild voor een waardeloos blikken mes.'

Solanni keek zwijgend naar hem op. Tranen gleden over haar gezicht.

'Dat horloge was het enige aandenken aan mijn dode moeder en de man die me heeft verwekt. Mijn tante had een heilige eed gezworen dat ze het voor me zou beschermen en ik heb een heilige belofte aan de geest van mijn moeder gedaan dat ik het zou bewaren voor onze kinderen en hun kinderen en alle toekomstige generaties van ons bloed.'

'Het spijt me, Tahamma,' snikte ze. 'Dat had ik niet begrepen.'

Hij bekeek haar vol walging. 'Ik heb het je uitgelegd op de vooravond van ons huwelijk, maar mijn familietradities interesseerden je blijkbaar niet genoeg om ernaar te luisteren.' Hij gooide de dolk in het zand. 'Verlaat mijn hut,' zei hij op een kille toon.

'Waar moet ik dan naartoe gaan?' Met paniek in haar ogen stak ze haar handen naar hem uit. 'Stuur me alsjeblieft niet weg, echtgenoot.'

Tahamma bleef stram staan, onaangedaan door haar smeekbeden. 'Je hebt je zusters en je ouders. Ga maar naar hen,' zei hij. 'Als ik je dit ooit kan vergeven, laat ik het je wel weten.'

Hij maakte geen aanstalten om haar te helpen toen ze haar weinige bezittingen bij elkaar pakte en met de kinderen het zonlicht in liep. Het zou lang duren voordat hij haar zou kunnen vergeven en zelfs dan zou hij nooit kunnen vergeten dat ze alles wat voor hem heilig was geweest, had verkwanseld. De wetenschap dat hij het enige voorwerp dat hij van zijn dode moeder had gehad, voor altijd kwijt was, en dat zijn heilige eed was geschonden, maakte hem ziek van verdriet.

Sydney Cove, augustus 1793

Susan keek Lowitja na tot ze tussen de bomen was verdwenen en liep met een zucht naar binnen om een sjaal te pakken. Ezra en de jongens waren de stad in gegaan voor een laatste bespreking met Richard Johnson en voor het eerst in maanden was ze alleen. De koelte van de naderende schemering voelde prettig aan na de drukkende hitte en de roep van de zee was te groot om te negeren. Ze besloot een wandeling over het strand te maken om een beetje uit te waaien en afscheid te nemen van de plaats die haar zowel troost als verdriet had gebracht.

Het strand lag er verlaten bij en in het zand stonden geen voetafdrukken. Toen Susan op de met helm begroeide duin stond, zag ze opeens glashelder in wat de blanken Lowitja en haar volk hadden aangedaan. Dit oude land was sinds het begin der tijden onaangetast gebleven tot de Eerste Vloot was gearriveerd. Nu werd de stilte niet alleen verbroken door vogelzang en de liederen van de Aboriginals, maar ook door de slagen van bijlen en hamers, de zwiepende klappen van de zweep en de knallen van geweerschoten. Dood en verderf waren doorgedrongen tot dit zuidelijke paradijs. Geen wonder dat Lowitja wegging.

Met enige schroom daalde ze het duin af en toen ze langs het water liep, keek ze achterom. Haar voetafdrukken gaven aan waar ze had gelopen, maar zouden straks door de vloed weggespoeld worden en dan was niet eens meer te zien dat ze hier was geweest. Dat vond ze een prettige gedachte. Ze tilde haar rok wat op en liep in een sneller tempo verder, genietend van de zeewind en de vrijheid van het alleen zijn zonder eenzaam te zijn.

Ze snoof de schone, zilte lucht op en keek naar een groep felgekleurde papegaaien die krijsend ruziemaakten in de gele acaciabomen die zich over het strand bogen. Ze glimlachte om hun gekrakeel, klapte in haar handen en lachte hardop toen ze met een wirwar van fladderende vleugels opvlogen. Nu kon ze de zachte zang van de fluitvogels horen en de *kurrawongs*, zoals Lowitja ze noemde, die veel mooier kwinkeleerden dan de zangvogels die ze kende van Cornwall.

Ze liep door en dacht na over de gebeurtenissen van de afgelopen maanden, terwijl ze werd omgeven door de bedwelmende geuren van de acacia's en eucalyptussen. De ogen van Ezra hadden weer glans gekregen nu hij zich ervan verzekerd wist dat zijn God hem niet had verlaten en hem zelfs nodig had om een missiepost te stichten. Dat had ze te danken aan dominee Johnson en ook aan George, die erin was geslaagd zijn vader uit zijn lethargie te halen en hem duidelijk te maken hoeveel ze allemaal van hem hielden en hoe hard ze hem nodig hadden.

Susan glimlachte toen ze aan zijn geestdriftige toekomstplannen dacht. Zonder vrouwen om mee te praten zou het eenzaam zijn op Hawks Head, maar dat zou worden vergoed door het gezelschap van Ezra en haar zonen.

Ze zuchtte toen ze aan Florence dacht. Ze hadden niets van haar vernomen sinds ze naar de missiepost in het noorden was vertrokken. Ze hoopte dat ze ooit zou terugkeren naar haar familie opdat het genezingsproces zou kunnen beginnen en nieuw begrip kon worden gekweekt.

Ze bette haar voorhoofd met haar zakdoek. Ondanks de bries had ze het warm gekregen van het lopen. Op haar eenenveertigste zou ze niet meer zo hard moeten lopen, laat staan op een afgelegen strand, maar oude gewoonten schud je niet zo makkelijk af en als ze in Cornwall was geweest, zou ze niet eens geaarzeld hebben. Haar gezicht betrok. Ze was eigenlijk te oud voor de komende verhuizing en alle daaraan gepaard gaande veranderingen. Ze had niet geweten dat het leven zo zwaar kon zijn – in ieder geval niet toen ze in Mousehole op de kade had gewerkt – en de voortdurende strijd om hier het hoofd boven water te houden, had zijn tol geëist. Ze was moe en kon wel huilen bij de gedachte dat ze nu weer helemaal opnieuw moest beginnen.

Ze wilde zich net omdraaien om terug te gaan toen ze hem zag. Hij stond op het duin naar haar te kijken en toen hun ogen elkaar vonden, steeg hij van zijn paard en kwam met onzekere passen naar haar toe.

Ze bleef met bonkend hart staan en voelde een blos naar haar wangen stijgen.

'Susan.'

Ze gaf hem een klap in zijn gezicht. Een klinkende klap die rode strepen achterliet op zijn wang.

Jonathans ogen werden donker, maar hij gaf geen krimp.

Susan sloeg hem nogmaals. 'Ellendeling! Waarom heb je die vuile streek uitgehaald? Waarom heb je me in de rechtszaal door het slijk gehaald? Waarom heb je gelogen, me bedrogen en onze intieme geheimen zomaar prijsgegeven?' Ze huilde nu met wilde snikken terwijl ze met haar vuisten op zijn borst sloeg. 'Je hebt alles kapotgemaakt.'

Hij bleef als uit steen gehouwen voor haar staan.

'Ik vergeef het je nooit,' snikte ze. 'Nooit.'

Toen ze was uitgeraasd pakte hij haar vuisten en hield ze vast. 'Ik verdien iedere straf die je voor me bedenkt,' zei hij zachtjes, 'maar onthoud me je vergiffenis niet, Susan. Dan zou ik niets meer hebben om voor te leven.'

'Waarom heb je het dan gedaan?' Ze hief haar hoofd op en keek hem aan. 'Ik heb aan Ezra en mijn zonen moeten uitleggen wat er in die brief stond. Weet je wel hoeveel schade dat heeft aangericht?'

'Dat kan ik me wel voorstellen.'

Ze trok haar handen los. 'Nee, dat kun je niet,' zei ze fel. 'En als je er echt spijt van had, waarom ben je dan niet bij me gekomen om je verontschuldigingen aan te bieden en uitleg te geven?'

'Dat wilde ik wel,' zei hij, 'maar je was nooit alleen. Tot nu. Ik wist hoezeer ik je had gekwetst en geloof me, Susan, ik heb net zo veel verdriet als jij.'

Ze keek hem in de ogen en zag dat het waar was, maar verkoos het te negeren. 'Woorden kosten niets. Je had me kunnen schrijven.'

'Dat is waar,' zei hij. 'Maar een brief is zo onpersoonlijk. Ik wilde je zien, je in de ogen kijken en vertellen hoeveel spijt ik ervan heb dat ik je verdriet heb gedaan.' Hij stond voor haar, een silhouet afgetekend tegen de roze gestreepte hemel. 'Vergeef me alsjeblieft, lieveling.'

De woede zakte even snel als ze was opgekomen en toen ze hem aankeek en iets probeerde te zeggen, merkte ze dat ze geen woorden kon vinden waarmee ze uiting kon geven aan haar verwarring. Zijn donkere haar was doorweven met grijs en er zaten rimpels in zijn gezicht, maar dat maakte hem juist nog knapper. Ze kon de hunkering op zijn gezicht bijna niet verdragen, maar ze had zich heilig voorgenomen hem nooit meer te vertrouwen en nooit meer aan het wankelen te worden gebracht door wat ze nog steeds voor hem voelde.

Jonathan leek dat te begrijpen, want na een korte aarzeling pakte hij haar handen weer vast en drukte ze tegen zijn borst, maar nu op een tedere manier, alsof ze een fragiele, kostbare last vormden, die hij wilde beschermen. 'Ik heb altijd van je gehouden, zo lang als ik me kan herinneren,' begon hij. 'Ik heb mijn herinneringen aan jou meegenomen over de hele wereld en die hebben me in moeilijke tijden altijd troost en soelaas gebracht. Ik heb diep spijt van het leed dat ik je heb aangedaan. Zeg alsjeblieft dat je me vergeeft.'

Zijn smeekbede raakte haar tot in haar ziel en ze wist dat ze er niet tegenop kon. 'Natuurlijk vergeef ik je,' zei ze ademloos. 'O, Jonathan, mijn lief, waarom is alles zo gelopen?'

'Dat weet ik niet, lieve schat, maar het ziet ernaar uit dat het lot vastbesloten is ons van elkaar gescheiden te houden.'

Susan deed een stapje achteruit. Ze was zo verdrietig dat ze bijna niet kon praten. 'Je bent niet de enige die om vergiffenis moet vragen,' begon ze toen. Ze zag zijn verbazing en vertelde hem snel over de brief van Millicent. 'Ik heb je verkeerd beoordeeld,' zei ze toen. 'Ik had beter moeten weten en niet naar roddelpraat moeten luisteren.'

Hij hield nog steeds haar handen vast en bleef haar aankijken. 'Jouw zogenaamde zonde is zo veel kleiner dan die van mij dat er niets te vergeven valt.'

'Ik had niet aan je moeten twijfelen.'

Hij schudde zijn hoofd. 'Ik had al zo'n vermoeden dat je de geruchten had gehoord. Het deed me verdriet dat ik niets meer van je hoorde, maar ik begreep wel wat de reden was.' Hij bracht haar handen naar zijn lippen en zijn kus was zo licht als de aanraking van een vlinder. 'O, Susan, was alles maar anders verlopen. Wat zijn we dom geweest.'

'Ja,' antwoordde ze op een fluistertoon, 'maar we hebben ook momenten van groot geluk gekend.'

'En die zal ik altijd koesteren.'

Ze bleven zwijgend staan en toen Susan opkeek naar de ogen die nog steeds bij machte waren haar te betoveren en naar de mond die ze zo graag nog een keer zou kussen, wist ze dat ze nooit was opgehouden van hem te houden, en dat een deel van haar altijd van hem zou zijn.

'Je bent nog net zo mooi als vroeger,' mompelde hij terwijl hij haar wang streelde en met beide handen over haar haren streek. 'Je ogen herinneren me aan de woeste zee van Cornwall en je haar heeft nog altijd de gouden kleur van rijp graan. Wat zou ik er niet voor geven als we terug konden gaan in de tijd.'

Ze bloosde, voor het eerst in vele jaren. 'Vrouwen worden hier snel oud,' zei ze zachtjes, 'en ik weet best dat ik rimpels heb en witte haren.' Ze werd naar hem toegetrokken door de onzichtbare banden die hen met elkaar verbonden en wist dat ze verloren zou zijn als ze zich niet onmiddellijk van hem losmaakte. 'Het is laat,' zei ze en ze deed een stap achteruit. 'Ik moet gaan.'

'Nog niet,' zei hij snel. 'Ik moet je nog zo veel vertellen, er moeten nog zo veel dingen gezegd worden voordat je vertrekt.'

'Je weet dus van Hawkesbury?'

'Sydney is een kleine stad. Nieuws doet snel de ronde.'

Susan probeerde te glimlachen, maar voelde zich alleen maar bedroefd toen ze hem over hun toekomstplannen vertelde.

'Waarom gaan jullie niet terug naar Cornwall?'

Ze keek hem verbijsterd aan. 'Dat is nooit in ons hoofd opgekomen,' zei ze. 'George en Ernest hebben hier hun boerderij en voor Florence is het belangrijk dat ze ons kan bereiken...'

Haar woorden stokten en alle verwarde gedachten verdwenen toen hij zijn hoofd boog en haar kuste. Ze vlijde zich in zijn armen en kuste hem terug terwijl de bekende hunkering terugkeerde en het verlangen bijna onverdraaglijk werd. De behoefte om met hem de liefde te bedrijven, om zijn handen en mond op haar huid te voelen, de zaligheid van het wederzijdse liefhebben weer te ervaren, werd haar bijna te veel.

'Nee,' hijgde ze. 'Nee.' Ze duwde hem weg en bleef trillend staan. 'Het mag niet, Jonathan.'

Hij glimlachte op een trieste manier. 'Ik weet het,' zei hij, 'maar hoe kan ik je weerstaan als ik nog steeds zo veel van je hou?'

'We moeten sterk zijn,' zei ze. Met trillende handen streek ze de kreukels in haar zomerjurk glad. 'Ezra heeft me vergeven en alhoewel hij niet van de volledige omvang van mijn bedrog op de hoogte is, ben ik van plan een goede echtgenote voor hem te zijn.' Ze keek naar hem op. 'Ik hou ook van jou, al zo lang als ik me kan herinneren, maar mijn liefde voor Ezra is gebouwd op een veel steviger fundering en na wat er in Cornwall is gebeurd, kan ik hem niet nogmaals bedriegen.'

Jonathan fronste zijn voorhoofd. 'Wist Ezra er dan al van vóór de rechtszaak?'

Susan knikte en vertelde hem in het kort hoe haar leven was verlopen sinds hun romance. 'Maar hij wist niet alles,' zei ze tot slot, met een brok in haar keel. 'Ik kon hem niet alles vertellen. Daarmee zou ik alles kapotgemaakt hebben; hem, ons, alles waar ik zo hard voor heb gewerkt.'

Hij keek haar bezorgd en vragend aan. 'Wat bedoel je?' vroeg hij zachtjes.

Tranen stroomden over haar wangen toen ze naar hem opkeek. Ze moest het hem vertellen. Ze kon niet anders. Het geheim dat ze zo lang had bewaard moest worden onthuld aan de enige persoon die het nooit zou doorvertellen. 'Er was een baby,' fluisterde ze. 'Onze baby.'

'Onze baby?' Alle kleur trok weg uit zijn gezicht. 'Van jou en mij?'

Ze knikte, niet in staat te spreken, verblind door tranen.

Hij nam haar in zijn armen en hield haar vast tot het snikken verminderde. 'O, lieveling,' fluisterde hij, 'dat heb ik nooit geweten, ik had geen idee...' Hij zweeg lange tijd. 'Had het me maar verteld... dan had ik... wat is ermee gebeurd?'

Ze drukte haar gezicht tegen zijn jas omdat ze het verdriet op zijn gezicht niet kon aanzien. 'Ze is weg, Jonathan. Voor altijd.'

Hij drukte haar nog dichter tegen zich aan en zijn kreun drong door tot in de kern van haar wezen. 'Arme baby. Arme Susan,' zei hij. 'Wat vreselijk dat je dat helemaal in je eentje hebt moeten doorstaan.'

Ze had geen kracht meer over, was leeg van het huilen, het verdriet, de herinneringen aan die tijd. Na een poosje maakte ze zich los uit zijn omhelzing en pakte ze zijn zakdoek aan.

'Ik stond er niet alleen voor,' zei ze terwijl ze haar tranen droogde. 'Mijn vriendin Ann heeft voor me gezorgd. Ik ben meteen teruggegaan naar Ezra nadat... nadat...' Ze haalde diep adem. 'Ik heb gedaan alsof er niets was gebeurd, maar mijn armen waren zo leeg.' Weer welden tranen op en weer sloot hij haar in zijn armen.

'En dat heb je al die jaren geheimgehouden,' mompelde hij terwijl hij haar haren streelde. 'Je bent veel dapperder en sterker dan ik. Hoe kan ik je dit ooit vergoeden – en haar?' Hij drukte verderlichte kusjes op haar voorhoofd, terwijl de zon naar de heuvels zakte en hun tranen zich mengden in hun verdriet om het geluk en het kind dat ze hadden verloren.

De tijd verstreek en de zon zakte naar de horizon. Uiteindelijk maakte ze zich los uit zijn omhelzing, snoot haar neus, droogde haar ogen en haalde diep adem. 'Ik ben blij dat ik het je nu heb verteld,' zei ze zachtjes, 'al heeft het me net zo veel pijn gedaan als het bewaren van het geheim, en spijt het me erg dat ik je leed heb berokkend.'

Hij schraapte zijn keel. 'Je moet me vertellen waar ze begraven is,' zei hij, 'dan kan ik erop toezien dat haar graf wordt onderhouden.'

Ze schudde haar hoofd. 'Laat haar nu maar over aan God,' zei ze terwijl ze naar de hemel keek, die rood werd gevlamd door de ondergaande zon.

'Zoals je wilt,' antwoordde hij bedrukt. 'Ze zal geweten hebben dat haar ouders van haar hielden. Bloemen zijn slechts een troost voor de levenden.' Hij haalde zijn sigarenhouder uit zijn zak. Toen hij een sigaar had opgestoken leek hij nieuwe kracht te vinden en rechtte hij zijn rug. Alleen in zijn ogen was het verdriet nog zichtbaar.

'Ik ga Sydney ook verlaten,' zei hij. 'Ik ga naar de rivier de Endeavour in het noorden om te zien of ik Watpipa en zijn volk kan vinden.'

Susan haakte erop in. 'Ik hoop dat die er beter aan toe zijn dat de arme stakkers hier,' zei ze. 'Ik benijd je je vrijheid om te reizen en meer over dit woeste land te ontdekken.'

'Ga dan met me mee,' zei hij. Hij gooide de half opgerookte sigaar weg en pakte haar handen. 'Het zal het avontuur zijn waar we in Cornwall over droomden.' Zijn gezicht lichtte op van hoop toen hij haar handen tegen zijn borst drukte. 'Trouw met me, Susan. Verlaat Ezra en leef met me samen tot je vrij bent om me te huwen.'

'Ik wou dat het kon,' zuchtte ze, 'ik zou dolgraag met je trouwen, want ik weet dat we samen gelukkig zouden zijn.' Ze probeerde zich van hem los te maken, maar hij verstevigde zijn greep en hield haar gevangen. 'Maar ik ben niet vrij,' zei ze. 'Ik zal nooit vrij zijn. En ik heb Ezra al te veel gekwetst.'

'Maar ik hou van je, Susan. Ik heb altijd van je gehouden.'

'Dat weet ik,' fluisterde ze. Ze legde haar hand tegen zijn dierbare gezicht en voelde zijn kus in haar handpalm. 'En ik ook van jou. Maar het is te laat.'

Ze streelde zijn wang en de druppelvormige moedervlek aan zijn slaap, zo bekend en geliefd. Met een zachte kus maakte ze zich voor de laatste keer van hem los. Tranen verblindden haar toen ze terugholde over het strand.

'Vaarwel, mijn lief,' fluisterde ze in de wind.

Dankwoord

Het land achter de horizon had nooit geschreven kunnen worden zonder de hulp, steun en adviezen van alle mensen die zo goed zijn geweest hun expertise met me te delen.

Wilfred Gordon, eigenaar en stamoudste van Nugalwarra Traditional, met wie ik een wonderbaarlijke reis heb gemaakt door de bush van Queensland, en die zijn kennis van Droomtijd, *bush tucker** en de geschiedenis van zijn eigen familie met me heeft gedeeld. Zijn amicale gezelschap en de verhalen die hij heeft verteld waren een inspiratie en ik hoop dat het werk dat hij doet met de jongere generaties van zijn volk succes zal hebben, want zonder mannen als hij zal de Aboriginaljeugd van Australië ankerloos blijven.

Dr. Andrew Griffiths, MA. MD. FRCP., voor zijn uitgebreide kennis van erfelijke huidkenmerken en nog veel meer. Ik dank ook zijn echtgenote, Elizabeth, voor het aangename gezelschap en de heerlijke diners.

Ashley en Debbie van het Panorama Hotel in West Looe, die me de weg hebben gewezen naar Mousehole: veel dank voor jullie gastvrijheid en een vriendschap die vast en zeker zal blijven bestaan.

De ploeg van Hodder, in het bijzonder Sara Kinsella, wier enthousiasme en geloof in dit verhaal van groot belang zijn geweest.

Enorm veel dank ook aan mijn literair agent, Teresa Chris, die altijd in me is blijven geloven, ook als het zeer moeizaam ging.

En lest best dank ik Tina, Val en Ann voor hun vriendschap en meidenlunches, die reuzebelangrijk zijn wanneer je met vermoeide ogen uit je werkkamer komt.

* Een verzamelnaam voor de grote verscheidenheid aan planten, kruiden, paddenstoelen, vruchten, bloemen, groenten, dieren, vogels, reptielen en insecten die kenmerkend zijn voor Australië (bron: http://www.theepicentre.com/Australia/aufood2.html).

Beste lezer(es),

Heeft u genoten van *Het land achter de horizon*?

Lees op de pagina's hierna dan een voorproefje van de volgende roman van Tamara McKinley!

Als u bericht van ons wilt ontvangen op het moment dat dit volgende boek verschijnt, stuurt u alvast een e-mail naar:

info@defonteinbaarn.nl

Wij sturen u dan tevens een kortingsbon van € 2,50, waarmee u tot drie maanden na publicatie het boek kunt aanschaffen!

Vermeld in de onderwerpregel s.v.p. 'Tamara McKinley'.

Met vriendelijke groet,

Uitgeverij De Kern

Proloog

De rivier de Brisbane, 1795

Voordat de dageraad de hemel kleurde, waren de acht ruiters al op weg. Edward Cadwallader keek op. De maan zat verscholen achter een dikke wolkenlaag. Een nacht bij uitstek geschikt voor moord.

Ze bewogen zich vrijwel geruisloos door de stille outback omdat ze de hoeven en het rinkelende tuig van de paarden hadden omwikkeld met jute, en de mannen wisten dat praten en roken verboden waren. Ze hadden dit al vaker gedaan en net als de voorgaande keren was Edward zich scherp bewust van de opwinding die vlak voor de aanval bezit van hem nam, seksueel en dwingend. Hij kon zijn ongeduld nauwelijks bedwingen bij het vooruitzicht van wat er ging gebeuren.

Zijn blik gleed langzaam over het terrein. Steile heuvels aan weerskanten, in ruige pieken oprijzend uit het met struikgewas begroeide terrein. Donkere schaduwen rond rotsformaties en beboste gedeelten. Zijn paard schrok toen er iets ritselde in de struiken. Edward had de teugels stevig vast maar ook hij was gespannen, want ze waren al dicht bij hun doel en konden door het minste of geringste geluid verraden worden.

Hij keek om naar de mannen die hem gewillig volgden op deze nachtelijke strooftochten en beantwoordde de grijns van zijn grijsharige sergeant. Willy Baines en hij waren gelijktijdig bij het New South Wales Corps ingelijfd nadat ze ook al samen een cel in een militaire gevangenis hadden gedeeld. De oudere man had aan zijn zijde gestaan tijdens de verkrachtingszaak en hem geholpen hun overwinning te vieren. Ze kenden elkaars gedachten en begrepen elkaars bloeddorstigheid, en ondanks het grote klassenverschil beschouwde Edward de oudere man als zijn beste vriend.

Hij wierp een snelle blik op de andere zes mannen en tuurde toen weer de duisternis in met ogen die helemaal aan het donker gewend waren na twee uur rijden. Het waren goede mannen en hij kon ervan op aan dat ze hun mond dicht zouden houden wanneer ze teruggingen naar Sydney. Over zuiveringen werd niet in het openbaar gesproken, ook al kwamen ze steeds vaker voor en wist iedereen dat de zwartjes van het voor de blanken broodnodige land moesten worden verdreven. Hoe minder het volk wist over de methoden die het leger daarvoor gebruikte, hoe beter. Bovendien kon het niemand iets schelen.

Hawkesbury was al gezuiverd en alhoewel de rebelse Pemuluwuy nog op vrije voeten was, wist Edward dat het slechts een kwestie van weken was voordat hij en zijn zoon werden gevonden en afgeschoten. Nu had Edward tot taak gekregen de laatste Turrbal uit het gebied rond de Brisbane te vernietigen.

Het was een opwindende tijd en Edward genoot er met volle teugen van. Hij had veel geleerd tijdens zijn jaren van ballingschap in de wildernis en hij had tevens ontdekt hoe opwindend het was om op zwartjes te jagen. Zijn reputatie en het respect dat zijn mannen voor hem hadden, waren doorgefilterd naar de autoriteiten in Sydney Town. Ondanks zijn twijfelachtige verleden was hij bevorderd tot majoor en als hij erin slaagde deze streek te ontdoen van het zwarte gif, had de generaal hem toegezegd dat zijn straftijd met twee jaar verkort zou worden. Het leven was goed en hij keek uit naar de dag waarop hij kon terugkeren naar Sydney om een hoop geld te verdienen en een huis te bouwen waar iedereen jaloers op zou zijn.

Het vooruitzicht op een blanke vrouw maakte zijn opwinding nog groter. De zwarte vrouwtjes stonken en vochten vaak als katten. Hij hield echter van uitdagingen en alhoewel hij het zwarte fluweel exotisch vond, gaf hij de voorkeur aan de geur van blank vlees.

Hij zette die gedachten van zich af. Later had hij tijd genoeg om aan vrouwen te denken. Nu moest hij op zijn qui-vive blijven om niet in een hinderlaag te lopen. Ook al waren de zwartjes domme bosnegers, dit was nog altijd hun terrein en ze kenden het veel beter dan de soldaten, ongeacht hoe goed die getraind waren.

De patrouille reed stil voort door het struikgewas, alert op krijgers die zich mogelijk in de schaduwen ophielden. Toen de stormwolken aan de hemel een grijze tint kregen, begon de spanning te stijgen. Dit was het gevaarlijkste deel van hun tocht, want ze bevonden zich nu op amper een kilometer afstand van het kamp.

Edward hield zijn paard in en gleed uit het zadel. Hij wachtte tot de anderen zich om hem heen verzameld hadden. 'Jullie weten wat ons te doen staat?' Hij sprak op een fluistertoon.

Ze knikten. Ze hadden het plan een paar dagen geleden nauwkeurig uitgewerkt en wisten dat ze met de vrouwen die ze te pakken kregen, mochten doen wat ze wilden.

'Breng jullie musketten in gereedheid,' beval Edward, 'en denk erom, er mag niemand in leven blijven.'

'Ook de kinderen en meisjes niet?'

Edward keek naar de nieuwe rekruut, een magere, jonge soldaat met heldere ogen, die een militair strafblad had en een voorliefde voor inlandse vrouwen. Zijn gezicht stond streng en zijn ogen waren koud toen hij zijn gezag liet gelden. 'Meisjes fokken en kinderen worden groot en gaan ook fokken. Het kan me niet schelen wat je doet en hoe je het doet, maar vanavond blijft hier niets in leven,' siste hij. Hij keek de soldaat dreigend aan en zag tot zijn voldoening een vonk van angst in diens ogen.

De jongeman knikte met een blos op zijn bleke gezicht.

Edward wendde zich tot Baines. 'We gaan eerst op verkenning,' zei hij zachtjes, 'om te zien of ze er wel zijn.'

Baines krabde aan zijn stoppelbaard. De mannen hadden zich al vier dagen niet gewassen of geschoren, want de zwartjes roken de geur van zeep en pommade van een kilometer afstand. 'Vast wel,' antwoordde hij op een fluistertoon. 'Volgens mijn spionnen komen ze hier al eeuwen.'

Edward grinnikte. 'Jij en je spionnen, Willy. Hoe krijg je het toch voor elkaar dat de zwartjes je zo veel verklappen?'

Willy schudde zijn hoofd terwijl ze bij de anderen vandaan liepen. 'Voor ons zijn ze allemaal zwart en ik kan ze zelf ook niet uit elkaar houden, maar het is lang niet altijd koek en ei tussen de stammen en voor een kruikje rum of een pakje tabak is er altijd wel iemand te vinden die bereid is zijn mond open te doen.'

Edward legde zijn hand op de schouder van zijn vriend. 'Ik begrijp helemaal niks van ze, Willy, en de enige goede Abo is een dode Abo. Kom. Laten we een kijkje gaan nemen.' Terwijl de anderen hun musketten laadden, slopen ze behoedzaam door de laatste struiken naar de waterkant. De rivier was ondiep en bochtig, en het riet en de overhangende bomen boden een perfecte dekking in de maanloze nacht. De twee mannen gingen op hun buik liggen, met hun hoofd net boven het lange gras uit en bekeken het slapende kamp.

De jonge vrijgezellen, de krijgers, sliepen in een rommelige, beschermende kring rond de vrouwen, kinderen en oude mensen. De meesten lagen gewoon in de openlucht, maar er waren drie of vier *gunyahs* – hutjes van gras en eucalyptustakken – waarin de stamoudsten sliepen. Honden rekten zich uit en krabden zich, sliertjes rook stegen op uit de smeulende kampvuren, oude mannen rochelden en baby's maakten zachte huilgeluidjes. Edward glimlachte toen zijn blauwe ogen het tafereel opnamen. De Turrbal hadden geen flauw idee wat hun te wachten stond.

Lowitja werd wakker en drukte instinctief haar vijfjarige kleinzoon dichter tegen zich aan. Iets had haar droom verstoord en toen ze haar ogen opende, hoorde ze de droeve kreet van een wulp. Het was de roep van de geesten, de angstige kreet van zielen in nood, een waarschuwing dat er gevaar dreigde.

Mandawuy begon te wurmen in haar strakke omhelzing en zou zijn gaan huilen als ze haar hand niet op zijn mond had gedrukt. 'Stil,' zei ze op de zachte gebiedende toon waarvan hij had geleerd dat hij er onmiddellijk aan moest gehoorzamen. Hij bleef stil en onbevreesd liggen terwijl de lichtbruine ogen van zijn grootmoeder wazig werden en ze voor zich uit staarde naar een punt buiten het kamp. Wat zag ze, vroeg hij zich af. Waren er geesten in het kamp? Kon ze hun stemmen horen, en wat zeiden die dan tegen haar?

Lowitja luisterde naar de roep van de wulpen. Het waren er nu veel meer. Het was alsof de geesten van de doden bijeenkwamen en hun stemmen zich verenigden tot een angstige roep die zich in haar hart boorde. Toen, in het grauwe licht van de nieuwe dag, zag ze spookachtige gedaanten bewegen tussen de bomen. Ze wist wie het waren en waarom ze waren gekomen.

Edward en Willy verdwenen in de schaduw van de bomen en keerden terug naar de wachtende mannen. Ze moesten opschieten want het kamp werd al wakker. Edward zag de verwachtingsvolle blik op de gezichten van de mannen en hij zag ook dat ze de haan van hun karabijn al gespannen hadden. De pret kon beginnen.

'Opstijgen,' fluisterde hij. Hij pakte de teugels van zijn paard en steeg op. 'Stapvoets.'

Met geoefende precisie stapten ze voort tot ze het kamp in zicht hadden. Edward liet de groep weer tot stilstand komen en reed naar voren. De opwinding was bijna tastbaar toen hij zijn sabel ophief en de eerste stralen van de zon verblindend op het staal afketsten. Hij hield het omhoog, trillend van anticipatie, genietend van de spanning.

'Attaqueren!'

Als één man gaven ze hun paarden de sporen. De dieren galoppeerden met gestrekte nek en opensperde neusvleugels, hun oren plat tegen hun hoofd terwijl hun berijders joelden en brulden en ze opjoegen tot nog grotere snelheid.

Lowitja keek als betoverd naar de verschijning van de geestmensen. In al haar dertig jaren had ze hen nooit zo duidelijk gezien en eerst dacht ze nog dat het gedender was geboren uit een plotselinge zomerstorm. Ze maakte zich los van haar visioenen en klemde haar handen automatisch strakker om Mandawuy toen ze zag dat de nekharen van de honden overeind kwamen en de geschrokken vogels in een storm van fladderende vleugels uit de bomen opvlogen.

Het gedender werd luider en de rest van de clan schrok wakker. Baby's en kleine kinderen begonnen te huilen toen hun moeders hen snel naar zich toe trokken. De krijgers tastten naar hun speren en knuppels, de oude mensen bleven als versteend zitten en de honden begonnen woedend te blaffen.

Het gedender kwam snel dichterbij tot het alles overstemde en de grond trilde. Angstig sprong Lowitja overeind. Nu begreep ze waarom de geesten tot haar waren gekomen, waarom ze haar hadden gewaarschuwd. Ze moest Mandawuy redden. Ze leidde alle energie die ze bezat naar haar trillende benen en armen, greep haar kleinzoon en rende weg.

Doornen schramden haar vel, takken zwiepten tegen haar lijf, geniepige boomwortels dreigden haar keer op keer te laten struikelen toen ze door het bos vloog. Het gedender van de paardenhoeven en de oorverdovende knallen van de geweerschoten reten achter haar de lucht uiteen, maar ze keek niet om en minderde geen vaart.

Mandawuy maakte geen enkel geluid. Hij klampte zich aan haar vast, zijn armpjes en beentjes om haar nek en romp gewikkeld, zijn angstige tranen heet op haar huid, terwijl in het kamp gegil, geschreeuw en geweerschoten echoden.

Lowitja's hart bonkte, haar borst deed pijn, en haar armen en benen werden zo zwaar als lood toen ze door het bos rende om het enige levende kind van haar zoon in veiligheid te brengen. Maar ze stopte niet.

Ze galoppeerden dwars door de krakkemikkige *gunyahs* en lieten de rode sintels van de smeulende kampvuren alle kanten op stuiven, als een vuurstorm. Bij de eerste salvo zakten mannen, vrouwen en kinderen bloedend in elkaar op de grond waar ze meteen werden vertrapt door de galopperende paarden. IJselijke kreten vulden de lucht en wie kracht had, begon te rennen. De jacht kon beginnen.

De honden stoven alle kanten op, de vrouwen drukten hun kinderen tegen zich aan en de mannen pakten haastig hun speren en knotsen. De oude mensen probeerden weg te kruipen of bleven met hun armen over hun hoofd zitten in een armzalige poging zich tegen de sabels te beschermen. Kleine kinderen, verstijfd van angst, bleven roerloos staan tot ze door de paarden tegen de donkerrode aarde werden gesmeten en vertrapt. Enkele jonge, sterke mannen probeerden hun vluchtende gezinsleden te beschermen, maar kregen geen tijd om een speer te gooien of met een knots te zwaaien voordat ze aan stukken werden gehakt.

Edward zinderde van moordlust toen hij zijn paard scherp wendde en zijn tweede schot afvuurde op een oude vrouw die ineengedoken bij een kampvuur zat. Hij zag dat ze midden in de vlammen viel toen hij snel zijn geweer opnieuw laadde. Aan haar hoefde hij niet nog een kogel te verspillen. Ze ging zo ook wel dood.

Steeds weer laadde hij zijn geweer, tot de loop gloeiend heet was. Toen hij niet meer kon schieten, gebruikte hij de karabijn als een knuppel waarmee hij links en rechts schedels insloeg en nekken brak, en degenen die niet snel genoeg konden wegkomen tegen de grond sloeg om het werk vervolgens af te maken met zijn sabel. Zijn paard was bedekt met schuimig zweet en sperde angstig zijn ogen open toen de *gunyahs* in brand vlogen en het kamp werd gevuld met dikke, zwarte rook. Er hing een allesoverheersende geur van brandend vlees en eucalyptus die in hun ogen prikte en hun keel schroeide.

Twee van zijn mannen waren afgestegen en joegen een paar vrouwen na die het bos in waren gevlucht. Willy maakte korte metten met een paar kinderen en de anderen waren bezig drie krijgers aan stukken te hakken die om zich te verdedigen hun speren hadden opgeheven.

Edward liet zijn paard in korte kringetjes lopen terwijl hij op twee jongens jaagde en ieder met één slag van zijn sabel doodde. Het lemmet was rood van hun bloed, zijn uniform zat onder de bloedspatten, de flanken van zijn paard waren kleverig. Maar hij was nog niet klaar, zijn bloeddorst was nog niet bevredigd, en dus zocht hij naar een nieuw slachtoffer.

Het meisje bevond zich aan de rand van de open plek. Ze was bijna bij de bomen, maar kwam niet snel vooruit omdat ze het scherp van een sabel al had gevoeld. Hij zag de bloedende wond aan haar schouder waar het zwarte vlees uiteenweek als een obscene roze mond.

Hij gaf zijn paard de sporen en hief zijn sabel weer op. 'Die daar is voor mij, Willy,' riep hij toen hij zag dat zijn vriend haar gelijk met hem in de gaten kreeg.

Ze keek over haar schouder, haar ogen wijd opengesperd van angst.

Edward stoof langs haar heen en stopte.

Het meisje bleef stokstijf staan.

Edward onthoofdde haar met één slag en galoppeerde snel terug naar de open plek om te zien wat de anderen voor hem hadden overgelaten.

Lowitja hield zich verscholen tussen de beschermende takken van de boom, hoog boven de grond. Ze klampte Mandawuy tegen zich aan en hield hem stil door hem aan haar borst te laten zuigen, terwijl de slachting in de verte doorging. Ze beefde toen ze onder zich rennende voetstappen, knallende geweren en het bloedstollende gekrijs van de gewonden hoorde. Ze huilde stille tranen toen ze het brandende vlees rook. Ze kon zich de afgrijselijke dingen die haar volk werden aangedaan alleen maar inbeelden, kon alleen maar tot de Grote Geest bidden dat sommigen van hen deze dag zouden overleven.

De stilte die uiteindelijk over het bos neerdaalde was nog griezeliger. Een stilte zo zwaar als lood in een duisternis die naar Lowitja's gevoel oneindig was. Ze wachtte de hele nacht, terwijl haar lichaam trilde van de moeite die het haar kostte om Mandawuy in haar armen te houden en haar evenwicht te bewaren op de hoge tak. Slapen durfde ze niet.

De zon verscheen als een dunne, bleke streep aan de horizon toen ze met het dierbare kind op haar rug uit de boom klauterde. Met zijn kleine handje in de hare sloop ze uiterst behoedzaam terug naar het kamp. Ze was bang voor wat ze zou zien, bang voor de waarheid die ze onder ogen zou moeten zien. Maar de oeroudergeesten riepen haar, leidden haar naar het slagveld omdat ze moest weten wat de witte mannen hadden gedaan om die wetenschap door te geven.

Ze bleef aan de rand van de open plek staan, nog niet dapper genoeg om de plaats van de dood te betreden. Het was volkomen stil in het kamp, en in die stilte hoorde ze de fluisterende stemmen van dode krijgers uit het verre verleden die de leden van de Eora en de Turrbal kwamen halen om hen naar de wereld van de geesten te leiden. Kransen van rook stegen langzaam op in de windstille dageraad en bleven als deinende sluiers hangen boven de chaos van kookpotten, verminkte lichamen en gebroken speren.

Lowitja stond daar met haar kleinzoon en huiverde. Er was niemand gespaard, zelfs de allerkleinsten niet. Ze hoorde de zoemende vliegen, zag ze als donkere wolken boven de verminkte en door paardenhoeven vertrapte lichamen hangen. Ze zag dat de lijken al sporen droegen van de kraaien en de dingo's die 's nachts hadden gevochten om de verse kadavers. Straks kwamen ook de varanen met hun scherpe tanden en klauwen om het rottende vlees te verslinden, waarna de insecten en larven het werk zouden afmaken.

Lowitja keek naar het slagveld en wist dat haar volk was uitgeroeid. De profetie van de geesten en de stenen was uitgekomen. Ze zou nooit meer naar deze plek terugkomen, maar westwaarts trekken, naar Uluru. Het was een lange en gevaarlijke tocht voor een vrouw alleen, maar Uluru was waar haar geest thuishoorde en ze stierf liever op weg daarnaartoe dan dat ze hier bleef, te midden van de witte onmensen.

Ze tilde haar kleinzoon op en kuste hem. Hij was de laatste volbloed Eora, de laatste schakel tussen haar, Anabarru en hun grote voorouder Garnday. Ze moest hem goed beschermen.

Lees ook van Tamara McKinley:

Twee boeken in één band!

Onderstromen

Vlak na de Tweede Wereldoorlog keert Olivia Hamilton vanuit Engeland terug naar haar geliefde Australië, waar haar moeder pas is overleden. In haar geboortedorp Trinity hoopt ze de waarheid te vinden achter een aantal onthutsende documenten uit haar moeders nalatenschap. Daarbij heeft ze de hulp nodig van haar verfoeide oudere zus Irene en een oude vriendin van haar moeder.
Olivia is vastbesloten in haar zoektocht naar de waarheid. Ze heeft geen idee welke uitdagingen en passies voor haar in het verschiet liggen, maar ze komt er snel achter dat stille wateren niet alleen diepe gronden hebben, maar ook gevaarlijke onderstromen verbergen...

Zomerstorm

Om haar 75e verjaardag te vieren, besluit Miriam Strong een familiereünie op haar landgoed Bellbird Station te houden. Ze ziet ernaar uit iedereen na lange tijd weer te ontmoeten.
Maar wanneer ze het eerste bewijs in handen krijgt over de toedracht van haar gestolen erfenis, weet ze dat ze het voor een tweede keer moet opnemen tegen een oude vijand en pijnlijke herinneringen uit het verleden.
Dan ontmoet ze de gescheiden, hulpvaardige advocaat Jake Connor. Samen met hem begint Miriam haar zoektocht naar de waarheid; een zoektocht die het leven van velen om haar heen zal veranderen, zeker dat van haar kleindochters Fiona en Louise...

Paperback, 704 blz., ISBN 978 90 325 1139 5

Lees ook van Tamara McKinley:

Windbloemen

Australië, 1936. Ellie wordt als 14-jarig weesmeisje dolend in de verzengende hitte van de outback gevonden door de tweeling Charlie en Joe. Ze brengen haar naar het enige familielid dat ze kent, tante Aurelia, op haar grote veehouderij Warratah. Hier groeien de drie op tot jonge volwassenen.

Dan breekt de Tweede Wereldoorlog uit. Ellie heeft Joe in haar hart gesloten, maar het is de vileine Charlie die als enige terugkomt. Ondanks alles heet Ellie hem welkom maar Aurelia wantrouwt Charlies motieven, en niet ten onrechte...

Jaren later is het aan Ellie om aan haar inmiddels volwassen dochters de waarheid te vertellen over wat er destijds is gebeurd. Maar daarvoor moet ze wel enkele beschamende geheimen van Warratahs geschiedenis prijsgeven. Ellie hoopt dat haar dochters sterk genoeg zijn voor de naderende storm.

'McKinley is een boeiende vertelster, die de verhaallijnen uitstekend weet te combineren en die oog heeft voor het specifieke van haar vaderland.' *Biblion*

Paperback, 384 blz., ISBN 978 90 325 1016 9

Lees ook van Tamara McKinley:

Droomvlucht

Catriona Summers' debuut op het toneel kwam vroeg: haar vader, leider van een rondtrekkend theater in de Australische outback van de jaren twintig, droeg Cat als pasgeboren baby al het podium op.
Vanuit deze nederige achtergrond groeit Catriona uit tot een uniek zangtalent om uiteindelijk een wereldberoemde operadiva te worden. Maar haar carrière en levensloop gaan gepaard met veel tegenspoed, en nu dreigt een oud, schandelijk geheim haar leven voorgoed te ontwrichten.
Alles wat ze bereikt heeft, dreigt ineen te storten en niets zal meer hetzelfde blijven...

'Kleurrijke personages en met een scherp oog voor historisch detail geschreven. Ten sterkste aanbevolen.' *Library Journal*

'Een prachtige roman over tegenslag en verstrengelde relaties in de Australische outback. Verslavend en de moeite waard. Een goeie!'
The Bookseller

Paperback, 496 blz., ISBN 978 90 325 1018 3